2026 임용 전공물리 **Master Key** 시리즈

박문각 임용 동영상강의 www.pmg.co.kr

박문각

정답 및 해설

정승현 전공물리 기출문제집

정승현 편저

Chapter 01 기본역학

본책 22 ~ 55쪽

1 1, 2차원 운동

01

본책 22p

정답 1) $v_{0x}v_{0y}=\frac{gR}{2}$, 2) $v_{\min}=\sqrt{gR}$

영역	역학
핵심 개념	포물선 운동
평가요소 및 기준	포물선운동의 공식 활용

해설

1) x : $R=v_{0x}t$

$$y : 0=v_{0y}t-\frac{1}{2}gt^2 \rightarrow t=\frac{2v_{0y}}{g}$$

$$R=\frac{2v_{0x}v_{0y}}{g}$$

$$\therefore v_{0x}v_{0y}=\frac{gR}{2}$$

2) $R=\frac{v_0^2\sin 2\theta}{g}$

$$v_0^2=\frac{gR}{\sin 2\theta}\geq gR$$

$$\therefore v_{\min}=\sqrt{gR}$$

02

본책 22p

정답 1) t_4, 2) $-g$, 3) $v(t)=-g(t-t_4)$

영역	역학
핵심 개념	충돌, 연직 투상운동
평가요소 및 기준	속도-시간 그래프의 이해

해설

1) 최고점에 도달하면 속도는 0이 되고 위 방향에서 다시 내려가는 방향이므로 속도의 부호는 $+\rightarrow-$로 변하게 된다. 즉 t_4일 때 다시 튀어 오른 후 최고점에 도달한다.
2) 농구공의 $t_3\sim t_5$구간에서 자유 낙하하므로 기울기가 음수이고 중력가속도와 동일하므로 $-g$이다.
3) t_3의 속도를 v라고 하면 $g=\frac{v}{t_4-t_3}$를 만족한다.

$$v(t)=-g(t-t_3)+v$$
$$=-g(t-t_3)+g(t_4-t_3)$$
$$\therefore v(t)=-g(t-t_4)$$

03

본책 23p

정답 1) $\theta=90^\circ$, 2) $v_0=\sqrt{\frac{gs}{2}}$

영역	일반물리 : 포물선 운동
핵심 개념	상대속도 및 포물선 기본, x, y축의 속도비와 각의 상관관계, 수평이동거리
평가요소 및 기준	• 지표면에서 움직이는 물체에서 발사된 포물선의 수식적 전개 • x, y축 개별 전개로 시간 및 이동거리 구하기

해설

지편에 대한 총알의 속도를 구하면

$$(v_x, v_y)=(v_0+v_0\cos\theta,\ v_0\sin\theta-gt)$$

변위식

$$(x, y)=\left[(v_0+v_0\cos\theta)t,\ v_0\sin\theta t-\frac{1}{2}gt^2\right]$$

$$s=(v_0+v_0\cos\theta)t$$

과녁에 도달한 시간은 $t_s=\frac{2v_0\sin\theta}{g}$

과녁에 도달하였을 때 x축과의 각도가 45°이므로

$$\tan(-45^\circ)=\frac{dy}{dx}=\frac{\frac{dy}{dt}}{\frac{dx}{dt}}=\frac{v_y}{v_x}=\frac{v_0\sin\theta-gt_s}{v_0+v_0\cos\theta}=-1$$

$$\sin\theta=1+\cos\theta \rightarrow \therefore\ \theta=90^\circ$$

$$s=v_0\left(\frac{2v_0}{g}\right)=\frac{2v_0^2}{g}$$

$$\therefore v_0=\sqrt{\frac{gs}{2}}$$

04

본책 23p

정답 $v=\sqrt{v_0^2+2g(H-h)}$

영역	일반물리: 포물선 운동
핵심 개념	포물선 운동의 기본 성질
평가요소 및 기준	포물선 운동의 x, y축 개별 운동 수직 전개

해설

물체 $x=v_0t$

총알 $x=v\cos\theta t$ 연립하면 → $v_0=v\cos\theta$

$$y=H-h=v\sin\theta t-\frac{1}{2}gt^2=\frac{v^2\sin^2\theta}{2g}\ \left(최고점\ t=\frac{v\sin\theta}{g}\right)$$

$2g(H-h)=v^2\sin^2\theta$, $v_0^2=v^2\cos^2\theta$ 연립하면

$\therefore v=\sqrt{v_0^2+2g(H-h)}$

05

본책 24p

정답 1) $S_A=3L$, 2) $\Delta t=\sqrt{\frac{6L}{g}}$, 3) $v_0=\sqrt{\frac{3}{2}gL}$

영역	역학
핵심 개념	2차원 충돌, 포물선 운동의 x, y축 분해
평가요소 및 기준	x, y축 분해하여 2차원 운동 이해

해설

1) 속력이 동일하고 거리가 $6L$ 떨어져 있으므로 중앙에서 충돌

$\therefore S_A=3L$

2) $\Delta t=\frac{3L}{v_0}$ ($\frac{L}{v_0}$= A 낙하시간, $\frac{2L}{v_0}$= B 낙하시간)

$$y_A=\frac{1}{2}g\left(\frac{L}{v_0}\right),\ y_B=\frac{1}{2}g\left(\frac{2L}{v_0}\right)^2$$

$$y_A+L=y_B,\ L=\frac{1}{2}g\left(\frac{4L^2}{v_0^2}\right)-\frac{1}{2}g\frac{L^2}{v_0^2}=\frac{g}{2}\frac{3L^2}{v_0^2}$$

$$L=\frac{2}{3}\frac{v_0^2}{g}\rightarrow v_0^2=\frac{3}{2}gL\ \cdots\cdots ①$$

$$\therefore \Delta t=\frac{3L}{\sqrt{\frac{3}{2}gL}}=\sqrt{\frac{6L}{g}}$$

3) 식 ①로부터 $\therefore v_0=\sqrt{\frac{3}{2}gL}$

2 운동법칙

06

본책 25p

정답 $\theta=\tan^{-1}(\mu_s)$

영역	역학
핵심 개념	힘의 분해, 수직항력 및 마찰력상태에서 운동조건
평가요소 및 기준	x, y축 힘분해 및 수직항력의 정의, 마찰력 상에서 움직일 조건 활용

해설

힘을 분해해보면

y축 방향 $N+T\sin\theta=mg$,

x축 방향 운동조건 $T\cos\theta=f_s\geq\mu_sN$

$$T\cos\theta\geq\mu_s(mg-T\sin\theta)\rightarrow T\geq\frac{\mu_s mg}{\cos\theta+\mu_s\sin\theta}$$

미분하여 최솟값을 구하면

$$\frac{d}{d\theta}T\geq\frac{-\mu_s mg(-\sin\theta+\mu_s\cos\theta)}{(\cos\theta+\mu_s\sin\theta)^2}=0\rightarrow\tan\theta=\mu_s$$

$\therefore\ \theta=\tan^{-1}(\mu_s)$

07

본책 25p

정답 ④

영역	역학
핵심 개념	가속도-시간 그래프의 이해
평가요소 및 기준	가속도-시간 그래프에서 속도 시간 그래프로 변환

해설

ㄱ. 가속도-시간 그래프에서 넓이는 속도 변화량을 의미하므로 초기 속도정보가 주어지지 않으면 알 수가 없다.

ㄷ. 2~3s 사이의 속도변화량 값은 양수이고 3~4s 사이의 속도변화량은 음수이다. 그런데 크기는 같다.
이 말은 2초일 때 속도와 4초일 때의 속도가 같고 3초일 때 속도가 최고속도라는 것이다.
즉, 속도-시간그래프에서 대칭 형태이므로 이동거리는 동일하다.

ㄴ. 가속도-시간 그래프의 아래 넓이는 $\Delta v=v-v_0$인데 모두 0보다 크므로 방향전환이 없다.

08

본책 26p

정답 ②

영역	역학
핵심 개념	운동법칙, 좌표계의 이해, 알짜힘
평가요소 및 기준	정지좌표계와 가속좌표계에서 힘의 정의 및 분할

해설

지표면에 정지한 사람이 관측할 때는 가속계내부가 아니므로 관성력이 등장하지 않는다.

물체에 작용하는 힘은 장력과 중력이다. 기울어져 정지하고 있으므로 버스와 가속도 방향이 일치한다.

09

본책 27p

정답 ②

영역	역학
핵심 개념	관성력, 수직항력 및 마찰력
평가요소 및 기준	가속좌표계에서 관성력 활용 및 마찰력 존재 시 움직일 조건

해설

m이 미끄러지지 않기 위해서는 m에 작용하는 관성력이 최대 정지마찰력보다 작아야 한다.

즉, $ma = f_s \le \mu_s N = \mu_s m(4g)$

그리고 두 물체가 함께 움직이면 물체의 가속도는 $F = 5ma$이므로 두 식을 연립하면

$m\left(\frac{F}{5m}\right) \le 4\mu_s mg$

$\therefore F \le 8mg$

가능한 F의 최댓값은 $8mg$이다.

10

본책 27p

정답 1) $a = \frac{g}{2}$, 2) $\Delta t = \frac{2v_0}{g}$

영역	일반물리 : 운동방정식
핵심 개념	운동방정식, 등가속도운동의 속도-시간 관계식
평가요소 및 기준	• 운동방정식을 통한 가속도 구하기 • 가속운동에서 속도-시간 관계식에서 주어진 조건하에 특정값 구하기

해설

등속도 운동이므로 줄을 끊기 전까지는 가속도가 0이다.

마찰력을 f라 하고 운동방정식을 세워보면

추 : $mg - T = ma = 0$

나무도막 : $T - 2mg\sin\theta - f = 2ma = 0$

$\rightarrow mg - 2mg\sin\theta - f = 0$

줄을 끊으면 힘은 빗면의 수평방향의 중력성분과 마찰력이므로

$-2mg\sin\theta - f = 2ma$

여기서 위에서 구한 마찰력을 대입하면

$-mg = 2ma$

$\therefore a = -\frac{g}{2}$

가속도의 크기 $a = \frac{g}{2}$

$v = v_0 - at$에서 $\therefore \Delta t = \frac{2v_0}{g}$

11

본책 28p

정답 ①

영역	역학 : 관성력
핵심 개념	관성력의 이해
평가요소 및 기준	관성력의 질량(밀도)에 비례하는지 이해

해설

관성력은 가속도가 동일할 때 질량이 클수록 크게 받는다.

물이 탁구공보다 밀도가 높기 때문에 더 큰 관성력을 받기 때문에 A상황은 맞다.

B는 관성력이 왼쪽방향인데 물이 왼쪽으로 더 큰 관성력을 받기 때문에 탁구공은 오른쪽으로 쏠리게 된다.

C는 자유 낙하하게 되면 무중력상태가 되므로 고무줄이 본래의 길이로 줄어들게 된다.

12

본책 29p

정답 1) $20\sqrt{2}$ N, 2) $S = \frac{2}{\sqrt{5}}$ m

영역	역학
핵심 개념	가속계에서 힘의 평형, 원심력, 수직항력, 자유낙하
평가요소 및 기준	가속계에서 힘의 합성과 평형의 계산

해설

1) $N = mg\cos\theta + \frac{mv^2}{r}\sin\theta$

평형조건 $mg\sin\theta = \frac{mv^2}{r}\cos\theta$

둘을 이용해서 계산하면

수직항력 $N = 2mg\frac{1}{\sqrt{2}} = \sqrt{2}mg = 20\sqrt{2}$

$\therefore$ 수직항력 $= 20\sqrt{2}$ N

2) $v^2 = gr = 4$

$v = 2\text{m/s},\ t\sqrt{\frac{2h}{g}}$

$S = vt = \frac{2}{\sqrt{5}}$

$\therefore S = \frac{2}{\sqrt{5}}$ m

3 운동량 보존과 충돌

13

본책 30p

정답 1) $E_i - E_f = 0.08\text{J} = \frac{2}{25}\text{J}$, 2) $v_0 = \frac{3}{2}\text{m/s}$

영역	역학
핵심 개념	에너지 보존, 비탄성 충돌
평가요소 및 기준	역학적 에너지 보존활용, 비탄성 충돌 시 운동량 보존식 활용

해설

1) 충돌 직전 속력을 v라 하면, 역학적 에너지 보존에 의해서

$$m_1 gR = \frac{1}{2}m_1 v^2$$

충돌 직후 속력을 v'이라 하면

운동량 보존에 의해서 $m_1 v = (m_1 + m_2)v'$

$$E_i = m_1 gh = 0.4\,J = \frac{1}{2}m_1 v^2$$

$$E_f = \frac{1}{2}(m_1+m_2)v'^2 = \frac{1}{2}\left(\frac{m_1^2}{m_1+m_2}\right)v^2$$

$$= \frac{1}{2}m_1 v^2\left(\frac{m_1}{m_1+m_2}\right)$$

$$E_f = 0.4\times\frac{4}{5}\text{J}$$

$$\therefore E_i - E_f = 0.08\text{J} = \frac{2}{25}\text{J}$$

2) 충돌 직후 속력을 v'이라 하면 역학적 에너지 보존에 의해서 c점까지 도달하기 위한 최소의 v'은

$v' = \sqrt{2gR} = 2\text{m/s}$이다.

$$v' = \frac{m_1}{m_1+m_2}v = \frac{4}{5}v \rightarrow v = \frac{5}{2}\text{m/s}$$

초기 역학적 에너지 보존식에 의해서

$$\frac{1}{2}m_1 v_0^2 + mgR = \frac{1}{2}mv^2$$

$$\rightarrow v_0^2 = v^2 - 2gR = \frac{25}{4} - 4 = \frac{9}{4}$$

$$\therefore v_0 = \frac{3}{2}\text{m/s}$$

14

본책 30p

정답 $\frac{m}{M} = 3$

영역	역학
핵심 개념	충돌, 운동량 보존, 비탄성 충돌 시 전후 에너지 비교
평가요소 및 기준	비탄성 충돌 시 운동량 보존식 활용

해설

$$mv_0 = (m+M)v'$$

$$\frac{1}{2}(m+M)v'^2 = \frac{1}{2}\left(\frac{m^2}{m+M}\right)v_0^2 = \frac{3}{4}\left(\frac{1}{2}mv_0^2\right)$$

$$\frac{3}{4} = \frac{m}{m+M}$$

$$\therefore \frac{m}{M} = 3$$

15

본책 31p

정답 ③

영역	역학
핵심 개념	2차원 충돌, 실험실좌표계와 질량중심좌표계, 질량중심의 정의
평가요소 및 기준	질량중심속도의 정의, 좌표계에 따라 운동량 보존식의 전개

해설

운동량 보존을 각각의 좌표계에서 벡터로 표현해보면

실험실 좌표계: $m_1\vec{v_1} = m_1\vec{v_1}' + m_2\vec{v_2}'$

질량중심 속도 $\vec{V_{cm}} = \frac{m_1\vec{v_1}}{m_1+m_2}$

$\vec{u_1} = \vec{v_1} - \vec{V_{cm}}$, $\vec{u_2} = -\vec{V_{cm}}$

$\vec{u_1}' = \vec{v_1}' - \vec{V_{cm}}$, $\vec{u_2}' = \vec{v_2}' - \vec{V_{cm}}$

질량중심 좌표계: $m_1\vec{u_1} + m_2\vec{u_2} = m_1\vec{u_1}' + m_2\vec{u_2}' = 0$

$$\rightarrow m_1(\vec{v_1} - \vec{V_{cm}}) + m_2(-\vec{V_{cm}})$$

$$= \frac{m_1 m_2}{m_1+m_2}\vec{v_1} - \frac{m_1 m_2}{m_1+m_2}\vec{v_1} = 0$$

따라서 $m_1\vec{u_1} = -m_2\vec{u_2}$, $m_1\vec{u_1}' = -m_2\vec{u_2}'$이므로

$u_1' > u_2'$이므로 질량 m_2가 m_1보다 더 크다.

탄성 충돌이므로 질량중심좌표계에서 운동 에너지 보존을 만족한다.

$$\frac{1}{2}m_1 u_1^2 + \frac{1}{2}m_2 u_2^2 = \frac{1}{2}m_1(u_1')^2 + \frac{1}{2}m_2(u_2')^2$$

운동량 보존식을 대입하면

$$m_1 u_1^2 + m_2\left(\frac{m_1}{m_2}u_1\right)^2 = m_1(u_1')^2 + m_2\left(\frac{m_1}{m_2}u_1'\right)^2$$

$$\rightarrow u_1^2 = (u_1')^2 \rightarrow u_1 = u_1'$$

질량 중심좌표에서 두 물체의 속도의 크기는 변하지 않는다. 즉, 각 운동량은 크기는 동일하고 방향만 변한다.

$m_1 = m_2$라면 $m_1\vec{u_1} = -m_2\vec{u_2}$, $m_1\vec{u_1}' = -m_2\vec{u_2}'$ 으로부터 질량중심의 운동량의 크기가 동일하다. 원의 성질로부터 $\theta_1 = \dfrac{\phi_1}{2}$ 을 만족한다.

실험실 좌표계에서 운동에너지는 $E_k = \dfrac{1}{2}m_1v_1^2$이다.

질량중심 좌표계에서 운동에너지는

$$E_{k,cm} = \frac{1}{2}m_1u_1^2 + \frac{1}{2}m_2u_2^2$$
$$= \frac{1}{2}m_1\left(\frac{m_2}{m_1+m_2}v_1\right)^2 + \frac{1}{2}m_2\left(\frac{m_1}{m_1+m_2}v_1\right)^2$$
$$= \frac{1}{2}\left(\frac{m_1m_2}{m_1+m_2}\right)v_1^2$$

총 운동에너지는 서로 다르다.

16

본책 32p

정답 ⑤

영역	역학
핵심 개념	운동량과 충격량 관계
평가요소 및 기준	충격량과 운동량 변화량의 관계식

해설

$I = F\Delta t = \Delta p = mv - mv_0$이므로 $J = mv \rightarrow v = \dfrac{J}{m}$

17

본책 32p

정답 ②

영역	역학
핵심 개념	운동량 보존, 에너지 보존
평가요소 및 기준	작용반작용의 이해, 운동량 보존식 활용

해설

1) 얼음에서

운동량 보존: $Mv = mv_{얼음}$

에너지 보존: $E_0 = \dfrac{1}{2}Mv^2 + \dfrac{1}{2}mv_{얼음}^2$
$$= \frac{1}{2}\left(\frac{m+M}{M}\right)mv_{얼음}^2$$

2) 고정상태

$E_0 = \dfrac{1}{2}mv_{고정}^2$

$$\frac{v_{얼음}}{v_{고정}} = \sqrt{\frac{M}{m+M}}$$

18

본책 33p

정답 ③

영역	일반물리: 포물선 운동, 충돌(분열)
핵심 개념	포물선 운동 x, y축 성분, 분열 시 운동량 보존
평가요소 및 기준	2차원 운동의 x, y축 운동의 분해, 분열 전후 운동량 보존의 활용

해설

m의 속도를 v_m, $3m$의 속도를 v_{3m}이라 하면

분열 전

X: $v_0\cos45° = v_{m,x} = v_{3m,x}$

Y: $v_y = v_0\sin45° - gt = v_{m,y} = v_{3m,y}$

분열 후

X: $v'_{m,x}, v'_{3m,x} = V$

Y: $v'_{m,y}, v'_{3m,y} = 0$

작용·반작용에 의해서 분열 전후 운동량 보존

X: $4mv_0\cos45° = mv'_{m,x} + 3mV$ …… ①

Y: $4mv_y = mv'_{m,y}$ …………………………… ②

높이 h일 때 등가속도 직선운동 공식

$2gh = v_{0y}^2 - v_y^2$ ………………… ③ (여기서 $v_{0y} = v_0\sin45°$)

①에서 $|v'_{m,x}| = |3V - 2\sqrt{2}v_0|$

②와 ③으로부터 $v'_{m,y} = 4v_y = 2\sqrt{2v_0^2 - 8gh}$

19

본책 33p

정답 1) $v_A = \sqrt{gl}$, 2) $T_A = \dfrac{17}{16}mg$

영역	일반물리: 충돌과 원운동에서 장력
핵심 개념	역학적 에너지 보존, 비탄성 충돌 나중 속력, 중력장에서 원운동의 장력
평가요소 및 기준	• 비탄성 충돌 나중 속력의 결과를 정확히 계산 • 중력장에서 구심력을 원심력과 구분하여 계산

해설

1) 충돌 직전 A의 속력 v_A

역학적 에너지 보존으로부터

$\dfrac{1}{2}mv_A^2 = mgl(1 - \cos60°)$

$\therefore v_A = \sqrt{gl}$

2) 충돌 직후 A가 매달린 실에 걸리는 장력 T_A

비탄성 충돌 m_1, m_2, v_1, v_2, v_1', v_2'으로 표현하면

운동량 보존과 반발계수 정의

$m_1v_1 + m_1v_2 = m_1v_1' + m_2v_2'$ …… ①

$e = \dfrac{v_2' - v_1'}{v_1 - v_2}$ ………………………… ②

①과 ②를 연립하여 계산하고 정리하면

$$v_1' = v_1 - \frac{m_2(1+e)}{m_1+m_2}(v_1 - v_2)$$

$$v_2' = v_2 + \frac{m_1(1+e)}{m_1+m_2}(v_1 - v_2)$$

각각 대입하여 정리하면

$$v_A' = \frac{1-e}{2}v_A > 0,\ v_B' = \frac{1+e}{2}v_A$$

B의 속력은 A의 속력의 3배라 했으므로 $e = \frac{1}{2}$이다.

$$\therefore v_A' = \frac{1}{4}v_A$$

충돌직전에는 구심력에 해당하는 장력과 중력 및 원심력이 평형으로 이루므로

$$T = mg + \frac{m(v_A')^2}{l} = \frac{17}{16}mg$$

20

본책 34p

정답 1) $v_A = \sqrt{2gh}$, 2) $v_B = \frac{2}{5}\sqrt{2gh}$

영역	역학
핵심 개념	역학적 에너지 보존, 충돌 공식(운동량 보존, 반발계수 정의)
평가요소 및 기준	충돌 공식의 활용

해설

1) 역학적 에너지 보존 $mgh = \frac{1}{2}mv_A^2$

$$\therefore v_A = \sqrt{2gh}$$

2) $m_1\vec{v_1} + m_2\vec{v_2} = m_1\vec{v_1}' + m_2\vec{v_2}'$: 운동량 보존 식 ①

$e = -\frac{\vec{v_2}' - \vec{v_1}'}{\vec{v_1} - \vec{v_2}}$: 반발 계수 정의 ②

①과 ②를 연립하여 정리하면 충돌 후 속도는 각각

$$\vec{v_1}' = \vec{v_1} - \frac{m_2(1+e)}{m_1+m_2}(\vec{v_1} - \vec{v_2})$$

$$\vec{v_2}' = \vec{v_2} + \frac{m_1(1+e)}{m_1+m_2}(\vec{v_1} - \vec{v_2})$$

$$v_B = 0 + \frac{m_A(1+e)}{m_A+m_B}(v_A) = \frac{2m}{m+4m}v_A = \frac{2}{5}v_A$$

$$\therefore v_B = \frac{2}{5}\sqrt{2gh}$$

21

본책 34p

정답 1) $v_C = 10\sqrt{2}\ \mathrm{m/s}$, 2) $v_A = 6\sqrt{6}\ \mathrm{m/s}$

영역	역학
핵심 개념	운동량 보존, 에너지 보존(등가속도 직선 공식)
평가요소 및 기준	2차원 x, y축 운동량 보존 계산, 등가속도 직선 운동 공식 활용

해설

1) $a = \mu g = 5\mathrm{m/s^2}$

등가속도 직선 운동 공식

$2as = v_C^2$ 으로부터

$$\therefore v_C = 10\sqrt{2}\ \mathrm{m/s}$$

2) x축 운동량 보존

$$10v_A = 12v_C\cos 30^\circ$$

$$\therefore v_A = 6\sqrt{6}\ \mathrm{m/s}$$

22

본책 35p

정답 1) $|\vec{I}| = 5\sqrt{13}\ \mathrm{N \cdot s}$, 2) $\tan\theta = 2\sqrt{3}$

3) $|\vec{F}| = 1000\sqrt{13}\,\mathrm{N}$

영역	역학
핵심 개념	충격량과 운동량
평가요소 및 기준	충격량과 운동량 변화량 관계식을 벡터식으로 계산

해설

1) $\vec{I} = \vec{F}\Delta t = \Delta\vec{p}$

$$\vec{I} = (5,\ 0) - 20\left(\frac{1}{2},\ \frac{\sqrt{3}}{2}\right) = (-5,\ -10\sqrt{3})$$

$$\therefore |\vec{I}| = 5\sqrt{13}\ \mathrm{N \cdot s}$$

2) $\vec{I} = \vec{F}\Delta t = -5(1,\ 2\sqrt{3})$

$$\vec{F} = -1000(1,\ 2\sqrt{3})$$

$$\therefore \tan\theta = \frac{F_y}{F_x} = 2\sqrt{3}$$

$$\therefore |\vec{F}| = 1000\sqrt{13}\ \mathrm{N}$$

23

본책 36p

정답 1) $u_1 = \frac{v_0+v_1}{5} = v_0 - v_1 = \sqrt{\frac{v_0^2 - v_1^2}{5}}$

2) $\frac{v_1}{v_0} = \frac{2}{3}$, 3) $\frac{l_1}{l_0} = 3$

영역	역학
핵심 개념	탄성 충돌, 운동량 보존과 에너지 보존
평가요소 및 기준	탄성 충돌 과정에서 운동량 보존과 에너지 보존으로부터 속력과 거리 연산

해설

1) 운동량 보존

$mv_0 = -mv_1 + 5u_1$

$v_0 + v_1 = 5u_1$

$\therefore u_1 = \frac{v_0+v_1}{5}$

탄성 충돌이므로 에너지 보존

$\frac{1}{2}mv_0^2 = \frac{1}{2}mv_1^2 + \frac{1}{2}(5m)u_1^2$

$v_0^2 - v_1^2 = 5u_1^2$

$\therefore u_1 = \sqrt{\frac{v_0^2 - v_1^2}{5}}$

운동량 보존과 에너지 보존을 합치면

$u_1^2 = \frac{v_0^2 - v_1^2}{5}$, $u_1 = \frac{v_0+v_1}{5}$

$\therefore u_1 = v_0 - v_1$

모두 만족하므로 답은 3가지가 된다.

$\therefore u_1 = \frac{v_0+v_1}{5} = v_0 - v_1 = \sqrt{\frac{v_0^2 - v_1^2}{5}}$

2) 충돌 공식으로부터

$\vec{v_1} = \vec{v_0} - \frac{10m}{m+5m}\vec{v_0} = -\frac{2}{3}\vec{v_0}$

$\therefore \left|\frac{\vec{v_1}}{\vec{v_0}}\right| = \frac{v_1}{v_0} = \frac{2}{3}$

3) $t = \frac{l_0 + l_1}{v_1} = \frac{l_1 - l_0}{u_1}$

$v_1 = \frac{2}{3}v_0$, $u_1 = \frac{2m}{m+5m}v_0 = \frac{1}{3}v_0$

$\therefore \frac{l_1}{l_0} = 3$

4 원운동과 진동

24

본책 37p

정답 1) $R = \frac{v^2}{\mu g}$, 2) 정지마찰력, 해설 참고

영역	역학
핵심 개념	구심력과 원심력, 마찰력의 개념
평가요소 및 기준	가속계에서 구심력과 원심력의 평형 활용

해설

1) 구심력으로 작용하는 마찰력과 원심력이 평형을 이룬다.

$\mu mg = \frac{mv^2}{R} \rightarrow \therefore R = \frac{v^2}{\mu g}$

2) 미끄러지지 않고 원운동 한다고 하였으므로 정지마찰력이다. 바닥과 미끄러짐이 있어야만 운동마찰력이 작용한다.

25

본책 37p

정답 1) $g = \frac{GM}{R^3}r$, 2) $\ddot{r} = -\frac{GM}{R^3}r$

3) $T_A = T_B = 2\pi\sqrt{\frac{R^3}{GM}}$, 4) $t = \pi\sqrt{\frac{R^3}{GM}}$

영역	역학
핵심 개념	지구 내부 중력장, 단진동 운동방정식 및 주기 공식, 원운동과 단진동 관계
평가요소 및 기준	중력의 가우스 법칙, 단진동 및 원운동관계의 이해 및 주요공식 활용

해설

1) 가우스 법칙에 의해서

$g = \frac{G}{r^2}\int dM = \frac{G}{r^2}\int_0^r \rho 4\pi r^2 dr = \frac{4\pi G\rho}{3}r$

$\therefore g = \frac{GM}{R^3}r$

2) $F = -mg = m\ddot{r} \rightarrow \ddot{r} = -\frac{GM}{R^3}r$

3) $\omega_A = \sqrt{\frac{GM}{R^3}} \rightarrow \therefore T_A = 2\pi\sqrt{\frac{R^3}{GM}}$

$F_B = \frac{GMm}{R^2} = mR\omega_B^2 \rightarrow \omega_B = \sqrt{\frac{GM}{R^3}}$

$\therefore T_B = 2\pi\sqrt{\frac{R^3}{GM}}$

$T_A = T_B = 2\pi\sqrt{\frac{R^3}{GM}}$

물리적 의미는 원운동의 그림자 운동이 단진동이므로 주기는 서로 같다.

4) 주기의 반일 때 처음으로 만나므로

$t = \pi\sqrt{\frac{R^3}{GM}}$

26

본책 38p

정답 1) $N = mg + \frac{mv_B^2}{R} = mg + \frac{2mgh_1}{R}$

2) $a_t = g\sin\theta = g\frac{\sqrt{2Rh_2 - h_2^2}}{R}$,

$a_c = \frac{2(h_1 - h_2)}{R}g$

영역	역학
핵심 개념	중력장 원운동, 알짜힘, 수직항력, 구심가속도와 접선 가속도
평가요소 및 기준	중력장 원운동 시 알짜힘의 분해(구심방향 및 접선방향 좌표계 설정)

해설

1) 역학적 에너지 보존의 법칙에서 $v_B = \sqrt{2gh_1}$

$$N = mg + \frac{mv_B^2}{R} = mg + \frac{2mgh_1}{R}$$

2) C지점에서 물체에 작용하는 알짜힘은 수직항력과 중력이다. 이 힘을 C지점의 접선방향을 x축으로 하고 구심방향을 y축으로 설정해야 힘을 분해해보면

$$\vec{F} = \vec{N} + m\vec{g}$$
$$= \left(0,\ mg\cos\theta + \frac{mv_c^2}{R}\right) + (-mg\sin\theta,\ -mg\cos\theta)$$
$$= \left(-mg\sin\theta,\ \frac{mv_c^2}{R}\right) = m(a_t,\ a_c)$$

접선 가속도는 $a_t = g\sin\theta = g\frac{\sqrt{2Rh_2 - h_2^2}}{R}$

역학적 에너지 보전 법칙에 의해서

$v_c = \sqrt{2g(h_1 - h_2)}$ 이므로

따라서 구심 가속도 $a_c = \frac{2(h_1 - h_2)}{R}g$

27

본책 38p

정답 ③

영역	역학
핵심 개념	속도, 가속도의 정의, 원운동의 이해
평가요소 및 기준	벡터식이 주어질 때 속도 및 가속도의 정의 및 연산

해설

ㄱ. 투영하면 원운동을 만족한다.

$(x,\ y) = (\sin t,\ \cos t)$

$x^2 + y^2 = 1$

ㄴ. $\vec{v} = \frac{d\vec{r}}{dt} = (\cos t,\ -\sin t,\ 3) \rightarrow |\vec{v}| = \sqrt{10}$ 일정하다.

ㄷ. $\vec{a} = \frac{d^2\vec{r}}{dt^2} = (-\sin t,\ -\cos t, 0)$

가속도가 시간에 따라 변한다.

나선 운동은 등가속도 운동이 아니다.

28

본책 39p

정답 ⑤

영역	역학
핵심 개념	단진동의 속도 그래프의 이해, 평형점
평가요소 및 기준	단진동 속도 그래프의 기울기 및 최대점의 이해, x축 절편의 이해

해설

ㄱ. 속력의 최대지점은 힘의 평형점이므로 동일한 위치이다.

ㄴ. 운동 방향은 속도의 부호에 관여되므로 속도의 부호가 변하는 지점 즉, x축과 만나는 지점이 2개이다.

ㄷ. 속도의 접선의 기울기가 가속도이므로 기울기의 부호와 속도 모두 양수값이므로 방향이 동일하다.

29

본책 39p

정답 ①

영역	역학
핵심 개념	원운동, 역학적 에너지 보존, 수직항력, 가속계에서의 힘의 평형
평가요소 및 기준	중력장에서 원운동의 이해, 가속계에서 힘의 분해

해설

역학적 에너지 보존

$$\frac{1}{2}mv_0^2 = \frac{1}{2}mv^2 + mgR$$

최고점에서 가속계에서 힘의 평형 $N + mg = \frac{mv^2}{R}$,

둘을 연립하면 $N = \frac{mv_0^2}{R} - 3mg$

30

본책 40p

정답 ③

영역	역학 : 장력
핵심 개념	가속계에서의 장력, 역학적 에너지 보존
평가요소 및 기준	중력장에서 원운동 시 가속계에서 힘의 평형조건 활용

해설

맨 아래에서 장력의 크기는 $T = \frac{mv^2}{r} + mg$

역학적 에너지 보존 $mg2a = \frac{1}{2}mv^2 \rightarrow mv^2 = 4mga$

$$T = \frac{4mga}{r} + mg$$
$$T_1 = \frac{4mga}{2a} + mg = 3mg$$
$$T_2 = \frac{4mga}{a} + mg = 5mg$$
$$\therefore T_2 - T_1 = 2mg$$

31

본책 40p

정답 1) $k=\frac{2\pi^2 m}{T^2}$, 2) $t=\frac{T}{8}$

영역	일반물리 : 단진동
핵심 개념	단진동 기본성질(주기, 역학적 에너지, 변위)
평가요소 및 기준	• 용수철 병렬연결 시 단진동 주기를 수식적 표현 • 역학적 에너지를 통한 주어진 조건하에 특정 변위의 시간 계산

해설

1) k를 m과 T로 나타내기
용수철이 병렬이므로 용수철 상수는 2배 증가한 $2k$가 된다.
주기 $T=2\pi\sqrt{\frac{m}{2k}}$ $\therefore k=\frac{2\pi^2 m}{T^2}$

2) 탄성 퍼텐셜 에너지와 운동에너지가 서로 같아지는 최초 시간
용수철 운동의 역학적 에너지 보존식을 써보면
$\frac{1}{2}(2k)L^2=\frac{1}{2}(2k)x^2+\frac{1}{2}mv^2$ … ①
운동 에너지와 퍼텐셜 에너지가 서로 같아지면 ①식은
$\frac{1}{2}(2k)L^2=\frac{1}{2}(2k)x^2+\frac{1}{2}mv^2=2\times\frac{1}{2}(2k)x^2$
$L^2=2x^2 \rightarrow x=\frac{L}{\sqrt{2}}$일 때 운동 에너지와 퍼텐셜 에너지가 서로 같아진다. 단진동 변위식을 이용하면
$x=\frac{L}{\sqrt{2}}=L\cos\omega t \rightarrow \omega t=\frac{\pi}{4}$
$\rightarrow t=\frac{\pi}{4\omega}=\frac{T}{8}\left(\because \omega=\frac{2\pi}{T}\right)$
$\therefore t=\frac{T}{8}$

32

본책 41p

정답 1) $d_0=\frac{\rho_r}{\rho_l}H$, 2) $\omega=\sqrt{\frac{\rho_l}{\rho_r}\frac{(g+a)}{H}}$

영역	일반물리 : 단진동
핵심 개념	부력, 복원력, 운동방정식과 진동수
평가요소 및 기준	• 부력과 중력의 평형관계 이해 • 평형점으로부터 운동방정식 계산 및 각진동수 도출

해설

1) 평형상태에서 물체의 잠긴 깊이 d_0
가속계에서는 중력과 관성력을 받으므로 $g'=g+a$라 하자.
평형상태에서는 중력과 부력이 평형을 이루므로
중력 $F_G=mg'=\rho_r g' V_{물체}=\rho_r g' L_1 L_2 H$,
부력 $F_b=\rho_l g' V_{잠긴}=\rho_l g' L_1 L_2 d_0$
$F_G=\rho_r g' L_1 L_2 H=F_b=\rho_l g' L_1 L_2 d_0$
$\therefore d_0=\frac{\rho_r}{\rho_l}H$

2) 물체의 운동방정식과 각진동수 ω
물체를 살짝 눌렀을 때 알짜힘은 추가된 부력이 된다. 운동방정식을 써보면
$F_{알짜}=F_b'=-\rho_l g'(L_1L_2)h=m\frac{d^2h}{dt^2}=(\rho_r L_1 L_2 H)\frac{d^2h}{dt^2}$
$\therefore \frac{d^2h}{dt^2}+\frac{\rho_l}{\rho_r}\frac{(g+a)}{H}h=0$
$\therefore \omega=\sqrt{\frac{\rho_l}{\rho_r}\frac{(g+a)}{H}}$

33

본책 41p

정답 $t=\frac{\sqrt{R^2-r^2}}{r\sqrt{\frac{g}{R}}}$

영역	일반물리 : 원운동
핵심 개념	등속원운동의 관성력(원심력), 각속도와 속도
평가요소 및 기준	• 관성좌표계와 가속좌표계의 차이의 이해 • 등속원운동의 관성력계산 및 각속도로부터 속도의 유도

해설

등속원운동하는 가속 좌표계에서 이탈하는 물체는 접선방향으로 나아간다.
즉, 관성좌표계에서 보면 A는 수평 방향으로 날아가므로 접선방향의 속력을 구하면 쉽게 충돌 시간을 구할 수가 있다. 등속원운동에서 관성력은 원심력이므로
$ma=mR\omega^2=mg \rightarrow \omega=\sqrt{\frac{g}{R}}$,
$v=\omega r$로부터 $v_A=r\sqrt{\frac{g}{R}}$
$\therefore t=\frac{\sqrt{R^2-r^2}}{r\sqrt{\frac{g}{R}}}$

5 일과 에너지

34

본책 42p

정답 1) $x_0=\sqrt{\frac{2mgL(\sin\theta-\mu\cos\theta)}{k}}$
2) 같지 않다. 작다.

영역	역학
핵심 개념	탄성에너지, 일과 에너지 정리
평가요소 및 기준	용수철 존재 시 일과 에너지 정리 전개

해설

1) L이 매우 크므로 내려온 길이를 L로 보자.
에너지 보존법칙에 의해서 위치에너지가 탄성에너지와 마찰력 소비에너지로 전환되었다.

$$mgL\sin\theta = \frac{1}{2}kx_0^2 + \mu mgL\cos\theta$$

$$\therefore x_0 = \sqrt{\frac{2mgL(\sin\theta - \mu\cos\theta)}{k}}$$

2) 같지 않다. 왜냐면 마찰에 의해서 에너지가 소비되므로 초기 위치에너지에 도달하지 못한다.

35

본책 42p

정답 $R = x\sqrt{\frac{2kh}{mg}}$

영역	역학
핵심 개념	용수철 에너지, 포물선 운동(등속직선운동, 자유낙하)
평가요소 및 기준	용수철의 에너지 보존 및 2차원 등가속도 운동 계산

해설

탄성에너지와 운동에너지 관계식

$$\frac{1}{2}kx^2 = \frac{1}{2}mv^2 \rightarrow v = x\sqrt{\frac{k}{m}}$$

자유낙하 시간 t_h라 하면

$$t_h = \sqrt{\frac{2h}{g}} \rightarrow R = vt_h = x\sqrt{\frac{2kh}{mg}}$$

36

본책 43p

정답 ①

영역	역학
핵심 개념	일과 에너지 정리(에너지 보존 법칙)
평가요소 및 기준	일과 에너지 정리의 연산

해설

힘을 주어서 미끄러지면 순간적으로 운동마찰력으로 바뀌는데 이후에 등속으로 미끄러졌으므로 $mg\sin\theta = f_k$이다.

에너지 보존 법칙에 의해서

$$\frac{1}{2}mv_0^2 = mgh + f_k\frac{h}{\sin\theta} = mgh + mgh = 2mgh$$

$$\therefore h = \frac{v_0^2}{4g}$$

37

본책 43p

정답 ③

영역	일반물리: 등가속도 직선운동 (일과 에너지 정리)
핵심 개념	등가속도 직선운동 식의 이해 (일과 에너지 정리의 이해)
평가요소 및 기준	마찰력 존재 시 일과 에너지 정리 활용

해설

1) 등속도 직선운동으로 접근
모래에서 가속도의 크기를 a라 하면

$$2ah = v_s^2$$

$$2a\left(\frac{h}{3}\right) = v_s^2 - v^2$$

$$v^2 = v_s^2 - \frac{v_s^2}{3} = \frac{2}{3}v_s^2$$

$$\therefore \frac{v}{v_s} = \sqrt{\frac{2}{3}}$$

2) 일과 에너지 정리로 접근
중력이 한 일은 운동에너지 변화량과 마찰력이 한 일과 동일

$$Fs = \Delta E_k + fs$$

$$mgH = \frac{1}{2}mv_s^2 \cdots\cdots ①$$

$$mg(H+h) = fh \cdots\cdots ②$$

$$mg\left(H + \frac{h}{3}\right) = f\frac{h}{3} + \frac{1}{2}mv^2 \cdots\cdots ③$$

②와 ③으로부터 $2mgH = \frac{3}{2}mv^2$

①과 연립하여 정리하면

$$\therefore \frac{v}{v_s} = \sqrt{\frac{2}{3}}$$

38

본책 44p

정답 1) 문제 오류, 2) $W = 0$

영역	일반물리 – 일과 에너지
핵심 개념	역학적 에너지 보존, 일 정의
평가요소 및 기준	• 원형틀에서 역학적에너지 기술 • 수직항력의 정의와 일의 개념

해설

1) 최소 속력 v
이 문제는 곡면을 따라 B에 도달 불가능한 상황이라 출제 문제 오류이다.
역학적 에너지 보존식에 의해서

$$\frac{1}{2}mv^2 + mgR\cos 60^\circ = mgR$$

$$\rightarrow \frac{1}{2}mv^2 = \frac{1}{2}mgR$$

$$\therefore v = \sqrt{gR}$$

그런데 이 지점에서 수직항력을 구해보면

$$N= mg\cos 60^\circ - \frac{mv^2}{R} = \frac{1}{2}mg - mg < 0$$

즉, B지점에 도달하기 위한 최소 속력일 때, A지점에서 수직항력이 음수가 되어 날아오르게 된다. 곡면을 따라 이동하는 게 불가능하고, 포물선운동이 되어버리므로 이 문제는 자체모순을 가진 오류문항이다.

2) 수직항력이 한 일 W

곡면을 따라 이동하지 못하므로 수직항력을 묻는 자체가 의미가 없지만 만약, 곡면을 따라 이동하게 된다면 수직항력은 물체의 운동표면에 수직방향으로 작용하는 힘이기에 트랙에서는 운동방향에 항상 수직이 되므로 $W= \int \vec{N} \cdot \vec{ds} = 0$ 이다.

39

본책 44p

정답 1) $\frac{\alpha^2}{1-\alpha^2}R$, 2) $\alpha = \frac{1}{\sqrt{2}}$

영역	역학
핵심 개념	탈출 속도, 중력장 에너지 보존, 중력 가속도 정의
평가요소 및 기준	에너지 보존식으로부터 탈출 속도 계산, 에너지 보존 활용과 중력 가속도 계산

해설

1) 탈출 속력의 정의는 $r \to \infty$일 때, 속력이 0이 되는 상황이므로 총 에너지는 0이 된다.

에너지 보존 $\frac{1}{2}mv_0^2 - \frac{GMm}{R} = 0$

$$\frac{1}{2}mv_0^2 = \frac{GMm}{R}$$

$v = \alpha v_0$일 때, 에너지 보존 $\frac{1}{2}mv^2 - \frac{GMm}{R} = -\frac{GMm}{R+h}$

$$(\alpha^2 - 1)\frac{GMm}{R} = -\frac{GMm}{R+h}$$

$$R+h = \frac{R}{1-\alpha^2} \quad \cdots\cdots ①$$

$$\therefore h = \frac{R}{1-\alpha^2} - R = \frac{\alpha^2}{1-\alpha^2}R$$

2) 중력 가속도의 크기는 $g = \frac{GM}{r^2}$ 이다.

$$\frac{GM}{4R^2} = \frac{GM}{r^2} = \frac{(1-\alpha^2)^2}{R^2}GM \ (\because\ r = R+h \text{ 식 ①에 대입})$$

$$1-\alpha^2 = \frac{1}{2}$$

$$\therefore \alpha = \frac{1}{\sqrt{2}}$$

6 유체역학

40

본책 45p

정답 $H = \frac{\sqrt{mM + M^2} - M}{m}L$

영역	역학
핵심 개념	질량중심
평가요소 및 기준	질량중심의 정의 활용

해설

유체의 높이가 x일 때 유체의 질량을 m'이라 하면 $m' = m\frac{x}{L}$ 이다.

물체는 M이 높이 $\frac{L}{2}$ 위치에 있는 것과 동일하고, m'은 높이 $\frac{x}{2}$ 위치에 있는 것과 동일하다.

두 물체의 질량중심을 구하면

질량중심의 정의 $X_{cm} = \frac{m_1x_1 + m_2x_2}{m_1 + m_2}$에 의해서

$$y_{cm} = \frac{m'\left(\frac{x}{2}\right) + M\left(\frac{L}{2}\right)}{m' + M} = \frac{m\frac{x}{L}\left(\frac{x}{2}\right) + M\left(\frac{L}{2}\right)}{m\frac{x}{L} + M}$$

$$y_{cm} = \frac{mx^2 + ML^2}{2mx + 2ML} = \frac{1}{2}\left(\frac{x^2 + \frac{M}{m}L^2}{x + \frac{M}{m}L}\right) \quad \left(k = \frac{M}{m}L\right)$$

$$y_{cm} = \frac{1}{2}\left(\frac{x^2 + kL}{x + k}\right)$$

$$y_{cm} = \frac{m'\left(\frac{x}{2}\right) + M\left(\frac{L}{2}\right)}{m' + M} = \frac{m\frac{x}{L}\left(\frac{x}{2}\right) + M\left(\frac{L}{2}\right)}{m\frac{x}{L} + M}$$

$$y_{cm} = \frac{mx^2 + ML^2}{2mx + 2ML}$$

$$\frac{d}{dx}y_{cm}(x) = \frac{2mx(2mx + 2ML) - (mx^2 + ML^2)(2m)}{(2mx + 2ML)^2} = 0$$

$$\to mx^2 + 2MLx - ML^2 = 0$$

$$x = \frac{-M + \sqrt{M^2 + mM}}{m}L$$

41

본책 45p

정답 1) $P_B - P_C = \rho g(h_1 - h_3)$

2) $S_0 = v_D t = 2\sqrt{h_1(h_2 - h_1)}$

3) $v_B = \sqrt{2g(h_2 - h_1)}$

영역	역학
핵심 개념	사이펀의 원리, 베르누이 원리, 등가속도 운동 공식
평가요소 및 기준	베르누이 원리의 이해와 연산, 등가속도 운동 공식의 계산

해설

1) 정적인 상태에서

$P_B + \rho g h_3 = P_C + \rho g h_1$

$\therefore P_B - P_C = \rho g(h_1 - h_3)$

2) $P_{atm} + \rho g h_2 = P_{atm} + \frac{1}{2}\rho v_D^2 + \rho g h_1$

$v_D = \sqrt{2g(h_2 - h_1)}$

낙하시간 $t = \sqrt{\frac{2h_1}{g}}$ 이므로

$\therefore S_0 = v_D t = 2\sqrt{h_1(h_2 - h_1)}$

3) 연속 조건 Av=일정 단면적이 관내부에서 동일하므로

$\therefore v_B = v_D = \sqrt{2g(h_2 - h_1)}$

7 회전 운동

42

본책 46p

정답 1) $L_0 = \frac{mRv}{2}$, 2) $I = 16mR^2$

3) $\omega = \frac{v}{32R}$, 4) $v_{접선} = \frac{v}{32}$

영역	역학
핵심 개념	각운동량 보존, 관성모멘트, 접선 속력 정의
평가요소 및 기준	회전파트에서 기본정의 이해 및 계산

해설

1) 초기 각운동량 $L_0 = m\left(\frac{R}{2}\right)v$이다.

2) $I = \sum I_i = mR^2 + \frac{1}{2}MR^2 = 16mR^2$

3) 각운동량 보존에 의해서

$L_0 = L' = I\omega \rightarrow \frac{mRv}{2} = 16mR^2\omega \rightarrow \therefore \omega = \frac{v}{32R}$

4) $v_{접선} = R\omega = \frac{v}{32}$

43

본책 47p

정답 1) $I_A\ddot{\theta} = -Mgh\sin\theta$

2) $I_A = \frac{4}{3}Ma^2$, $T = 4\pi\sqrt{\frac{a}{3g}}$

영역	역학
핵심 개념	회전운동방정식, 평행축 정리
평가요소 및 기준	평행축 정리 계산, 회전 운동방정식 전개 및 진동

해설

1) 회전 운동방정식은 $I\vec{\alpha} = \vec{r}_{cm} \times m\vec{g}$ 이므로

$\therefore I_A\ddot{\theta} = -Mgh\sin\theta$

2) x, y인 직사각형에서 질량중심에 수직인 축에 대한 관성모멘트 $I_c = \frac{M}{12}(x^2 + y^2)$ 이므로

$x = a$, $y = \sqrt{3}a$라 하면 $I_c = \frac{M}{12}(a^2 + 3a^2) = \frac{M}{3}a^2$

$h = \sqrt{\left(\frac{a}{2}\right)^2 + \left(\frac{\sqrt{3}}{2}a\right)^2} = a$이다.

평행축 정리에 의해서 $I_A = I_c + Mh^2 = \frac{4}{3}Ma^2$, 진폭이 작을 때 $\sin\theta \simeq \theta$이므로

$\ddot{\theta} + \frac{Mga}{I_A}\theta = 0$

$\omega = \sqrt{\frac{Mga}{I_A}} = \sqrt{\frac{3g}{4a}}$

$\therefore T = 4\pi\sqrt{\frac{a}{3g}}$

44

본책 47p

정답 1) $T = \frac{1}{2\mu g}(v_0 - R\omega_0)$

2) $S = \frac{1}{8\mu g}(v_0 - R\omega_0)(3v_0 + R\omega_0)$

영역	역학
핵심 개념	회전운동, 구름 조건, 병진 등가속도 운동, 회전 등가속도 운동
평가요소 및 기준	병진 및 회전운동의 분할 계산, 미끄러짐 없이 구름 조건의 이해

해설

1) 중심의 병진 가속도 $Ma = -f_k = -\mu Mg$ $(v_{cm} = v_0 + at)$

$a = -\mu_k g$

미끄러짐에 의한 각가속도 $I\alpha = f_k R$

속이 빈 원통의 회전 관성 $I = MR^2$이다.

미끄러짐 없이 구르기 위한 조건은 $v_{cm} = R\omega$이다. 중심의 병진속력과 접선의 회전 속력이 일치해야 한다.

회전속력은 점차 빨라지고 병진속력은 점점 느려진다.

$\alpha = \frac{\mu g}{R}$, $\omega = \omega_0 + \alpha T = \frac{v_{cm}}{R} = \frac{v_0 + aT}{R}$

$\omega_0 + \frac{\mu g}{R} T = \frac{v_0}{R} - \frac{\mu g}{R} T$

$\frac{2\mu g}{R} T = \frac{v_0}{R} - \omega_0$

$\therefore T = \frac{1}{2\mu g}(v_0 - R\omega_0)$

2) $S = v_0 T + \frac{1}{2} a T^2 = T\left(v_0 + \frac{1}{2} a T\right)$

$= \frac{1}{2\mu g}(v_0 - R\omega_0)\left(v_0 - \frac{1}{4} v_0 + \frac{R\omega_0}{4}\right)$

$\therefore S = \frac{1}{8\mu g}(v_0 - R\omega_0)(3v_0 + R\omega_0)$

45

본책 48p

정답 $v_{cm} = \sqrt{\frac{10}{7} gH}$

영역	역학
핵심 개념	회전운동 에너지 보존, 미끄러지지 않고 구를 조건
평가요소 및 기준	에너지 보존 및 미끄러짐 없이 구를 조건의 활용

해설

$v_{cm} = R\omega$: 미끄러지지 않고 구를 조건

역학적 에너지 보존

$mgH = \frac{1}{2} m v_{cm}^2 + \frac{1}{2} I\omega^2 = \frac{1}{2} m v_{cm}^2 + \frac{1}{2}\frac{2}{5} m r^2 \omega^2$

$= \frac{7}{10} m v_{cm}^2$

$\therefore v_{cm} = \sqrt{\frac{10}{7} gH}$

46

본책 48p

정답 $a_t = \frac{3}{2} g \sin\theta$

영역	역학
핵심 개념	돌림힘, 평행축 정리, 각가속도와 선가속도 관계
평가요소 및 기준	돌림힘 및 회전파트의 각가속도의 정의

해설

돌림힘 운동방정식을 세우면 $\tau = I\alpha = mg\left(\frac{L}{2}\right)\sin\theta$

이때 회전축을 중심으로 막대의 회전 관성은 평행축 정리를 이용하면 질량중심에 대한 회전 관성은 $I_0 = \frac{1}{12} ML^2$이고 $I = I_0 + M\left(\frac{L}{2}\right)^2 = \frac{1}{3} ML^2$이다. $\alpha = \frac{3}{2}\frac{g}{L}\sin\theta = \frac{a_t}{L}$이므로

$\therefore a_t = \frac{3}{2} g \sin\theta$

47

본책 49p

정답 $\frac{M}{m} = 4$

영역	역학
핵심 개념	충돌, 병진운동량 보존, 각운동량 보존, 에너지 보존
평가요소 및 기준	충돌 시 병진 및 회전운동량 보존의 이해, 탄성 충돌시 에너지 보존 활용

해설

물체가 탄성 충돌하므로 개별적으로 병진운동량, 각운동량 및 전체 에너지가 보존된다.

탄성충돌하면 비탄성 충돌과 다르게 막대의 질량중심의 위치가 불변하므로 초기 질량중심을 기준으로 병진운동, 회전운동을 손쉽게 기술하면 된다.

- 병진 운동량 보존 : $mv = MV$
- 각운동량 보존 : $m\frac{a}{2}v = I_0\omega = \frac{1}{12} Ma^2\omega \rightarrow \omega = \frac{6mv}{Ma}$
- 에너지 보존 : $\frac{1}{2}mv^2 = \frac{1}{2}MV^2 + \frac{1}{2}I_0\omega^2$

세 가지 조건의 식을 연립하면

$\frac{1}{2}mv^2 = \frac{1}{2}MV^2 + \frac{1}{2}I_0\omega^2$

$= \frac{1}{2}\frac{m^2}{M}v^2 + \frac{1}{2}\left(\frac{1}{12}Ma^2\right)\left(\frac{6mv}{Ma}\right)^2$

$1 = \frac{m}{M} + 3\frac{m}{M} = 4\frac{m}{M}$

$\therefore \frac{M}{m} = 4$

48

본책 49p

정답 ③

영역	역학
핵심 개념	병진 및 회전운동방정식
평가요소 및 기준	회전파트에서 병진 및 회전운동방정식 전개, 각가속도의 정의

해설

왼쪽 줄의 m의 장력을 T_1, 오른쪽 $2m$의 장력을 T_2라 하자.

운동방정식을 세우면

$T_1 - mg = ma$

$2mg - T_2 = 2ma$

$(T_2 - T_1)R = I_0\alpha = \left(\frac{1}{2}3mR^2\right)\frac{a}{R}$

세 식을 연립하여 정리하면

$2mg - mg = \left(m + 2m + \frac{3m}{2}\right)a$

$a = \frac{2}{9}g$

알짜 토크는 $\tau = I_0\alpha = \frac{3}{2}mRa = \frac{mgR}{3}$

49

본책 50p

정답 ④

영역	역학
핵심 개념	회전관성, 평행축 정리, 단진동
평가요소 및 기준	회전 파트의 운동방정식 전개 및 평행축 정리 활용

해설

회전 운동방정식을 세우면

$\tau = I'\alpha = \vec{r}\times\vec{F} = -mg\frac{2}{3}R\sin\theta$

회전축에 대한 회전관성 모멘트는

$I' = I_0 + m\left(\frac{2}{3}R\right)^2 = \frac{1}{2}mR^2 + \frac{4}{9}mR^2 = \frac{17}{18}mR^2$이다.

작은 각일 경우 $\sin\theta \simeq \theta$이므로 운동방정식을 다시 표현하면

$\ddot{\theta} + mg\frac{2}{3}R\theta = 0 \rightarrow \ddot{\theta} + \frac{12}{17}\frac{g}{R}\theta = 0$

$\therefore \omega = \sqrt{\frac{12g}{17R}}$

50

본책 51p

정답 ④

영역	역학 : 회전운동
핵심 개념	역학적 에너지 보존, 회전관성 및 회전운동에너지
평가요소 및 기준	회전운동에서 에너지 보존법칙 활용

해설

역학적 에너지 보존

원통의 중심에 대한 회전 관성 $I_0 = \frac{1}{2}mr^2$

막대의 회전축에 대한 회전관성 $I' = \frac{1}{2}mr^2$이라 하면

$\frac{1}{2}mg(2r) + \frac{1}{2}(I_0 + I')\omega_0^2 = \frac{1}{2}(I_0 + I')\omega^2$

$\therefore \omega = \sqrt{\omega_0^2 + \frac{2g}{r}}$

51

본책 52p

정답 1) $v_B = 5\sqrt{3}\ \mathrm{m/s}$, 2) $\omega = 5\mathrm{rad/s}$

영역	일반물리 : 원운동
핵심 개념	원운동, 상대속도와 각속도
평가요소 및 기준	상대속도 계산 및 각속도의 정의

해설

경계조건을 이용하면

$x^2 + y^2 = 4$ 양변을 시간에 대해 미분

$x\dot{x} + y\dot{y} = 0\ (where\ x = \sqrt{3},\ \dot{x} = -5,\ y = 1)$

$\therefore v_B = 5\sqrt{3}\ \mathrm{m/s}$

상대속도 $\vec{v}_{AB} = \vec{v}_B - \vec{v}_A = (0, 5\sqrt{3}) - (-5, 0)$
$= (5, 5\sqrt{3})$

$\vec{v} = \vec{\omega}\times\vec{r}$이고 2차원 평면에서 운동할 때는 ω와 r이 수직이므로

$v = \omega r\sin 90^\circ$

$\therefore \omega = 5\mathrm{rad/s}$

52

본책 52p

정답 1) $I_{전체} = \frac{29}{6}MR^2$, 2) $T = \frac{2\pi}{\omega} = \pi\sqrt{\frac{29R}{3g}}$

영역	일반물리 : 진동
핵심 개념	무게중심, 회전관성, 단진자
평가요소 및 기준	• 복합 단진자의 운동방정식 이해 • 회전관성과 무게중심으로부터 각속도 및 주기 계산

해설

$\tau = I\alpha = -m_{전체}gl_{com}\sin\theta\ \left(where\ I = \sum I_i\right);$

$l_{com} =$ 축으로부터 진자의 무게중심 위치

먼저 회전축으로부터 질량 중심의 위치를 구해보자.

$l_{com} = \frac{\Sigma m_i r_i}{\Sigma m_i} = \frac{M(0) + M(2R)}{M + M} = R$

다음 회전 관성 I를 구해보면

$I = \Sigma I_i = I_{막대} + I_{원판}$

평행축 정리를 이용해서 구해보면

$I_{막대} = \frac{1}{12}ML^2,\ I_{원판} = \frac{1}{2}MR^2 + M(2R)^2 = \frac{9}{2}MR^2$

$\therefore I_{전체} = \frac{29}{6}MR^2$

$\tau = I\ddot{\theta} = -(M+M)gl_{com}\sin\theta \simeq -2MgR\theta$

$\ddot{\theta} + \frac{12g}{29R}\theta = 0$

$\omega = \sqrt{\frac{12g}{29R}}\quad \therefore T = \frac{2\pi}{\omega} = \pi\sqrt{\frac{29R}{3g}}$

53

본책 53p

정답 1) $f=\dfrac{F}{3}$, 2) $L=\dfrac{3mv_0^2}{8F}$

영역	역학
핵심 개념	회전 구름운동, 병진과 회전운동방정식, 1차원 병진운동 공식
평가요소 및 기준	구름 운동에서 운동방정식의 계산

해설

1) 회전운동방정식

$\vec{\tau}=I\vec{\alpha}=\vec{r}\times\vec{F}$

미끄러짐 없이 구르는 운동이므로 지면의 접점을 기준으로 기술하면

$I\alpha=2RF$

$\dfrac{3}{2}MR^2\left(\dfrac{a}{R}\right)=2RF$

$F=\dfrac{3}{4}Ma$

여기서 a는 병진 가속도의 크기이다.

병진 운동방정식

$F+f=Ma$

$f=\dfrac{1}{4}Ma=\dfrac{F}{3}$

$\therefore f=\dfrac{F}{3}$

2) 1차원 등가속도 직선운동 공식 활용

$2aL=v_0^2$

$2\left(\dfrac{4F}{3M}\right)L=v_0^2$

$\therefore L=\dfrac{3Mv_0^2}{8F}$

참고

에너지 보존으로 풀 때는 유의해야 한다. 구름운동 파트에서는 병진과 회전을 동시에 고려해야 하므로 에너지 보존으로 반드시 풀어야 하는 경우를 제외하곤 추천하지 않는다. 이유는 정확한 개념을 모를 경우 정답률이 떨어지기 십상이기 때문이다.

에너지 보존

$W_{병진}+W_{회전}=\Delta E_{운동}=\Delta E_{병진}+\Delta E_{회전}$

$\int_0^L -Fdx+\int_0^{L/R}-\tau d\theta$

$=-\dfrac{3}{4}Mv_0^2\ (\tau=FR)$

$=-FL-FL=-\dfrac{3}{4}Mv_0^2$

$F=\dfrac{3}{8L}Mv_0^2$

여기서 $W_{회전}$할 때 토크는 질량 중심을 기준으로 해야 한다.

54

본책 53p

정답 1) $E=\dfrac{3}{4}mv_0^2$, 2) $p_x=mv_0\cos\theta$

3) $h=\dfrac{v_0^2}{12g}(9-\cos^2\theta)$

영역	역학
핵심 개념	회전 구름운동, 평행축 정리, 에너지 및 운동량 보존
평가요소 및 기준	회전 구름운동 시 역학적 에너지 보존 활용, 병진 및 회전운동량의 이해

해설

1) 역학적 에너지 보존에 의해서 초기 역학적 에너지가 보존된다. 초기 역학적 에너지를 E_0, h높이에서 역학적 에너지를 E라 하면

$E_0=\dfrac{1}{2}I'\omega^2=\dfrac{1}{2}\left(\dfrac{3}{2}mR^2\right)\left(\dfrac{v_0}{R}\right)^2=\dfrac{3}{4}mv_0^2$

$\therefore E=\dfrac{3}{4}mv_0^2$

2) 계의 x축 방향의 알짜힘이 존재하지 않으므로 x축 운동량이 보존된다.

$\therefore p_x=mv_0\cos\theta$

3) 역학적 에너지 보존 법칙을 퍼텐셜까지 확장하여 써보면

$$\frac{3}{4}mv_0^2=\frac{p_x^2}{2(6m)}+mgh$$

$$=\frac{(mv_0\cos\theta)^2}{2(6m)}+mgh$$

$\therefore h=\dfrac{v_0^2}{12g}(9-\cos^2\theta)$

55

본책 54p

정답 1) $\dfrac{1}{2}MR^2$, 2) 0, 3) $\dfrac{M}{m}=2$

영역	역학
핵심 개념	수직축 정리, 팽행축 정리, 병진과 회전 좌표계의 이해, 각운동량 보존 및 에너지 보존
평가요소 및 기준	수직축 정리와 평행축 정리로부터 회전관성 계산, 좌표계의 이해를 통한 충격량 계산, 각운동량 보존과 에너지 보존의 활용

해설

1) 아래 그림과 같이 중심을 지나고 원판에 수직인 회전축을 z축이라 하고, 중심을 지나고 원판에 나란한 회전축을 x축이라 하자.

수직축 정리로부터 $I_z=I_x+I_y=\dfrac{1}{2}MR^2$이다.

그런데 원판의 대칭성에 의해서 $I_x=I_y$이므로

$I_x = \frac{1}{4}MR^2$이다.

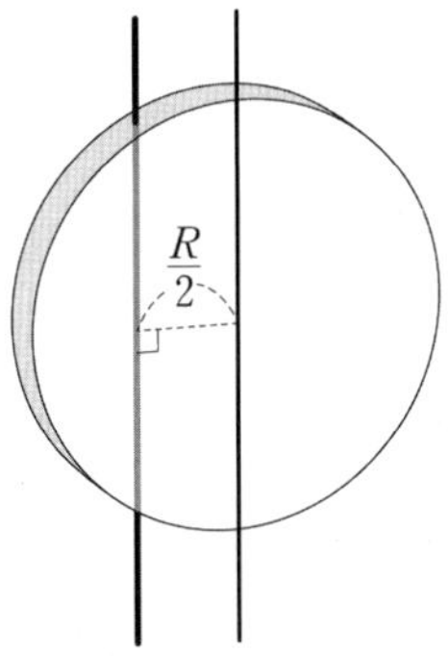

이제 평행축 정리를 이용해서 문제와 같은 회전축에 대한 관성 모멘트를 구해보자.

$I_x' = I_x + M\left(\frac{R}{2}\right)^2 = \frac{1}{2}MR^2$

2) 회전축 중심에 대한 토크 $\vec{\tau} = \vec{R} \times \vec{F} = I' \vec{\alpha}$이다. 여기서 $\vec{F}$는 물체가 가한 충격력이다.

$F = \frac{1}{2}MR\alpha$

회전축에 걸리는 $\vec{R}$에 수직 한 힘을 N이라 하자.
그럼 질량 중심에 대한 토크는

$N\frac{R}{2} + F\frac{R}{2} = I_0\alpha = \frac{1}{4}MR^2\alpha$

그런데 위에서 구한 $F = \frac{1}{2}MR\alpha$를 대입하면 $N=0$이 된다.

회전축에 관련된 각운동량 식 $\Delta\vec{L} = \vec{r} \times \Delta\vec{J}$
여기서 $\Delta\vec{J}$는 충격량이다.
회전축이 질량 중심에 대해 토크를 발생시킬 수 없으니 $(N=0)$ 각운동량 변화량도 0이 된다. 따라서 회전축이 원판에 가하는 충격량의 크기는 0이 된다. 단, 충돌 지점이 바뀌게 된다면 0이 아닐 수 있다.

3) $\frac{M}{m} = x$라 하자.

각운동량 보존

$I\omega = mRv$

$\frac{1}{2}MR^2\omega = mRv$

$xR\omega = 2v$ …… ①

에너지 보존

$\frac{1}{2}I\omega^2 = \frac{1}{2}mv^2$

$\frac{1}{2}MR^2\omega^2 = mv^2$

$x(R\omega)^2 = 2v^2$ …… ②

$①^2 / ② = x = 2$

56

본책 55p

정답 1) $K_s = \frac{1}{5}Mr^2\omega^2$

2) $K_o = \frac{1}{2}\left[\frac{1}{3}mL^2 + \frac{2}{5}Mr^2 + M(L+r)^2\right]\omega^2$

영역	역학
핵심 개념	회전 운동에너지, 평행축 정리
평가요소 및 기준	평행축 정리를 활용하여 회전축에 대한 관성모멘트 정의 후 운동에너지 계산

해설

1) (가)의 경우에는 막대의 두께를 무시하므로 회전축에 대한 막대 관성모멘트는 없고 구의 관성모멘트만 고려하므로

$I_s = \frac{2}{5}Mr^2$이다.

$\therefore K_s = \frac{1}{2}I_s\omega^2 = \frac{1}{5}Mr^2\omega^2$

2) (나)의 경우에는 막대의 관성모멘트와 평행축 정리에 의한 구의 관성모멘트의 합이 계의 총 관성모멘트가 된다.

$I_o = \frac{1}{3}mL^2 + \frac{2}{5}Mr^2 + M(L+r)^2$

$\therefore K_o = \frac{1}{2}I_o\omega^2 = \frac{1}{2}\left[\frac{1}{3}mL^2 + \frac{2}{5}Mr^2 + M(L+r)^2\right]\omega^2$

Chapter 02 심화역학

본책 60 ~ 88쪽

1 심화 운동방정식 및 회전 관성

01

본책 60p

정답 1) $\frac{A_1}{A_2}=C$, 2) 외력과 속도의 위상차는 0이다.

영역	역학
핵심 개념	강제진동, 공진그래프의 이해, 변위, 속도의 관계
평가요소 및 기준	공진그래프의 이해 및 활용, 진동의 변위 및 속도의 위상관계

해설

1) 그림 (가)로부터 $A_1=\frac{CF_0}{k}$이고, $A_2=\frac{F_0}{k}$이므로,

$\frac{A_1}{A_2}=C$이다.

2) $F(t)=F_0\cos2\pi\nu t$일 때 변위 $x(t)$의 위상이 $-90°$이므로

$x(t)=A\cos(2\pi\nu t-90°)=A\sin2\pi\nu t$

$v(t)=\frac{d}{dt}x(t)=A(2\pi\nu)\cos2\pi\nu t$

따라서 외력과 속도의 위상차는 0이다.

참고

직접 값을 구해보면, 강제진동이 정상 상태이면 RLC 교류 회로와 매우 유사하다.

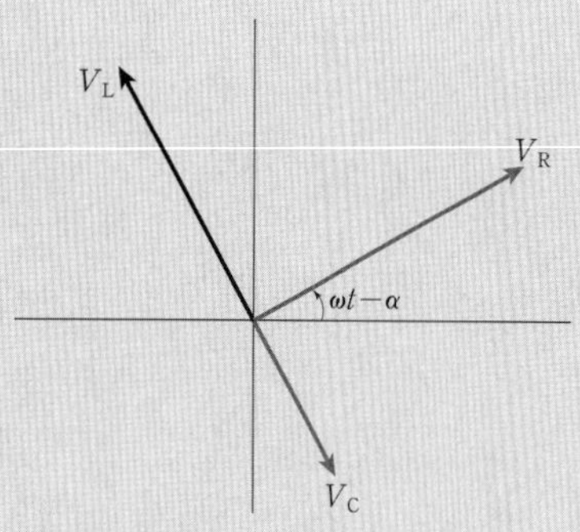

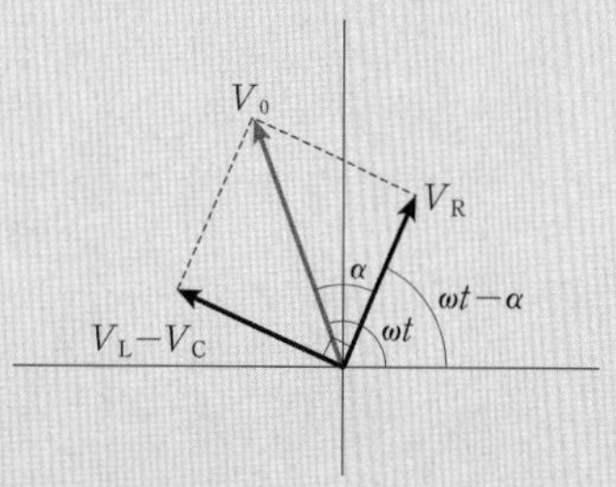

역학적 강제 진동: $m\ddot{x}+b\dot{x}+kx=F_0\cos(\omega t)$

RLC 교류 회로: $L\ddot{q}+R\dot{q}+\frac{1}{C}q=V_0\cos(\omega t)$

$x\leftrightarrow q,\ v\leftrightarrow I,\ m\leftrightarrow L,\ b\leftrightarrow R,\ k\leftrightarrow\frac{1}{C},\ F_0\leftrightarrow V_0$

로 대응시킬 수 있다.

$V_C=\frac{q}{C}$이므로 q의 위상은 V_C와 동일하다.

$x(t)=A\cos(\omega t-\phi)$이므로 $q(t)=A\cos(\omega t-\phi)$이다.

$q(t)=CV_C\cos\left(\omega t-\alpha-\frac{\pi}{2}\right)=CV_C\cos(\omega t-\phi)$

$\phi=\alpha+\frac{\pi}{2}$

$$\tan\phi=\tan\left(\alpha+\frac{\pi}{2}\right)=-\cot\alpha=\frac{R}{X_C-X_L}$$

$$=\frac{R}{\frac{1}{\omega C}-\omega L}=\frac{R\omega}{\frac{1}{C}-\omega^2L}$$

$x\leftrightarrow q,\ v\leftrightarrow I,\ m\leftrightarrow L,\ b\leftrightarrow R,\ k\leftrightarrow\frac{1}{C},\ F_0\leftrightarrow V_0$

인 대응 관계를 이용하여 정리하자.

$$\tan\phi=\frac{R\omega}{\frac{1}{C}-L\omega^2}=\frac{b\omega}{k-m\omega^2}$$

$\omega_0=\sqrt{\frac{k}{m}}=\frac{1}{\sqrt{LC}}$이므로 공진 상태이다. (주의해야 할 것은 RLC회로에서 공진 상태는 전류의 진폭이 최대이다.)

공진 상태일 때, $\alpha=0$이고, 회로의 임피던스 $|Z|=R$이다. 그러면 축전기(변위)와 교류전원(외력)과 위상차가 $-90°$이므로 이때 $f_0=\frac{1}{2\pi}\sqrt{\frac{k}{m}}$가 고유 진동수이다.

변위의 진폭 $A=CV_C=CIX_C=C\left(\frac{V_0}{R}\right)\frac{1}{\omega C}$

$$=\frac{V_0}{R\omega}=\frac{F_0}{b\omega}$$

따라서 $A_1=\frac{CF_0}{k}=\frac{F_0}{b\omega}$로부터 $C=\frac{\sqrt{mk}}{b}$임을 알 수 있다.

고유 진동수일 때는 교류회로에서 전류에 대응되는 속력 $v(t)$의 진폭이 최대가 되는 상태이다.

$$A = CV_C = CIX_C = C\left(\frac{V_0}{|Z|}\right)\frac{1}{\omega C} = \frac{V_0}{\omega|Z|}$$

$$= \frac{V_0}{\omega\sqrt{R^2+\left(\omega L - \frac{1}{\omega C}\right)^2}} = \frac{F_0}{\sqrt{\omega^2 b^2 + (\omega^2 m - k)^2}}$$

$$= \frac{F_0}{\sqrt{\omega^2 b^2 + m^2(\omega^2 - \omega_0^2)^2}}$$

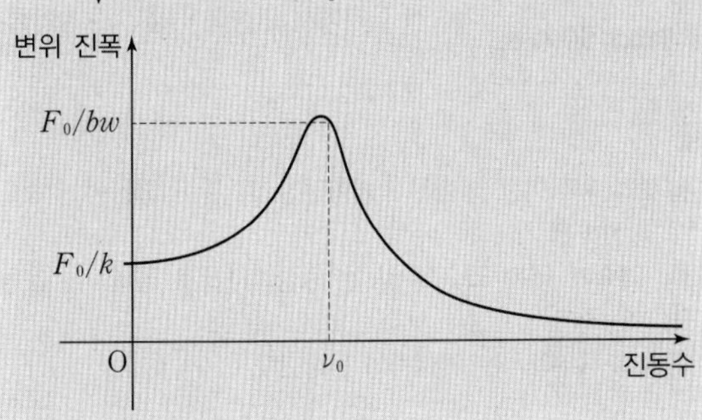

그러면 역학적 강제진동의 경우 위치 $x(t)$의 진폭 A가 최대가 될 때의 진동수를 구해보자.

분모가 최소가 되어야 하므로

$$4\omega^3 L^2 + 2\left(R^2 - \frac{2L}{C}\right)\omega = 0$$

$$\omega^2 = \frac{1}{LC} - \frac{R^2}{2L^2}$$

$$\therefore \omega_r = \sqrt{\frac{k}{m} - \frac{b^2}{2m^2}}$$

진폭이 최대가 되기 위한 공명 진동수

$f_r = \frac{1}{2\pi}\sqrt{\frac{k}{m} - \frac{b^2}{2m^2}} < f_0$이다.

02

본책 61p

정답 1) $m\frac{d^2x}{dt^2} + bv + kx = F_0\cos(\omega t)$

2) $\tan\phi = \frac{b\omega}{k - m\omega^2}$

3) $A = \frac{F_0}{b\omega}$

영역	역학
핵심 개념	강제진동, RLC 진동과 강제진동과의 상관관계, 공진 상태
평가요소 및 기준	강제진동의 특징을 통한 변위 위상과 공진 상태에서 진폭 계산

해설

1) 강제진동의 운동방정식

$$m\frac{d^2x}{dt^2} = -bv - kx + F_0\cos(\omega t)$$

$$\therefore m\frac{d^2x}{dt^2} + bv + kx = F_0\cos(\omega t)$$

2) 강제진동의 해의 형태는 $x(t) = x_c(t) + x_p(t)$로 나타낼 수 있다. 여기서 $x_c(t)$는 감쇠진동의 해이고, $x_p(t)$는 외력 $F_d(t) = F_0\cos(\omega t)$에 의한 해이다. $x_c(t) = Ce^{-\frac{b}{2}t}f(t)$의 형태를 나타낸다. 여기서 $e^{-\frac{b}{2}t}$는 감쇠항이고, $f(t)$는 b, k에 따라 달라지는 함수이다. $b^2 - 4mk > 0$이면 지수함수 형태이고, $b^2 - 4mk = 0$이면 일차 함수, $b^2 - 4mk < 0$이면 삼각함수 형태이다. 그리고 $x_p(t)$는 외력의 함수를 따라가는 삼각함수 형태의 해이다. 그런데 문제에서는 $x(t) = A\cos(\omega t - \phi)$이므로 $x_c(t) = Ce^{-\frac{b}{2}t}f(t)$가 없는 해의 형태이므로 충분한 시간이 지나 감쇠항을 지닌 $x_c(t) = Ce^{-\frac{b}{2}t}f(t) \simeq 0$이 되는 정상 상태에서의 진동을 의미한다.

$x(t) = A\cos(\omega t - \phi)$, $v(t) = -A\omega\sin(\omega t - \phi)$,

$a(t) = -A\omega^2\cos(\omega t - \phi)$이므로 이를 운동방정식에 대입하여 정리하면 다음과 같다.

$$-mA\omega^2\cos(\omega t - \phi) - bA\omega\sin(\omega t - \phi) + kA\cos(\omega t - \phi) = F_0\cos(\omega t)$$

시간 $t \geq 0$은 모든 시각에 대해 식이 만족해야 한다.

이것을 좀 더 쉽게 해결하기 위해서는 삼각함수를 전개하는 것이 아니라, 모르는 정보 A, ϕ가 2개이므로 운동방정식으로부터 2개의 식을 이끌어 내면 해결이 된다.

$t = 0$일 때,

$-mA\omega^2\cos(\omega t - \phi) - bA\omega\sin(\omega t - \phi) + kA\cos(\omega t - \phi) = F_0\cos(\omega t)$는

$$A[-m\omega^2\cos\phi + b\omega\sin\phi + k\cos\phi] = F_0$$

$$A[(k - m\omega^2)\cos\phi + b\omega\sin\phi] = F_0$$

$\omega t = \frac{\pi}{2}$일 때,

$-mA\omega^2\cos(\omega t - \phi) - bA\omega\sin(\omega t - \phi) + kA\cos(\omega t - \phi) = F_0\cos(\omega t)$는

$$A[-m\omega^2\sin\phi - b\omega\cos\phi + k\sin\phi] = 0$$

$$(k - m\omega^2)\sin\phi = b\omega\cos\phi$$

$$\therefore \tan\phi = \frac{b\omega}{k - m\omega^2}$$

3) $\omega = \sqrt{\frac{k}{m}}$이면, $\tan\phi = \frac{b\omega}{k - m\omega^2}$에서 $\phi = \frac{\pi}{2}$이다.

$\phi = \frac{\pi}{2}$를 $A[(k - m\omega^2)\cos\phi + b\omega\sin\phi] = F_0$에 대입하면 $Ab\omega = F_0$

$$\therefore A = \frac{F_0}{b\omega}$$

참고

강제진동이 정상 상태이면 RLC 교류회로와 매우 유사하다.

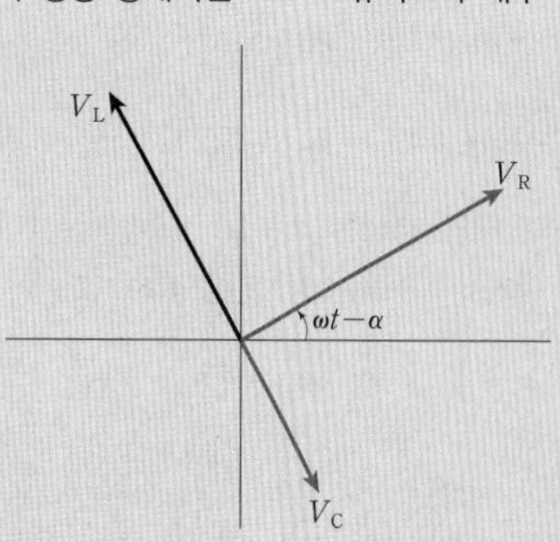

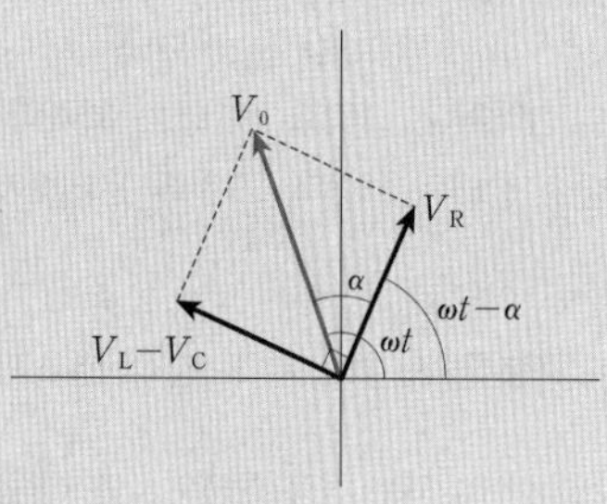

역학적 강제 진동 : $m\ddot{x}+b\dot{x}+kx = F_0\cos(\omega t)$

RLC 교류 회로 : $L\ddot{q}+R\dot{q}+\frac{1}{C}q= V_0\cos(\omega t)$

$x \leftrightarrow q,\ v \leftrightarrow I,\ m \leftrightarrow L,\ b \leftrightarrow R,\ k \leftrightarrow \frac{1}{C},\ F_0 \leftrightarrow V_0$

로 대응시킬 수 있다.

$V_C = \frac{q}{C}$ 이므로 q의 위상은 V_C와 동일하다.

$x(t)= A\cos(\omega t-\phi)$ 이므로 $q(t)= A\cos(\omega t-\phi)$ 이다.

$q(t)= CV_C\cos\left(\omega t-\alpha-\frac{\pi}{2}\right)= CV_C\cos(\omega t-\phi)$

$\phi= \alpha+\frac{\pi}{2}$

$$\tan\phi= \tan\left(\alpha+\frac{\pi}{2}\right)= -\cot\alpha= \frac{R}{X_C-X_L}$$

$$= \frac{R}{\frac{1}{\omega C}-\omega L}= \frac{R\omega}{\frac{1}{C}-\omega^2 L}$$

$x \leftrightarrow q,\ v \leftrightarrow I,\ m \leftrightarrow L,\ b \leftrightarrow R,\ k \leftrightarrow \frac{1}{C},\ F_0 \leftrightarrow V_0$

인 대응 관계를 이용하여 정리하자.

$$\tan\phi= \frac{R\omega}{\frac{1}{C}-L\omega^2}= \frac{b\omega}{k-m\omega^2}$$

$\omega= \sqrt{\frac{k}{m}}= \frac{1}{\sqrt{LC}}$ 이므로 공진 상태이다.

공진 상태일 때, $\alpha=0$이고, 회로의 임피던스 $|Z|= R$이다.

$$A= CV_C= CIX_C= C\left(\frac{V_0}{R}\right)\frac{1}{\omega C}= \frac{V_0}{R\omega}= \frac{F_0}{b\omega}$$

03

본책 61p

정답 1) $\ddot{r}-\omega^2 r=0$

2) $r(t)= \frac{v_0}{2\omega}(e^{\omega t}-e^{-\omega t})= \frac{v_0}{\omega}\sinh\omega t$

영역	역학
핵심 개념	가속계 내부에서 운동방정식
평가요소 및 기준	가속계 내부에서 관성력 적용의 운동방정식 전개

해설

1) 물체의 움직이는 방향은 r방향인데 이 관이 일정한 각속도로 회전하는 가속계 내부이다.
즉, 가속계 내부 좌표계에서는 원점에서 r로 멀어지는 운동만 가능하다.
가속계 내부에서는 관성력이 등장한다.

$$ma= m\ddot{r}= \frac{mv^2}{r}= m\omega^2 r$$

$$\therefore \ddot{r}-\omega^2 r=0$$

2) 일반해는 $r(t)= Ae^{\omega t}+Be^{-\omega t}$이다.
초기조건 $r(0)=0,\ \dot{r}(0)=v_0$를 대입하여 정리하면

$A+B=0,\ A= \frac{v_0}{2\omega}$ 이므로

일반해는 $r(t)= \frac{v_0}{2\omega}(e^{\omega t}-e^{-\omega t})= \frac{v_0}{\omega}\sinh\omega t$

04

본책 62p

정답 ⑤

영역	역학 : 회전
핵심 개념	회전 파트의 줄의 길이 보존, 병진운동방정식, 토크 운동방정식
평가요소 및 기준	회전파트의 운동전개 능력, 회전운동방정식 전개

해설

ㄱ. 추의 낙하 길이를 h라 하고, 원통의 수평방향 이동 거리를 x라 하면
$h-x$만큼 줄이 풀리게 된다. 풀린 만큼 원통이 이동하므로
$h-x= x \rightarrow h=2x$

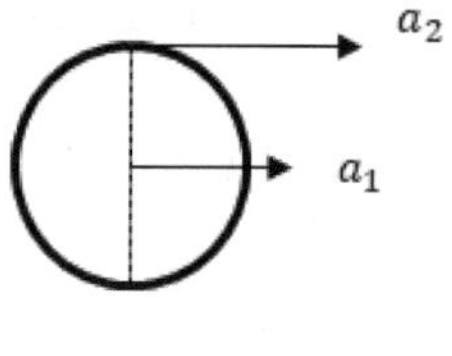

추의 가속도를 a_2라 하고, 원통의 가속도를 a_1이라 하면
지면으로부터 각가속도의 관계식 $\alpha= \frac{a_1}{R}= \frac{a_2}{2R}$을 만족한다.

따라서 가속도는 $a_2=2a_1$이다.

ㄴ. $s= \frac{1}{2}at^2 \rightarrow s \propto a$이므로 추의 가속도는 $2a$일 때 원통의 질량중심 가속도는 a이다. 또는 각가속도 관계식으로 접근해도 동일한 결과를 얻는다.

마찰력의 방향을 운동방향의 반대로 기준으로 삼고, 운동방정식을 세워보면

$mg - T = m(2a) = \frac{4}{7}mg$

$T - f = 2ma = \frac{4}{7}mg$

$f = -\frac{1}{7}mg$

따라서 마찰력은 오른쪽으로 작용한다.

ㄷ. $2ma = \frac{4}{7}mg$이므로 $a = \frac{2}{7}g$이다.

참고

만약 반경이 R인 원통의 회전관성 $I_0 = \frac{1}{2}(2m)R^2$이라 한다면

추의 운동방정식

$mg - T = ma_{추}$

$mg - \frac{3}{7}mg = ma_{추}$

$a_{추} = \frac{4}{7}g$

원통의 토크 방정식

$T(2R) = I'\alpha = (I_0 + 2mR^2)\frac{a_{원통}}{R} = 3mRa_{원통}$

$T = \frac{3}{2}ma_{원통} = \frac{3}{7}mg$

$\therefore a_{원통} = \frac{2}{7}g$

가속도의 차이가 2배나므로 이동거리차이도 2배이다.

원통의 병진파트 운동방정식

$T - f = 2ma_2 = \frac{4}{7}mg$

$\therefore f = -\frac{1}{7}mg$

05

본책 63p

정답 ①

영역	역학: 운동방정식(에너지 보존)
핵심 개념	운동방정식, 마찰력 정의(에너지 보존)
평가요소 및 기준	수직항력이 변할 때 마찰력의 정의, 가속도 변할 때 적분활용

해설

$f_k = \mu_k N,\ N = Mg\frac{x}{L}$

$Ma = -\mu_k \frac{M}{L}gx \rightarrow a = -\mu_k \frac{g}{L}x$

$a = \frac{dv}{dt} = \frac{dv}{dt}\frac{dx}{dx} = v\frac{dv}{dx} = -\mu_k \frac{g}{L}x$

$\int_v^0 vdv = -\int_0^L \mu_k \frac{g}{L}x\,dx$

$v^2 = \mu_k g L$

$\therefore \mu_k = \frac{v^2}{gL}$

참고

운동에너지 = 마찰소비에너지

$\rightarrow \frac{1}{2}Mv^2 = \int_0^L f_k dx = \frac{1}{2}\mu_k MgL \quad \therefore \mu_k = \frac{v^2}{gL}$

06

본책 63p

정답 ①

영역	역학 – 회전관성
핵심 개념	회전관성 텐서, 각속도 정의
평가요소 및 기준	회전관성 텐서의 정의, 각운동량 계산

해설

각운동량의 정의 $\vec{L} = I\vec{\omega} = \vec{r}\times\vec{p}$

운동량의 정의를 활용하면

$d\vec{L} = dm\vec{r}\times\vec{v}$

$\vec{r} = x\hat{x} + y\hat{y}$, $\vec{v} = -\omega x\hat{z}$

$d\vec{L} = -dm(x\hat{x} + y\hat{y})\times(-\omega x\hat{z})$

$\quad = -dm\,\omega(xy\hat{x} - x^2\hat{y})$

면밀도 $\sigma = \frac{m}{2a^2}$, $dm = \sigma dx\,dy$

$\vec{L} = -\sigma\omega\int xydxdy\,\hat{x} + \sigma\omega\int x^2dxdy\,\hat{y}$

$\quad = -\sigma\omega a^4\hat{x} + \sigma\omega\frac{8}{3}a^4\hat{y}$

$\therefore \vec{L} = ma^2\omega\left(-\frac{1}{2}\hat{x} + \frac{4}{3}\hat{y}\right)$

다른 풀이

회전관성의 정의에 의해서

$I_{ij} = \begin{bmatrix} I_{xx} & I_{xy} & I_{xz} \\ I_{yx} & I_{yy} & I_{yz} \\ I_{zx} & I_{zy} & I_{zz} \end{bmatrix},\ I_{ii} = \int (r^2 - x_i^2)\,dm,$

$I_{ij} = -\int x_i x_j dm \ (i \neq j)$

$L = I\vec{\omega} = \omega(I_{xy}\hat{x} + I_{yy}\hat{y} + I_{zy}\hat{z})\ (I_{zy} = 0)$

$m = \int \rho dxdy = 2ma^2$

$I_{xy} = -\int(\rho xy)dxdy = -\rho\int_0^{2a}xdx\int_0^a ydy = -\frac{ma^2}{2}$

$I_{yy} = \int(x^2+z^2)\rho dxdy = \rho\int_0^{2a}x^2dx\int_0^a dy = \frac{4}{3}ma^2$

$\therefore \vec{L} = ma^2\omega\left(-\frac{1}{2}\hat{x} + \frac{4}{3}\hat{y}\right)$

07

본책 64p

정답 1) $ma+kv+f=0$, 2) $t_{정지}=\frac{m}{k}\ln\left(1+\frac{kv_0}{f}\right)$

영역	일반물리: 운동방정식
핵심 개념	운동방정식 치환법 전개
평가요소 및 기준	운동방정식을 부호를 고려해 정확히 이해, 운동방정식 수식적 전개

해설

운동방정식을 세워 풀어보면 다음과 같다.

$F=-kv-f=ma$

$m\dot{v}+kv+f=0$ $(where\ \dot{v}=a)$

$\dot{v}+\frac{k}{m}\left(v+\frac{f}{k}\right)=0$ $(\le t\ y=v+\frac{f}{k})$

$\dot{y}+\frac{k}{m}y=0 \rightarrow \int_{y_0}^{y}\frac{dy}{y}=-\int_0^t\frac{k}{m}dt$

$\ln\frac{y}{y_0}=-\frac{k}{m}t$

$\therefore t_{정지}=\frac{m}{k}\ln\left(1+\frac{kv_0}{f}\right)$

08

본책 64p

정답 1) $\left|\frac{d\vec{L}}{dt}\right|=mR^2\omega\dot{\phi}\sin\theta=mgD\sin\theta$, 방향은 $\hat{\phi}$

2) $\omega_p=\frac{gD}{R^2\omega}$, 방향은 $\hat{z}$

영역	심화역학: 팽이의 세차운동
핵심 개념	팽이의 좌표계에 따른 각운동량, 토크, 세차운동 각속도
평가요소 및 기준	• 팽이의 각운동량을 회전과 세차운동으로 분할하여 정의 • 토크 계산으로부터 세차운동 각속도 유도

해설

이 문제는 두 가지 풀이로 보여주겠다.

토크는 다음과 같이 표현된다.

$\vec{\tau}=\left.\frac{d\vec{L}}{dt}\right|_{fixed}=\left.\frac{d\vec{L}}{dt}\right|_{body}+\vec{\omega}_p\times\vec{L}$

먼저 원통형 좌표계(ρ,ϕ,z)에서 $\vec{\omega}_p=(\omega_\rho,\omega_\phi,\omega_z)$로 표현가 능하다.

바퀴의 질량중심이 $\hat{\phi}$방향으로 속력 v로 회전하고 있으므로

$\vec{v}=(0,v,0)$

$\vec{v}=\vec{\omega}_p\times\vec{\rho}$ 이므로 $\vec{v}=(0,v,0)$

$$=\begin{vmatrix}\hat{\rho} & \hat{\phi} & \hat{z}\\ \omega_\rho & \omega_\phi & \omega_z\\ \rho & 0 & 0\end{vmatrix}=(0,\omega_z\rho,\omega_\phi\rho)$$

따라서 $\omega_\phi=0$이다. 또한 θ가 상수이므로 ρ방향의 각속도 성분은 없다.

$\vec{\omega}_p=(0,0,\omega_z)$이 된다.

바퀴가 $\vec{\omega}$의 각속도로 회전하고 있으므로

$\vec{L}=I\vec{\omega}=(L\sin\theta,0,L\cos\theta)$; $\vec{\omega}$는 $\hat{\phi}$와 수직이다.

$$\vec{\omega}_p\times\vec{L}=\begin{vmatrix}\hat{\rho} & \hat{\phi} & \hat{z}\\ 0 & 0 & w_z\\ L\sin\theta & 0 & L\cos\theta\end{vmatrix}=(0,\ \omega_zL\sin\theta,\ 0)$$

일정한 각속력 ω라고 했으므로 $\left.\frac{d\vec{L}}{dt}\right|_{body}=0$

$\vec{\tau}=\left.\frac{d\vec{L}}{dt}\right|_{fixed}=\left.\frac{d\vec{L}}{dt}\right|_{body}+\vec{\omega}_p\times\vec{L}$ 에서

$(0,\omega_zL\sin\theta,0)=\vec{\tau}=D\sin\theta\hat{\rho}\times mg(-\hat{z})=mgD\sin\theta\hat{\phi}$

즉 $\vec{\omega}_p=(\omega_\rho,\omega_\phi,\omega_z)=(0,0,\omega_z)$이고,

크기는 $\omega_z=\frac{mgD}{L}=\frac{mgD}{mR^2\omega}=\frac{gD}{R^2\omega}$ 이다.

방향은 $+z$축 방향이다.

다른 풀이

θ에 대해 일정한 각으로 운동하는 팽이는 쉽게 해결할 수 있다.

각 운동량은 회전축$(\vec{r})$에 대한 성분과 세차운동에 의한 $\vec{z}$축에 의한 성분으로 구할 수 있다.

$\vec{L}=I\omega\hat{r}+m(D\sin\theta)^2\dot{\phi}\hat{z}$

$\frac{d\vec{L}}{dt}=I\omega\frac{d\hat{r}}{dt}+mD^2\sin^2\theta\dot{\phi}\frac{d\hat{z}}{dt}$

θ에 대해 일정한 각으로 운동하므로 z성분은 시간에 대해 일정하다.

즉, $\frac{d\hat{z}}{dt}=0$

$\frac{d\hat{r}}{dt}=\dot{\theta}\hat{\theta}+\dot{\phi}\sin\theta\hat{\phi}=\dot{\phi}\sin\theta\hat{\phi}$ $(\because\dot{\theta}=0)$

$\frac{d\vec{L}}{dt}=I\omega\frac{d\hat{r}}{dt}=\vec{\tau}=D\hat{r}\times mg(-\hat{z})=mgD\sin\theta\hat{\phi}$

$\frac{d\vec{L}}{dt}=I\omega\frac{d\hat{r}}{dt}=mR^2\omega\dot{\phi}\sin\theta\hat{\phi}=mgD\sin\theta\hat{\phi}$

$\therefore\left|\frac{d\vec{L}}{dt}\right|=mR^2\omega\dot{\phi}\sin\theta=mgD\sin\theta$, 방향 $\hat{\phi}$

세차운동의 각속도 $\omega_p=\frac{gD}{R^2\omega}$, 방향은 $\hat{z}$이다.

09

본책 65p

정답 해설 참고

해설

1) 단진동으로 단순화 가정

$P_0V_0^\gamma=PV^\gamma$

초기 부피를 $V_0=Ay_0$ $(A=\pi r^2)$이라 하자. y_0는 초기 높이이고, y는 초기 높이로부터 기체가 압축된 길이이다.

$V=A(y_0-y)$

$$P=P_0\left(\frac{V_0}{V}\right)^\gamma=P_0\left(\frac{V_0}{V_0-Ay}\right)^\gamma=P_0\left(\frac{1}{1-Ay/V_0}\right)^\gamma$$

$$= P_0\left(1 - \frac{A}{V_0}y\right)^{-\gamma}$$

$\frac{A}{V_0}y \ll 1$이면 $P = P_0\left(1 - \frac{A}{V_0}y\right)^{-\gamma} \simeq P_0\left(1 + \frac{\gamma A}{V_0}y\right)$이다.

이 식을 운동방정식 $m\frac{d^2y}{dt^2} = F_{ext} + (P_0 - P)\pi r^2 = mg + (P_0 - P)\pi r^2$에 대입하면

$$m\frac{d^2y}{dt^2} = mg - \frac{\gamma\pi^2 r^4 P_0}{V_0}y = mg - Ky$$

$$\frac{d^2y}{dt^2} + \frac{\gamma\pi^2 r^4 P_0}{mV_0}y - g = 0$$

$$\frac{d^2y}{dt^2} + \frac{\gamma\pi^2 r^4 P_0}{mV_0}\left(y - \frac{mgV_0}{\gamma\pi^2 r^4 P_0}\right) = 0$$

평형점 $y_{평형} = \frac{mgV_0}{\gamma\pi^2 r^4 P_0}$를 중심으로 단진동을 한다.

각진동수 $\omega = \sqrt{\frac{\gamma\pi^2 r^4 P_0}{mV_0}}$이다. 그리고 단진동으로 단순화시킬 조건은 운동방정식이 y에 대한 1차 함수로 되어야 하므로 과정에서 사용된 $\frac{\pi r^2}{V_0}y \ll 1$이 단진동 조건이다.

2) 실제 운동(감쇠진동)

중력뿐만 아니라 감쇠력 $-bv$가 작용하면 운동방정식은 다음과 같다.

$$m\frac{d^2y}{dt^2} = mg - \frac{\gamma\pi^2 r^4 P_0}{V_0}y - bv$$

$$\frac{d^2y}{dt^2} + \frac{b}{m}\frac{dy}{dt} + \frac{\gamma\pi^2 r^4 P_0}{mV_0}y = g$$

감쇠운동은 과감쇠, 임계운동, 감쇠진동 세 가지로 나뉘게 된다.

감쇠진동하기 위한 조건은 $\left(\frac{b}{m}\right)^2 - 4\frac{\gamma\pi^2 r^4 P_0}{mV_0} < 0$이므로 b의 범위는 다음과 같다.

$$0 < b < \sqrt{\frac{4\gamma P_0 \pi^2 r^4 m}{V_0}}$$

3) 역학적 진동과 전기회로의 유사성

역학적 진동과 RLC 회로 대응 관계

대응 관계	
변위 y	전하량 q
속도 v	전류 I
질량 m	유도계수 L
감쇠계수 b	저항 R
용수철 상수 k	전기용량 역수 $1/C$
중력	외부 전원 V

① 단진동 전기회로의 개략도와 오실로스코프의 축전기 전위차 그래프

그림과 같이 축전기에 초기 전하가 충전되어 외부 전위보다 높다면 외부 전위를 기준으로 각진동수 $\omega = \frac{1}{\sqrt{LC}}$인 진동회로의 그래프가 된다.

이는 $\frac{d^2y}{dt^2} + \frac{\gamma\pi^2 r^4 P_0}{mV_0}\left(y - \frac{mgV_0}{\gamma\pi^2 r^4 P_0}\right) = 0$와 비교하면 $K = \frac{1}{C}$에, $m = L$에 대응시키는 것과 동일하다. 해는

$y = A\cos\sqrt{\frac{K}{m}}t + \frac{mg}{K}$이다.

여기서 A는 $y_{초기} - y_{평형}$이다. 회로와 대응시키면 다음과 같다.

$$q = A\cos\left(\frac{1}{\sqrt{LC}}t\right) + CV$$

$q = CV$이므로 $V_C = \frac{A}{C}\cos\left(\frac{1}{\sqrt{LC}}t\right) + V$

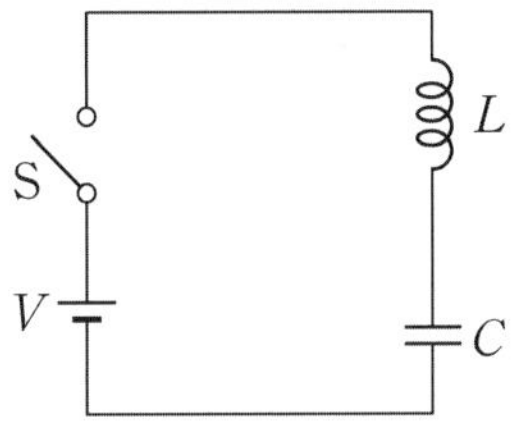

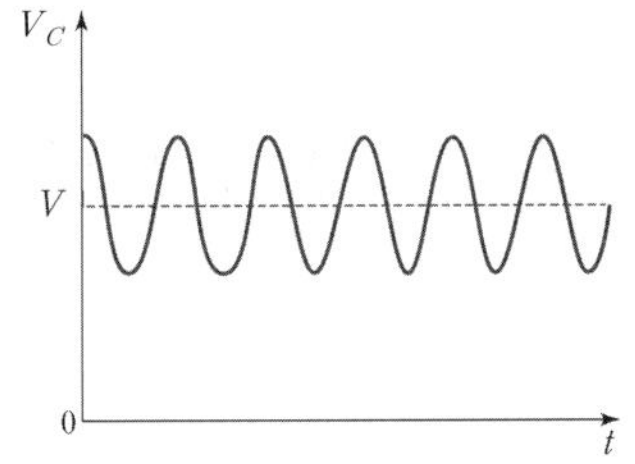

② 감쇠진동 전기회로의 개략도와 오실로스코프의 축전기 전위차 그래프

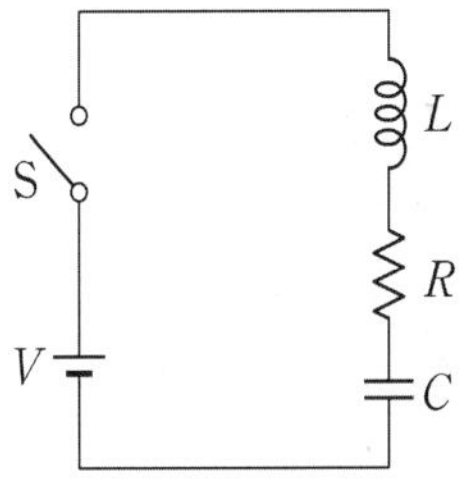

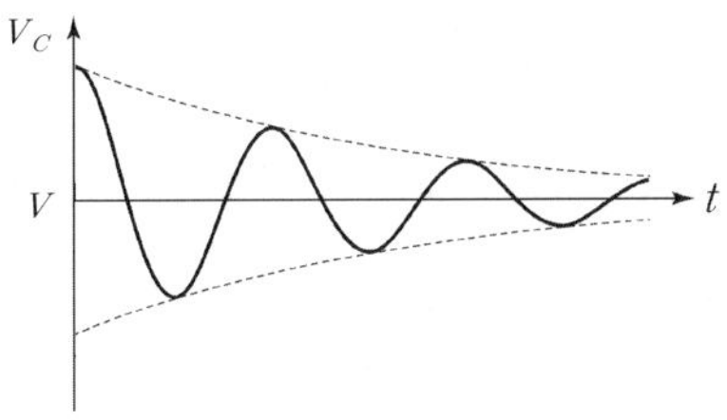

$t = 0$에서 $I(0) = 0$이고, 진폭이 A라 하자. (자세한 내용은 일반물리 감쇠진동 참고)

$\omega_1 = \sqrt{\frac{1}{LC} - \frac{R^2}{4L^2}}$으로 정의하면, 축전기 양단에 걸리는 전위 $V_C(t)$는 다음과 같다.

$$V_C(t) = Ae^{-\frac{R}{2L}t}\cos(\omega_1 t - \phi) + V,\ \tan\phi = \frac{R}{2L\omega_1}$$

2 중심력 운동 및 유효 퍼텐셜

10

본책 66p

정답 ⑤

영역	역학
핵심 개념	중심력 운동의 의해
평가요소 및 기준	중심력 운동의 스토크스 법칙 및 퍼텐셜 에너지 관계식 이해

해설

① 중심력 운동에서 역학적 에너지는 보존된다.

② 중심력이라는 것은 $\vec{F}=-f(r)\hat{r}$으로 중심에 대해 발산방향과 나란한 힘이 작용하므로 회전성분은 없다.
즉, $\vec{\nabla}\times\vec{F}=0$을 만족한다.

③ $\vec{\nabla}\times\vec{F}=0 \rightarrow \int(\vec{\nabla}\times\vec{F})\cdot d\vec{S}=\oint\vec{F}\cdot d\vec{l}=0$
스토크스 정리

④ 중심력은 중심방향이므로 알짜 토크가 없다. 즉, 각운동량이 보존된다.

⑤ $\vec{\nabla}\times\vec{F}=0$이므로
$$\int(\vec{\nabla}\times\vec{F})\cdot d\vec{S}=\oint\vec{F}\cdot d\vec{l}=0$$
$$\rightarrow \oint\left(\frac{dV}{dl}\right)dl=0 \quad \therefore F=-\nabla V$$

11

본책 66p

정답 ⑤

영역	역학
핵심 개념	중심력에서 유효 퍼텐셜, 원운동, 타원궤도, 전체에너지
평가요소 및 기준	유효 퍼텐셜의 정의 및 원운동 활용

해설

기출 2013년도 18번 풀이 참고

ㄱ. 전체에너지는 $E=\frac{1}{2}m\dot{r}^2+\frac{L^2}{2mr^2}-\frac{k}{r}=E_k+V$

r_2에서는 $E_0=\frac{1}{2}m\dot{r}^2+V_{eff} \rightarrow V_{eff}=E_0$이므로 병진 운동에너지가 0이다.
타원궤도에서 원일점이 된다.
$$\frac{1}{2}mv^2=\frac{L^2}{2mr_2^2} \rightarrow v=\frac{L}{mr_2}$$

ㄴ. r_1에서 전체에너지는 E_0이고 만약 원운동 할 때

$V_{\min}=\frac{L^2}{2mr_1^2}-\frac{k}{r_1}$이므로
$$E_0=\frac{1}{2}m\dot{r}_1^2+\frac{L^2}{2mr_1^2}-\frac{k}{r_1}=E_k+V$$
$$V_{\min}=\frac{L^2}{2mr_1^2}-\frac{k}{r_1}$$
$$E_0-V_{\min}=\frac{1}{2}m\dot{r}_1^2<E_k=\frac{1}{2}m\dot{r}_1^2+\frac{L^2}{2mr_1^2}$$

ㄷ. $F=-\nabla V$ 이므로 $F=-\frac{k}{r^2}$이다.

12

본책 67p

정답 1) $r_A=\frac{2}{3}d$

2) $T=2\pi d\sqrt{\frac{d}{3Gm}}$, $v_{AB}=\sqrt{\frac{3Gm}{d}}$

영역	역학
핵심 개념	중심력 운동, 질량중심, 등속원운동하의 힘의 평형, 상대속도, 환산 질량
평가요소 및 기준	• 질량중심의 정의 및 계산 • 등속원운동 시 구심력과 원심력의 힘의 평형, 상대속도 계산

해설

1) 질량중심 위치 O로부터 A와 B가 떨어진 거리를 각각 r_A, r_B라 하면
$r_A+r_B=d$ …… ①
질량중심 공식 $x_{com}=\frac{m_1x_1+m_2x_2}{m_1+m_2}$를 이용하면
$$\therefore r_A=\frac{2}{3}d$$

2) 상대 좌표계, 환산질량은 상대속도를 의미한다.
$$\frac{Gm_Am_B}{d^2}=\frac{\mu v_{AB}^2}{d}\ ;\ v_{AB}=\text{상대속도}$$
$$\therefore v_{AB}=\sqrt{\frac{G(m_A+m_B)}{d}}=\sqrt{\frac{3Gm}{d}}$$
$$T=\frac{2\pi d}{v_{AB}}=2\pi d\sqrt{\frac{d}{3Gm}}$$
$$\therefore T=2\pi d\sqrt{\frac{d}{3Gm}}$$

다른 풀이

만유인력과 원운동의 원심력이 각각 평형을 이루고 있으므로
$$\frac{Gm_Am_B}{d^2}=\frac{m_Av_A^2}{r_A}=\frac{m_Bv_B^2}{r_B}$$
$$v_A^2=\frac{Gm_Br_A}{d^2},\ v_B^2=\frac{Gm_Ar_B}{d^2}$$
$$T=\frac{2\pi r_A}{v_A} \rightarrow T^2=\frac{4\pi^2r_A^2}{v_A^2}=\frac{4\pi^2d^3}{3Gm}$$
$$\therefore T=2\pi d\sqrt{\frac{d}{3Gm}}$$

상대속도의 크기 v_{AB}는 서로 방향이 반대이므로

$$|\vec{v}_{AB}| = |\vec{v}_A - \vec{v}_B| = v_A + v_B = \frac{2\pi(r_A + r_B)}{T} = \frac{2\pi d}{T}$$

$$\therefore v_{AB} = \sqrt{\frac{3Gm}{d}}$$

13

본책 67p

정답 ①

영역	역학: 중심력 운동
핵심 개념	보존력의 정의, 유효 퍼텐셜 정의, 각운동량
평가요소 및 기준	중심력과 퍼텐셜 관계식, 유효 퍼텐셜 정의

해설

ㄱ. 중심력의 정의 $F = -\nabla V = -3kR^2$ 따라서 크기는 $3kR^2$이다.

ㄴ. 원운동에서 중심력과 원심력의 평형을 만족하므로

$$F = \frac{mv^2}{R} = 3kR^2$$

$$v = \sqrt{\frac{3kR^3}{m}}$$

$$\therefore T = \frac{2\pi R}{v} = 2\pi\sqrt{\frac{m}{3kR}}$$

ㄷ. 각운동량과 유효 퍼텐셜의 정의만 알면 쉽게 구할 수 있다. 유효 퍼텐셜은 회전운동에너지와 퍼텐셜 에너지의 합이므로

$$L = mRv$$

$$U_{eff} = \frac{L^2}{2mR^2} + V = \frac{1}{2}mv^2 + kR^3$$

$$= \frac{1}{2}m\left(\frac{3kR^3}{m}\right) + kR^3$$

$$\therefore U_{eff} = \frac{5}{2}kR^3$$

14

본책 68p

정답 1) $x_0 = \frac{2}{3}a$, 2) $v_m = \sqrt{\frac{8U_0}{9m}}$

영역	일반물리: 힘과 역학적 에너지
핵심 개념	퍼텐셜 함수와 힘의 상관관계, 역학적 에너지
평가요소 및 기준	• 주어진 퍼텐셜로부터 보존력을 구하기 • 퍼텐셜 함수에 따른 탈출속력 구하기

해설

$F = -\Delta U$를 이용하면

$$F(x) = -\frac{\partial U(x)}{\partial x} = -U_0\left(\frac{1}{a} - 9\frac{(x-a)^2}{a^3}\right)$$

평형점은 $F=0$인 지점이다. 안정적인 평형점은 $\frac{d^2U(x)}{dx^2} > 0$인 즉, 아래로 볼록인 극소점이다. (그래프 참고)

$$F(x) = 0 \rightarrow x = \frac{2}{3}a,\ \frac{4}{3}a$$

$\frac{d^2U(x)}{dx^2} > 0$을 만족하는 지점은

$\frac{d^2U(x)}{dx^2} = \frac{-18U_0(x-a)}{a}$ 이므로 $x < a$일 때인

$$\therefore x_0 = \frac{2}{3}a$$

입자가 $+x$방향으로 무한히 운동하기 위해서는 3차 그래프에서 오른쪽 극값을 넘어야 하므로 안정적인 평형점과 불안정적인 평형점의 위치에너지 차이만큼 초기 운동에너지를 가져야 한다.

즉 $\frac{1}{2}mv_m^2 = U\left(x = \frac{4}{3}a\right) - U\left(x = \frac{2}{3}a\right) = \frac{4}{9}U_0$

$$\therefore v_m = \sqrt{\frac{8U_0}{9m}}$$

$a=1$일 때 그래프 형태

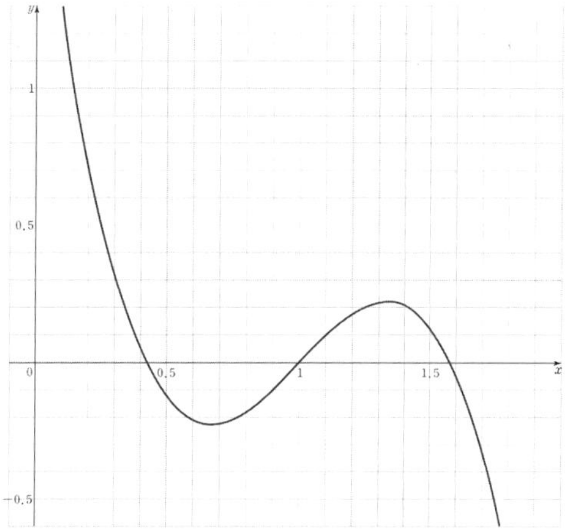

15

본책 68p

정답 1) $F(x) = -\frac{2U_0}{a^2}\left(\frac{x^3}{a^2} - x\right)\hat{x}$

2) $x_A = -a$, 3) $v_{min} = \sqrt{\frac{U_0}{m}}$

영역	역학
핵심 개념	힘과 퍼텐셜 에너지의 상관관계, 역학적 에너지 보존
평가요소 및 기준	퍼텐셜 에너지로부터 힘의 계산, 진동하기 위한 에너지 조건 및 계산

해설

1) $F(x) = -\vec{\nabla}U(x) = -\frac{d}{dx}U(x)\hat{x}$

$$= -U_0\left(\frac{2x^3}{a^4} - \frac{2x}{a^2}\right)\hat{x}$$

$$\therefore F(x) = -\frac{2U_0}{a^2}\left(\frac{x^3}{a^2} - x\right)\hat{x}$$

1차원에서는 $\hat{x}$을 안 써도 크게 상관이 없다. 부호가 방향을 대신하게 된다.

2) 평형점에서는 $F(x)=0$이므로 $x=0,\ \pm a$

그런데 $x=0$은 불안정한 평형점이다.

$\therefore x_A = -a$

3) 입자가 x_A, x_B를 지나 왕복 운동하기 위해서는 $U(x=0)$인 지점을 넘어서야 한다. 역학적 에너지 보존으로부터

$$\frac{1}{2}mv^2 + U(x=\pm a) \ge U(x=0)$$

$$\frac{1}{2}mv^2 \ge \frac{U_0}{2}$$

$$\therefore v_{min} = \sqrt{\frac{U_0}{m}}$$

16

본책 69p

정답 ⑤

영역	역학: 중심력 운동
핵심 개념	중심력 전체에너지, 유효 퍼텐셜
평가요소 및 기준	중심력의 에너지 보존식 및 유효 퍼텐셜 그래프 해석

해설

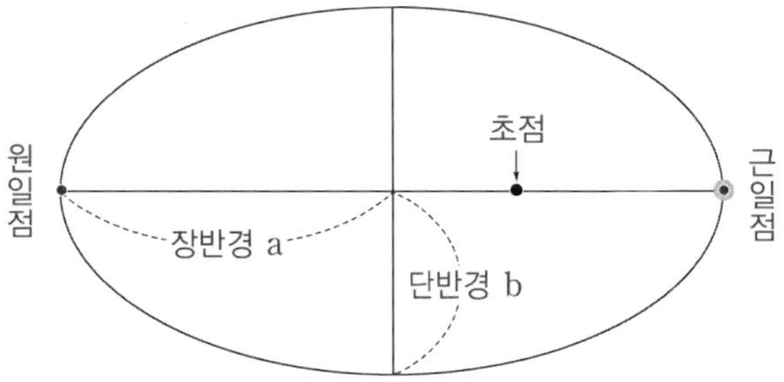

ㄱ. 각운동량 보존 법칙에 의해서

$L = mrv\sin\theta$ 근일점, 원일점 r_1, r_2에서 $\theta = 90^\circ$ 이므로

$r_1v_1 = r_2v_2$

ㄷ. $E_{전체} = \frac{1}{2}\mu\dot{r}^2 + \frac{1}{2}\frac{L^2}{\mu r^2} + U = \frac{1}{2}\mu\dot{r}^2 + U_{유효}$

$$\frac{1}{2}\mu\dot{r}^2 = -\frac{1}{2}\frac{L^2}{\mu r^2} + \frac{k}{r} + E_T = 0$$

근일점 r_1과 원일점 r_2에서는 거리와 속도방향이 수직이므로 병진 속력, 즉 $\dot{r}=0$이 된다.

$r^2 + \frac{k}{E}r - \frac{L^2}{2\mu E} = 0$, 이때 해는 근일점과 원일점이 된다.

2차방정식 근의 성질에 의해서

$$r_1 + r_1 = 2a = -\frac{k}{E} = \frac{k}{|E|}$$

$$r_1r_2 = -\frac{L^2}{2\mu E} = \frac{L^2}{2\mu|E|}$$

$m(\ll M)$인 경우

$\mu = \frac{mM}{m+M} \simeq m$ (reduced mass ; 환산 질량)

$\therefore L = \sqrt{-2mEr_1r_2}$

ㄴ. $F = \frac{GMm}{r^2} = ma \to a = \frac{GM}{r^2}$

$$\therefore \frac{a_1}{a_2} = \frac{r_2^2}{r_1^2}$$

17

본책 70p

정답 1) $U_{eff} = \frac{L^2}{2mr^2} + kr$, $r_0 = \left(\frac{L^2}{mk}\right)^{\frac{1}{3}}$

2) $T = 2\pi\left(\frac{Lm}{k^2}\right)^{\frac{1}{3}}$

영역	일반물리: 중심력에서의 운동
핵심 개념	중심력에서 에너지, 원운동 기본 특성
평가요소 및 기준	• 유효 퍼텐셜의 개념과 정의 • 유효 퍼텐셜을 활용하여 주기운동 계산

해설

1) 입자의 유효 퍼텐셜 에너지 $U_{eff}(r)$를 쓰고, $U_{eff}(r)$가 최소가 되는 원점으로부터의 거리 r_0

중심력에서의 전체 에너지

$$E = \frac{1}{2}m|\dot{\vec{r}}|^2 + V$$

$$\frac{1}{2}m|\dot{\vec{r}}|^2 = \frac{1}{2}m(\dot{x}^2 + \dot{y}^2)$$

$x = r\cos\theta$, $\dot{x} = \dot{r}\cos\theta - r\sin\theta\dot{\theta}$

$y = r\sin\theta$, $\dot{y} = \dot{r}\sin\theta + r\cos\theta\dot{\theta}$

$|\dot{\vec{r}}|^2 = \dot{r}^2 + r^2\dot{\theta}^2$

라그랑지안 $L = \frac{1}{2}m\dot{r}^2 + \frac{1}{2}mr^2\dot{\theta}^2 - kr$

θ에 대한 운동방정식 $\frac{\partial L}{\partial \theta} - \frac{d}{dt}\left(\frac{\partial L}{\partial \dot{\theta}}\right) = 0$에서

$\frac{\partial L}{\partial \theta} = \frac{d}{dt}\left(\frac{\partial L}{\partial \dot{\theta}}\right) = 0$이므로

$\left(\frac{\partial L}{\partial \dot{\theta}}\right) = mr^2\dot{\theta} = L$(각운동량) ········· ①

$E = \frac{1}{2}m\dot{r}^2 + \frac{1}{2}\frac{L^2}{mr^2} + kr$ = 병진 + 회전

$= \frac{1}{2}m\dot{r}^2 + U_{eff}$

$$\therefore U_{eff} = \frac{1}{2}\frac{L^2}{mr^2} + kr$$

$$\frac{d}{dr}U_{eff} = -\frac{L^2}{mr^3} + k = 0$$

$$\therefore r_0 = \left(\frac{L^2}{mk}\right)^{\frac{1}{3}}$$

2) 입자가 원운동 할 때 회전 주기 T

원운동일 때

$$T=\frac{2\pi}{w}=\frac{2\pi}{L}mr_0^2\ (\because \text{식 1)에서 } L=mr^2\omega)$$

$$\therefore T=2\pi\left(\frac{Lm}{k^2}\right)^{\frac{1}{3}}$$

18

본책 70p

정답 1) $U_{\text{eff}}=\frac{L^2}{2mr^2}+V=\frac{L^2}{2mr^2}-\frac{k}{3r^3}$, 2) $r_0=\frac{km}{L^2}$

3) $E_k=\frac{L^6}{2m^3k^2}$

영역	역학
핵심 개념	중심력 운동, 유효 퍼텐셜, 원운동 조건
평가요소 및 기준	중심력 운동 시 퍼텐셜 에너지 계산, 유효 퍼텐셜의 원운동 조건 계산

해설

1) $V=-\int_\infty^r \vec{F}d\vec{r}=\int_\infty^r \frac{k}{r^4}dr=-\frac{k}{3r^3}$

$$\therefore U_{\text{eff}}=\frac{L^2}{2mr^2}+V=\frac{L^2}{2mr^2}-\frac{k}{3r^3}$$

2) 원운동 조건 $\frac{d}{dr}U_{\text{eff}}=0$

$$-\frac{L^2}{2mr^3}+\frac{k}{r^4}=0$$

$$\therefore r_0=\frac{km}{L^2}$$

3) 원운동 시 회전운동에너지만 존재한다.

병진운동에너지 $\frac{1}{2}m\dot{r}^2=0\ (\because \dot{r}=0)$

$$\therefore E_k=\frac{L^2}{2mr_0^2}=\frac{L^2}{2m}\times\frac{L^4}{k^2m^2}=\frac{L^6}{2m^3k^2}$$

19

본책 71p

정답 1) $r_s=\frac{\alpha+\sqrt{\alpha^2-3\beta\gamma}}{\beta}$, 2) $r_0=\frac{2\alpha}{\beta}>r_s$

영역	역학
핵심 개념	유효퍼텐셜, 안정적 평형점
평가요소 및 기준	중심력장에서 유효퍼텐셜과 안정적 평형점의 이해와 계산

해설

1) 원운동 궤도는 유효퍼텐셜의 극점인 위치일 때이다.

$$\frac{d}{dr}U_{\text{eff}}=-\frac{2\alpha}{r^3}+\frac{\beta}{r^2}+\frac{3\gamma}{r^4}=0$$

$$=\frac{1}{r^4}(-2\alpha r+\beta r^2+3\gamma)=0\quad (r\neq 0)$$

$$\rightarrow \beta r^2-2\alpha r+3\gamma=0$$

$$r=\frac{\alpha\pm\sqrt{\alpha^2-3\beta\gamma}}{\beta}$$

안정적 원운동은 $\frac{d^2}{dr^2}U_{\text{eff}}>0$인 지점이다.

$$\therefore r_s=\frac{\alpha+\sqrt{\alpha^2-3\beta\gamma}}{\beta}$$

2) $\gamma=0$이면 $r_0=\frac{2\alpha}{\beta}$ 이므로

$$\therefore r_0=\frac{2\alpha}{\beta}>r_s$$

20

본책 71p

정답 1) $\vec{F}=-m\omega^2\vec{r}(t)$, 2) $\vec{\tau}=0$, 3) $\phi=\frac{\pi}{2}$

영역	역학
핵심 개념	변위, 속도, 가속도 관계식, 토크와 각운동량의 정의
평가요소 및 기준	역학적 관계식 연산, 토크와 각운동량의 연산

해설

1) 역학적 관계식

$\vec{v}(t)=\frac{d}{dt}(\vec{r}(t))$, $\vec{a}(t)=\frac{d^2}{dt^2}(\vec{r}(t))$이므로 이를 활용하여 속도와 가속도를 계산하자.

$$\vec{v}(t)=\frac{d}{dt}(\vec{r}(t))$$

$$=\omega\cos\omega t\,\hat{x}-2\omega\sin\omega t\,\hat{y}+\omega\cos(\omega t+\phi)\hat{z}$$

$$\vec{a}(t)=\frac{d}{dt}(\vec{v}(t))$$

$$=-\omega^2\sin\omega t\,\hat{x}-2\omega^2\cos\omega t\,\hat{y}-\omega^2\sin(\omega t+\phi)\hat{z}$$

$$=-\omega^2(\vec{r}(t))$$

$$\vec{F}=m\vec{a}=-momega^2\vec{r}(t)$$

$$\therefore \vec{F}=-m\omega^2\vec{r}(t)$$

2) $\vec{\tau}=\vec{r}\times\vec{F}$, 여기서 $\vec{F}$가 중심력이므로

$$\therefore \vec{\tau}=0$$

3) 각운동량의 정의 $\vec{L}=m\vec{r}\times\vec{v}$이다.

$$\vec{L}=m\omega\begin{vmatrix}\hat{x} & \hat{y} & \hat{z}\\ \sin\omega t & 2\cos\omega t & \sin(\omega t+\phi)\\ \cos\omega t & -2\sin\omega t & \cos(\omega t+\phi)\end{vmatrix}$$

$$\rightarrow L_x=m\omega[2\cos\omega t\cos(\omega t+\phi)+2\sin\omega t\sin(\omega t+\phi)]$$

$$=2m\omega\cos\phi=0$$

$$\therefore \phi=\frac{\pi}{2}$$

21

본책 72p

정답 1) $\rho(r) = \dfrac{3v_0^2}{4\pi G r_0^2}$ $(r < r_0)$

2) $\rho(r) = \dfrac{v_0^2}{4\pi G r^2}$ $(r \geq r_0)$

영역	역학
핵심 개념	중력의 가우스 법칙, 중심력에서 원운동
평가요소 및 기준	중력의 가우스 법칙과 중심력 원운동을 활용한 연산

해설

1) $r < r_0$일 때

$$\frac{1}{r}\left(\frac{v_0}{r_0}\right)^2 r^2 = \frac{GM(r)}{r^2}$$

$$M(r) = \frac{v_0^2}{G r_0^2} r^3$$

$$\frac{dM(r)}{dr} = \frac{3v_0^2}{G r_0^2} r^2$$

$$\rho(r) = \frac{1}{4\pi r^2}\left(\frac{3v_0^2}{G r_0^2}\right) r^2 = \frac{3v_0^2}{4\pi G r_0^2}$$

$$\therefore \rho(r) = \frac{3v_0^2}{4\pi G r_0^2} \quad (r < r_0)$$

2) $r \geq r_0$일 때

$$\frac{v_0^2}{r} = \frac{GM(r)}{r^2}$$

$$M(r) = \frac{v_0^2}{G} r$$

$$\frac{dM(r)}{dr} = \frac{v_0^2}{G}$$

$$\rho(r) = \frac{1}{4\pi r^2}\left(\frac{v_0^2}{G}\right) = \frac{v_0^2}{4\pi G r^2}$$

$$\therefore \rho(r) = \frac{v_0^2}{4\pi G r^2} \quad (r \geq r_0)$$

3 라그랑지안 역학(구름, 용수철, 정규모드)

22

본책 73p

정답 1) $m_1\ddot{x}_1 + k(x_1 - x_2) = 0,\ \ m_2\ddot{x}_2 - k(x_1 - x_2) = 0$

2) $\ddot{y} + \dfrac{m_1 + m_2}{m_1 m_2} k y = 0$

영역	역학
핵심 개념	라그랑지안, 라그랑주 방정식, 정규모드
평가요소 및 기준	라그랑지안의 정규모드 해석

해설

x_1에 대한 운동방정식을 구해보자.

$$\frac{\partial L}{\partial x_1} - \frac{d}{dt}\left(\frac{\partial L}{\partial \dot{x}_1}\right) = 0 \rightarrow m_1\ddot{x}_1 + k(x_1 - x_2) = 0$$

$$\frac{\partial L}{\partial x_2} - \frac{d}{dt}\left(\frac{\partial L}{\partial \dot{x}_2}\right) = 0 \rightarrow m_2\ddot{x}_2 - k(x_1 - x_2) = 0$$

$x_1 = A_1 e^{i\omega t}, x_2 = A_2 e^{i\omega t}$ 라 하면

$$-m_1\omega^2 A_1 + k(A_1 - A_2) = 0$$

$$-m_2\omega^2 A_2 - k(A_1 - A_2) = 0$$

$$(k - m_1\omega^2)A_1 - kA_2 = 0$$

$$-kA_1 + (k - m_2\omega^2)A_2 = 0$$

$$(k - m_1\omega^2)(k - m_2\omega^2) - k^2 = 0$$

$$\omega^2\left(\omega^2 - \frac{m_1 + m_2}{m_1 m_2} k\right) = 0$$

$$\omega_1 = 0,\ \omega_2 = \sqrt{\frac{(m_1 + m_2)}{m_1 m_2} k}$$

일반해 $x = Ae^{i\omega_1 t} + Be^{i\omega_2 t}$

ω_1일 때, $A_1 = A_2 = A$

ω_2일 때, $(k - m_1\omega_2^2)B_1 = kB_2$

$-m_1 B_1 = m_2 B_2$

따라서

$$x_1(t) = A + m_2 B e^{i\omega_2 t}$$

$$x_2(t) = A - m_1 B e^{i\omega_2 t}$$

$y(t) = x_1(t) - x_2(t) = (m_2 + m_1)Be^{i\omega_2 t}$ 진동수가 ω_2로 하나이다.

즉, $\ddot{y} + \dfrac{m_1 + m_2}{m_1 m_2} k y = 0$

참고

그냥 바로 본다면

$$\ddot{x}_1 + \frac{k}{m_1}(x_1 - x_2) = 0$$

$$\ddot{x}_2 - \frac{k}{m_2}(x_1 - x_2) = 0$$

두 식을 빼면

$$(\ddot{x}_1 - \ddot{x}_2) + \left(\frac{k}{m_1} + \frac{k}{m_2}\right)x_1 - \left(\frac{k}{m_1} + \frac{k}{m_2}\right)x_2 = 0$$

$$(\ddot{x}_1 - \ddot{x}_2) + \left(\frac{k}{m_1} + \frac{k}{m_2}\right)(x_1 - x_2) = 0$$

$$\ddot{y} + \frac{m_1 + m_2}{m_1 m_2} k y = 0$$

23

본책 73p

정답 1) $L=\frac{1}{2}(m_1+m_2)\dot{r}^2+\frac{1}{2}m_1r^2\dot{\theta}^2+mg(l-r)$

2) $(m_1+m_2)\ddot{r}-m_1r\dot{\theta}^2+m_2g=0$

영역	역학
핵심 개념	라그랑지안, 라그랑주 방정식
평가요소 및 기준	라그랑지안 정의 및 운동방정식 계산

해설

1) $m_1:\begin{cases}x=r\cos\theta,\ \dot{x}=\dot{r}\cos\theta-r\dot{\theta}\sin\theta\\ y=r\sin\theta,\ \dot{y}=\dot{r}\sin\theta+r\dot{\theta}\cos\theta\end{cases}$

$T=\frac{1}{2}m_1(\dot{r}^2+r^2\dot{\theta}^2)+\frac{1}{2}m_2\dot{r}^2$

$V=-mg(l-r)$

$\therefore L=T-V=\frac{1}{2}(m_1+m_2)\dot{r}^2+\frac{1}{2}m_1r^2\dot{\theta}^2+mg(l-r)$

2) θ에 대한 운동방정식은 각운동량 보존을 의미한다.

$m_1r^2\ddot{\theta}=0$

r에 대한 운동방정식은

$\frac{\partial L}{\partial r}-\frac{d}{dt}\left(\frac{\partial L}{\partial \dot{r}}\right)=0$

$\therefore (m_1+m_2)\ddot{r}-m_1r\dot{\theta}^2+m_2g=0$

24

본책 74p

정답 1) $L=T-V=\frac{1}{2}m\dot{x}^2-\frac{1}{8}kx^2-\frac{2m^2g^2}{k}-mgh_0$

2) $\ddot{x}+\frac{k}{4m}x=0$, 3) $T=4\pi\sqrt{\frac{m}{k}}$

영역	역학
핵심 개념	라그랑지안, 움직도르래 활용, 힘의 평형점, 라그랑주 방정식
평가요소 및 기준	움직도르래의 라그랑지안 정의, 힘의 평형점 정의 및 운동방정식 계산

해설

1) 중력장에서 진동 시 힘의 평형점을 중심으로 진동한다.

즉, 용수철 고유의 길이로부터 힘의 평형점 위치를 x_0라 하면

$k\left(\frac{x_0}{2}\right)=2T=2mg$의 힘의 평형관계식이 성립한다.

운동에너지 $T=\frac{1}{2}m\dot{x}^2$

위치에너지 $V=mg(h_0-x)+\frac{1}{2}k\left(\frac{x}{2}+\frac{x_0}{2}\right)^2$

$=mg(h_0-x)+\frac{1}{2}k\left(\frac{x}{2}+\frac{2mg}{k}\right)^2$

$=mgh_0+\frac{1}{8}kx^2+\frac{2m^2g^2}{k}$

중력에 의한 퍼텐셜 에너지의 기준점은 지표면으로 설정하였다.

m이 x만큼 움직이면 용수철의 길이는 $\frac{x}{2}$만큼 늘어나게 된다. (움직도르래의 성질)

물체의 라그랑지안

$L=T-V=\frac{1}{2}m\dot{x}^2-\frac{1}{8}kx^2-\frac{2m^2g^2}{k}-mgh_0$

2) 물체의 운동방정식을 구하면

$\frac{\partial L}{\partial x}-\frac{d}{dt}\left(\frac{\partial L}{\partial \dot{x}}\right)=0$

$\ddot{x}+\frac{k}{4m}x=0$

$\omega=\sqrt{\frac{k}{4m}}$

3) 물체의 주기는 $T=\frac{2\pi}{\omega}=4\pi\sqrt{\frac{m}{k}}$

25

본책 74p

정답 ②

영역	역학
핵심 개념	라그랑지안, 병진 및 회전운동에너지, 운동량 보존, 역학적 에너지 보존
평가요소 및 기준	좌표 설정 및 라그랑지안 및 역학적 에너지 보존 활용

해설

일단 마찰이 없고, x축 방향의 힘이 존재하지 않으므로 x축 방향의 운동량은 일정하다. 그런데 초기 정지 상태로 출발하므로 x축의 질량 중심은 고정이다. 즉, 질량 중심 속력은 y축만 존재한다.

$y=\frac{l}{2}\sin\theta,\ \dot{y}=\frac{l}{2}\dot{\theta}\cos\theta,\ \ddot{y}=\frac{l}{2}\ddot{\theta}\cos\theta-\frac{l}{2}\dot{\theta}^2\sin\theta$

에너지 보존 법칙을 이용하자.

$T=\frac{1}{2}m\dot{y}^2+\frac{1}{2}I\dot{\theta}^2=\frac{1}{8}ml^2\dot{\theta}^2\cos^2\theta+\frac{1}{24}ml^2\dot{\theta}^2$

$V=mg\frac{l}{2}\sin\theta$

$mg\frac{l}{2}\sin\theta_0=\frac{1}{8}ml^2\dot{\theta}^2+\frac{1}{24}ml^2\dot{\theta}^2=\frac{1}{6}ml^2\dot{\theta}^2$

$\dot{\theta}=\sqrt{\frac{3g\sin\theta_0}{l}}$

$v_y(\theta=0)=\frac{l}{2}\dot{\theta}=\sqrt{\frac{3gl\sin\theta_0}{4}}$

참고

복잡한 상황의 역학의 경우에는 라그랑지안으로 해결하는 것이 빠르고 정확할 수 있다.
물체의 질량 중심의 속력은 병진 속력을 의미한다. 회전은 질량 중심을 고정시키고 각속도 ω로 회전하는 것을 말하므로 질량 중심의 속력과는 관계가 없다.

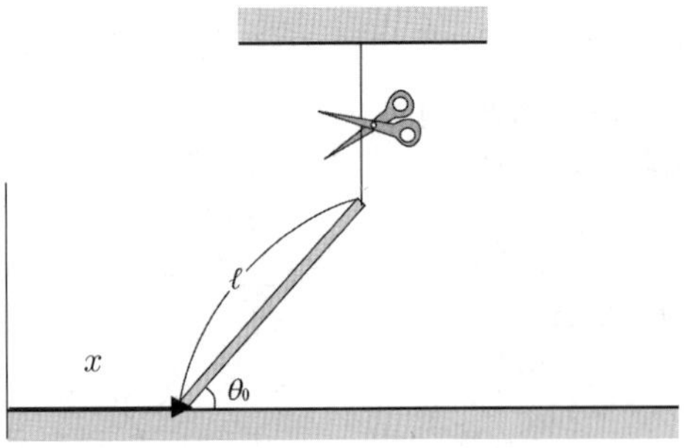

지표면의 임의의 고정점으로부터 수평방향으로 막대의 왼쪽 끝 위치를 x라 하자. 또한 임의의 시각 t에서 수평면과 막대가 이루는 각을 θ라 하면, 고정점으로부터 질량중심까지의 위치 $(X, Y) = \left(x + \frac{\ell}{2}\cos\theta, \frac{\ell}{2}\sin\theta\right)$이다.

$$(\dot{X}, \dot{Y}) = \left(\dot{x} - \frac{\ell}{2}\dot{\theta}\sin\theta, \frac{\ell}{2}\dot{\theta}\cos\theta\right)$$

막대의 운동에너지는 병진운동에너지와 회전운동에너지가 존재한다.

$$E_{병진} = \frac{1}{2}m(\dot{X}^2 + \dot{Y}^2) = \frac{1}{2}m\left(\dot{x}^2 + \frac{\ell^2}{4}\dot{\theta}^2 - \ell\dot{x}\dot{\theta}\sin\theta\right)$$

$$E_{회전} = \frac{1}{2}I_0\dot{\theta}^2 = \frac{1}{24}m\ell^2\dot{\theta}^2$$

물체의 위치에너지 $V = mgY = mg\frac{\ell}{2}\sin\theta$

물체의 라그랑지안은

$$L = E_{병진} + E_{회전} - V$$

$$L = \frac{1}{2}m\left(\dot{x}^2 + \frac{\ell^2}{4}\dot{\theta}^2 - \ell\dot{x}\dot{\theta}\sin\theta\right) + \frac{1}{24}m\ell^2\dot{\theta}^2 - \frac{1}{2}mg\ell\sin\theta$$

x방향에 대한 운동방정식을 생각하면

$\frac{\partial L}{\partial x} - \frac{d}{dt}\left(\frac{\partial L}{\partial \dot{x}}\right) = 0$, 그런데 $\dot{p}_x = \frac{\partial L}{\partial x} = 0$이므로 x축 방향의 운동량은 보존된다.

$$p_x = \frac{\partial L}{\partial \dot{x}} = m\dot{x} - \frac{1}{2}m\ell\dot{\theta}\sin\theta = \text{일정}$$

물체가 정지 상태에서 움직이므로 초기 x축 방향의 운동량은 0이다.

$$p_x = m\dot{x} - \frac{1}{2}m\ell\dot{\theta}\sin\theta = 0$$

$$m\dot{x} = \frac{1}{2}m\ell\dot{\theta}\sin\theta$$

그런데 막대의 오른쪽 끝이 바닥에 닿는 순간은 막대의 수평면과의 이루는 각 $\theta = 0$이다.

$$m\dot{x} = \frac{1}{2}m\ell\dot{\theta}\sin\theta = 0$$

역학적 에너지 보존을 생각하면

$$E_{역학} = E_{병진} + E_{회전} + V = mg\frac{\ell}{2}\sin\theta_0$$

$\theta = 0$일 때,

$$E_{병진} = \frac{1}{2}m\left(\dot{x}^2 + \frac{\ell^2}{4}\dot{\theta}^2 - \ell\dot{x}\dot{\theta}\sin\theta\right)$$

$$= \frac{1}{8}m\ell^2\dot{\theta}^2 \quad (\because \theta = 0 \rightarrow \dot{x} = 0)$$

$$E_{회전} = \frac{1}{2}I_0\dot{\theta}^2 = \frac{1}{24}m\ell^2\dot{\theta}^2$$

$V = 0$이다.

$$E_{병진} : E_{회전} = 3:1$$

$$E_{병진} = \frac{1}{2}mv_{cm}^2 = \frac{3}{4}E_{역학} = \frac{3}{4}\left(\frac{1}{2}mg\ell\sin\theta_0\right)$$

$$\therefore v_{cm} = \sqrt{\frac{3}{4}g\ell\sin\theta_0}$$

26

본책 75p

정답 ④

영역	역학
핵심 개념	라그랑지안의 단위, 운동방정식의 이해, 운동량 보존 확인
평가요소 및 기준	라그랑지안 구조적 정의 및 단위 계산, 라그랑주방정식을 통한 보존량 확인

해설

ㄴ. q_2에 대한 운동방정식은 $\frac{\partial L}{\partial q_2} - \frac{d}{dt}\left(\frac{\partial L}{\partial \dot{q}_2}\right) = 0$이고 운동방정식의 각 항은 $\dot{p}_2 = \frac{\partial L}{\partial q_2}$, $p_2 = \frac{\partial L}{\partial \dot{q}_2}$이다.

그런데 $\dot{p}_2 = \frac{\partial L}{\partial q_2} = 0$이므로 p_2는 시간에 대해 일정하다.

'$p_2 = \frac{\partial L}{\partial \dot{q}_2} = 2F(q_1)\dot{q}_2 =$일정'하므로 $F(q_1)\dot{q}_2$는 시간에 따라 변하지 않는다.

ㄷ. q_1에 대한 운동방정식은 $\frac{\partial L}{\partial q_1} - \frac{d}{dt}\left(\frac{\partial L}{\partial \dot{q}_1}\right) = 0$

$\rightarrow 2a\ddot{q}_1 + 2bq_1 - \frac{\partial F(q_1)}{\partial q_1}\dot{q}_2^2 = 0$이다.

$F(q_1)$가 상수이면 $\frac{\partial F(q_1)}{\partial q_1} = 0$이므로 q_1에 대한 운동방정식은 $\ddot{q}_1 + \frac{b}{a}q_1 = 0$이고 이는 q_1의 단진동의 운동방정식이다.

ㄱ. $L = a\dot{q}_1^2 + F(q_1)\dot{q}_2^2 - bq_1^2$이고 라그랑지안은 에너지 단위이므로 $a\dot{q}_1^2 \rightarrow \dot{q}^2 = v^2 \rightarrow E = av^2$

$\rightarrow a = [m]$ a는 질량 단위를 가진다.

$bq_1^2 \rightarrow q^2 = x^2 \rightarrow E = bx^2$

$\rightarrow b = [k]$ b는 용수철 상수 단위를 가진다.

$\frac{a}{b} = [\frac{m}{k}] = [t^2]$ 는 시간의 제곱의 차원을 갖는다.

27

본책 75p

정답 ①

영역	역학
핵심 개념	라그랑지안, 좌표 설정
평가요소 및 기준	좌표축정의로부터 라그랑지안 계산

해설

질량 m의 위치는 $(x', y') = (x + l\sin\theta, -l\cos\theta)$

두 물체의 운동에너지는

$$T = \frac{1}{2}M\dot{x}^2 + \frac{1}{2}m(\dot{x}^2 + l^2\dot{\theta}^2 + 2l\dot{x}\dot{\theta}\cos\theta)$$

퍼텐셜 에너지는

$$V = \frac{1}{2}k(x - x_0)^2 + mgy' = \frac{1}{2}k(x - x_0)^2 - mgl\cos\theta$$

따라서 라그랑지안은 $L = T - V$이므로

$$L = \frac{1}{2}(M+m)\dot{x}^2 + \frac{1}{2}ml^2\dot{\theta}^2 + ml\cos\theta\dot{x}\dot{\theta} - \frac{1}{2}k(x - x_0)^2 + mgl\cos\theta$$

이다.

28

본책 76p

정답 ②

영역	역학
핵심 개념	라그랑지안, 회전 운동방정식
평가요소 및 기준	구름 운동 시 라그랑지안 정의 및 운동방정식 계산

해설

미끄러지지 않고 구르면서 운동하는 경우에는 $x = R\theta$를 만족하므로

$$T = \frac{1}{2}I'\dot{\theta}^2 = \frac{3}{4}mR^2\dot{\theta}^2$$

$$V = \frac{3}{2}kx^2 = \frac{3}{2}kR^2\theta^2$$

라그랑지안은 $L = T - V = \frac{3}{4}mR^2\dot{\theta}^2 - \frac{3}{2}kR^2\theta^2$

운동방정식

$$\frac{\partial L}{\partial \theta} - \frac{d}{dt}\left(\frac{\partial L}{\partial \dot{\theta}}\right) = 0 \rightarrow \frac{3}{2}mR^2\ddot{\theta} + 3kR^2\theta = 0$$

$$\ddot{\theta} + \frac{2k}{m}\theta = 0 \rightarrow \omega = \sqrt{\frac{2k}{m}}$$

$$\therefore T = 2\pi\sqrt{\frac{m}{2k}}$$

29

본책 76p

정답 ③

영역	역학
핵심 개념	라그랑지안, 구속조건, 운동방정식
평가요소 및 기준	구속조건의 활용을 통한 라그랑지안 정의 및 운동방정식 계산

해설

ㄱ. $y = bx^2$, $\dot{y} = 2bx\dot{x}$

$$T = \frac{1}{2}m\dot{x}^2 + \frac{1}{2}m\dot{y}^2 = \frac{1}{2}m\dot{x}^2 + \frac{1}{2}m(2bx\dot{x})^2$$

$$V = mgy = mgbx^2$$

$$L = T - V = \frac{1}{2}m\dot{x}^2 + 2m(bx\dot{x})^2 - mgbx^2$$

ㄴ. 라그랑주 방정식 $\frac{\partial L}{\partial x} - \frac{d}{dt}\left(\frac{\partial L}{\partial \dot{x}}\right) = 0$

$$\rightarrow \dot{p}_x = \frac{\partial L}{\partial x} = 4mb^2x\dot{x}^2 - 2mgbx \neq \text{일정}$$

ㄷ. 운동방정식을 구해보면

$$\frac{d}{dt}\left(\frac{\partial L}{\partial \dot{x}}\right) = \frac{d}{dt}(m\dot{x} + 4mb^2x^2\dot{x})$$

$$= m\ddot{x} + 4mb^2x^2\ddot{x} + 8mb^2x\dot{x}^2$$

$$m\ddot{x} + 4mb^2x^2\ddot{x} + 4mb^2x\dot{x}^2 + 2mgbx = 0$$

$$\therefore (1 + 4b^2x^2)\ddot{x} + 4b^2x\dot{x}^2 + 2gbx = 0$$

30

본책 77p

정답 ⑤

영역	역학 : 라그랑지안
핵심 개념	라르랑지안 정의, 라그랑주 방정식, 각운동량 보존
평가요소 및 기준	라그랑지안 정의로부터 운동방정식 및 운동량 보존 확인

해설

ㄱ. $T = \frac{1}{2}m\dot{r}^2 + \frac{1}{2}mr^2\dot{\theta}^2$, $V = \frac{1}{2}k(r-a)^2$

$$L = T - V = \frac{1}{2}m\dot{r}^2 + \frac{1}{2}mr^2\dot{\theta}^2 - \frac{1}{2}k(r-a)^2$$

ㄴ. θ에 대한 운동방정식

$$\frac{\partial L}{\partial \theta} - \frac{d}{dt}\left(\frac{\partial L}{\partial \dot{\theta}}\right) = 0 \rightarrow \frac{\partial L}{\partial \theta} = \dot{p}_\theta = 0$$

$$\rightarrow \frac{\partial L}{\partial \dot{\theta}} = mr^2\dot{\theta} = l$$

따라서 각운동량은 보존된다.

ㄷ. r에 대한 운동방정식

$$\frac{\partial L}{\partial r} - \frac{d}{dt}\left(\frac{\partial L}{\partial \dot{r}}\right) = 0 \rightarrow m\ddot{r} = -k(r-a) + mr\dot{\theta}^2$$

$$l = mr^2\dot{\theta}$$

$$\therefore m\ddot{r} = -k(r-a) + \frac{l^2}{mr^3}$$

31

본책 77p

정답 ④

영역	역학 : 정상모드, 환산질량
핵심 개념	2물체를 1물체로 해결하는 좌표계 및 환산질량 개념
평가요소 및 기준	환산질량 적용 / 라그랑지안 정규모드 해석

해설

이 문제는 라그랑지안을 풀어 정상모드를 구할 수 있지만 다르게 접근해보자.
용수철 고유의 길이를 l이라 하자.
정지좌표계에서 각 물체의 질량중심까지의 위치를 x_1, x_2라 하면 아래 그림과 같다.

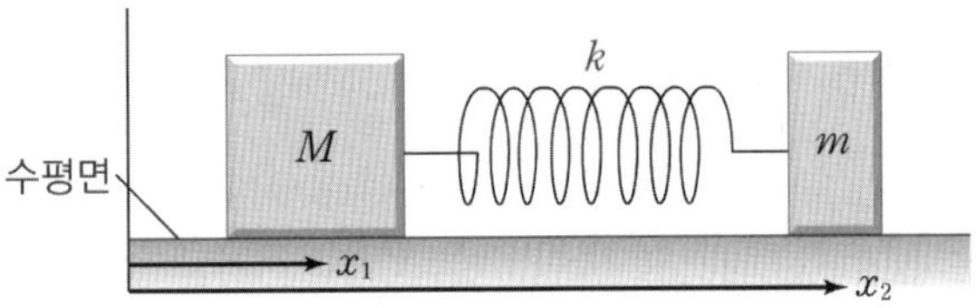

만약 고유길이 상태에서 x_1과 x_2가 같은 방향으로 같은 길이만큼 늘어나게 된다면 용수철의 늘어난 길이는 0이므로 진동을 하지 않게 된다.
만약 x_1과 x_2가 반대 방향으로 같은 길이만큼 늘어나게 된다면 진동을 하게 되는데, 이때는 M이든 m이든 물체에서 타서 보게 되면 자신은 움직이지 않게 상대속도로 상대방 물체가 움직이게 된다. 이때는 $\eta = x_2 - x_1$ 좌표계에서 보는 것과 동일하다. 즉, 상대 좌표계에서 바라보게 된다면 2물체를 1물체로 전환하는 환산질량 $\mu = \dfrac{mM}{m+M}$을 도입하면 해결된다.

따라서 각진동수는 ω는 $\omega = \sqrt{\dfrac{k}{\mu}} = \sqrt{\dfrac{k(m+M)}{mM}}$

참고

2물체를 1물체로 접근하는 해석적 방법 증명

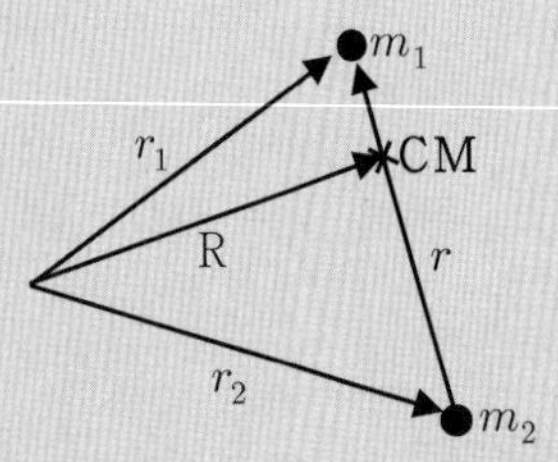

2개의 질량이 운동을 하는 경우에는 질량 중심에 대해 서로 운동을 하게 된다.
이때는 정지좌표계에서 보면 두 물체 모두 운동을 하게 되는데 우리는 한 물체의 운동에만 관심이 있다. 즉, 태양과 지구의 운동을 볼 때 태양을 고정시켜놓고 지구의 운동이 어떻게 되는지에만 관심이 있기 때문이다.
그렇다면 두 물체의 전체 에너지는

$E = \frac{1}{2}m_1|\dot{\vec{r_1}}|^2 + \frac{1}{2}m_2|\dot{\vec{r_2}}|^2 + U(|\vec{r_1} - \vec{r_2}|)$이다. …… ①

질량 중심의 위치 벡터를 $\vec{R}$이라고 하고 이를 원점으로 삼으면

$m_1\vec{r_1} + m_2\vec{r_2} = (m_1 + m_2)\vec{R} = 0 \quad (\because \vec{R} = 0)$

$m_1\vec{r_1} = -m_2\vec{r_2} \rightarrow \vec{r_1} = -\dfrac{m_2}{m_1}\vec{r_2}$

만약 두 물체의 떨어진 위치 벡터를 $\vec{r} = \vec{r_1} - \vec{r_2}$라고 하면
(앞으로 $|\vec{r}| = r$이다.)

$\vec{r} = (\vec{r_1} - \vec{r_2}) = \left(-\dfrac{m_2}{m_1}\vec{r_2} - \vec{r_2}\right) = -\dfrac{m_1 + m_2}{m_1}\vec{r_2}$

$\therefore \vec{r_2} = -\dfrac{m_1}{m_1 + m_2}\vec{r}$

$\vec{r_1} = \dfrac{m_2}{m_1 + m_2}\vec{r}$

이를 식 ①에 대입하면

$$E = \frac{1}{2}m_1|\dot{\vec{r_1}}|^2 + \frac{1}{2}m_2|\dot{\vec{r_2}}|^2 + U(|\vec{r_1} - \vec{r_2}|)$$

$$= \frac{1}{2}m_1\left(\frac{m_2}{m_1 + m_2}\right)^2|\dot{\vec{r}}|^2 + \frac{1}{2}m_2\left(\frac{m_1}{m_1 + m_2}\right)^2|\dot{\vec{r}}|^2 + U(r)$$

$$= \frac{1}{2}\left(\frac{m_1 m_2(m_1 + m_2)}{(m_1 + m_2)^2}\right)|\dot{\vec{r}}|^2 + U(r)$$

$$\therefore E = \frac{1}{2}\left(\frac{m_1 m_2}{m_1 + m_2}\right)|\dot{\vec{r}}|^2 + U(r)$$

이렇게 바뀌게 된다. $|\vec{r}| = r$은 두 물체의 떨어진 거리이고, $|\dot{\vec{r}}| = v_{상대}$은 두 물체의 상대속도의 크기이다.
즉, 두 물체의 에너지를 떨어진 거리와 상대속도의 크기로 좌표설정을 하면(태양에서 바라본 지구의 위치와 속도의 크기라고 해도 된다.) 에너지가 저렇게 바뀌게 된다는 것이다.

$$E = \frac{1}{2}\left(\frac{m_1 m_2}{m_1 + m_2}\right)|\dot{\vec{r}}|^2 + U(r)$$

만약 $\mu = \dfrac{m_1 m_2}{m_1 + m_2}$ (*reduced mass* ; 환산질량)으로 정의하면 $E = \dfrac{1}{2}\mu|\dot{\vec{r}}|^2 + U(r)$로 적을 수 있다.

질량이 2개인 물체의 운동 → 질량이 1개인 물체의 운동 시스템 변환

즉, 두 물체의 떨어진 거리와 상대속도로 해석하면 환산질량을 가진 고정지점에서의 운동으로 인식할 수 있다는 것이다. 왜냐면 우리는 태양을 고정시키고 지구의 행성운동을 관찰하는데 관심이 있기 때문에 이렇게 이해하면 매우 편리해지기 때문이다.

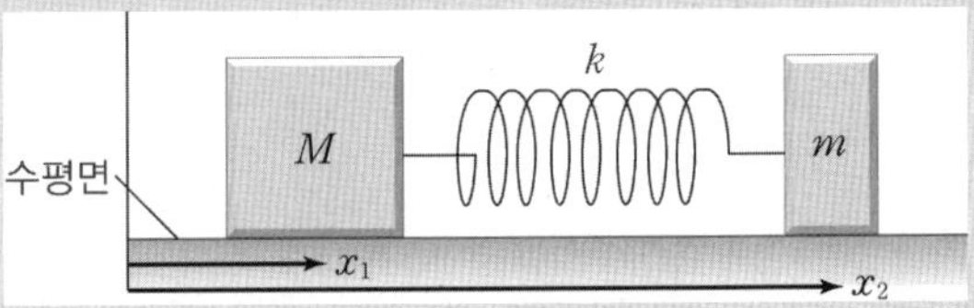

문제에서 $r = x_2 - x_1 - l$으로 정의하면

$E = \dfrac{1}{2}\left(\dfrac{m_1 m_2}{m_1 + m_2}\right)|\dot{\vec{r}}|^2 + \dfrac{1}{2}kr^2$으로 표현할 수 있게 된다.

※ 라그랑지안 풀이법

$T=\frac{1}{2}M\dot{x}_1^2+\frac{1}{2}m\dot{x}_2^2$

$V=\frac{1}{2}k(x_2-x_1-l)^2$

$L=\frac{1}{2}m_1\dot{x}_1^2+\frac{1}{2}m_2\dot{x}_2^2-\frac{1}{2}k(x_2-x_1-l)^2$

$x_1 : M\ddot{x}_1-k(x_2-x_1-l)=0$

$x_2 : m\ddot{x}_2+k(x_2-x_1-l)=0$

$x_1=A_1e^{i\omega t}+c_1,\ x_2=A_2e^{i\omega t}+c_2$를 대입하고,

$c_2-c_1=l$로 설정하면

$(k-\frac{1}{3}M\omega^2)A_1-kA_2=0$

$-kA_1+(k-m\omega^2)A_2=0$

$\omega^2(\omega^2-\frac{m+M}{mM}k)=0$

$\omega_1=0,\ \omega_2=\sqrt{\frac{m+M}{mM}k}$

32

본책 78p

정답 ⑤

영역	역학: 라그랑지안 역학
핵심 개념	좌표설정, 운동에너지 및 퍼텐셜 에너지 정의
평가요소 및 기준	좌표정의로부터 라그랑지안 연산

해설

라그랑지안은 좌표설정이 매우 중요하다.

$X=\ell\sin\theta,\ \dot{X}=\ell\dot{\theta}\cos\theta$

$Y=x+\ell\cos\theta,\ \dot{Y}=\dot{x}-\ell\dot{\theta}\sin\theta$

$T=\frac{1}{2}m(\dot{X}^2+\dot{Y}^2)=\frac{1}{2}m(\dot{x}^2+\ell^2\dot{\theta}^2-2\ell\dot{x}\dot{\theta}\sin\theta)$

$V=\frac{1}{2}kx^2-mgY=\frac{1}{2}kx^2-mg(x+\ell\cos\theta)$

$L=T-V=\frac{1}{2}m(\dot{x}^2+\ell^2\dot{\theta}^2-2\ell\dot{x}\dot{\theta}\sin\theta)+mg(x+\ell\cos\theta)-\frac{1}{2}kx^2$

33

본책 79p

정답 1) $L=T-V=\frac{1}{2}m(l^2\dot{\theta}^2+\dot{y}^2+2\dot{y}l\dot{\theta}\sin\theta)-mg(y-l\cos\theta)$,

$\ddot{\theta}+\frac{g+a}{l}\sin\theta=0$

2) $Q_y=ml\dot{\theta}^2\cos\theta+m(g+a)\cos^2\theta$

영역	심화역학: 단진자의 라르랑지안 역학
핵심 개념	단진자의 라그랑지안 정의하기, 운동방정식 전개 및 결과 도출
평가요소 및 기준	• 구속조건을 활용하여 단진자 라그랑지안 표현과 운동방정식 유도 • 가속계에서 장력 계산

해설

추의 좌표를 지표면 학생 기준으로 세워보면

$(x,\ y')=(x,\ y-l\cos\theta)$

$T=\frac{1}{2}m\dot{x}^2+\frac{1}{2}m\dot{y}'^2$

$V=mgy'=mg(y-l\cos\theta)$

$x=l\sin\theta,\ \dot{x}=l\dot{\theta}\cos\theta$

$y'=y-l\cos\theta,\ \dot{y}'=\dot{y}+l\dot{\theta}\sin\theta$

를 대입해서 정리하면

$L=T-V=\frac{1}{2}m(l^2\dot{\theta}^2+\dot{y}^2+2\dot{y}l\dot{\theta}\sin\theta)-mg(y-l\cos\theta)$

θ에 대한 라그랑주 방정식 $\frac{\partial L}{\partial\theta}-\frac{d}{dt}\left(\frac{\partial L}{\partial\dot{\theta}}\right)=0$

① $\frac{\partial L}{\partial\theta}=m\dot{y}l\dot{\theta}\cos\theta-mgl\sin\theta$

② $\left(\frac{\partial L}{\partial\dot{\theta}}\right)=ml^2\dot{\theta}+m\dot{y}l\sin\theta$

③ $\frac{d}{dt}\left(\frac{\partial L}{\partial\dot{\theta}}\right)=ml^2\ddot{\theta}+m\ddot{y}l\sin\theta+m\dot{y}l\dot{\theta}\cos\theta$

θ에 대한 운동방정식은 ①~③의 결과이고 정리하면

$\ddot{\theta}+\frac{g+\ddot{y}}{l}\sin\theta=0\quad(y=\frac{1}{2}at^2)$

$\therefore\ \ddot{\theta}+\frac{g+a}{l}\sin\theta=0$

실의 장력의 y성분 $Q_y(\theta,\dot{\theta})$

일단 장력의 크기를 Q라 하면 가속계 내부 공의 위치에서 운동방정식을 써보면

$Q=ml\dot{\theta}^2+m(g+a)\cos\theta$

$Q_y=Q\cos\theta$

$\therefore\ Q_y=ml\dot{\theta}^2\cos\theta+m(g+a)\cos^2\theta$

34

본책 79p

정답 1) $L=\frac{3}{4}m(R-r)^2\dot{\theta}^2+mg(R-r)\sin\theta$,

$\ddot{\theta}=\frac{2g}{3(R-r)}\cos\theta$

2) $v_c=2\sqrt{\frac{(R-r)g}{3}}$

영역	심화역학: 회전체 라그랑지안
핵심 개념	회전운동의 라그랑지안 정의 및 운동방정식, 각속도
평가요소 및 기준	• 회전운동의 라그랑지안을 통한 운동방정식 도출 • 각속도로부터 접선방향 속력 계산

해설

1) 이 원반에 대한 라그랑지안(Lagrangian), θ에 대한 원반의 운동방정식

$T=\frac{1}{2}m\dot{r}^2+\frac{1}{2}I\omega^2\ (\vec{r}=(R-r)(\cos\theta,\ \sin\theta),\ \omega=\dot{\phi})$

$\dot{r} = (R-r)(-\dot{\theta}\sin\theta,\ \dot{\theta}\cos\theta)$

$\therefore T = \frac{1}{2}m(R-r)^2\dot{\theta}^2 + \frac{1}{4}mr^2\dot{\phi}^2$

$V = -mg(R-r)\sin\theta$

$\therefore L = T - V = \frac{1}{2}m(R-r)^2\dot{\theta}^2 + \frac{1}{4}mr^2\dot{\phi}^2 + mg(R-r)\sin\theta$

$(R-r)\dot{\theta} = r\dot{\phi}$ 구속 조건을 적용하여 라그랑지안을 다시 쓰면

$L = \frac{3}{4}m(R-r)^2\dot{\theta}^2 + mg(R-r)\sin\theta$

θ에 대한 라그랑주 방정식

$\frac{\partial L}{\partial \theta} - \frac{d}{dt}\left(\frac{\partial L}{\partial \dot{\theta}}\right) = 0$

① $\frac{\partial L}{\partial \theta} = mg(R-r)\cos\theta$

② $\frac{d}{dt}\left(\frac{\partial L}{\partial \dot{\theta}}\right) = \frac{3}{2}m(R-r)^2\ddot{\theta}$

따라서 운동방정식은 다음과 같다.

$\therefore \ddot{\theta} = \frac{2g}{3(R-r)}\cos\theta$

2) $\theta = \frac{\pi}{2}$에서 원반의 질량 중심 속력

$\ddot{\theta} = A\cos\theta$일 때, $\dot{\theta}d\dot{\theta} = A\cos\theta d\theta$를 이용하면

$\int \dot{\theta}d\dot{\theta} = \frac{2g}{3(R-r)}\int_0^{\frac{\pi}{2}}\cos\theta d\theta$

$\dot{\theta}^2 = \frac{4g}{3(R-r)}$

$\theta = \frac{\pi}{2}$에서 원반의 질량 중심 속력 v_c는

$\therefore v_c = (R-r)\dot{\theta}|_{\frac{\pi}{2}} = 2\sqrt{\frac{(R-r)g}{3}}$

참고

역학적 에너지 보존

$mg(R-r) = \frac{1}{2}mv_{cm}^2 + \frac{1}{2}I_0\dot{\phi}^2 = \frac{3}{4}mv_{cm}^2\ (v_{cm} = r\dot{\phi})$

$\therefore v_{cm} = 2\sqrt{\frac{(R-r)g}{3}}$

35

본책 80p

정답 1) $L = \frac{3}{4}m\dot{x}_1^2 + \frac{3}{4}m\dot{x}_2^2 - \frac{1}{2}kx_1^2 - \frac{1}{2}kx_2^2 - \frac{1}{2}k(x_2-x_1)^2$

2) $\omega_1 = \sqrt{\frac{2k}{3m}},\ \omega_2 = \sqrt{\frac{2k}{m}}$

영역	심화역학: 결합 진동
핵심 개념	결합된 진동에 대한 라그랑지안, 정상모드에 대한 각진동수
평가요소 및 기준	• 결합된 진동에 대한 라그랑지안 정의와 운동방정식 • 운동방정식으로부터 정상모드 해석

해설

$T = \frac{1}{2}m(\dot{x}_1^2 + \dot{x}_2^2) + \frac{1}{2}I(\dot{\theta}_1^2 + \dot{\theta}_2^2)\quad (where\ R\theta = x)$

$= \frac{3}{4}m(\dot{x}_1^2 + \dot{x}_2^2)$

$V = \frac{1}{2}kx_1^2 + \frac{1}{2}kx_2^2 + \frac{1}{2}k(x_2-x_1)^2$

라그랑지안 $L = T - V$

$\therefore L = \frac{3}{4}m\dot{x}_1^2 + \frac{3}{4}m\dot{x}_2^2 - \frac{1}{2}kx_1^2 - \frac{1}{2}kx_2^2 - \frac{1}{2}k(x_2-x_1)^2$

x_1에 대한 운동방정식

$\frac{\partial L}{\partial x_1} - \frac{d}{dt}\left(\frac{\partial L}{\partial \dot{x}_1}\right) = 0$을 구하면

$\frac{3}{2}m\ddot{x}_1 + 2kx_1 - kx_2 = 0$

비슷한 방식으로 x_2에 대한 운동방정식을 구하면

$\frac{3}{2}m\ddot{x}_2 + 2kx_2 - kx_1 = 0$

$x_1 = y_1e^{i\omega t},\ x_2 = y_2e^{i\omega t}$라 하면

$-\frac{3}{2}m\omega^2y_1 + 2ky_1 - ky_2 = 0$

$-\frac{3}{2}m\omega^2y_2 + 2ky_2 - ky_1 = 0$

$\begin{pmatrix} 2k - \frac{3}{2}m\omega^2 & -k \\ -k & 2k - \frac{3}{2}m\omega^2 \end{pmatrix}\begin{pmatrix} y_1 \\ y_2 \end{pmatrix} = 0$으로부터 $y_1, y_2 \neq 0$이므로

$\left(2k - \frac{3}{2}m\omega^2\right)^2 - k^2 = 0$

$\therefore \omega_1 = \sqrt{\frac{2k}{3m}},\ \omega_2 = \sqrt{\frac{2k}{m}}$

36

본책 80p

정답 1) $T = kx_{\max} = \frac{2}{3}mg$, 2) $\ddot{y} = \frac{g}{3}(2+\cos\omega t)$

영역	심화역학: 회전 라그랑지안
핵심 개념	2변수에 대한 라르랑지안, 운동방정식, 병진 가속도
평가요소 및 기준	• 2변수 라그랑지안을 활용하여 특정 운동방정식 유도 • 운동방정식을 이용하여 변위식 계산

해설

운동에너지와 퍼텐셜 에너지를 각각 구해서 라그랑지안 방정식을 구해보자.

$T = \frac{1}{2}m\dot{y}^2 + \frac{1}{2}I\dot{\theta}^2 = \frac{1}{2}m(\dot{x} + R\dot{\theta})^2 + \frac{1}{4}mR^2\dot{\theta}^2$

$V = \frac{1}{2}kx^2 - mg(x + R\theta + y_0)$

$L = T - V$

$= \frac{1}{2}m(\dot{x} + R\dot{\theta})^2 + \frac{1}{4}mR^2\dot{\theta}^2 - \frac{1}{2}kx^2 + mg(x + R\theta + y_0)$

x에 대한 운동방정식을 구하면

$$\frac{\partial L}{\partial x}-\frac{d}{dt}\left(\frac{\partial L}{\partial \dot{x}}\right)=0$$

$$m\ddot{x}+mR\ddot{\theta}+kx-mg=0 \ \cdots\cdots\cdots \ ①$$

이어서 θ에 대한 운동방정식을 구하면

$$\frac{\partial L}{\partial \theta}-\frac{d}{dt}\left(\frac{\partial L}{\partial \dot{\theta}}\right)=0$$

$$m\ddot{x}+\frac{3}{2}mR\ddot{\theta}-mg=0 \ \cdots\cdots\cdots\cdots \ ②$$

②에서 $mR\ddot{\theta}=\frac{2}{3}(mg-m\ddot{x})$ 을 ①에 대입하면

$$\ddot{x}+\frac{3k}{m}\left(x-\frac{mg}{3k}\right)=0$$

$$let \ u=x-\frac{mg}{3k}$$

$$\ddot{u}+\frac{3k}{m}u=0 \ \left(\omega=\sqrt{\frac{3k}{m}}\right)$$

$t=0$일 때 $x=0$ 이므로

$$x=\frac{mg}{3k}(1-\cos\omega t)$$

$$\therefore T=kx_{\max}=\frac{2}{3}mg \ (where \ \cos wt=-1)$$

$$y=x+R\theta+y_0 \rightarrow \ddot{y}=\ddot{x}+R\ddot{\theta}$$

①에서 $m\ddot{x}+mR\ddot{\theta}+kx-mg=0 \rightarrow m\ddot{y}+kx-mg=0$

$$\therefore \ddot{y}=\frac{g}{3}(2+\cos\omega t)$$

37

본책 81p

정답 1) $I_O=\frac{1}{2}mR^2$

2) $L(\theta,\dot{\theta})=\frac{1}{4}mR^2\dot{\theta}^2+\frac{mgR}{2}(\cos\theta-1)$

3) $\ddot{\theta}+\frac{g}{R}\sin\theta=0$

영역	역학
핵심 개념	평행축 정리, 라그랑지안, 라그랑주 방정식
평가요소 및 기준	평행축 정리 활용을 통한 라그랑지안 정의 및 운동방정식 계산

해설

1) 평행축 정리: $I_O=I_C+md^2$

$$\therefore I_O=\frac{1}{12}m(\sqrt{3}R)^2+m\left(\frac{R}{2}\right)^2=\frac{1}{2}mR^2$$

2) 라그랑지안의 정의 $L(\theta,\dot{\theta})=T-V$

$$T=\frac{1}{2}I_O\dot{\theta}^2=\frac{1}{4}mR^2\dot{\theta}^2, \ V=mg\left(\frac{R}{2}\right)(1-\cos\theta)$$

$$\therefore L(\theta,\dot{\theta})=\frac{1}{4}mR^2\dot{\theta}^2+\frac{mgR}{2}(\cos\theta-1)$$

3) 운동방정식 $\frac{\partial L}{\partial \theta}-\frac{d}{dt}\left(\frac{\partial L}{\partial \dot{\theta}}\right)=0$

$$\frac{\partial L}{\partial \theta}=-\frac{mgR}{2}\sin\theta$$

$$\frac{d}{dt}\left(\frac{\partial L}{\partial \dot{\theta}}\right)=\frac{1}{2}mR^2\ddot{\theta}$$

$$\therefore \ddot{\theta}+\frac{g}{R}\sin\theta=0$$

38

본책 82p

정답 1) $L=\frac{1}{6}ml^2\dot{\theta}^2+\frac{1}{6}ml^2\omega^2\sin^2\theta+\frac{mgl\cos\theta}{2}$

2) $\ddot{\theta}-\omega^2\sin\theta\cos\theta+\frac{3g}{2l}\sin\theta=0$

3) $\theta_0=\cos^{-1}\left(\frac{3g}{2l\omega^2}\right)$

영역	역학
핵심 개념	3차원에서 회전 라그랑지안, 라그랑주 방정식, 힘의 평형점 정의
평가요소 및 기준	3차원에서 회전 라그랑지안에서 회전성분의 에너지 정의 및 운동방정식 연산, 힘의 평형점의 연산

해설

1) $L=T-V$에서

$$T=\frac{1}{2}I_\theta\dot{\theta}^2+\frac{1}{2}I_\phi\dot{\phi}^2$$

$$=\frac{1}{2}\left(\frac{1}{3}ml^2\right)\dot{\theta}^2+\frac{1}{2}\left(\frac{1}{3}ml^2\sin^2\theta\right)\omega^2$$

$$=\frac{1}{6}ml^2\dot{\theta}^2+\frac{1}{6}ml^2\sin^2\theta\,\omega^2$$

$$V=-mg\left(\frac{l}{2}\right)\cos\theta$$

$$\therefore L(\theta,\dot{\theta})=\frac{1}{6}ml^2\dot{\theta}^2+\frac{1}{6}ml^2\sin^2\theta\,\omega^2+\frac{mgl}{2}\cos\theta$$

2) 라르랑주 방정식 $\frac{\partial L}{\partial \theta}-\frac{d}{dt}\left(\frac{\partial L}{\partial \dot{\theta}}\right)=0$으로부터

$$\frac{1}{3}ml^2\ddot{\theta}-\frac{1}{3}ml^2\omega^2\sin\theta\cos\theta+\frac{mgl}{2}\sin\theta=0$$

$$\therefore \ddot{\theta}-\omega^2\sin\theta\cos\theta+\frac{3g}{2l}\sin\theta=0$$

3) 힘의 평형점에서는 $\ddot{\theta}_0=0$이므로

$$\omega^2\sin\theta_0\cos\theta_0=\frac{3g}{2l}\sin\theta_0$$

$$\cos\theta_0=\frac{3g}{2l\omega^2}$$

$$\therefore \theta_0=\cos^{-1}\left(\frac{3g}{2l\omega^2}\right)$$

39

본책 83p

정답 1) $L(r, \dot{r}, \phi, \dot{\phi}) = \frac{1}{2}(m+M)\dot{r}^2 + \frac{1}{2}mr^2\sin^2\theta_0\dot{\phi}^2 + Mg(l-r) - mgr\cos\theta_0$

2) $(m+M)\ddot{r} - mr\sin^2\theta_0\dot{\phi}^2 + (m\cos\theta_0 + M)g = 0$

3) $L_z = \sqrt{r_0^3\sin^2\theta_0 m(m\cos\theta_0 + M)g}$

영역	역학
핵심 개념	라그랑지안, 회전운동에너지, 각운동량
평가요소 및 기준	병진과 회전운동 시 라그랑지안 정의 및 운동방정식 연산, 각운동량 보존되는 계에서 등속 원운동 시 각운동량 계산

해설

1) $T = \frac{1}{2}(m+M)\dot{r}^2 + \frac{1}{2}mr^2\sin^2\theta_0\dot{\phi}^2$

$V = -Mg(l-r) + mgr\cos\theta_0$

$L = T - V$이므로

$\therefore L(r, \dot{r}, \phi, \dot{\phi}) = \frac{1}{2}(m+M)\dot{r}^2 + \frac{1}{2}mr^2\sin^2\theta_0\dot{\phi}^2 + Mg(l-r) - mgr\cos\theta_0$

2) 라그랑주 방정식 $\frac{\partial L}{\partial r} - \frac{d}{dt}\left(\frac{\partial L}{\partial \dot{r}}\right) = 0$으로부터

$\therefore (m+M)\ddot{r} - mr\sin^2\theta_0\dot{\phi}^2 + (m\cos\theta_0 + M)g = 0$

3) $r = r_0$인 상태에서 등속 원운동이므로 $\ddot{r} = 0$

$mr_0\sin^2\theta_0\dot{\phi}^2 = (m\cos\theta_0 + M)g = 0$ …… ①

ϕ에 대한 운동방정식 $\frac{\partial L}{\partial \phi} - \frac{d}{dt}\left(\frac{\partial L}{\partial \dot{\phi}}\right) = 0$에서 $\frac{\partial L}{\partial \phi} = 0$

이므로 $\frac{\partial L}{\partial \dot{\phi}} = L_z$가 보존됨을 알 수 있다.

$\frac{\partial L}{\partial \dot{\phi}} = L_z = mr_0^2\sin^2\theta_0\dot{\phi}$ …… ②

①을 ②에 대입하여 정리하면

$\therefore L_z = \sqrt{r_0^3\sin^2\theta_0 m(m\cos\theta_0 + M)g}$

40

본책 84p

정답 1) $L = \frac{5}{2}m\dot{y}^2 + \frac{3}{2}m\dot{y}_1^2 + m\dot{y}\dot{y}_1 + 5mgy + mgy_1 - c - \frac{1}{2}k(y-y_0)^2$

2) $\frac{14}{3}m\ddot{y} + ky - ky_0 - \frac{14}{3}mg = 0$

3) $T = 2\pi\sqrt{\frac{14m}{3k}}$

영역	역학
핵심 개념	라그랑지안 좌표계 운동에너지 및 퍼텐셜 정의, 라그랑주 방정식, 주기
평가요소 및 기준	라그랑지안 좌표계별 운동에너지의 명확한 정의 및 계산, 라그랑주 방정식을 통한 운동방정식 유도, 운동방정식에서 주기 계산

해설

1) 줄의 성질에 의해서 $\dot{y}_1 = -\dot{y}_2$이다. 정지 좌표계로부터 질량 $2m$인 물체의 속도는 $\dot{y} + \dot{y}_1$이고, 질량 m인 물체의 속도는 $\dot{y} + \dot{y}_2 = \dot{y} - \dot{y}_1$이다.

$T = \frac{1}{2}(2m)(\dot{y} + \dot{y}_1)^2 + \frac{1}{2}m(\dot{y} - \dot{y}_1)^2 + \frac{1}{2}(2m)\dot{y}^2$

$= \frac{5}{2}m\dot{y}^2 + \frac{3}{2}m\dot{y}_1^2 + m\dot{y}\dot{y}_1$

$V = -5mgy - mgy_1 + c + \frac{1}{2}k(y-y_0)^2$

$\therefore L = T - V = \frac{5}{2}m\dot{y}^2 + \frac{3}{2}m\dot{y}_1^2 + m\dot{y}\dot{y}_1 + 5mgy + mgy_1 - c - \frac{1}{2}k(y-y_0)^2$

2) 라그랑주 방정식 : $\frac{\partial L}{\partial q_i} - \frac{d}{dt}\left(\frac{\partial L}{\partial \dot{q}_i}\right) = 0$

y : $\frac{\partial L}{\partial y} - \frac{d}{dt}\left(\frac{\partial L}{\partial \dot{y}}\right) = 0$

$\frac{\partial L}{\partial y} = 5mg - k(y-y_0)$, $\frac{d}{dt}\left(\frac{\partial L}{\partial \dot{y}}\right) = 5m\ddot{y} + m\ddot{y}_1$

$5m\ddot{y} + m\ddot{y}_1 + ky - ky_0 - 5mg = 0$ …… ①

y_1 : $\frac{\partial L}{\partial y_1} - \frac{d}{dt}\left(\frac{\partial L}{\partial \dot{y}_1}\right) = 0$

$\frac{\partial L}{\partial y_1} = mg$, $\frac{d}{dt}\left(\frac{\partial L}{\partial \dot{y}_1}\right) = 3m\ddot{y}_1 + m\ddot{y}$

$3m\ddot{y}_1 + m\ddot{y} - mg = 0$ …… ②

식 ①과 ②를 연립하여 y에 대해 정리하면 y에 대한 운동방정식은

$\frac{14}{3}m\ddot{y} + ky - ky_0 - \frac{14}{3}mg = 0$이다.

3) 운동방정식으로부터 주기는 $T = \frac{2\pi}{\omega} = 2\pi\sqrt{\frac{14m}{3k}}$ 이다.

41

본책 85p

정답 1) $L=\frac{1}{2}m\dot{y}_1^2+\frac{1}{2}m(\dot{y}_1+\dot{y}_3)^2+\frac{1}{2}m\dot{y}_3^2$

$-\frac{\alpha}{2}(2y_1+y_3)^2-\frac{\alpha}{2}(y_1+2y_3)^2$

2) $m\ddot{y}_1+2\alpha y_1+\alpha y_3=0$, 3) $f=\frac{1}{2\pi}\sqrt{\frac{3\alpha}{m}}$

영역	역학
핵심 개념	라그랑지안 좌표계 운동에너지 및 퍼텐셜 정의, 라그랑주 방정식, 고유진동수
평가요소 및 기준	라그랑지안 좌표계별 운동에너지의 명확한 정의 및 계산, 라그랑주 방정식을 통한 운동방정식 유도, 운동방정식에서 고유진동수 계산

해설

1) $\dot{y}_2=-(\dot{y}_1+\dot{y}_3)$

$$T=\frac{1}{2}m\dot{y}_1^2+\frac{1}{2}m(\dot{y}_1+\dot{y}_3)^2+\frac{1}{2}m\dot{y}_3^2$$

$$V=\frac{\alpha}{2}(2y_1+y_3)^2+\frac{\alpha}{2}(y_1+2y_3)^2$$

$$\therefore L=\frac{1}{2}m\dot{y}_1^2+\frac{1}{2}m(\dot{y}_1+\dot{y}_3)^2+\frac{1}{2}m\dot{y}_3^2$$

$$-\frac{\alpha}{2}(2y_1+y_3)^2-\frac{\alpha}{2}(y_1+2y_3)^2$$

2) 라그랑주 방정식: $\frac{\partial L}{\partial q_i}-\frac{d}{dt}\left(\frac{\partial L}{\partial \dot{q}_i}\right)=0$

그런데 라그랑지안을 보면 $y_1 \leftrightarrow y_3$ 교환시켜도 불변하는 대칭성을 가지고 있다. y_1에 대한 라그랑주 방정식을 계산해 보자.

y_1 : $\frac{\partial L}{\partial y_1}-\frac{d}{dt}\left(\frac{\partial L}{\partial \dot{y}_1}\right)=0$

$$\frac{\partial L}{\partial y_1}=-2\alpha(y_3+2y_1)-\alpha(y_1+2y_3)=-\alpha(5y_1+4y_3)$$

$$\frac{d}{dt}\left(\frac{\partial L}{\partial \dot{y}_1}\right)=2m\ddot{y}_1+m\ddot{y}_3$$

$2m\ddot{y}_1+m\ddot{y}_3+5\alpha y_1+4\alpha y_3=0$ …… ①

$y_1 \leftrightarrow y_3$ 대칭성을 활용하여 y_3에 대한 라그랑주 방정식의 결과를 바로 적을 수 있다.

$2m\ddot{y}_3+m\ddot{y}_1+5\alpha y_3+4\alpha y_1=0$ …… ②

2×①-② → $m\ddot{y}_1+2\alpha y_1+\alpha y_3=0$

3) $m\ddot{y}_1+2\alpha y_1+\alpha y_3=0$ 에서 $y_1=y_3$이면

$$m\ddot{y}_1+3\alpha y_1=0$$

$$\omega=2\pi f=\sqrt{\frac{3\alpha}{m}}$$

$$\therefore f=\frac{1}{2\pi}\sqrt{\frac{3\alpha}{m}}$$

42

본책 85p

정답 1) $T=\frac{1}{2}m\dot{r}^2+\frac{1}{2}mr^2\dot{\theta}^2$,

$L=\frac{1}{2}m\dot{r}^2+\frac{1}{2}mr^2\dot{\theta}^2-\frac{1}{2}(k_1+k_2)r^2$

2) $m\ddot{r}-mr\dot{\theta}^2+(k_1+k_2)r=0$

영역	역학
핵심 개념	라그랑지안 좌표계 운동에너지 및 퍼텐셜 정의, 라그랑주 방정식
평가요소 및 기준	라그랑지안 좌표계별 운동에너지의 명확한 정의 및 계산, 라그랑주 방정식을 통한 운동방정식 유도

해설

1) 극좌표계에서 속력 $v=(\dot{r},\ r\dot{\theta})$이므로

$T=\frac{1}{2}m\dot{r}^2+\frac{1}{2}mr^2\dot{\theta}^2$ 이다.

$V(r)=\frac{1}{2}(k_1+k_2)r^2$이므로

$$L=\frac{1}{2}m\dot{r}^2+\frac{1}{2}mr^2\dot{\theta}^2-\frac{1}{2}(k_1+k_2)r^2$$

2) r에 대한 라그랑주 방정식: $\frac{\partial L}{\partial r}-\frac{d}{dt}\left(\frac{\partial L}{\partial \dot{r}}\right)=0$

따라서 r에 대한 운동방정식은

$m\ddot{r}-mr\dot{\theta}^2+(k_1+k_2)r=0$이다.

43

본책 86p

정답 해설 참고

해설

㉠: $\frac{1}{2}ml_1^2\dot{\theta}^2+mgl_1\cos\theta$, $\frac{1}{2}ml_2^2\dot{\phi}^2+mgl_2\cos\phi$

회전운동 에너지 $T=\frac{1}{2}I\dot{\theta}^2=\frac{1}{2}ml^2\dot{\theta}^2$

퍼텐셜 에너지 천정의 기준으로 하면

$V=-mgy=-mgl\cos\theta$

㉡: $t=0$일 때 진폭이 최소, 또는 진폭이 0이 되는 시간이 존재한다.

아래와 같이 진폭이 다른 함수의 중첩인 경우에는 진폭의 최솟값과 최댓값이 존재하고 진폭이 0이 되는 지점이 존재하지 않게 된다.

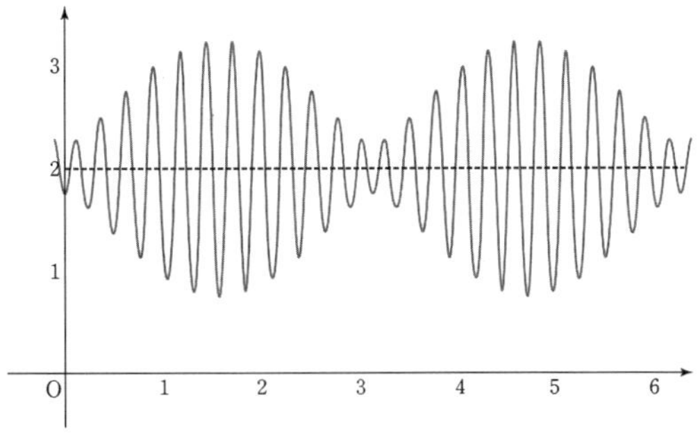

문제의 경우에는 진폭이 0이 되는 완전 상쇄 지점이 주기적으로 존재한다.

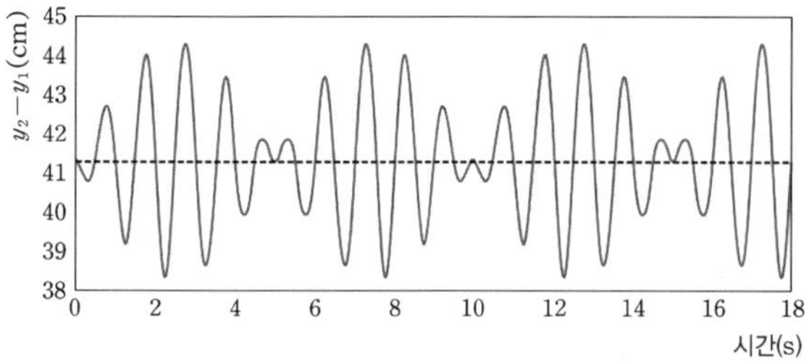

㉢: $f_1=\frac{11}{20}$Hz, ㉣: $f_1=\frac{9}{20}$Hz

$l_2-l_1=0$으로 하고,

$y_2-y_1=(l_2-l_1)-A\sin2\pi(f_1+f_2)t\sin2\pi(f_1-f_2)t$

그래프와 주기성이 유사한 그래프는 아래와 같다.

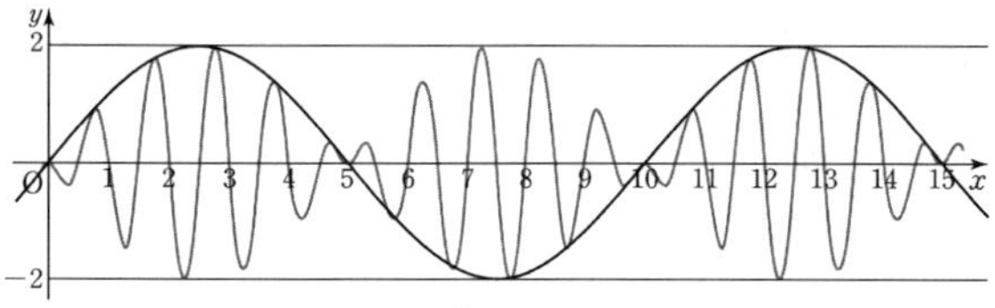

$y=-2\sin2\pi(f_1+f_2)t\sin2\pi(f_1-f_2)t$ 의 그래프를 분석하면 우선 큰 주기가 10초이므로 $\sin2\pi(f)t$ 에서 주기는 $\frac{1}{f}$ 이므로 $f_1-f_2=\frac{1}{10}$Hz 이다. 그리고 작은 주기 $\frac{1}{f_1+f_2}$ 는 10초에 10개의 파형이 존재하므로 1초이다.

$f_1+f_2=1$Hz

두 식을 연립하면 $f_1=\frac{11}{20}$Hz, $f_1=\frac{9}{20}$Hz 이다. 주의할 것은 맥놀이와 함수가 다르므로 혼동하면 안 된다.

맥놀이는 다음과 같다.

$y_1(t)=A\cos(2\pi f_1 t)$, $y_2(t)=A\cos(2\pi f_2 t)$

$y(x,\ t)=y_1+y_2=A[\cos(2\pi f_1 t)+\cos(2\pi f_2 t)]$

$=2A\cos2\pi\left(\frac{f_1-f_2}{2}t\right)\cos2\pi\left(\frac{f_1+f_2}{2}t\right)$

함수 형태가 다르므로 주의가 필요하다. 꼭 개념적으로 정리하고 넘어가야 한다.

진자 1개를 y축 그림자를 비추면 최하 지점에서 최고 지점까지 왕복운동을 한다. 그런데 진자 x축 그림자를 비추게 되면 가장 왼쪽에서 진자를 놓으면 최하 지점을 거치고 가장 오른쪽을 거쳐 다시 최하 지점을 거쳐 초기 위치에 오게 된다. 즉, y축보다 주기가 2배 증가하고, 진동수는 2배 감소하게 된다. 이는 맥놀이 현상과 동일한 현상을 보이게 된다. 수식을 표현해 보면 다음과 같다.

x_2-x_1

$=l_2\sin\phi-l_1\sin\theta\simeq l_2\phi-l_1\theta$

$=l_2\phi_0\cos\omega_2 t-l_1\theta_0\cos\omega_1 t\ \ (\text{if } B=l_2\phi_0=l_1\theta_0)$

$=B(\cos\omega_2 t-\cos\omega_1 t)$

$=2B\sin2\pi\left(\frac{f_1+f_2}{2}\right)t\,\sin2\pi\left(\frac{f_1-f_2}{2}\right)t$

그래프의 형태는 다음과 같다.

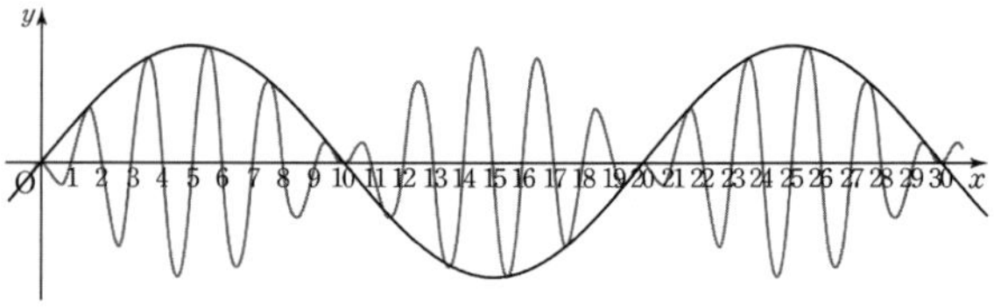

44

본책 88p

정답 해설 참고

해설

1) 〈작은 진동〉의 경우

$T=\ T=\frac{1}{2}ml^2\dot{\theta}_1^2+\frac{1}{2}ml^2\dot{\theta}_2^2$

$V=\frac{1}{2}k(x_2-x_1)^2+mgl(1-\cos\theta_1)+mgl(1-\cos\theta_2)$

$=\frac{1}{2}k(x_2-x_1)^2+\frac{mgl}{2}(\theta_1^2+\theta_2^2)$

$\therefore L=\frac{1}{2}m\dot{x}_1^2+\frac{1}{2}m\dot{x}_2^2-\frac{1}{2}k(x_2-x_1)^2-\frac{mg}{2l}(x_1^2+x_2^2)$

라그랑주 방정식 $\frac{d}{dt}\left(\frac{\partial L}{\partial \dot{x}_i}\right)-\frac{\partial L}{\partial x_i}=0$

$x_1: m\ddot{x}_1+k(x_1-x_2)+\frac{mg}{l}x_1=0$

$x_2: m\ddot{x}_2+k(x_2-x_1)+\frac{mg}{l}x_2=0$

$x_1=+x_2$: 각진동수 ω_1일 때,

$m\ddot{x}_1+\frac{mg}{l}x_1=0\rightarrow\omega_1=\sqrt{\frac{g}{l}}$

$x_1=-x_2$: 각진동수 ω_2일 때,

$m\ddot{x}_1+2kx_1+\frac{mg}{l}x_1=0\rightarrow\omega_2=\sqrt{\frac{g}{l}+\frac{2k}{m}}$

$x_1(t)=\frac{A}{2}(\cos\omega_1 t+\cos\omega_2 t)$ 을

운동방정식 $m\ddot{x}_1+k(x_1-x_2)+\frac{mg}{l}x_1=0$에 대입하여 정리하면

$-\frac{mA}{2}(w_1^2\cos\omega_1 t+w_2^2\cos\omega_2 t)+\frac{kA}{2}(\cos\omega_1 t+\cos\omega_2 t)$

$-kx_2+\frac{mg}{l}\frac{A}{2}(\cos\omega_1 t+\cos\omega_2 t)=0$

$kx_2=\frac{A}{2}\left(k-m\omega_1^2+\frac{mg}{l}\right)\cos\omega_1 t$

$+\frac{A}{2}\left(k-m\omega_2^2+\frac{mg}{l}\right)\cos\omega_2 t$

$=\frac{kA}{2}\cos\omega_1 t-\frac{kA}{2}\cos\omega_2 t$

$\therefore x_2(t)=\frac{A}{2}(\cos\omega_1 t-\cos\omega_2 t)$

2) 〈약한 결합〉의 경우

$$x_1(t) = \frac{A}{2}(\cos\omega_1 t + \cos\omega_2 t)$$
$$= A\cos\left(\frac{\omega_2-\omega_1}{2}t\right)\cos\left(\frac{\omega_1+\omega_2}{2}t\right)$$
$$\simeq A\cos\left(\frac{\omega_2-\omega_1}{2}t\right)\cos\left(\frac{\omega_1+\omega_2}{2}t\right)$$

$$x_2(t) = \frac{A}{2}(\cos\omega_1 t - \cos\omega_2 t)$$
$$= A\sin\left(\frac{\omega_2-\omega_1}{2}t\right)\sin\left(\frac{\omega_1+\omega_2}{2}t\right)$$
$$\simeq A\sin\left(\frac{\omega_2-\omega_1}{2}t\right)\sin\left(\frac{\omega_1+\omega_2}{2}t\right)$$

$A=2$, $f_1 = \frac{99}{100}\mathrm{Hz}$, $f_1 = \frac{101}{100}\mathrm{Hz}$일 때,

$\omega_2-\omega_1 = 2\pi(f_2-f_1) = \frac{\pi}{25}$,

$\omega_1+\omega_2 = 2\pi(f_1+f_2) = 4\pi$

$\frac{2\pi}{\omega_2-\omega_1} = 50s$까지 그래프를 그리면 다음과 같다.

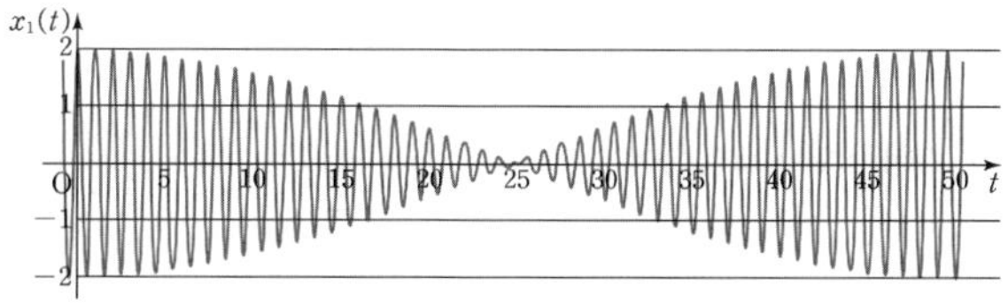

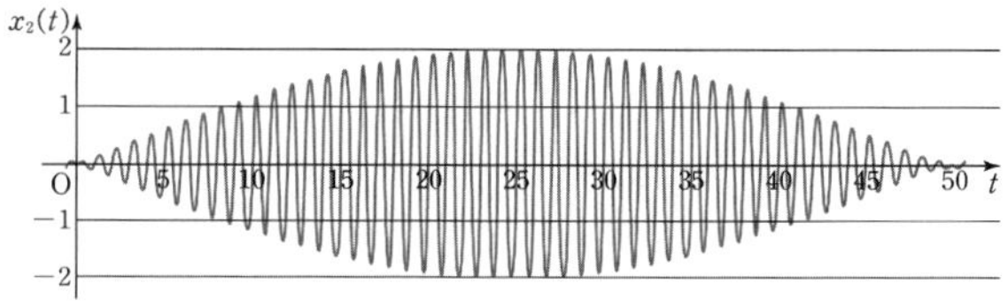

Chapter 03 열역학

본책 94 ~ 107쪽

1 열역학적 과정

01

본책 94p

정답 1) $\frac{3}{2}RdT+PdV=0,\ PV=RT$

2) $W=\frac{3}{2}R(T_H-T_L)$, 3) 해설 참고

영역	열역학
핵심 개념	단열과정
평가요소 및 기준	단열과정의 정의로부터 일과 보존되는 값 계산

해설

1) 열역학 1법칙은 에너지 보존법칙이다.

$dQ=dE_k+PdV$

$\therefore \frac{3}{2}RdT+PdV=0$

이상기체 상태방정식은 $PV=RT$ 이다.

2) $0=dE_k+PdV$ 이므로

$W=-\Delta E_k=-\frac{3}{2}R(T_L-T_H)$

$\therefore W=\frac{3}{2}R(T_H-T_L)$

3) $\frac{3}{2}RdT+PdV=0$, $PV=RT$

$\frac{3}{2}RdT+\frac{RT}{V}dV=0 \rightarrow \frac{dT}{T}+\frac{2}{3}\frac{dV}{V}=0$

$\ln\frac{T_H}{T_L}+\frac{2}{3}\ln\frac{V_f}{V_i}=0 \rightarrow \frac{T_H}{T_L}\left(\frac{V_f}{V_i}\right)^{2/3}=1$

$T_LV_i^{2/3}=T_HV_f^{2/3}$

$PV=RT$를 대입하면 $P_iV_i^{5/3}=P_fV_f^{5/3}$이다.

02

본책 95p

정답 1) $W_{bc}=4P_0V_0$, 2) $Q_{bc}=10P_0V_0$

3) $W_{cd}=0$, 4) $Q_{cd}=-\frac{27}{4}P_0V_0$

영역	열역학
핵심 개념	등압과정, 등적과정에서의 열출입과 한 일
평가요소 및 기준	상태방정식과 각 과정에서의 열역학적 정의

해설

1) 한 일은 $P-V$ 다이어그램의 아래 넓이이다.

$W_{bc}=\int PdV=2P_0(3V_0-V_0)=4P_0V_0$

2) $T_b=T_0$라 하면, 이상기체 상태방정식으로부터

$2P_0V_0=RT_0,\ 2P_0(3V_0)=RT_c \rightarrow T_c=3T_0$

등압과정에서 열량은

$Q_{bc}=C_P\Delta T=\frac{5}{2}R\Delta T=5RT_0=10P_0V_0$

참고로 등압과정에서 $\Delta Q=\frac{3}{2}nR\Delta T+nR\Delta T$ 이므로 등압과정에서 열량 ΔQ와 내부에너지 변화량 ΔE_k, 그리고 한 일 W의 비는 $\Delta Q:\Delta E_k:W=5:3:2$이다.

3) 등적과정에서는 한 일이 없다. $W_{cd}=0$

4) 이상기체 상태방정식 $\frac{P_0}{2}(3V_0)=RT_d \rightarrow T_d=\frac{3}{4}T_0$

$Q_{cd}=\Delta E_k=\frac{3}{2}R(T_d-T_c)$

$=-\frac{27}{8}RT_0=-\frac{27}{4}P_0V_0$

$\therefore Q_{cd}=-\frac{27}{4}P_0V_0$

03

본책 95p

정답 1) $T_1=\frac{V_1}{V_0}T_0$, 2) $W_2=P_0V_0\ln\frac{V_1}{V_0}$

3) $T_3=T_0\left(\frac{V_0}{V_1}\right)^{2/3}$

영역	열역학
핵심 개념	열역학적 과정에서 일 구하기, 이상기체 상태방정식, 단열과정 공식
평가요소 및 기준	열역학적 과정에서 일의 정의 및 단열과정 보존식 활용

해설

이상기체 상태방정식에 의해서 $P_0V_0=RT_0$

1) 등압과정이므로

$P_0V_1=RT_1 \rightarrow \frac{RT_0}{V_0}V_1=RT_1$

$\therefore T_1=\frac{V_1}{V_0}T_0$

2) 일의 정의에 의해서

$$W_2=\int_{V_0}^{V_1}PdV=RT_0\int_{V_0}^{V_1}\frac{dV}{V}=RT_0\ln\frac{V_1}{V_0}$$

$$\therefore W_2=P_0V_0\ln\frac{V_1}{V_0}$$

3) 단열과정 공식에 의해서 이상기체의 비열비 $\gamma=\frac{C_P}{C_V}=\frac{5}{3}$ 이다.

$$T_0V_0^{\gamma-1}=T_3V_1^{\gamma-1}$$

$$\therefore T_3=T_0\left(\frac{V_0}{V_1}\right)^{2/3}$$

04

본책 96p

정답 ②

영역	열역학
핵심 개념	이상기체 상태방정식, 열평형상태의 에너지 보존
평가요소 및 기준	열역학적 에너지보존 활용 및 두 기체의 상태방정식 연산

해설

이상기체 상태방정식 $PV=nRT$와 내부 에너지 $U=\frac{3}{2}nRT$를 이용하자.

기체가 섞여도 전체 내부에너지는 일정하다. 각각의 몰수를 n_1, n_2라 하면

$$U=\frac{3}{2}n_1RT_1+\frac{3}{2}n_2RT_2=\frac{3}{2}R(n_1+n_2)T'$$

$$\rightarrow 6PV+PV=(n_1+n_2)RT'=\left(\frac{6PV}{T_1}+\frac{PV}{T_2}\right)T'$$

$$\therefore T'=\frac{7T_1T_2}{T_1+6T_2}$$

두 기체가 섞였을 때의 압력을 P'이라 하고 전체 부피는 $3V$이므로 이상기체 상태방정식은

$$P'(3V)=(n_1+n_2)RT'=7PV$$

$$\therefore P'=\frac{7}{3}P$$

05

본책 97p

정답 ⑤

영역	열역학
핵심 개념	이상기체 상태방정식, 등온과정, 단열과정의 특징
평가요소 및 기준	등온, 단열 과정의 특징 및 연산

해설

등온과정 $P_1V_1=nRT_1$

단열과정 $P_1V_1^\gamma=PV^\gamma$

ㄱ. 단열과정 $\Delta Q=0=\Delta E_k+W$인데 단열팽창하게 되면 일을 하기 때문에 내부에너지가 감소한다. 즉 온도가 낮아지므로 등온과정 아래에 있게 되므로 과정 A가 등온과정이다.

ㄴ. 위에서 말한 대로 단열팽창은 내부 에너지가 감소하게 된다.

ㄷ. $A: P=\frac{P_1V_1}{V}$

$$\rightarrow \frac{dP}{dV}=-\frac{P_1V_1}{V^2}=-\frac{P_1V_1}{V_0^2}=-\frac{2P_0V_0}{V_0^2}$$

$$\rightarrow \left(\frac{dP}{dV}\right)_A=-\frac{2P_0}{V_0}$$

$B: P=\frac{P_1V_1^\gamma}{V^\gamma}$

$$\rightarrow \frac{dP}{dV}=-\gamma\left(\frac{P_1V_1^\gamma}{V_0^{\gamma+1}}\right)=-\gamma\left(\frac{P_0V_0^\gamma}{V_0^{\gamma+1}}\right)=-\gamma\left(\frac{P_0}{V_0}\right)$$

$$\rightarrow \left(\frac{dP}{dV}\right)_B=-\gamma\left(\frac{P_0}{V_0}\right)$$

$$\therefore \left(\frac{dP}{dV}\right)_B\Big/\left(\frac{dP}{dV}\right)_A=\frac{\gamma}{2}$$

06

본책 98p

정답 ⑤

영역	열역학
핵심 개념	이상기체 상태방정식
평가요소 및 기준	두 기체의 상태방정식 활용 및 계산

해설

왼쪽과 오른쪽의 몰수를 각각 n_1, n_2라 하면

$p_1V_1=n_1RT,\ p_2V_2=n_2RT$

이동하여 압력이 같아졌을 때는

$pV_1'=n_1RT=p_1V_1$

$pV_2'=n_2RT=p_2V_2$

두 식을 더하면

$$p(V_1'+V_2')=p_1V_1+p_2V_2$$

$$p=\frac{P_1V_1+p_2V_2}{V_1'+V_2'}=\frac{p_1V_1+p_2V_2}{V_1+V_2}$$

$(\because V_1+V_2=V_1'+V_2')$

$$\therefore p=\frac{p_1V_1+p_2V_2}{V_1+V_2}$$

07

본책 98p

정답 1) $Q_{ab}=\frac{93}{2}p_0V_0$, 2) $W_{bc}=36p_0V_0$

영역	열역학
핵심 개념	이상기체 상태방정식, 열역학 1법칙, 단열 공식
평가요소 및 기준	열역학 기본 공식을 통한 물리량 계산

해설

1) 이상기체 상태방정식 $pV=RT$
a에서 온도를 T_0라 하면 c에서 온도는 $8T_0$가 된다.
단열과정에서 $TV^{\gamma-1}$을 만족하므로 $T_b=32T_0$가 되고 $p_b=32p_0$이다.
열역학 1법칙에 의해서 $\Delta Q=\Delta U+W$
$\therefore Q_{ab}=\Delta U=\frac{3}{2}R(31T_0)=\frac{93}{2}p_0V_0$; 등적과정에서는 $W=0$이다.
2) 단열과정에서는 $\Delta Q=\Delta U+W=0$이므로
$\therefore W_{bc}=-\Delta U=\frac{3}{2}R(T_b-T_c)=36p_0V_0$

2 열기관 및 열역학적 엔트로피

08

본책 99p

정답 1) $\Delta S_A=-3$, $\Delta S_B=4$, 2) 해설 참고

영역	열역학
핵심 개념	엔트로피, 열역학 2법칙
평가요소 및 기준	엔트로피의 정의 및 계산

해설

1) $\Delta S=\int\frac{dQ}{T}$
$\Delta S_A=\frac{-1200}{400}=-3$
$\Delta S_B=\frac{1200}{300}=4$
2) 전체 엔트로피 변화는 $\Delta S_A+\Delta S_B=1$로서 증가했다. 인위적 개입이 없을 때 열은 고온에서 저온으로 이동하는데 그 이유는 자발적 과정에서 엔트로피는 항상 증가하기 때문이다.

09

본책 99p

정답 1) $Q_{전달}=2mcT$, $T_0=2T$, 2) $\Delta S_T=mc\ln2$

영역	열통계
핵심 개념	열평형상태, 엔트로피
평가요소 및 기준	열평형의 에너지 보존과 평형상태 온도 계산, 계의 엔트로피 정의와 연산

해설

1) 에너지 보존식으로부터
$Q_A+Q_B=Q_A'+Q_B'$
$mc(4T)+\frac{3}{2}m(\frac{4}{3}c)T=(mc+2mc)T_0$
$\therefore T_0=2T$
전달된 열량은
$\Delta Q=Q_A-Q_A'=mc4T-mc2T=2mcT$
$\therefore Q_{전달}=2mcT$
2) 엔트로피 정의로부터
$dS=\frac{dQ}{T}=mc\frac{dT}{T}$
$\Delta S=mc\ln\frac{T'}{T}$
$\Delta S_A=mc\ln\frac{2T}{4T}=-mc\ln2$
$\Delta S_B=2mc\ln\frac{2T}{T}=2mc\ln2$
$\therefore \Delta S_T=\Delta S_A+\Delta S_B=mc\ln2$

10

본책 100p

정답 1) $W=\frac{1}{2}(T_2-T_1)(S_2-S_1)$, 2) $\eta=\frac{1}{2}(1-\frac{T_1}{T_2})$

영역	열역학
핵심 개념	엔트로피의 정의로서 열기관의 일, 열효율 정의
평가요소 및 기준	엔트로피의 정의로부터 일과 열효율 계산

해설

1) $dS=\frac{dQ}{T}$
$\Delta Q=\Delta E_k+W=\int TdS$
만약 A→B→C→A 한 순환과정이라면 $\Delta E_k=0$이므로 온도-엔트로피의 그래프의 면적은 한 일 W이 된다.
즉, $W=\frac{1}{2}(T_2-T_1)(S_2-S_1)$
2) 열효율의 정의 $\eta=\frac{W}{\Delta Q_{흡수}>0}$
$dQ=TdS$ 이므로 흡수한 열량 구간에서는 엔트로피의 변화가 양수여야 한다. 이 구간은 B → C 구간밖에 없으므로 이 구간에서 열기관은 열량을 외부로부터 공급받는다.

$$\Delta Q_{흡수} = T_2(S_2 - S_1)$$

$$\eta = \frac{W}{\Delta Q_{흡수} > 0} = \frac{\frac{1}{2}(T_2 - T_1)(S_2 - S_1)}{T_2(S_2 - S_1)}$$

$$= \frac{1}{2}(1 - \frac{T_1}{T_2})$$

11

본책 100p

정답 1) $W = P_1V_1 - P_2V_2 = nR(T_1 - T_2) > 0$

2) $\Delta Q = \frac{1}{2}nR(T_2 - T_1) < 0$

3) $\Delta S = \frac{1}{2}nR\ln\frac{T_2}{T_1}$

영역	열역학
핵심 개념	기체가 한 일, 열량, 엔트로피 정의
평가요소 및 기준	열역학 1법칙 및 엔트로피 계산

해설

1) 기체가 팽창하였으므로 한 일은 양수이다.

$$W = \int_{V_1}^{V_2} PdV = \int_{V_1}^{V_2} \frac{K}{V^2}dV = K(\frac{1}{V_1} - \frac{1}{V_2})$$

$$(P_1V_1^2 = P_2V_2^2 = K)$$

$$= P_1V_1 - P_2V_2 = nR(T_1 - T_2) > 0$$

2) $\Delta Q = \Delta E_k + W = \frac{3}{2}nR(T_2 - T_1) + nR(T_1 - T_2)$

$$\therefore \Delta Q = \frac{1}{2}nR(T_2 - T_1) < 0$$

3) $\Delta S = \int \frac{dQ}{T} = \frac{1}{2}nR\ln\frac{T_2}{T_1}$

12

본책 101p

정답 ⑤

영역	열역학
핵심 개념	열역학에서 엔트로피 정의
평가요소 및 기준	열역학에서 엔트로피 계산

해설

엔트로피의 정의

$$\Delta S = \int \frac{dQ}{T}$$

독립된 개체의 열교환은 A가 받은 열량 Q_A와 열원 B가 공급한 열량 Q_B가 동일하다.

열원 B의 열량 변화 $\Delta Q_B < 0$이므로 엔트로피는 감소함에 유의하자.

등압과정에서 $\Delta Q_A = nc_p(T_2 - T_1)$이므로 $\Delta Q_A + \Delta Q_B = 0$이다. 따라서 $\Delta Q_B = c_p(T_1 - T_2)$, 열원의 온도는 일정하게 유지되므로

$$\Delta S_B = \int \frac{dQ}{T} = \frac{nc_p(T_1 - T_2)}{T_2} = nc_p(\frac{T_1}{T_2} - 1)$$

13

본책 101p

정답 ③

영역	열통계
핵심 개념	흑체복사 슈테판-볼츠만 법칙, 엔트로피 정의
평가요소 및 기준	슈테판-볼츠만 법칙에서 엔트로피 계산

해설

흑체복사 슈테판-볼츠만 법칙에서 방출되는 에너지 세기 $I = \frac{E}{At} = \sigma T^4$이다. 에너지 세기는 단위 면적(A)당 단위 시간(t)당 방출되는 에너지이므로 총 에너지는 $E = \sigma AtT^4$

엔트로피의 정의는

$$\Delta S = \int_T^{2T} \frac{dE}{T} = 4\sigma At\int_T^{2T} \frac{T^3}{T}dT$$

$$= 4\sigma At(\frac{8T^3}{3} - \frac{T^3}{3}) = S(2T) - S(T)$$

따라서 엔트로피의 증가비는 $\frac{S(2T)}{S(T)} = 8$이다.

만약 통계적으로 바라보면, 입자수 N으로 일정한 기체에서 에너지 보존

내부에너지 U, 전체 에너지 $E = TS$

$U = TS - PV$

$dU = TdS - PdV$

온도와 부피 T, V를 기본 변수로 정의하면, 부피 변화가 없으므로 $dU = dE$

$$dS = \frac{1}{T}dE$$

$$E = CT^4 \rightarrow dE = 4CT^3dT$$

$$\Delta S = \int_T^{2T} 4CT^2dT = \frac{4}{3}C[(2T)^3 - T^3] = S(2T) - S(T)$$

$$\frac{S(2T)}{S(T)} = 8$$

14

본책 101p

정답 ④

영역	열역학
핵심 개념	등온과정 엔트로피, 등적과정 열량
평가요소 및 기준	등온과정에서 엔트로피 계산 및 등적과정에서 열역학 제1법칙

해설

$$\Delta S = \int \frac{dQ}{T} = R\ln\frac{V_b}{V_a} = R\ln 2 \ (dQ_{등온} = \frac{nRT}{V}dV)$$

$V_b = 10L$

이상기체 상태방정식에 의해서 $p_aV_a = p_bV_b \rightarrow p_b = 100\text{kPa}$

$$Q_{bc} = -600J = \frac{3}{2}nR\Delta T_{bc} = \frac{3}{2}(p_c - p_b)V_b$$

$$\therefore p_c = p_b - 40 = 60\text{kPa}$$

15

본책 102p

정답 ③

영역	열역학
핵심 개념	카르노 기관
평가요소 및 기준	카르노 기관의 열효율 및 과정에서 엔트로피 연산

해설

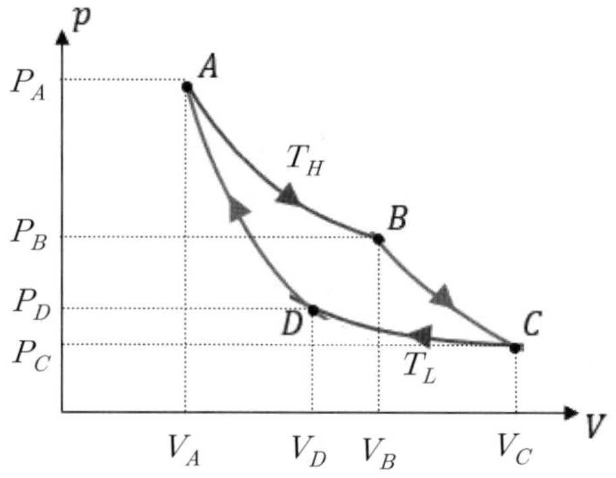

$$\Delta Q_{AB}=W_{AB}=nRT_H\ln\frac{V_B}{V_A}>0$$

$$\Delta Q_{BC}=0$$

$$\Delta Q_{CD}=W_{CD}=-nRT_L\ln\frac{V_C}{V_D}<0$$

$$\Delta Q_{DA}=0$$

$$e=\frac{\sum Q}{\sum Q>0}=\frac{\Delta Q_{AB}+\Delta Q_{CD}}{\Delta Q_{AB}}$$

$$=\frac{nRT_H\ln\frac{V_B}{V_A}-nRT_L\ln\frac{V_C}{V_D}}{nRT_H\ln\frac{V_B}{V_A}}$$

단열과정에서 $TV^{\gamma-1}=$일정

$$T_HV_B^{\gamma-1}=T_LV_C^{\gamma-1}\ ,\ T_HV_A^{\gamma-1}=T_LV_D^{\gamma-1}$$

$$(\frac{V_B}{V_A})^{\gamma-1}=(\frac{V_C}{V_D})^{\gamma-1}\rightarrow\therefore\frac{V_B}{V_A}=\frac{V_C}{V_D}$$

결과를 열효율 식에 대입하면 $\therefore e=\frac{T_H-T_L}{T_H}$

ㄱ. 가역기관은 엔트로피 변화가 없다. 카르노 기관의 경우 가역기관이므로 엔트로피의 정의 $\Delta S=\int\frac{dQ}{T}$에 의해서 단열과정은 엔트로피 변화가 없으므로

$$\Delta S_T=\int\frac{dQ_{AB}}{T_H}+\int\frac{dQ_{CD}}{T_L}=0$$

수식으로 증명하면

$$\Delta Q_{AB}=W_{AB}=nRT_H\ln\frac{V_B}{V_A}>0$$

$$\Delta Q_{BC}=0$$

$$\Delta Q_{CD}=W_{CD}=-nRT_L\ln\frac{V_C}{V_D}<0$$

$$\Delta Q_{DA}=0$$

$\frac{V_B}{V_A}=\frac{V_C}{V_D}$ 이므로

$$\Delta S_{AB}=nR\ln\frac{V_B}{V_A}=|\Delta S_{CD}|=nR\ln\frac{V_C}{V_D}$$

ㄴ. 위에 식으로 증명. 카르노 기관의 열효율 $e=1-\frac{T_L}{T_H}$

ㄷ. $P-V$그래프에서 이상기체가 $A\rightarrow B\rightarrow C$에서 과정에서 그래프의 적분구간의 넓이가 한 일이 되므로 $C\rightarrow D\rightarrow A$에서 외부로부터 받은 일보다 크다.

16

본책 103p

정답 ⑤

영역	열역학
핵심 개념	열효율정의, 카르노 기관의 열효율
평가요소 및 기준	카르노 기관의 열효율과 열기관의 열효율 정의 활용

해설

카르노 기관의 열효율과 $Q_L=k(T_H-T_L)$의 조건을 이용하여 W를 구해보자.

$$e=\frac{Q_H-Q_L}{Q_H}=\frac{W}{Q_H}=\frac{T_H-T_L}{T_H}$$

$$W=\left(\frac{T_H-T_L}{T_H}\right)Q_H=\left(\frac{T_H-T_L}{T_H}\right)(Q_L+W)$$

$$\left(1-\frac{T_H-T_L}{T_H}\right)W=\left(\frac{T_H-T_L}{T_H}\right)Q_L$$

$$=\left(\frac{T_H-T_L}{T_H}\right)k(T_H-T_L)$$

$$\frac{T_L}{T_H}W=k\frac{(T_H-T_L)^2}{T_H}$$

$$\therefore W=k\frac{(T_H-T_L)^2}{T_L}$$

17

본책 103p

정답 1) $W=\frac{R}{2}(3T_A-5T_B+5T_C-3T_D)$

2) $\eta=\frac{3T_A-5T_B+5T_C-3T_D}{5(T_C-T_B)}$

$$=1-\frac{3}{5}\frac{T_D-T_A}{T_C-T_B}$$

영역	열역학
핵심 개념	열역학 과정, 열효율
평가요소 및 기준	열효율의 정의를 활용하여 계산

해설

열역학 제 1법칙 $\Delta Q = \Delta U + W\,(where\ U = \frac{3}{2}nRT)$

각 과정에 대해 기술해보면

$A \to B : \Delta Q_{AB} = \Delta U_{AB} + W_{AB} = 0$; 단열 압축이므로 $T_B > T_A$

$B \to C : \Delta Q_{BC} = \Delta U_{BC} + W_{BC}$

$$= \frac{3}{2}R(T_C - T_B) + R(T_C - T_B)$$

$$= \frac{5}{2}R(T_C - T_B) > 0$$

$C \to D : \Delta Q_{CD} = \Delta U_{CD} + W_{CD} = 0$

단열 팽창이므로 $T_C > T_D$

$D \to A : \Delta Q_{DA} = \Delta U_{DA} + W_{DA} = \frac{3}{2}R(T_A - T_D) < 0$

기체는 $B \to C$ 과정에서 $|\Delta Q_{BC}| = \frac{5}{2}R(T_C - T_B)$만큼을 열을 흡수해서 $D \to A$ 과정에서 $|\Delta Q_{DA}| = \left|\frac{3}{2}R(T_A - T_D)\right|$의 열을 외부로 방출한다.

전체 과정에서 기체가 흡수한 열량은 방출한 열량의 크기와 한 일의 합과 같으므로

$|\Delta Q_{BC}| = \frac{5}{2}R(T_C - T_B) = |\Delta Q_{DA}| + W$이다.

따라서 $W = \frac{R}{2}(3T_A - 5T_B + 5T_C - 3T_D)$

열효율

$$\eta = \frac{W}{\Sigma \Delta Q > 0} = \frac{W}{\Delta Q_{BC}} = \frac{3T_A - 5T_B + 5T_C - 3T_D}{5(T_C - T_B)}$$

$$= 1 - \frac{3}{5}\frac{T_D - T_A}{T_C - T_B}$$

18

본책 104p

정답 $P = 8P_0,\ T = 2T_0$

영역	열역학
핵심 개념	엔트로피와 단열과정
평가요소 및 기준	몰비열비를 이용하여 단열과정 계산

해설

아르곤과 질소가 각각 n몰씩 혼합되어 있다고 하자. 총 $2n$몰이 있다.

계의 엔트로피 변화가 없다고 했으므로 $\Delta S = \int \frac{\Delta Q}{T} = 0$이다.

이 과정은 단열과정이다. 단열과정에서 특정 상태의 온도와 압력을 구하기 위해서는 $\gamma = \frac{C_P}{C_V} = \frac{\text{등압 몰비열}}{\text{등적 몰비열}}$를 알아야 한다.

이상기체 상태방정식과 열역학 1법칙을 이용하여 혼합기체의 등압, 등적 몰비열을 구해보자.

$PV = 2nRT$

$\Delta Q = nC_V \Delta T + W$

$2nC_P \Delta T = (nC_{VAr} + nC_{VN_2})\Delta T + 2nR\Delta T = 6nR\Delta T$

$\therefore C_P = 3R$

$2nC_V \Delta T = (nC_{VAr} + nC_{VN_2})\Delta T = 4nR\Delta T$

$\therefore C_V = 2R$

단열과정에서 PV^{γ}=일정, $TV^{\gamma - 1}$=일정$(\gamma = \frac{3}{2})$

$P_0 V_0^{3/2} = P(\frac{V_0}{4})^{3/2} \quad \therefore P = 4^{3/2}P_0 = 8P_0$

$PV = 2nRT,\ P_0 V_0 = 2nRT_0$

$8P_0(\frac{1}{4}V_0) = 2P_0 V_0 \to \therefore T = 2T_0$

19

본책 104p

정답 $\eta_1 + \eta_2 - \eta_1\eta_2$

영역	열역학
핵심 개념	열효율
평가요소 및 기준	열효율의 정의로부터 전체 열효율 계산

해설

열효율의 정의 $\eta = \frac{W}{Q_H} = \frac{Q_H - Q_C}{Q_H}$

$\eta_1 = 1 - \frac{Q_0}{Q_1},\ \eta_2 = 1 - \frac{Q_2}{Q_0}$

전체 열효율은 $\eta_T = 1 - \frac{Q_2}{Q_1}$

$\frac{Q_0}{Q_1} = 1 - \eta_1,\ \frac{Q_2}{Q_0} = 1 - \eta_2$ 서로 곱하면

$\eta_T = 1 - \frac{Q_2}{Q_1} = 1 - (1 - \eta_1)(1 - \eta_2) = \eta_1 + \eta_2 - \eta_1\eta_2$

20

본책 105p

정답 1) $\frac{|Q_{out}|}{P_0 V_0} = \frac{27}{2}$, 2) $\frac{|W|}{P_0 V_0} = 1 + 8\ln 2$

영역	열역학
핵심 개념	열기관에서 일과 각 과정의 에너지 보존
평가요소 및 기준	열기관에서 일의 연산과 방출된 열량의 연산

해설

1) 상태방정식을 $P_0 V_0 = RT_0$라 하자.

그러면 각 지점에서 온도를 구해보면

$T_A = T_0,\ T_B = T_E = 4T_0,\ T_C = T_D = 8T_0$

등적 과정: $\Delta Q_{DE} = \frac{3}{2}R(T_E - T_D) = -\frac{3}{2}R(4T_0)$

등압 과정: $\Delta Q_{EA} = \frac{5}{2}R(T_A - T_E) = -\frac{5}{2}R(3T_0)$

$Q_{out} = \frac{27}{2}RT_0 = \frac{27}{2}P_0V_0$ (방출이므로 자체적으로 −가 되어 있다.)

$\therefore \frac{|Q_{out}|}{P_0V_0} = \frac{27}{2}$

2) A → B → C → D까지 과정을 구간별 에너지 보존식을 이용하여 계산하면

등적 과정: $\Delta Q_{AB} = \frac{3}{2}R(T_B - T_A) = \frac{3}{2}R(3T_0)$

등압 과정: $\Delta Q_{BC} = \frac{5}{2}R(T_C - T_B) = \frac{5}{2}R(4T_0)$

등온 과정: $\Delta Q_{CD} = 8RT_0\ln 2$

$W = \sum \Delta Q = \Delta Q_{AB} + \Delta Q_{BC} + \Delta Q_{CD} + Q_{out}$

$W = RT_0 + 8RT_0\ln 2 = P_0V_0(1 + 8\ln 2)$

$\therefore \frac{|W|}{P_0V_0} = 1 + 8\ln 2$

21

본책 106p

정답 1) $T = \frac{kx^2}{R}$, 2) $Q = \frac{5}{2}kl^2$, 3) $\Delta S = 4R\ln\frac{3}{2}$

영역	열역학
핵심 개념	용수철이 추가된 열역학적 과정, 엔트로피 정의
평가요소 및 기준	PV−다이어그램 활용 및 용수철 존재 시 열역학 1법칙 및 2법칙 연산

해설

PV−다이어그램을 그려보면

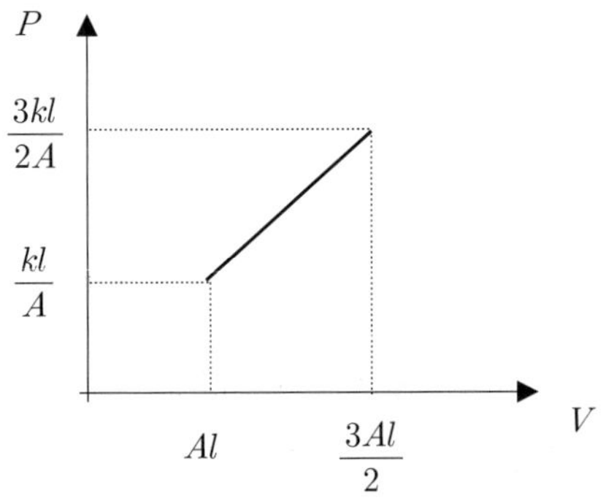

1) 용수철 부분이 진공이므로 기체의 압력은 단위면적당 용수철의 탄성력과 동일하다.
상태방정식으로부터 $PV = RT$이므로

$\frac{kx}{A}Ax = RT$

$\therefore T = \frac{kx^2}{R}$

2) 공급한 열량은 내부에너지 증가와 외부에 해준 일의 합과 같다.

$$Q = \Delta U + W = \frac{3}{2}R\Delta T + \frac{1}{2}\frac{kl}{A}\frac{5}{2}\left(\frac{1}{2}\right)Al$$

$$= \frac{3}{2}k\left(\frac{9}{4}l^2 - l^2\right) + \frac{1}{2}\frac{kl}{A}\frac{5}{2}\left(\frac{1}{2}\right)Al = \frac{15}{8}kl^2 + \frac{5}{8}kl^2$$

$$\therefore Q = \frac{20}{8}kl^2 = \frac{5}{2}kl^2$$

3) 열량 미소변화량 $dQ = \frac{3}{2}RdT + kxdx$이고, 엔트로피의 정의로부터 $dS = \frac{dQ}{T}$

$$dS = \frac{3}{2}R\frac{dT}{T} + \frac{kx}{T}dx = \frac{3}{2}R\frac{\frac{2k}{R}xdx}{\frac{k}{R}x^2} + \frac{kx}{\frac{k}{R}x^2}dx$$

$$= 3R\frac{dx}{x} + R\frac{dx}{x} = 4R\frac{dx}{x}$$

$$\therefore \Delta S = \int_l^{\frac{3}{2}l} 4R\frac{dx}{x} = 4R\ln\frac{3}{2}$$

22

본책 107p

정답 1) $\Delta Q_{BC} = \frac{5}{2}R(T_C - T_B)$

2) $e = \frac{T_A + T_C - T_B - T_D}{T_C - T_B}$

3) $W_{CD} = \frac{3}{2}R(T_C - T_D)$

영역	열통계
핵심 개념	열기관 과정과 열효율의 이해
평가요소 및 기준	등압, 단열과정의 활용, 열효율 정의 및 계산, 단열과정에서 일의 계산

해설

1) 등압과정에서 흡수한 열량의 정의에 의해서

$\Delta Q_{BC} = \frac{5}{2}R(T_C - T_B)$

2) $e = \frac{\sum \Delta Q_{ij}}{\sum \Delta Q_{ij} > 0} = \frac{W}{\Delta Q_{BC}} = \frac{T_A + T_C - T_B - T_D}{T_C - T_B}$

3) 단열과정이므로 $\Delta Q = 0$이다.

$\Delta Q_{CD} = \Delta U_{CD} + W_{CD} = 0$

$W_{CD} = -\Delta U_{CD} = -\frac{3}{2}R(T_D - T_C)$

$\therefore W_{CD} = \frac{3}{2}R(T_C - T_D)$

23

본책 107p

정답 1) $W_{\mathrm{AB}} = P_0 V_0 \ln 2$, 2) $\Delta U_{\mathrm{BC}} = -\frac{3}{4} P_0 V_0$

3) $\eta = \dfrac{2\ln 2}{3 + 4\ln 2}$

영역	열역학
핵심 개념	스털링 기관, 기체가 한 일, 내부 에너지 변화량, 열효율
평가요소 및 기준	스털링 열기관의 각 과정과 열효율의 계산

해설

1) 이상기체 상태 방정식 $P_0 V_0 = RT_0$, A → B는 등온과정이다.

$$\therefore W_{\mathrm{AB}} = RT_0 \ln \frac{V_{\mathrm{B}}}{V_{\mathrm{A}}} = P_0 V_0 \ln 2$$

2) B → C는 정적 과정이다.

$$\therefore \Delta U_{\mathrm{BC}} = \frac{3}{2} R \Delta T = \frac{3}{2} R\left(-\frac{1}{2} T_0\right) = -\frac{3}{4} P_0 V_0$$

3) 각 과정에 대해 기체가 흡수한 열량에 대해 나타내보자.

$$\Delta Q_{\mathrm{AB}} = W_{\mathrm{AB}} = RT_0 \ln \frac{V_{\mathrm{B}}}{V_{\mathrm{A}}} = P_0 V_0 \ln 2$$

$$\Delta Q_{\mathrm{BC}} = \Delta U_{\mathrm{BC}} = \frac{3}{2} R \Delta T = \frac{3}{2} R\left(-\frac{1}{2} T_0\right) = -\frac{3}{4} P_0 V_0$$

$$\Delta Q_{\mathrm{CD}} = W_{\mathrm{CD}} = \frac{RT_0}{2} \ln \frac{V_{\mathrm{D}}}{V_{\mathrm{C}}} = -\frac{P_0 V_0}{2} \ln 2$$

$$\Delta Q_{\mathrm{DA}} = \Delta U_{\mathrm{DA}} = \frac{3}{2} R \Delta T = \frac{3}{2} R\left(\frac{1}{2} T_0\right) = \frac{3}{4} P_0 V_0$$

열효율 $\eta = \dfrac{\sum \Delta Q_{ij}}{\sum \Delta Q_{ij} > 0}$

$$= \frac{\Delta Q_{\mathrm{AB}} + \Delta Q_{\mathrm{BC}} + \Delta Q_{\mathrm{CD}} + \Delta Q_{\mathrm{DA}}}{\Delta Q_{\mathrm{AB}} + \Delta Q_{\mathrm{DA}}}$$

$$= \frac{\frac{1}{2} P_0 V_0 \ln 2}{\frac{3}{4} P_0 V_0 + P_0 V_0 \ln 2}$$

$$\therefore \eta = \frac{2\ln 2}{3 + 4\ln 2}$$

Chapter 04 통계역학

본책 113 ~ 131쪽

1 반데르발스 기체

01

본책 113p

정답 $W=nRT\ln\dfrac{V_2-nb}{V_1-nb}+n^2a(\dfrac{1}{V_2}-\dfrac{1}{V_1})$

영역	열역학
핵심 개념	반데르발스 기체의 외부에 한 일
평가요소 및 기준	반데르발스 상태방정식으로부터 일의 계산

해설

$$P=\frac{nRT}{V-nb}-\frac{n^2a}{V^2}$$

$$W=\int_{V_1}^{V_2}PdV=\int_{V_1}^{V_2}(\frac{nRT}{V-nb}-\frac{n^2a}{V^2})dV$$

$$\therefore W=nRT\ln\frac{V_2-nb}{V_1-nb}+n^2a(\frac{1}{V_2}-\frac{1}{V_1})$$

02

본책 113p

정답 1) $W=a(v_1-v_2)+RT_0\ln\dfrac{v_2-b}{v_1-b}$

2) $\Delta s=\displaystyle\int_{v_1}^{v_2}\left(\frac{\partial P}{\partial T}\right)_v dv=\int_{v_1}^{v_2}\frac{R}{v-b}dv$

$=R\ln\dfrac{v_2-b}{v_1-b}$

영역	열통계
핵심 개념	기체가 한 일의 정의, 등온일 때 엔트로피 계산
평가요소 및 기준	상태방정식이 주어질 때 일과 엔트로피를 조건에 따라 계산

해설

일의 정의에 의해서

$$W=\int_{v_1}^{v_2}Pdv=\int_{v_1}^{v_2}(-a+\frac{RT_0}{v-b})dv$$

$$=a(v_1-v_2)+RT_0\ln\frac{v_2-b}{v_1-b}$$

등온일 때 엔트로피를 구하면

$$T_0ds=c_vdT+T\left(\frac{\partial P}{\partial T}\right)_v dv=T_0\left(\frac{\partial P}{\partial T}\right)_v dv$$

$$\Delta s=\int_{v_1}^{v_2}\left(\frac{\partial P}{\partial T}\right)_v dv=\int_{v_1}^{v_2}\frac{R}{v-b}dv=R\ln\frac{v_2-b}{v_1-b}$$

03

본책 114p

정답 1) $\Delta E=C_V\Delta T-a(\dfrac{1}{V_2}-\dfrac{1}{V_1})$

2) $\Delta T=-\dfrac{a}{2C_VV_0}$

영역	열통계
핵심 개념	조건식의 활용
평가요소 및 기준	주어진 조건을 활용하여 값 계산

해설

$\left(p+\dfrac{a}{V^2}\right)(V-b)=RT$ 식을 내부에너지 미소변화식에 대입하여 정리하면

$$dE=C_VdT+\left[T\left(\frac{\partial p}{\partial T}\right)_V-p\right]dV$$

$$=C_VdT+\frac{a}{V^2}dV$$

양변을 각각의 변수에 대해 적분하면

$\Delta E=C_V\Delta T-a(\dfrac{1}{V_2}-\dfrac{1}{V_1})$이 된다.

단열 자유 팽창이므로 열역학 1법칙 $\Delta Q=\Delta E+W$에 의해서 기체가 한 일 $W=0$이고 단열과정이므로 ΔQ가 0이므로 기체의 내부에너지 변화 $\Delta E=0$이다.

$$\Delta T=\frac{a}{C_V}(\frac{1}{2V_0}-\frac{1}{V_0})$$

$$\therefore \Delta T=-\frac{a}{2C_VV_0}$$

04

본책 115p

정답 해설 참고

해설

a : 압력 보정 상수로써 분자 사이의 인력 때문에 발생하는 실제 기체의 낮은 압력효과를 반영한다.

b : 부피 보정 상수로써 1몰의 분자가 차지하는 기체 자체의 부피를 의미한다. 분자의 크기가 존재하므로 반영한다.

기체 분자 사이의 퍼텐셜 에너지는 레너드-존스 퍼텐셜(Lennard-jones potential) 에너지로 표현된다.

수식은 $V(r) = U_0\left[\left(\frac{\sigma}{r}\right)^{12} - \left(\frac{\sigma}{r}\right)^{6}\right]$ 이고, 그래프는 아래와 같다. 여기서 U_0와 σ는 상수이다.

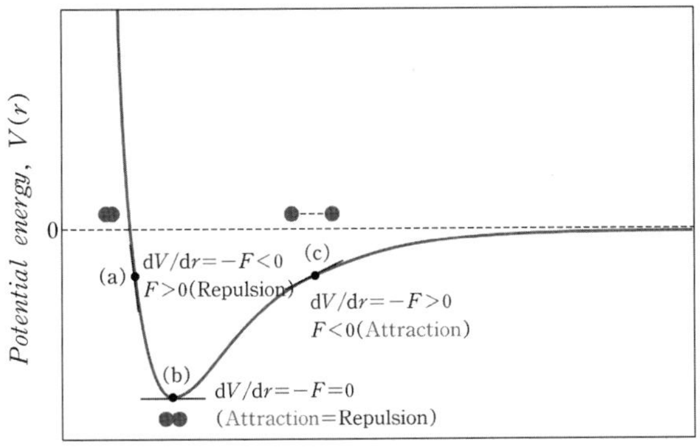

(a) 반발력이 작용하는 구간: 분자 간의 거리가 가까워서 반반력이 우세 $F>0$
(b) 평형 상태: 분자 간의 거리가 적절하여 반발력과 인력이 평형을 이루는 상태 $F=0$
(c) 인력이 작용하는 구간: 분자 간의 거리가 멀어서 인력이 우세 $F<0$

이상기체의 경우에는 기체 분자 사이의 퍼텐셜을 고려하지 않으므로 자유팽창을 하게 되면 에너지 보존 법칙에 의해서 내부에너지인 운동에너지 변화가 없으므로 온도 변화 $A=0$이다. 반데르발스 기체와 기체 X의 상태방정식을 정리하면 다음과 같다.

반데르발스 기체 $p=\frac{nRT}{V-bn}-\frac{an^2}{V^2}$

기체 X $p=\frac{nRT}{V}(1+\frac{bn}{V})-\frac{an^2}{V^2}$

여기서 분자 사이의 인력 때문에 발생하는 효과의 항인 $-\frac{an^2}{V^2}$이 동일하다. 그리고 기체이므로 인력과 척력의 평형점으로부터 우측에 분자의 거리가 존재한다. 기체는 분자 사이의 거리가 상당히 멀기 때문이다. 자유팽창을 하게 되면 분자 사이의 거리가 증가하게 되어 퍼텐셜 에너지는 증가하게 되고, 운동에너지는 감소하게 된다. 따라서 온도 변화 B와 C는 0보다 작게 된다. 그런데 $-\frac{an^2}{V^2}$이 같으므로 동일한 퍼텐셜 에너지 형태를 가진다고 볼 수 있다. 따라서 온도 변화는 동일하다. 이는 식 (3) $dT=\frac{1}{nc_V}\left[p-T\left(\frac{\partial p}{\partial T}\right)_V\right]dV$에서도 확인할 수 있는데 반데르발스 기체와 기체 X는 모두 $dT=\frac{1}{nc_V}\left(\frac{an^2}{-V^2}\right)dV$의 같은 형태를 가진다. 따라서 $A=0$이고, $B=C<0$의 관계가 성립한다. 그리고 반데르발스 기체 상태방정식

$$p=\frac{nRT}{V-bn}-\frac{an^2}{V^2}=\frac{nRT}{V}\left(\frac{1}{1-bn/V}\right)-\frac{an^2}{V^2}$$ 을

수열 $\frac{1}{1-x}=1+x+x^2+\cdots$로 전개하면 다음과 같다.

$$p=\frac{nRT}{V-bn}-\frac{an^2}{V^2}=\frac{nRT}{V}\left(\frac{1}{1-bn/V}\right)-\frac{an^2}{V^2}$$

$$=\frac{nRT}{V}\left(1+\frac{bn}{V}+(\frac{bn}{V})^2+\cdots\right)-\frac{an^2}{V^2}$$

만약 $\frac{bn}{V}\ll 1$이면,

기체 X의 상태방정식 $p=\frac{nRT}{V}(1+\frac{bn}{V})-\frac{an^2}{V^2}$과 같아진다.

조건: $\frac{bn}{V}\ll 1$

의미: 분자가 차지하는 기체 자체 부피보다 기체가 존재하는 공간의 부피가 매우 크다.

2 공간 및 에너지 분포

05

본책 116p

정답 ④

영역	열통계
핵심 개념	볼츠만 통계의 이해, 이상기체 운동에너지
평가요소 및 기준	에너지 등분배 법칙 및 통계적 평균의 이해와 계산

해설

3차원상에서 부피 V 내부에서 갇혀있는 이상기체의 경우 속도의 평균 $\langle v_x\rangle=\langle v_y\rangle=\langle v_z\rangle=0$이다.

$\langle(v_x-v_M)^2\rangle=\langle v_x^2\rangle-2v_M\langle v_x\rangle+v_M^2=\langle v_x^2\rangle+v_M^2$
$(\because \langle v_x\rangle=0)$

$\langle v^2\rangle=\langle v_x^2+v_y^2+v_z^2\rangle=3\langle v_x^2\rangle$: 방향성이 없으므로 각 방향의 속도의 제곱의 평균은 동일하다.

이상기체 입자 1개의 운동에너지 $\frac{1}{2}m\langle v^2\rangle=\frac{3}{2}k_BT$이므로

$\langle v_x^2\rangle=\frac{k_BT}{m}$

$\therefore \langle(v_x-v_M)^2\rangle=\langle v_x^2\rangle+v_M^2=\frac{k_BT}{m}+\frac{2k_BT}{m}=\frac{3k_BT}{m}$

06

본책 116p

정답 1) $\frac{P_B}{P_A}=24$

2) $S_B-S_A=k\ln(\frac{\Omega_B}{\Omega_A})=k\ln(\frac{P_B}{P_A})=k\ln 24$

영역	열통계
핵심 개념	통계적 확률의 개념적 정의
평가요소 및 기준	엔트로피를 시스템의 상태계수로 정의하여 계산

해설

각 방의 이름을 a, b, c, d라 하면 각 방에 들어갈 확률은 $\frac{1}{4}$로 동일하다.

이항정리를 이용하면 $(a+b+c+d)^4=1$

(가)와 같이 모두 한 방에 들어갈 확률 $P_A={}_4C_4(\frac{1}{4})^4=\frac{1}{4^4}$ 이다.

(나)와 같이 각 방에 한 개씩 들어갈 확률은

$$P_B=(4C_1\times 3C_1\times 2C_1)\frac{1}{4^4}=\frac{24}{4^4}=\frac{3}{32}$$

$$\therefore \frac{P_B}{P_A}=24$$

엔트로피는 $S=k\ln\Omega$ ($\Omega=$경우의 수)

$$\therefore S_B-S_A=k\ln(\frac{\Omega_B}{\Omega_A})=k\ln(\frac{P_B}{P_A})=k\ln 24$$

07

본책 117p

정답 1) $\bar{v}=\langle v\rangle=\int_0^\infty vD(v)dv$

$$=4\pi(\frac{m}{2\pi kT})^{\frac{3}{2}}\int_0^\infty v^3e^{-\frac{mv^2}{2kT}}dv$$

2) $\bar{v}=2\sqrt{\frac{2kT}{m\pi}}$

영역	열통계
핵심 개념	맥스웰-볼츠만 분포함수에서 평균값 정의
평가요소 및 기준	평균정의를 통한 적분계산

해설

$$\bar{v}=\langle v\rangle=\int_0^\infty vD(v)dv=4\pi(\frac{m}{2\pi kT})^{\frac{3}{2}}\int_0^\infty v^3e^{-\frac{mv^2}{2kT}}dv$$

$$let\ a=\frac{m}{2kT}$$

$$\langle v\rangle=\frac{4}{\sqrt{\pi}}a^{\frac{3}{2}}\int_0^\infty v^3e^{-av^2}dv=\frac{4}{\sqrt{\pi}}a^{\frac{3}{2}}\frac{1}{2a^2}$$

$$=\frac{2}{\sqrt{a\pi}}=2\sqrt{\frac{2kT}{m\pi}}$$

08

본책 117p

정답 1) 5J, 6J, 7J

2) 엔트로피는 $S=k\ln\Omega$이므로 Ω가지수가 가장 높은 6J일 때가 엔트로피가 가장 높다.

영역	열통계
핵심 개념	분포의 가지수, 엔트로피 정의
평가요소 및 기준	분포와 겹침수의 정의로부터 엔트로피 유도

해설

방 6개를 4개 선택하는 경우이므로 전체 경우의 수는 ${}_6C_4=15$이다.

에너지는 흰색: 검은색을 채우는 경우를 생각하면

흰색: 검은색 = 3: 1 → 5J ; 3가지

흰색: 검은색 = 2: 2 → 6J ; 9가지

흰색: 검은색 = 1: 3 → 7J ; 3가지

엔트로피는 $S=k\ln\Omega$이므로 Ω가지수가 가장 높은 6J일 때가 엔트로피가 가장 높다.

3 분배함수

09

본책 118p

정답 1) $\frac{P_1}{P_0}=e^{-\beta\hbar\omega}$, 2) 모두 바닥상태에 있게 된다.

영역	열통계
핵심 개념	통계적 확률, 극저온 근사
평가요소 및 기준	통계적 확률계산 및 양자상태 근사

해설

1) $P_0=Ce^{-\beta\hbar\omega/2}, P_1=Ce^{-3\beta\hbar\omega/2}$

$$\therefore \frac{P_1}{P_0}=e^{-\beta\hbar\omega}$$

2) 극저온($k_BT\ll\hbar\omega_0$)에서는 $1\ll\frac{\hbar\omega}{kT}=\beta\hbar\omega$ 이므로

$\frac{P_1}{P_0}=e^{-\beta\hbar\omega}\simeq 0$이 된다. 들뜬상태에 있을 확률이 모두 0으로 근사되므로 모두 바닥상태에 있게 된다.

10

본책 118p

정답 1) $S=k\ln\Omega=k\ln f(N)+Nk\ln V+\frac{3}{2}Nk\ln E$

2) $E=\frac{3}{2}NkT$

3) $\Omega'(E, V, N)=f'(N)V^NE^{5N/2}$

영역	열통계
핵심 개념	엔트로피와 상태수의 관계, 통계적 에너지 보존, 양자상태수 정의
평가요소 및 기준	통계적 엔트로피의 정의 및 자유도와 상태수의 관계

해설

1) 엔트로피의 정의에 의해서

$$S=k\ln\Omega=k\ln f(N)+Nk\ln V+\frac{3}{2}Nk\ln E$$

2) $TdS = dE + PdV$

$$dS(E, V, N) = \frac{1}{T}dE + \frac{P}{T}dV$$

$$\frac{\partial S(E, V, N)}{\partial E} = \frac{1}{T}$$

$$\frac{3}{2}Nk\frac{1}{E} = \frac{1}{T}$$

$$\therefore E = \frac{3}{2}NkT$$

3) 양자상태수는 가능한 위치(부피)와 운동량의 적분형식으로 나타낸다.
즉, 위치와 운동량의 가능한 상태수를 파악하는 것이다.
이상기체의 경우 운동량은 p_x, p_y, p_z로 병진운동량 3개가 존재한다. 이원자분자의 경우 p_x, p_y, p_z 병진운동량 3개와 회전에 의한 운동량 L_x, L_y가 2개가 더 존재한다. 따라서 총 운동량 성분은 5개이다.
에너지 등분배 법칙에 의해서 각 운동량에 대해 모두 동일한 에너지 성분을 가진다. 한 개의 운동량에 대해 에너지 관계식은 $E = \frac{p^2}{2m}$이다. 그런데 5차원 위상공간 표면을 구하는 방식은 학부 수준의 수학을 조금 넘어서므로 근사적으로 구해보자. 수식으로 표현하면

$$\Omega'(E, V, N) = \frac{1}{h^{5N}}\int dV^N(dp^3)^N dL^2$$

$$= a\frac{V^N(2mE)^{5N/2}}{h^{5N}} \quad (\because a\text{는 상수})$$

$$\therefore \Omega'(E, V, N) = a\frac{(2m)^{5N/2}}{h^{5N}}V^N E^{5N/2}$$

$$= g(N)V^N E^{5N/2}$$

앞에 $f(N)$값이 $g(N)$으로 변화된다. 자유도가 늘어나므로 에너지의 지수가 변화한다. 중요한 것은 자유도 F인 거시상태의 상태수는 $\Omega(E, V, N) = f(N)V^N E^{F/2}$가 됨을 알면 손쉽게 형태를 파악할 수 있다. 3차원 단원자 이상기체의 자유도 $3N$, 3차원 2원자 이상기체의 자유도는 $5N$, 3차원 다원자 이상기체의 자유도는 $6N$이다. 자유도에 따라서 $f(N)$값이 바뀌게 되지만 정확한 값은 통계에서 중요하지 않다.

11

본책 119p

정답 1) $Z_1 = e^{\frac{mB}{kT}} + e^{-\frac{mB}{kT}} = 2\cosh\frac{mB}{kT}$

$$P_+ = \frac{e^{\frac{mB}{kT}}}{Z_1} = \frac{e^{\frac{mB}{kT}}}{e^{\frac{mB}{kT}} + e^{-\frac{mB}{kT}}}$$

2) $F = -kT\ln Z_N = -NkT\ln\left(2\cosh\frac{mB}{kT}\right)$

영역	열통계
핵심 개념	분배함수, 자유 에너지
평가요소 및 기준	자기모멘트의 분배함수로부터 자유 에너지 계산

해설

1) $Z_1 = \sum_i e^{-\frac{E_i}{kT}} = e^{\frac{mB}{kT}} + e^{-\frac{mB}{kT}} = 2\cosh\frac{mB}{kT}$

자기장영역 내에 자기모멘트의 퍼텐셜 에너지는 $U = -\vec{m}\cdot\vec{B} = -mB\cos\theta$이다. 즉, $\theta = 0$일 때 나란한 방향일 때가 에너지가 낮다. $E_+ = -mB$ 상태가 나란한 방향일 때의 에너지이므로

$$P_+ = \frac{e^{\frac{mB}{kT}}}{Z_1} = \frac{e^{\frac{mB}{kT}}}{e^{\frac{mB}{kT}} + e^{-\frac{mB}{kT}}}$$

2) 구별 가능한 경우 $Z_N = Z_1^N$이고 구별 불가능한 경우 $Z_N = \frac{Z_1^N}{N!}$이다.

구별 가능한 경우는 입자의 순서 나열 수 ${}_NP_N = N!$이 들어가고, 구별 불가능한 경우에는 안 들어가므로 구별 불가능한 경우에는 $N!$으로 분배함수를 나눠줘야 한다. 분배함수는 입자가 구별 불가능할 때 전체 상태가지수를 의미한다.

$$Z_N = \left(e^{\frac{mB}{kT}} + e^{-\frac{mB}{kT}}\right)^N = \left(2\cosh\frac{mB}{kT}\right)^N$$

자유 에너지는 정의로부터

$$F = -kT\ln Z_N = -NkT\ln\left(2\cosh\frac{mB}{kT}\right)$$

12

본책 119p

정답 1) $Z(T, V, 1) = \frac{1}{2\sinh(\frac{\beta\hbar\omega}{2})}$

2) $\overline{E} = \frac{\hbar\omega}{2}\coth(\frac{\beta\hbar\omega}{2})$, $\therefore \overline{E}_{고온} \simeq kT$

영역	열통계
핵심 개념	조화진동자의 분배함수, 평균에너지
평가요소 및 기준	조화진동자의 분배함수 계산 및 평균에너지 정의

해설

$$Z_1 = \sum_{n=0}^{\infty} e^{-\beta\epsilon_n} = e^{-\beta\epsilon_0} + e^{-3\beta\epsilon_0} + e^{-5\beta\epsilon_0}\cdots$$

$$= \frac{e^{-\beta\epsilon_0}}{1 - e^{-2\beta\epsilon_0}} = \frac{1}{2\sinh\beta\epsilon_0}$$

$$Z(T, V, 1) = \frac{1}{2\sinh(\frac{\beta\hbar\omega}{2})}$$

$$\overline{E} = -\frac{\partial\ln Z_1}{\partial\beta} = \frac{\hbar\omega}{2}\coth(\frac{\beta\hbar\omega}{2})$$

$\hbar\omega \ll k_BT$인 경우 $\frac{\hbar\omega}{k_BT} \ll 1$이므로 $\frac{\hbar\omega}{k_BT} = x$라 하면

$$\overline{E}=\frac{\hbar\omega}{2}\coth\left(\frac{x}{2}\right)=\frac{\hbar\omega}{2}\left(\frac{e^{x/2}+e^{-x/2}}{e^{x/2}-e^{-x/2}}\right)$$

$$=\frac{\hbar\omega}{2}\left(\frac{e^{x}+1}{e^{x}-1}\right)=\frac{\hbar\omega}{2}\left(1+\frac{2}{e^{x}-1}\right)\simeq\frac{\hbar\omega}{2}\left(1+\frac{2}{x}\right)$$

$$=\frac{\hbar\omega}{2}\left(1+\frac{2kT}{\hbar\omega}\right)=\frac{\hbar\omega}{2}+kT\ \ (kT\gg\hbar\omega)$$

$$\therefore \overline{E}_{고온}\simeq kT$$

고온일 때는 조화진동자가 매우 빠르게 진동하므로 거의 고전적 이상기체처럼 움직이게 된다. 1차원 조화진동자의 경우 자유도가 2개이므로 고온일 때 $\frac{1}{2}kT$와 같다. 반대로 저온일 때는 바닥상태 에너지 $\overline{E}_{저온}=\frac{\hbar\omega}{2}$로 된다.

13

본책 119p

정답 1) $\overline{E}=\frac{3}{2}Nk_BT$, 2) $pV=Nk_BT$

영역	열통계
핵심 개념	분배함수, 평균에너지, 자유에너지 F
평가요소 및 기준	분배함수로부터 평균에너지 계산 및 자유에너지 정의

해설

1) 분배함수는 $Z(T,V,N)$으로 온도 T, 부피 V, 입자수 N의 변수로 이루어져 있다.

평균에너지는 $\overline{E}=-\frac{\partial \ln Z}{\partial\beta}$이므로

$\overline{E}=-\frac{\partial \ln Z}{\partial\beta}=\frac{3}{2}N\frac{1}{\beta}=\frac{3}{2}Nk_BT$이다.

2) 헬름홀츠 자유에너지 $F=-k_BT\ln Z$이고

$F=U-TS$

$dF=-pdV-SdT$

$p=-\left.\frac{\partial F}{\partial V}\right|_{T,N}$에서 상태방정식을 구할 수 있다.

$p=-\left.\frac{\partial F}{\partial V}\right|_{T,N}=\frac{Nk_BT}{V}$이므로 따라서 이 계의 상태방정식은 $pV=Nk_BT$이다.

14

본책 120p

정답 1) $Z_1=e^{-\frac{\mu B}{kT}}+1+e^{\frac{\mu B}{kT}}$

2) $\langle E\rangle=\dfrac{\mu Be^{-\frac{\mu B}{kT}}-\mu Be^{\frac{\mu B}{kT}}}{e^{-\frac{\mu B}{kT}}+1+e^{\frac{\mu B}{kT}}}$

영역	열통계
핵심 개념	분배함수, 평균에너지
평가요소 및 기준	분배함수로부터 평균에너지 정의 및 계산

해설

$$Z_1=\sum e^{-\beta E_n}=e^{-\frac{\mu B}{kT}}+1+e^{\frac{\mu B}{kT}}$$

$$\langle E\rangle=\frac{\sum E_n e^{-\beta E_n}}{Z}=-\frac{\partial \ln Z}{\partial\beta}=\frac{\mu Be^{-\frac{\mu B}{kT}}-\mu Be^{\frac{\mu B}{kT}}}{e^{-\frac{\mu B}{kT}}+1+e^{\frac{\mu B}{kT}}}$$

15

본책 120p

정답 1) $Z=\left(\dfrac{1}{2\sinh(\frac{\beta\hbar\omega}{2})}\right)^N$

2) $\overline{E}=\dfrac{N\hbar\omega}{2}\coth\left(\dfrac{\beta\hbar\omega}{2}\right)=\dfrac{N\hbar\omega}{2}\left(\dfrac{e^{\frac{\beta\hbar\omega}{2}}+e^{-\frac{\beta\hbar\omega}{2}}}{e^{\frac{\beta\hbar\omega}{2}}-e^{-\frac{\beta\hbar\omega}{2}}}\right)$

영역	열통계
핵심 개념	조화진동자 분배함수, 평균에너지
평가요소 및 기준	조화진동자 분배함수로부터 평균에너지 연산

해설

1) 입자 1개의 분배함수

$$Z_1=\sum e^{-\beta E_n}=e^{-\beta\frac{\hbar\omega}{2}}+e^{-\beta\frac{3\hbar\omega}{2}}+\cdots=\frac{e^{-\beta\frac{\hbar\omega}{2}}}{1-e^{-\beta\hbar\omega}}$$

$$=\frac{1}{e^{\beta\frac{\hbar\omega}{2}}-e^{-\beta\frac{\hbar\omega}{2}}}=\frac{1}{2\sinh\beta\frac{\hbar\omega}{2}}$$

입자 N개의 전체 분배함수 $Z_N=Z_1^N$이므로

$$\therefore Z=\left(\frac{1}{2\sinh(\frac{\beta\hbar\omega}{2})}\right)^N$$

2) 계의 평균에너지는

$$\overline{E}=\frac{N\sum E_n e^{-\beta E_n}}{Z_N}=-\frac{\partial \ln Z_N}{\partial\beta}$$

$$=\frac{N\hbar\omega}{2}\coth\left(\frac{\beta\hbar\omega}{2}\right)=\frac{N\hbar\omega}{2}\left(\frac{e^{\frac{\beta\hbar\omega}{2}}+e^{-\frac{\beta\hbar\omega}{2}}}{e^{\frac{\beta\hbar\omega}{2}}-e^{-\frac{\beta\hbar\omega}{2}}}\right)$$

16

본책 121p

정답 ②

영역	열통계
핵심 개념	통계역학에서 에너지 표현, 에너지 등분배 원리, 분배함수
평가요소 및 기준	에너지 등분배 법칙의 활용

해설

에너지 등분배 법칙이란 고전 통계역학에서 중요하게 여겨지는 법칙으로, 열평형 상태에 있는 계의 모든 자유도에 대해 계가 가질 수 있는 평균 에너지가 같다는 원리이다. 이를 좀 더 엄밀한 수학적인 표현으로 말하면 다음과 같다. "이차식 형태 에너지의 한 자유도에 대한 평균 에너지는 $\frac{1}{2}k_BT$이다."

간단히 이 원리를 증명해보면 에너지가 $E(q)=cq^2$ 형태에만 적용된다는 것을 명심하자.

여기서 q가 x, P_x, L_x 형태와 같은 좌표 혹은 특정 운동량을 나타내는 변수이다.

$$Z=\frac{1}{h}\int e^{-\beta cq^2}dqdp=\frac{p}{h}\int_{-\infty}^{+\infty}e^{-\beta cq^2}dq=\frac{p}{h}\sqrt{\frac{\pi}{\beta c}}$$

에너지 평균에너지 $\langle E(q)\rangle=-\frac{\partial(\ln Z)}{\partial\beta}=\frac{1}{2\beta}=\frac{1}{2}k_BT$

이 말이 의미하는 바는

$$\left\langle\frac{P_x^2}{2M}\right\rangle=\left\langle\frac{P_y^2}{2M}\right\rangle=\left\langle\frac{P_z^2}{2M}\right\rangle=\left\langle\frac{L_\theta^2}{2I}\right\rangle=\left\langle\frac{L_\phi^2}{2I\sin^2\theta}\right\rangle=\frac{1}{2}k_BT$$

라는 말이다.

즉, 물체의 운동량 및 회전파트를 자유도라 칭하여 가능한 자유도로 에너지를 표현하게 된다.

이 문제의 경우 병진 운동량 3개, 회전 운동량 2개이므로 자유도가 총 5개이다.

그러므로 분자 한 개의 평균에너지는 $\frac{5}{2}k_BT$가 된다.

17

본책 121p

정답 1) $Z_1=\sum_i e^{-\beta E_i}=e^{\beta\mu B}+e^{-\beta\mu B}=2\cosh(\beta\mu B)$,

$$P(E=-\mu B)=\frac{e^{\beta\mu B}}{e^{\beta\mu B}+e^{-\beta\mu B}}$$

2) $\vec{m}=N\mu\tanh(\beta\mu B)\hat{n}$, $\vec{m}_{고온}=N\beta\mu^2B\hat{n}$

영역	열통계
핵심 개념	분배함수와 헬름홀츠 자유에너지 관계, 자기모멘트 평균값의 정의
평가요소 및 기준	분배함수의 정의로부터 평균값 계산

해설

1) 입자 1개의 분배함수 Z_1과 입자 1개의 자기 모멘트가 자기장과 같은 방향일 확률 P

$$Z_1=\sum_i e^{-\beta E_i}=e^{\beta\mu B}+e^{-\beta\mu B}=2\cosh(\beta\mu B)$$

$$P(E=-\mu B)=\frac{e^{\beta\mu B}}{Z_1}=\frac{e^{\beta\mu B}}{e^{\beta\mu B}+e^{-\beta\mu B}}$$

2) 입자 N개로 이루어진 계의 평균 자기 모멘트 $\vec{m}$을 구하고, $\mu B\ll k_BT$일 때 근삿값 $\vec{m}_{고온}$

$$N\langle-\vec{\mu}\cdot\vec{B}\rangle=-\frac{\partial\ln Z_N}{\partial B}$$

$$\vec{m}=N\langle\vec{\mu}\rangle=N\mu\tanh(\beta\mu B)\hat{n}$$

반대방향일 경우 에너지가 +이므로 부호를 다음과 같이 잡는다.

$\mu B\ll k_BT$일 때, $x=\beta\mu B\ll 1$이다.

$$\vec{m}_{고온}=N\mu\frac{e^x-e^{-x}}{e^x+e^{-x}}\hat{n}\simeq N\mu\left(\frac{1+x-1+x}{1+x+1-x}\right)\hat{n}=N\mu x\hat{n}$$

$$\therefore\ \vec{m}_{고온}=N\beta\mu^2B\hat{n}$$

18

본책 122p

정답 1) $Z=e^{-\beta\epsilon}+e^{-2\beta\epsilon}+e^{-3\beta\epsilon}$

2) $\therefore\ \overline{E}=\frac{\epsilon e^{-\beta\epsilon}+2\epsilon e^{-2\beta\epsilon}+3\epsilon e^{-3\beta\epsilon}}{Z}$

영역	열통계
핵심 개념	페르미-디락 통계, 분배함수, 내부에너지
평가요소 및 기준	페르미-디락 통계로부터 상태수계산 및 분배함수정의, 평균에너지 계산

해설

1) 페르미-디락 통계는 에너지 개수 N, 입자수 r이라 하면 총 상태수는 ${}_NC_r$개다. ${}_3C_2=3$

0	ϵ	2ϵ	에너지
1	1	0	ϵ
1	0	1	2ϵ
0	1	1	3ϵ

총 가능한 에너지는 $\epsilon, 2\epsilon, 3\epsilon$이다.

분배함수는 $Z=\sum_i e^{-\beta E_i}$이므로

$$\therefore\ Z=e^{-\beta\epsilon}+e^{-2\beta\epsilon}+e^{-3\beta\epsilon}$$

2) 에너지 평균값의 정의로부터

$$\therefore\ \overline{E}=\frac{\sum_i E_ie^{-\beta E_i}}{Z}=\frac{\epsilon e^{-\beta\epsilon}+2\epsilon e^{-2\beta\epsilon}+3\epsilon e^{-3\beta\epsilon}}{Z}$$

19

본책 122p

정답 ⑤

영역	열통계
핵심 개념	분배함수의 정의, 분배함수를 통한 확률의 정의, 평균값
평가요소 및 기준	확률과 분배함수의 관계식 및 평균값 계산

해설

$$Z_1=\sum_i e^{-\beta\epsilon_i}=1+e^{\beta\epsilon}\rightarrow P_{\epsilon_i}=\frac{e^{-\beta\epsilon_i}}{Z_1}$$

ㄱ. 분리 상태의 확률은 $P_{분리}=\frac{e^0}{Z_1}=\frac{1}{1+e^{\beta\epsilon}}$이다.

ㄴ. 염기쌍이 결합상태에 있을 확률은 상태가 2가지밖에 없으므로 $P_{결합}=\frac{e^{\beta\epsilon}}{Z_1}=1-P_{분리}$이다.

$P_{분리}=\frac{1}{1+e^{\beta\epsilon}}=\frac{1}{1+e^{\epsilon/kT}}$ 온도가 증가함에 따라 분모가 감소하므로 분리될 확률은 증가한다.
분리될 확률이 증가하므로 결합될 확률은
$P_{결합}=1-P_{분리}$은 감소한다.

ㄷ. $\langle\epsilon\rangle=\frac{\sum_i \epsilon_i e^{-\beta\epsilon_i}}{Z_1}=\frac{-\epsilon e^{\beta\epsilon}}{1+e^{\beta\epsilon}}$ 이다.

20

본책 123p

정답 ④

영역	열통계
핵심 개념	축퇴도, 분배함수
평가요소 및 기준	축퇴되어 있는 계에서 분배함수 계산

해설

상태	에너지
↑↑↑	2U
↑↑↓	0
↑↓↑	−2U
↑↓↓	0
↓↑↑	0
↓↑↓	−2U
↓↓↑	0
↓↓↓	2U

4개의 0, 2개의 -2U, 2개의 2U
축퇴도를 g라 하면
분배함수는

$$Z=\sum_i g_i e^{-\beta E_i}=4+2e^{2\beta U}+2e^{-2\beta U}$$

$$=4\left(1+\frac{e^{2\beta U}+e^{-2\beta U}}{2}\right)$$

$$\therefore Z=4[1+\cosh(2\beta U)]$$

21

본책 123p

정답 ②

영역	열통계
핵심 개념	분배함수, 페르미온 성질
평가요소 및 기준	페르미-디락 통계에서 분배함수

해설

페르미온이므로 에너지 개수를 N, 입자수를 r이라 하면, ${}_3C_2$개의 상태수를 가진다. 동일한 페르미온은 하나의 에너지 상태에 오직 하나만 들어갈 수 있으므로, 가능한 에너지는 $\epsilon, 2\epsilon, 3\epsilon$이 된다.

에너지	0	ϵ	2ϵ	총에너지
가능한 상태	1	1	0	ϵ
	1	0	1	2ϵ
	0	1	1	3ϵ

분배함수는 $Z=\sum e^{-\beta E_i}=e^{-\beta\epsilon}+e^{-2\beta\epsilon}+e^{-3\beta\epsilon}$이다.

22

본책 124p

정답 1) $F=-2smB-kT\left[N\ln N-\left(\frac{N}{2}+s\right)\ln\left(\frac{N}{2}+s\right)-\left(\frac{N}{2}-s\right)\ln\left(\frac{N}{2}-s\right)\right]$

2) $E_{평형}=-NmB\tanh x\quad[where\ x=m\beta B]$

영역	열역학
핵심 개념	헬름홀츠 자유에너지, 엔트로피
평가요소 및 기준	주어진 조건을 활용하여 계산

해설

$F=E-TS$

$$\therefore F=-2smB-kT\left[N\ln N-\left(\frac{N}{2}+s\right)\ln\left(\frac{N}{2}+s\right)-\left(\frac{N}{2}-s\right)\ln\left(\frac{N}{2}-s\right)\right]$$

$\frac{\partial F}{\partial s}=0$일 때 평형상태이므로

$$\frac{\partial F}{\partial s}=-2mB-kT\left[(-1)\ln\left(\frac{N}{2}+s\right)-\left(\frac{N}{2}+s\right)\frac{1}{\left(\frac{N}{2}+s\right)}-(-1)\ln\left(\frac{N}{2}-s\right)-\left(\frac{N}{2}-s\right)\frac{-1}{\left(\frac{N}{2}-s\right)}\right]$$

$$= -2mB - kT = -2mB - kT\ln\left[\frac{\left(\frac{N}{2}-s\right)}{\left(\frac{N}{2}+s\right)}\right]$$

$$\therefore \ln\left[\frac{\frac{N}{2}-s}{\frac{N}{2}+s}\right] = -2m\beta B \rightarrow \frac{\frac{N}{2}-s}{\frac{N}{2}+s}$$

$$= e^{-2m\beta B}\ (let\ x = m\beta B)$$

$$s = \frac{N}{2}\left(\frac{1-e^{-2x}}{1+e^{-2x}}\right) = \frac{N}{2}\left(\frac{e^{x}-e^{-x}}{e^{x}+e^{-x}}\right) = \frac{N}{2}\tanh x$$

$$\therefore E_{평형} = -NmB\tanh x\ \ [where\ x = m\beta B]$$

23

본책 124p

정답 1) $Z_1 = \dfrac{e^{-\beta\epsilon_0}}{1-e^{-2\beta\epsilon_0}} = \dfrac{1}{2\sinh\beta\epsilon_0}$

2) $U = N\epsilon_0\coth\beta\epsilon_0 = N\epsilon_0\dfrac{e^{\beta\epsilon_0}+e^{-\beta\epsilon_0}}{e^{\beta\epsilon_0}-e^{-\beta\epsilon_0}}$

3) $U_{고온} = Nk_BT$

영역	열통계
핵심 개념	파티션(분배함수)정의, 평균 에너지 정의
평가요소 및 기준	파티션함수정의를 통해서 평균에너지 값 계산 및 고온에서 근삿값 유출

해설

분배함수의 정의에 의해서

$$Z_1 = \sum_{n=0}^{\infty} e^{-\beta\epsilon_n} = e^{-\beta\epsilon_0} + e^{-3\beta\epsilon_0} + e^{-5\beta\epsilon_0}\ldots$$

$$= \frac{e^{-\beta\epsilon_0}}{1-e^{-2\beta\epsilon_0}} = \frac{1}{2\sinh\beta\epsilon_0}$$

$$Z_T = Z_1^N$$

평균에너지는 개별평균에 N을 곱한 값과 같다.

$$U = N\langle\epsilon\rangle_{N=1} = -\frac{\partial(\ln Z_T)}{\partial\beta} = -N\frac{\partial(\ln Z_1)}{\partial\beta}$$

$$= N\frac{\partial(\ln 2\sinh\beta\epsilon_0)}{\partial\beta}$$

$$= N\epsilon_0\coth\beta\epsilon_0$$

$$U_{고온} = N\epsilon_0\frac{e^{\beta\epsilon_0}+e^{-\beta\epsilon_0}}{e^{\beta\epsilon_0}-e^{-\beta\epsilon_0}} \simeq N\epsilon_0\frac{1+\beta\epsilon_0+1-\beta\epsilon_0}{1+\beta\epsilon_0-1+\beta\epsilon_0} = Nk_BT$$

다른 풀이

$$F = U - TS$$

$$dF = dU - Tds - SdT = Tds - PdV - Tds - SdT$$

$$\therefore dF = -PdV - SdT$$

$$P = -\frac{\partial F}{\partial V},\ S = -\frac{\partial F}{\partial T}$$

이용하여 S를 구하고 $U = F + TS$해도 결과는 동일

24

본책 125p

정답 1) $U = Nk_BT$, 2) $p = \dfrac{Nk_BT}{V}$

영역	통계역학
핵심 개념	엔트로피의 정의, 에너지 보존
평가요소 및 기준	에너지 보존 식과 엔트로피 전미분식의 계산

해설

1) $\dfrac{1}{T} = \left(\dfrac{\partial S}{\partial U}\right)_V = \dfrac{Nk_B}{U}$

$\therefore U = Nk_BT$

2) $\dfrac{p}{T} = \left(\dfrac{\partial S}{\partial V}\right)_U = \dfrac{Nk_B}{V}$

$\therefore p = \dfrac{Nk_BT}{V}$

25

본책 125p

정답 1) $Z = 1 + e^{-\beta\epsilon} + e^{-2\beta\epsilon} + e^{-3\beta\epsilon}$

2) $\overline{E} = \epsilon\left(\dfrac{e^{-\beta\epsilon}+2e^{-2\beta\epsilon}+3e^{-3\beta\epsilon}}{1+e^{-\beta\epsilon}+e^{-2\beta\epsilon}+e^{-3\beta\epsilon}}\right)$

3) $T_0 = \dfrac{\epsilon}{k_B\ln 2}$

영역	열통계
핵심 개념	MB통계에서 분배함수와 평균에너지 및 확률
평가요소 및 기준	MB통계 분배함수 정의, 평균 및 확률의 이해와 계산

해설

1) $Z = \sum_{n=0}^{n=3} e^{-\beta n\epsilon} = 1 + e^{-\beta\epsilon} + e^{-2\beta\epsilon} + e^{-3\beta\epsilon}$

$\therefore Z = 1 + e^{-\beta\epsilon} + e^{-2\beta\epsilon} + e^{-3\beta\epsilon}$

2) 평균에너지 $\overline{E} = -\dfrac{\partial\ln Z}{\partial\beta}$이므로

$\therefore \overline{E} = \epsilon\left(\dfrac{e^{-\beta\epsilon}+2e^{-2\beta\epsilon}+3e^{-3\beta\epsilon}}{1+e^{-\beta\epsilon}+e^{-2\beta\epsilon}+e^{-3\beta\epsilon}}\right)$

3) $P(n=1) = \dfrac{e^{-\beta\epsilon}}{Z}$, $P(n=3) = \dfrac{e^{-3\beta\epsilon}}{Z}$

$$\frac{P(n=1)}{P(n=3)} = \frac{e^{-\beta\epsilon}}{e^{-3\beta\epsilon}} = 4$$

$$e^{2\beta\epsilon} = 4 \rightarrow e^{\beta\epsilon} = 2$$

$$\rightarrow \frac{\epsilon}{k_BT_0} = \ln 2$$

$$\therefore T_0 = \frac{\epsilon}{k_B\ln 2}$$

26

본책 126p

정답 1) $Z_1=\frac{8\pi V}{h^3}\left(\frac{k_BT}{c}\right)^3$, 2) $U_1=3k_BT$, 3) $C_V=3Nk_B$

영역	열통계
핵심 개념	MB통계, 평균 에너지와 정적 열용량의 정의
평가요소 및 기준	연속 분포의 MB통계 분배함수 계산, 평균 에너지와 정적 열용량 연산

해설

1) $Z_1=\frac{4\pi V}{h^3}\int_0^\infty p^2\exp\left[-\frac{pc}{k_BT}\right]dp,\ \frac{pc}{k_BT}=x$

$=\frac{4\pi V}{h^3}\left(\frac{k_BT}{c}\right)^3\int_0^\infty x^2e^{-x}dx$

$\therefore Z_1=\frac{8\pi V}{h^3}\left(\frac{k_BT}{c}\right)^3$

2) $U_1=-\frac{\partial \ln Z_1}{\partial\beta},\ \beta=\frac{1}{k_BT}$

$\therefore U_1=3k_BT$

3) $C_V=N\frac{\partial U_1}{\partial T}=3Nk_B$

27

본책 126p

정답 1) $Z_1=\frac{e^{\beta\hbar\omega}}{(e^{\beta\hbar\omega}-1)^2}=\frac{1}{\left[2\sinh(\frac{\beta\hbar\omega}{2})\right]^2}$

2) $U=N\hbar\omega\left(\frac{2e^{\beta\hbar\omega}}{e^{\beta\hbar\omega}-1}-1\right)=N\hbar\omega\coth(\frac{\beta\hbar\omega}{2})$

3) $C_V=2Nk_B$

영역	열통계
핵심 개념	2차원 조화진동자, 내부에너지, 정적 열용량, 미시와 거시통계의 상관관계
평가요소 및 기준	2차원 조화진동자의 분배함수로부터 내부에너지 계산, 고온에서 정적 열용량 계산 및 고온 조화진동자가 이상기체로 전환됨을 확인

해설

1) 에너지 $E(n_x,\ n_y)=\hbar\omega, 2\hbar\omega, 3\hbar\omega, \ldots$

축퇴도 $g(n_x,\ n_y)=2H_k=k+1\ \ (n_x+n_y=k)$

$=1,\ 2,\ 3, \ldots$

$Z_1=\sum_{n=1}^{\infty}ne^{-n\beta\hbar\omega}=e^{-\beta\hbar\omega}+2e^{-2\beta\hbar\omega}+3e^{-3\beta\hbar\omega}+\cdots$

여기서 $\beta\hbar\omega=x$라 하면

$f(x)=e^{-x}+e^{-2x}+e^{-3x}+\cdots$

$\frac{df(x)}{dx}=-\left[e^{-x}+2e^{-2x}+3e^{-3x}+\cdots\right]$

$f(x)=\frac{e^{-x}}{1-e^{-x}}=\frac{1}{e^x-1}$

$Z_1=-\frac{df(x)}{dx}=\frac{e^x}{(e^x-1)^2}=\frac{e^{\beta\hbar\omega}}{(e^{\beta\hbar\omega}-1)^2}$

$=\frac{1}{(e^{\frac{\beta\hbar\omega}{2}}-e^{-\frac{\beta\hbar\omega}{2}})^2}=\frac{1}{\left[2\sinh(\frac{\beta\hbar\omega}{2})\right]^2}$

$\therefore Z_1=\frac{e^{\beta\hbar\omega}}{(e^{\beta\hbar\omega}-1)^2}=\frac{1}{\left[2\sinh(\frac{\beta\hbar\omega}{2})\right]^2}$

참고

$\sum_{i+j=0}^{\infty}e^{-(i+j)x}$

$=\sum_{j=0,\ i=0}^{\infty}e^{-jx}+\sum_{j=0,\ i=1}^{\infty}e^{-x}e^{-jx}$

$+\sum_{j=0,\ i=2}^{\infty}e^{-2x}e^{-jx}+\cdots$

$=\sum_{j=0}^{\infty}e^{-jx}(1+e^{-x}+e^{-2x}+\cdots)=\sum_{j=0}^{\infty}e^{-jx}\sum_{i=0}^{\infty}e^{-ix}$

$=\sum_{i=0}^{\infty}e^{-ix}\times\sum_{i=0}^{\infty}e^{-ix}=\left(\sum_{i=0}^{\infty}e^{-ix}\right)^2$

을 만족한다. 이를 활용하면

$Z_1=\sum_{n_x+n_y=0}^{\infty}e^{-(n_x+n_y+1)\beta\hbar\omega}$

$=\left(\sum_{n_x=0}^{\infty}e^{-(n_x+\frac{1}{2})\beta\hbar\omega}\right)\times\left(\sum_{n_y=0}^{\infty}e^{-(n_y+\frac{1}{2})\beta\hbar\omega}\right)$

가 성립한다.

$\sum_{n_x=0}^{\infty}e^{-(n_x+\frac{1}{2})\beta\hbar\omega}=\frac{1}{2\sinh(\frac{\beta\hbar\omega}{2})}$ 이므로

$Z_1=\left(\frac{1}{2\sinh(\frac{\beta\hbar\omega}{2})}\right)^2$ 이다.

2) $U=-\frac{\partial\ln Z_1^N}{\partial\beta}=-N\frac{\partial\ln Z_1}{\partial\beta}$

$=N\hbar\omega\left(\frac{2e^{\beta\hbar\omega}}{e^{\beta\hbar\omega}-1}-1\right)=N\hbar\omega\coth(\frac{\beta\hbar\omega}{2})$

3) $\frac{\beta\hbar\omega}{2}=x$

$U_{\text{고온}}=N\hbar\omega(\frac{1+x+1-x}{1+x-1+x})=N\hbar\omega\frac{1}{x}=2Nk_BT$

$\therefore C_V=\frac{\partial U_{\text{고온}}}{\partial T}=2Nk_B$

조화진동자는 고온일 때, 이상기체처럼 행동하므로 2차원 조화진동자 1개의 자유도는 진동에너지 2개, 운동에너지 2개이므로 총 4개의 자유도를 가진다. 입자 1개의 자유도를 f라 하면 $C_V=N\frac{f}{2}k_B$이므로 $C_V=2Nk_B$이다.

28

본책 127p

정답 해설 참고

해설

(가) 에너지 보존 법칙을 활용하면 다음과 같다.

$$\frac{1}{2}mv_0^2 - \frac{GMm}{R} = -\frac{GMm}{R+z_{\max}}$$

$$Rv_0^2 - 2GM = -\frac{2GMR}{R+z_{\max}}$$

$$R+z_{\max} = \frac{2GMR}{2GM-Rv_0^2}$$

$$z_{\max} = \frac{2GMR}{2GM-Rv_0^2} - R = \frac{R^2v_0^2}{2GM-Rv_0^2}$$

$z_{\max} = \dfrac{R^2v_0^2}{2GM-Rv_0^2} = \infty$일 때 탈출하므로

$$2GM - Rv_{esc}^2 = 0$$

$$\therefore v_{esc} = \sqrt{\frac{2GM}{R}}$$

(나) 에너지 등분배 법칙을 이용하면 다음과 같다.

$$\langle K\rangle = \left\langle \frac{1}{2}mv^2\right\rangle = \left\langle \frac{1}{2}mv_x^2 + \frac{1}{2}mv_y^2 + \frac{1}{2}mv_z^2\right\rangle$$

$$= \left\langle \frac{1}{2}mv_x^2\right\rangle + \left\langle \frac{1}{2}mv_y^2\right\rangle + \left\langle \frac{1}{2}mv_z^2\right\rangle$$

$= \dfrac{3}{2}k_BT$이다.

$$v_{rms} = \sqrt{\langle v^2\rangle} = \sqrt{\frac{3k_BT}{m}}$$

(다) 중력 퍼텐셜 에너지 mgz가 더해질 때의 화학퍼텐셜 $\mu(z)$은 다음과 같다.

$$\mu(z) = k_BT\ln\left(\frac{n(z)}{n_0}\right) + mgz$$

계가 열역학적 평형상태에 있으면 화학퍼텐셜이 높이에 따라 일정하므로 $\mu(z) = \mu(0)$를 만족한다.

$$\mu(z) = k_BT\ln\left(\frac{n(z)}{n_0}\right) + mgz = k_BT\ln\left(\frac{n(0)}{n_0}\right)$$

$$\ln\left(\frac{n(z)}{n_0}\right) - \ln\left(\frac{n(0)}{n_0}\right) = -\frac{mgz}{k_BT}$$

$$\ln\left(\frac{n(z)}{n(0)}\right) = -\frac{mgz}{k_BT}$$

$$\therefore n(z) = n(0)\,e^{-\frac{mgz}{k_BT}}$$

1) 질문 Ⅰ에 대한 답

$v_{esc} = \sqrt{\dfrac{2GM}{R}}$에서 지구 질량은 달의 약 80배, 지구 반지름은 달의 약 4배임을 이용하여 탈출 속력을 비교하면 $\dfrac{v_{지구}}{v_{달}} = \sqrt{20} \simeq 4.47$로 달은 지구보다 탈출 속력이 작아서 산소 기체가 모두 탈출하여 존재하지 않는다.

2) 질문 Ⅱ에 대한 답

$v_{rms} = \sqrt{\langle v^2\rangle} = \sqrt{\dfrac{3k_BT}{m}}$이고 수소 기체와 산소 기체의 질량비는 16으로 산소가 더 무겁다.

$\dfrac{(v_{rms})_{수소}}{(v_{rms})_{산소}} = 4$이므로 동일한 온도에서 수소의 제곱-평균-제곱근(rms) 속력이 크기 때문에 대부분 지구를 탈출하여 산소 기체가 훨씬 많이 분포한다.

3) 질문 Ⅲ에 대한 답

지표면 $z=0$을 기준으로 높이에 따른 기체의 밀도는 $n(z) = n(0)\,e^{-\frac{mgz}{k_BT}}$이다. 높이 z가 증가할수록 기체의 밀도가 감소하기 때문에 높은 산에는 산소가 지표면보다 적어지게 된다.

29

본책 128p

정답 해설 참고

해설

$$\left|\frac{d\vec{L}}{dt}\right| = |\vec{S}|\sin\theta\,\omega_s = |\vec{\mu}\times(B_0\hat{z})| = \gamma|\vec{S}|B_0\sin\theta$$

$$\omega_s = \gamma B_0$$

$$H = -\vec{\mu}\cdot\vec{B} = -\gamma S_z B_0 = -\gamma\frac{\hbar}{2}B_0\sigma_z$$

$$E_{up} = -\gamma\frac{\hbar}{2}B_0$$

$$E_{down} = \gamma\frac{\hbar}{2}B_0$$

$$\Delta E = E_{down} - E_{up} = \hbar\gamma B_0 = \hbar\omega_r$$

$$\therefore \omega_r = \omega_s = \gamma B_0$$

맥스웰-볼츠만 통계를 활용하여 단위 부피당 내부에너지 $\dfrac{U}{V}$를 구해보자.

$$Z_1 = \sum_i e^{-\beta E_i} = e^{\beta\frac{\gamma\hbar B_0}{2}} + e^{-\beta\frac{\gamma\hbar B_0}{2}} = 2\cosh\left(\beta\frac{\gamma\hbar B_0}{2}\right)$$

$$Z = Z_1^N = \left[2\cosh\left(\beta\frac{\gamma\hbar B_0}{2}\right)\right]^N$$

$$\frac{U}{V} = -\frac{1}{V}\frac{\partial\ln Z}{\partial\beta} = -\frac{N\gamma\hbar B_0}{2V}\tanh\left(\beta\frac{\gamma\hbar B_0}{2}\right)$$

$$= (n_+E_{up} + n_-E_{down})$$

$$= \left[n_+\left(-\frac{\gamma\hbar B_0}{2}\right) + n_-\left(\frac{\gamma\hbar B_0}{2}\right)\right]$$

$$= -\frac{N\gamma\hbar B_0}{2V}\left[\frac{e^{\beta\frac{\gamma\hbar B_0}{2}} - e^{-\beta\frac{\gamma\hbar B_0}{2}}}{e^{\beta\frac{\gamma\hbar B_0}{2}} + e^{-\beta\frac{\gamma\hbar B_0}{2}}}\right]$$

$$n_+ - n_- = \left(\frac{N}{V}\right)\frac{e^{\beta\frac{\gamma\hbar B_0}{2}} - e^{-\beta\frac{\gamma\hbar B_0}{2}}}{e^{\beta\frac{\gamma\hbar B_0}{2}} + e^{-\beta\frac{\gamma\hbar B_0}{2}}}$$

$$\therefore n_+ = \left(\frac{N}{V}\right)\frac{e^{\beta\frac{\gamma\hbar B_0}{2}}}{e^{\beta\frac{\gamma\hbar B_0}{2}} + e^{-\beta\frac{\gamma\hbar B_0}{2}}},$$

$$n_- = \left(\frac{N}{V}\right)\frac{e^{-\beta\frac{\gamma\hbar B_0}{2}}}{e^{\beta\frac{\gamma\hbar B_0}{2}} + e^{-\beta\frac{\gamma\hbar B_0}{2}}}$$

자화(net magnetization)는 단위 부피당 자기쌍극자 모멘트이다.

$$\vec{M}=\frac{\vec{m}}{V}$$

$$\frac{U}{V}=-\frac{1}{V}\frac{\partial \ln Z}{\partial \beta}=-\frac{N\gamma\hbar B_0}{2V}\tanh\left(\beta\frac{\gamma\hbar B_0}{2}\right)$$

$$=-\frac{\vec{m}}{V}\cdot\vec{B}=-\vec{M}\cdot\vec{B}=-M_z B_0$$

$$\therefore M_z=\frac{N\gamma\hbar}{2V}\tanh\left(\beta\frac{\gamma\hbar B_0}{2}\right)$$

4 보존 통계

30

본책 129p

정답 ④

영역	통계역학
핵심 개념	상태수와 상태밀도를 통한 입자수 계산
평가요소 및 기준	플랑크의 흑체복사의 전개과정의 이해 및 계산

해설

$$\Sigma=\int\frac{d^3qd^3p}{h^3}=\frac{4\pi V}{h^3}\int p^2dp=\frac{4\pi V}{h^3c^3}\int E^2dE\ \ (E=pc)$$

$$d\Sigma=DdE=\frac{4\pi V}{h^3c^3}E^2dE$$

상태밀도 $D(E)=g_s\frac{\pi V}{h^3c^3}E^2$, g_s는 축퇴도를 말하는데 전자기파는 전기장과 자기장의 횡파진동이다. 즉, 전기장이 진동할 때 운동방향에 수직하여 위, 아래로 진동하므로 $g_s=2$가 된다.

평균점유수 $n_E=\frac{1}{e^{\beta E}-1}$

$$N=\int Dn_EdE=\frac{8\pi V}{h^3c^3}\int_0^\infty\frac{E^2}{e^{\beta E}-1}dE=\frac{8\pi V}{h^3c^3\beta^3}\int_0^\infty\frac{x^2}{e^x-1}dx$$

$$\therefore\frac{N}{V}=19.2\pi\left(\frac{k_BT}{hc}\right)^3$$

잠시 이해를 돕기 위해서 추가적 설명을 하면 $D(E)$는 단위 에너지당 상태수를 말한다. 즉, 특정에너지 상태에서 있는 상태수라고 생각하자.

그리고 평균점유수는 확률을 의미한다.

예를 들어 에너지가 $E=E_0$인 입자가 2개라 하자. 상태 가지수가 4개라 하자. 이때의 각 에너지 상태에 대한 확률은 $\frac{1}{2}$이라 하면, 그럼 E_0에 대한 입자 수는 상태가지 수×확률$=2$가 된다.

전체 에너지는 $U=\int E\cdot D\cdot n_EdE$가 된다.

31

본책 129p

정답 1) $\frac{dN}{d\epsilon}=\frac{8\pi V\epsilon^2}{h^3c^3}\left(\frac{1}{e^{\epsilon/kT}-1}\right)$

2) $\frac{dU}{d\epsilon}=\frac{8\pi V\epsilon^3}{h^3c^3}\left(\frac{1}{e^{\epsilon/kT}-1}\right)$

3) $U=\frac{8\pi^5V}{15h^3c^3}(kT)^4$

영역	열통계
핵심 개념	보존 통계, 입자수와 평균 에너지
평가요소 및 기준	보존 통계에서 입자수의 정의와 평균 에너지의 정의, 평균 에너지 연산

해설

1) 보존 통계에서 입자수의 정의 $N=\int_0^\infty D(\epsilon)\overline{n_{BE}}(\epsilon)\,d\epsilon$

여기서 $D(\epsilon)$은 상태수이다.

$$\therefore\frac{dN}{d\epsilon}=\frac{8\pi V\epsilon^2}{h^3c^3}\left(\frac{1}{e^{\epsilon/kT}-1}\right)$$

2) 보존 통계에서 평균 에너지의 정의

$$U=\int_0^\infty\epsilon D(\epsilon)\,\overline{n}_{BE}(\epsilon)\,d\epsilon$$

$$\therefore\frac{dU}{d\epsilon}=\frac{8\pi V\epsilon^3}{h^3c^3}\left(\frac{1}{e^{\epsilon/kT}-1}\right)$$

3) $U=\frac{8\pi V}{h^3c^3}\int_0^\infty\left(\frac{\epsilon^3}{e^{\epsilon/kT}-1}\right)d\epsilon=\frac{8\pi V}{h^3c^3}(kT)^4\int_0^\infty\left(\frac{x^3}{e^x-1}\right)dx$

$$\therefore U=\frac{8\pi^5V}{15h^3c^3}(kT)^4$$

5 고체이론(페르미 기체 모형)

32

본책 130p

정답 ④

영역	열통계
핵심 개념	페르미 기체와 데바이 모델
평가요소 및 기준	페르미 기체와 데바이 모델의 이해

해설

페르미 기체의 열용량은 $C_F\propto\frac{T}{\epsilon_F}$이다.

데바이(Debye) 모형은 고체의 격자진동에 대한 모델이다. 고체 결정 내의 격자진동을 연속탄성체의 탄성진동으로 근사적으로 취급할 수 있다고 생각했다.

$$C_D\propto\frac{1}{\omega_c^3}T^3\quad\left(where\,\Theta_D=\frac{\hbar\omega_c}{k}\right)$$

ㄱ. 데바이 모형은 온도의 세제곱항에 비례한다.
ㄴ. 페르미에너지는 $T=0$일 때 파울리 배타원리에 의해서 전자가 원자에 채워지는 최고의 에너지 레벨을 말한다. 이것이 높다는 것은 그만큼 바닥상태에너지가 높아지므로 열용량은 감소하게 된다.
ㄷ. 극저온일 때는 $\gamma=6.5\times10^{-4}\,\mathrm{J/mol\cdot K^2}$가 $A=1.7\times10^{-4}\,\mathrm{J/mol\cdot K^4}$보다 크고 온도의 세제곱항이 일차항보다 매우 작아지므로 페르미 기체의 열용량이 더 우세하게 된다.

33

본책 131p

정답 1) $E_F=\dfrac{\hbar^2k_F^2}{2m}$, 2) $D(E)=\dfrac{mL^2}{\pi\hbar^2}$

3) $U=\dfrac{mL^2}{2\pi\hbar^2}E_F^2=\dfrac{L^2\hbar^2}{8\pi m}k_F^2=\dfrac{1}{2}NE_F$

영역	통계역학
핵심 개념	페르미 기체 모형, 물질파 이론, 페르미에너지, 상태밀도와 평균에너지
평가요소 및 기준	페르미 기체 모형의 이론 활용과 통계적 평균 에너지 계산

해설

1) 물질파 이론 $p=\dfrac{h}{\lambda}=\dfrac{h}{2\pi}\dfrac{2\pi}{\lambda}=\hbar k$

$E=\dfrac{p^2}{2m}=\dfrac{\hbar^2k^2}{2m}$이다.

$\therefore E_F=\dfrac{\hbar^2k_F^2}{2m}$

2) $D(E)=\dfrac{dN}{dE}=\dfrac{mL^2}{\pi\hbar^2}$

3) $T=0$에서 바닥상태부터 페르미 에너지까지 전자가 모두 채워져 있으므로 페르미-디락 통계 분포 $n_{FD}=1$이다.

$$U=\int_0^\infty E\cdot D(E)\cdot n_{FD}\,dE$$
$$=\int_0^{E_F}E\cdot D(E)\,dE=\frac{mL^2}{\pi\hbar^2}\int_0^{E_F}E\,dE$$
$$=\frac{mL^2}{2\pi\hbar^2}E_F^2=\frac{1}{2}NE_F=\frac{L^2\hbar^2}{8\pi m}k_F^2$$
$$\therefore U=\frac{mL^2}{2\pi\hbar^2}E_F^2=\frac{1}{2}NE_F=\frac{L^2\hbar^2}{8\pi m}k_F^2$$

Chapter 05 기하광학

본책 136 ~ 149쪽

1 기하광학 기본

01

본책 136p

정답 1) $\sin\theta \le \sqrt{n^2-1}$, 2) $\alpha = \sin^{-1}(\sqrt{n^2-1})$

3) $f_{\min} = \dfrac{b}{2\tan\alpha}$

영역	기하광학
핵심 개념	스넬의 법칙, 전반사 조건
평가요소 및 기준	스넬의 법칙과 전반사 조건을 통한 최소 각 계산

해설

1) 왼쪽 입사면에서 굴절각을 ϕ라 하면

스넬의 법칙: $\sin\theta = n\sin\phi$

전반사 조건: $n\sin(\frac{\pi}{2}-\phi) = \sin\frac{\pi}{2} = 1$

$n\sin(\frac{\pi}{2}-\phi) = \sin\frac{\pi}{2} = 1$

$\cos\phi \ge \dfrac{1}{n}$, $\sin\phi \le \dfrac{\sqrt{n^2-1}}{n}$

$\sin\theta = n\sin\phi \le \sqrt{n^2-1}$

$\therefore \sin\theta \le \sqrt{n^2-1}$

2) 1)에서 구한 식을 이용하면

$\sin\alpha = \sqrt{n^2-1}$

$\therefore \alpha = \sin^{-1}(\sqrt{n^2-1})$

3) $\tan\theta = \dfrac{b/2}{f} \le \tan\alpha$

$f \ge \dfrac{b}{2\tan\alpha}$

$f_{\min} = \dfrac{b}{2\tan\alpha}$

02

본책 137p

정답 1) $s = \dfrac{1}{n}d$, 2) $x = \dfrac{n-1}{n}t$

영역	기하광학
핵심 개념	스넬의 법칙, 겉보기 깊이
평가요소 및 기준	스넬의 법칙으로부터 겉보기 깊이의 증명 및 활용

해설

1) 스넬의 법칙과 $\tan\theta \simeq \sin\theta \simeq \theta$를 이용하면

$\sin\theta_i = n\sin\theta_t \rightarrow \tan\theta_i = n\tan\theta_t$

$\dfrac{h}{s} = n\dfrac{h}{d} \rightarrow \therefore s = \dfrac{1}{n}d$

2) 겉보기 깊이 $s = \dfrac{t}{n} + d - t$이다.

실제거리 d이므로

차이는 $x = d - s = t - \dfrac{t}{n}$

$\therefore x = \dfrac{n-1}{n}t$

03

본책 137p

정답 1) $T = \dfrac{n_1}{c}\sqrt{h_1^2+x^2} + \dfrac{n_2}{c}\sqrt{h_2^2+(L-x)^2}$

2) $\dfrac{n_1 x}{\sqrt{h_1^2+x^2}} = \dfrac{n_2(L-x)}{\sqrt{h_2^2+(L-x)^2}}$

3) $x = \dfrac{n_2 h_1}{\sqrt{n_1^2-n_2^2}}$

영역	기하광학
핵심 개념	굴절률의 정의, 페르마의 원리, 스넬의 법칙, 전반사 조건
평가요소 및 기준	페르마의 원리로부터 굴절법칙 증명, 전반사 조건 활용

해설

1) $T = \dfrac{l_1}{v_1} + \dfrac{l_2}{v_2}$ $(v = \dfrac{c}{n})$

$= \dfrac{n_1}{c}\sqrt{h_1^2+x^2} + \dfrac{n_2}{c}\sqrt{h_2^2+(L-x)^2}$

2) $\dfrac{dT(x)}{dx} = 0$

$\dfrac{2n_1 x}{c\sqrt{h_1^2+x^2}} - \dfrac{2n_2(L-x)}{c\sqrt{h_2^2+(L-x)^2}} = 0$

$\therefore \dfrac{n_1 x}{\sqrt{h_1^2+x^2}} = \dfrac{n_2(L-x)}{\sqrt{h_2^2+(L-x)^2}}$

3) 전반사가 일어나면 h_2가 0이므로

$\dfrac{n_1 x}{\sqrt{h_1^2+x^2}} = n_2$가 된다.

$n_1^2 x^2 = n_2^2(h_1^2+x^2)$

$\therefore x = \dfrac{n_2 h_1}{\sqrt{n_1^2-n_2^2}}$

04

본책 138p

정답 $x=\frac{2H}{\sqrt{5n^2-4}}$

영역	기하광학
핵심 개념	스넬의 법칙
평가요소 및 기준	굴절법칙 활용 계산

해설

스넬의 법칙으로부터

$\sin\theta_1=n\sin\theta_2$

$\sin\theta_1=\frac{2}{\sqrt{5}}, \sin\theta_2=\frac{x}{\sqrt{H^2+x^2}}$

$\frac{4}{5}=n^2\left(\frac{x^2}{H^2+x^2}\right) \rightarrow 4H^2+4x^2=5n^2x^2$

$\therefore x=\frac{2H}{\sqrt{5n^2-4}}$

05

본책 138p

정답 ①

영역	파동광학
핵심 개념	호이겐스 원리, 굴절률의 정의
평가요소 및 기준	호이겐스 원리와 페르마의 원리 이용, 굴절률의 정의

해설

전반사 조건은 $\sin\theta_c=\frac{n_2}{n_1}$이다. 그런데 굴절률의 정의에서 $n=\frac{c}{v}$이다.

호이겐스 원리에 의해서 빛은 n_2에서 (나)로 이동한 시간과 n_1에서 (다)로 이동한 시간이 동일하다.

즉, (나) $=v_2\Delta t=\frac{c\Delta t}{n_2}$, (다) $=v_1\Delta t=\frac{c\Delta t}{n_1}$ 이다.

06

본책 139p

정답 1) $\theta_a=\sin^{-1}\left[\sqrt{\frac{n-1}{2n}}\right]$

2) $\theta_b=\sin^{-1}\left[\sqrt{\frac{n(n-1)}{2}}\right]$

영역	기하광학
핵심 개념	반사법칙, 스넬의 법칙
평가요소 및 기준	반사와 굴절 법칙을 이용하여 계산

해설

임계각을 θ_c로 정의하고, 각각의 경계면에서 스넬의 법칙을 활용하자.

$n\sin\theta_a=\sin\theta_b$ …… ①

$n\sin\theta_c=1$ ………… ②

첫 번째 경계면에서 반사법칙에 의해 입사각과 반사각이 동일하므로 $\theta_c=\frac{\pi}{2}-2\theta_a$

식 ②은

$n\sin\theta_c=n\sin(\frac{\pi}{2}-2\theta_a)=n\cos2\theta_a=1$

$\rightarrow \cos2\theta_a=\frac{1}{n}=1-2\sin\theta_a$

$\therefore \sin\theta_a=\sqrt{\frac{n-1}{2n}}, \theta_a=\sin^{-1}\left[\sqrt{\frac{n-1}{2n}}\right]$

식 ①에 의해서

$\sin\theta_b=n\sin\theta_a=\sqrt{\frac{n(n-1)}{2}}$

$\therefore \theta_b=\sin^{-1}\left[\sqrt{\frac{n(n-1)}{2}}\right]$

07

본책 139p

정답 1) $\theta_r=\alpha-\theta_0$, 2) $2\alpha-\beta=180^\circ$

영역	기하광학
핵심 개념	반사법칙, 삼각형 내각의 합
평가요소 및 기준	빛의 성질 이해를 통한 각의 계산

해설

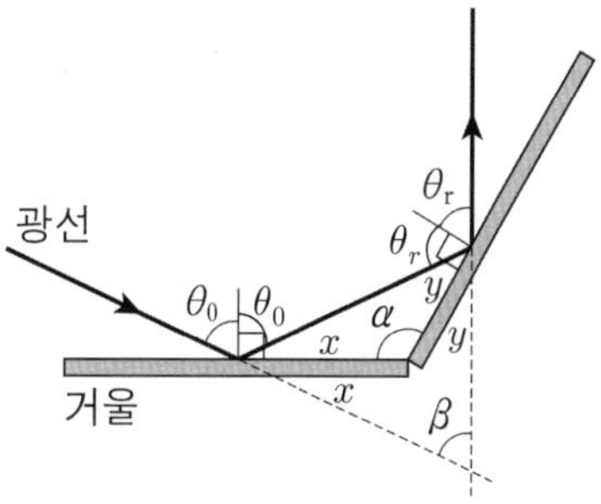

1) 반사법칙을 활용하면 $x=90^\circ-\theta_0$, $y=90^\circ-\theta_r$이다.
삼각형의 내각의 합은 180°이므로 $x+y+\alpha=180^\circ$
$90^\circ-\theta_0+90^\circ-\theta_r+\alpha=180^\circ$
$\alpha-\theta_0-\theta_r=0$
$\therefore \theta_r=\alpha-\theta_0$

2) 광선의 연장선을 이용하면 β를 포함하는 삼각형의 내각의 합은 $2x+2y+\beta=180^\circ$이다.
$2x+2y+\beta=180^\circ$
$2(x+y)+\beta=2(180^\circ-\alpha)+\beta=180^\circ$
$\therefore 2\alpha-\beta=180^\circ$

2 거울

08

본책 140p

정답 $f+\frac{f}{n^2}$

영역	기하광학
핵심 개념	오목거울 공식, 일부 매질영역에서 공식의 변형
평가요소 및 기준	오목거울의 공식의 활용 및 계산

해설

굴절면과 거울의 경우 굴절면 공식 $\frac{n_1}{a}+\frac{n_2}{b}=\frac{n_2-n_1}{R}$과 거울 공식 $\frac{1}{a}+\frac{1}{b}=\frac{1}{f}=\frac{2}{R}$가 기본 출발점이다. 이 문제는 3가지 풀이로 풀어보자.

물체는 첫 번째 평면 매질 → 오목거울 → 평면 매질을 통과 후 최종 상을 갖게 된다.

① 평면 매질의 경우 곡률반경이 ∞이다. 그리고 물체는 평면 매질로부터 f만큼 떨어져 있다.

$\frac{1}{a}+\frac{n}{b}=0 \rightarrow \frac{1}{f}+\frac{n}{b}=0 \;\therefore b=-nf$

평면 매질면으로부터 첫 번째 상은 왼쪽으로 nf만큼 떨어져 있다.

② 첫 번째 상이 오목거울을 통과할 때는 보자. 이때, 첫 번째 상은 오목 거울로부터 $a'=f+nf$만큼 떨어진 위치에 존재하므로 두 번째 상을 구하면

$\frac{1}{a'}+\frac{1}{b'}=\frac{1}{f} \rightarrow \frac{1}{f+nf}+\frac{1}{b'}=\frac{1}{f} \quad \therefore b'=f+\frac{f}{n}$

③ 마지막으로 평면 매질면에 의한 최종 상을 구해보자. 두 번째 상은 평면매질로부터 왼쪽으로 $\frac{f}{n}$만큼 떨어져 있다.

즉, $a''=-\frac{f}{n}$이다.

$\frac{n}{a''}+\frac{1}{b''}=0 \rightarrow b''=\frac{f}{n^2}$ 평면 매질면으로부터 왼쪽으로 $\frac{f}{n^2}$만큼 떨어진 위치에 최종 상이 생기게 된다.

따라서 O점으로부터 최종 상까지의 거리는 $f+\frac{f}{n^2}$이다.

다른 풀이

겉보기 깊이를 활용하여 매질 n을 제거하면 겉보기 깊이 $\overline{\mathrm{OF}}'=\frac{f}{n}$로 바뀐다.

상의 위치가 $f+\frac{f}{n}$, 초점이 $\frac{f}{n}$인 것처럼 인식하게 된다.

거울 공식 $\frac{1}{a}+\frac{1}{b}=\frac{1}{f}>0$ 오목거울

$\frac{1}{f+\frac{f}{n}}+\frac{1}{b}=\frac{1}{\frac{f}{n}} \rightarrow b=\frac{f}{n}+\frac{f}{n^2}$

그런데 겉보기 깊이는 실제 깊이가 아니므로 실제 : 겉보기 $=1:\frac{1}{n}$에 대응되므로 다시 실제 깊이로 변환하여야 한다.

b길이 중에 $\frac{f}{n}$ 영역이 겉보기 깊이에 해당되므로 실제 깊이는 f이다.

따라서 $b=f+\frac{f}{n^2}$가 된다.

다른 풀이

모두 매질 n으로 채울 때, 반대로 겉보기 깊이는 $\overline{PF}'=nf$로 증가하게 된다.

상의 위치가 $nf+f$, 초점이 f로 인식하게 되므로

$\frac{1}{nf+f}+\frac{1}{b}=\frac{1}{f} \rightarrow b=f+\frac{f}{n}$ 실제 : 겉보기 $=1:n$

b영역 중 $\frac{f}{n}$가 겉보기 깊이에 해당되므로 실제 깊이 $\frac{f}{n^2}$으로 변환해야 한다.

$\therefore b=f+\frac{f}{n^2}$

3 렌즈

09

본책 141p

정답 $L\geq 4f$

영역	기하광학
핵심 개념	볼록렌즈 실상 조건
평가요소 및 기준	얇은 렌즈 공식으로부터 볼록렌즈 실상 조건식 계산

해설

렌즈 공식 $\frac{1}{a}+\frac{1}{b}=\frac{1}{f}$에 의해서

$\frac{1}{x}+\frac{1}{L-x}=\frac{1}{f}$

$\frac{L}{x(L-x)}=\frac{1}{f} \rightarrow x^2-Lx+Lf=0$

실근이 존재해야 하므로 $L^2-4Lf\geq 0$을 만족해야 한다.

즉, $L\geq 4f$

10

본책 141p

정답 ⑤

영역	기하광학
핵심 개념	렌즈 제작자 공식
평가요소 및 기준	렌즈 제작자 공식의 이해 및 활용

해설

ㄱ. $\frac{1}{f}=\frac{n_{렌즈}-n_{밖}}{n_{밖}}\left(\frac{1}{R_1}-\frac{1}{R_2}\right)$ 렌즈 제작자 공식에 의해서 $f=40\text{cm}>0$이다. 그러므로 볼록렌즈와 같기 때문에 물체의 위치에 따라 실상과 허상 모두 가능하다.
만약 초점이 음수라면 오목렌즈와 같고 항상 허상만 가능하다.
얇은 렌즈 공식 $\frac{1}{a}+\frac{1}{b}=\frac{1}{f}$

ㄴ. $\frac{1}{20}+\frac{1}{b}=\frac{1}{40}$
$\therefore b=-40\text{cm}$
$\text{m}=2$
렌즈 왼쪽 40cm, 허상, 배율 $\text{m}=2$
물체의 렌즈가 뒤집어져도 곡률반경이 바뀌지 않으므로 동일하다.

ㄷ. $\frac{1}{20}+\frac{1}{b}=\frac{1.5-1.3}{1.3}(\frac{1}{10}-\frac{1}{20})=\frac{1}{130}$
$\therefore b=-\frac{260}{11}\text{cm}$
따라서 더 가까워진다.

11

본책 142p

정답 ④

영역	기하광학
핵심 개념	겉보기 깊이, 렌즈 공식
평가요소 및 기준	겉보기 깊이 계산 및 얇은 렌즈 공식 계산

해설

물체의 겉보기 깊이는 $h'=\frac{1}{n}h=\frac{52}{1.3}=40\text{cm}$

렌즈 공식 $\frac{1}{s_0}+\frac{1}{s_i}=\frac{1}{f}$
$s_0=100\,,\,s_i=a$
$\therefore f=\frac{100a}{100+a}$

12

본책 142p

정답 ①

영역	기하광학
핵심 개념	볼록렌즈 공식의 이해, 스크린의 상
평가요소 및 기준	볼록렌즈의 실상의 이해 및 계산

해설

렌즈 공식에 의해서
(가)에서 물체와 렌즈 사이의 거리를 a라 하면
$\frac{1}{a}+\frac{1}{L-a}=\frac{1}{f}$
(나)에서 스크린과 물체 사이의 거리는 $a+d$인데 이는 (가)에서 $L-a$와 같아야 한다.
즉, $a+d=L-a \rightarrow a=\frac{L-d}{2}$
이것을 렌즈 공식에 대입하면
$\frac{2}{L-d}+\frac{2}{L+d}=\frac{1}{f} \rightarrow \therefore f=\frac{L^2-d^2}{4L}$

13

본책 143p

정답 ①

영역	기하광학
핵심 개념	현미경의 이해
평가요소 및 기준	현미경의 구조 및 원리 이해

해설

현미경은 물체가 대물 렌즈에 의한 실상이 접안 렌즈 초점안에 들어와서 접안 렌즈에 의한 확대된 허상을 보는 것이다.
ㄱ. 대물 렌즈에 의한 실상이 생겨야 하므로 대물 렌즈로부터 물체까지의 거리는 f_o보다 길다.
ㄴ. 접안 렌즈에 의한 허상이 생겨야 하므로 대물 렌즈에 의한 물체의 상으로부터 접안 렌즈까지의 거리는 f_e보다 짧다.
ㄷ. 뒤집어진 ↓ 실상이 다시 접안 렌즈에 의한 허상이 되므로 뒤집어진 ↓ 허상이 최종적으로 생기게 된다.

14

본책 144p

정답 ③

영역	광학 : 렌즈
핵심 개념	겉보기 깊이, 렌즈 공식
평가요소 및 기준	겉보기 깊이 계산 및 렌즈 공식 활용

해설

빛이 굴절면을 통화하므로 공기 중의 겉보기 깊이로 바꾸면 굴절률 $n=1.5$인 6cm 두께는
$h'=\frac{n_1}{n_2}h \rightarrow h'=\frac{1}{1.5}\times 6=4\text{cm} \rightarrow 4\text{cm}$가 된다.

1) 볼록렌즈
겉보기 깊이를 고려하면 렌즈 앞 $a_1=20\text{cm}$에 물체가 있는 것과 동일하다.
$\frac{1}{a_1}+\frac{1}{b_1}=\frac{1}{f_1}>0 \rightarrow \frac{1}{20}+\frac{1}{b_1}=\frac{1}{20}$
$\therefore b_1=\infty$

2) 오목렌즈
$b_1=\infty$이므로 $a_2=-\infty$이고
$\frac{1}{a_2}+\frac{1}{b_2}=\frac{1}{f_2}<0 \rightarrow \frac{1}{-\infty}+\frac{1}{b_2}=\frac{1}{-10}$
$\therefore b_2=-10\text{cm}$
따라서 오목렌즈 왼쪽에 10cm 떨어진 위치에 허상이 맺히게 된다.

05

참고로 렌즈에서 허상 실상 구분은 최종 렌즈 오른쪽이면 실상, 왼쪽에 상이 맺히게 되면 허상이다.

15

본책 144p

정답 $y_m=4f,\ m=\left|\frac{b}{a}\right|=\frac{y-x}{x}=1$

영역	기하광학
핵심 개념	얇은 렌즈 공식
평가요소 및 기준	얇은 렌즈 공식을 활용하여 단순 계산

해설

얇은 렌즈 공식

$\frac{1}{a}+\frac{1}{b}=\frac{1}{f}$를 이용하면

$\frac{1}{x}+\frac{1}{y-x}=\frac{1}{f}\ (x>f\ ;\ \text{실상조건})$

$y=x+\frac{fx}{x-f}$

$\frac{dy}{dx}=0=1+\frac{f(x-f)-fx}{(x-f)^2}$

$x=2f$

$\therefore y_m=4f$

$m=\left|\frac{b}{a}\right|=\frac{y-x}{x}=1$

16

본책 145p

정답 1) $s=20\text{cm}$, 2) $R=50\text{cm}$, 3) $\frac{h'}{h}=\frac{16}{15}$

영역	기하광학
핵심 개념	렌즈 제작자 공식, 겉보기 깊이
평가요소 및 기준	복합 렌즈의 계산

해설

1) V_1에서부터 1면에 의해 형성된 상까지의 거리 s

1면에 의한 상의 거리 b

표면이 오목 렌즈와 같으므로(곡률반경중심이 렌즈 왼쪽) 곡률반경은 음수이다.

렌즈 제작자 공식을 적용하면

$$\frac{n_{물}}{a}+\frac{n_{유리}}{b}=\frac{n_{유리}-n_{물}}{-R}$$

$$\frac{\frac{4}{3}}{20}+\frac{\frac{3}{2}}{b}=\frac{\frac{3}{2}-\frac{4}{3}}{-20}\ ,\ b=-20$$

$\therefore s=20\text{cm}$

렌즈의 경우 상의 부호가 음수이면 렌즈 왼쪽 면에 양수이면 렌즈 오른쪽 면에 생긴다. (거울은 반대)

배율은 $m_1=\left|\frac{\frac{b}{n_{유리}}}{\frac{a}{n_{물}}}\right|=\frac{8}{9}$

2) 2면의 곡률반지름 R_2를 구하고, 해마의 높이 h에 대한 해마의 최종상의 높이 h'의 비 $\frac{h'}{h}$

렌즈의 경우 굴절에 의해 빛이 진행한다.

렌즈제작자 공식을 적용하면

$$\frac{n_{유리}}{20+5}+\frac{n_{공기}}{b}=\frac{n_{공기}-n_{유리}}{-R_2}\ (b=-20;\ \text{허상})$$

$$\frac{3}{50}-\frac{1}{20}=\frac{1}{2R}$$

$\therefore R_2=50\text{cm}$

배율은 $m_2=\left|\frac{\frac{b'}{n_{공기}}}{\frac{a'}{n_{유리}}}\right|=\frac{6}{5}$

상의 배율 $\frac{h'}{h}=|m_1\times m_2|=\frac{8}{9}\times\frac{6}{5}=\frac{16}{15}$

17

본책 146p

정답 1) $s_0=\frac{20}{3}\text{cm}$, 2) $M=3$

영역	기하광학
핵심 개념	얇은 렌즈 공식, 배율
평가요소 및 기준	얇은 렌즈공식을 이용한 물체위치 및 각 배율 계산

해설

각배율 $M=\frac{\theta'}{\theta}\approx\frac{\tan\theta'}{\tan\theta}=\frac{\frac{h'}{25}}{\frac{h}{25}}=\frac{h'}{h}$

렌즈배율 $m=\left|\frac{s_i}{s_0}\right|=\frac{h'}{h}$

렌즈 공식 $\frac{1}{s_0}+\frac{1}{s_i}=\frac{1}{f}\rightarrow\frac{1}{s_o}+\frac{1}{-20}=\frac{1}{10}$

$\therefore s_0=\frac{20}{3}\text{cm}$

$\therefore M=\left|\frac{s_i}{s_0}\right|=\frac{20}{\frac{20}{3}}=3$

18

본책 146p

정답 $f=\dfrac{m_1m_2}{m_2-m_1}d$

영역	기하광학
핵심 개념	얇은 렌즈 공식, 배율
평가요소 및 기준	얇은 렌즈공식을 이용한 물체 초점위치 계산

해설

모두 렌즈 우측에 상이 맺혔으므로 실상이다. 이미지의 위치는 각각 $s_i, s_i' > 0$ 만족한다.

$$m_1=\frac{s_i}{s_0},\ m_2=\frac{s_i'}{s_0-d}\ \cdots\cdots\cdots\cdots\cdots\cdots\ ①$$

렌즈공식을 각각의 경우에 대해 써보면

$$\frac{1}{s_o}+\frac{1}{s_i}=\frac{1}{f}=\frac{1}{s_0-d}+\frac{1}{s_i'}\ \cdots\cdots\cdots\ ②$$

식 ①을 대입하면

$$\frac{1}{s_0}+\frac{1}{m_1s_0}=\frac{1}{f}=\frac{1}{s_0-d}+\frac{1}{m_2(s_0-d)}$$

$$\frac{1}{s_0}\left(\frac{m_1+1}{m_1}\right)=\frac{1}{f}=\frac{1}{(s_0-d)}\left(\frac{m_2+1}{m_2}\right)$$

$$\frac{m_1+1}{m_1}f=s_0,\ \frac{m_2+1}{m_2}f=s_0-d$$

$$(\frac{m_1+1}{m_1}-\frac{m_2+1}{m_2})f=d$$

$$\therefore f=\frac{m_1m_2}{m_2-m_1}d$$

19

본책 147p

정답 1) $f_A=d$, 2) $f_B=-3d$

영역	기하광학
핵심 개념	렌즈 공식, 합성 렌즈의 초점
평가요소 및 기준	초점의 정의 및 합성 렌즈 공식 활용

해설

1) 그림 (가)로부터 초점은 렌즈로부터 평행광선이 한 점으로 모이는 위치이므로 $f_A=d$

2) 두 얇은 렌즈를 겹쳤을 때 렌즈 합성에 의한 초점은

$f'=\dfrac{f_Af_B}{f_A+f_B}$ 이다.

$$f'=\frac{f_Af_B}{f_A+f_B}=\frac{3}{2}d\rightarrow\frac{df_B}{d+f_B}=\frac{3}{2}d$$

$$\rightarrow f_B=\frac{3}{2}d+\frac{3}{2}f_B$$

$$-\frac{1}{2}f_B=\frac{3}{2}d\quad\therefore f_B=-3d$$

20

본책 147p

정답 1) $\overline{BF}=2cm$, 2) $\overline{BC}=102cm$

3) 각해상도 $\theta=1.22\times10^{-6}rad$

영역	기하광학
핵심 개념	천체 망원경의 각배율, 각해상도
평가요소 및 기준	천체 망원경의 이론을 통한 계산 및 각해상도(분해능) 연산

해설

1) $M_\theta=\dfrac{f_{대물}}{f_{접안}}=\dfrac{100}{f_{접안}}=50$

$\therefore f_{접안}=\overline{BF}=2cm$

2) $\therefore\overline{BC}=\overline{BF}+\overline{FC}=102cm$

3) 렌즈의 각해상도(분해능)

$$\theta=\frac{1.22\lambda}{D}=\frac{1.22\times500\times10^{-9}m}{0.5m}=1.22\times10^{-6}rad$$

$$\therefore\theta=1.22\times10^{-6}rad$$

21

본책 148p

정답 1) $b=\left(\dfrac{\alpha}{\alpha-1}\right)f$, 2) $d=\dfrac{f}{\alpha-1}$

영역	기하광학
핵심 개념	렌즈 공식
평가요소 및 기준	얇은 렌즈 공식, 볼록렌즈와 오목렌즈의 이해와 활용

해설

1) 얇은 렌즈 공식 $\dfrac{1}{a}+\dfrac{1}{b}=\dfrac{1}{f}$을 활용하면

$$\frac{1}{\alpha f}+\frac{1}{b}=\frac{1}{f}$$

$$\frac{1}{b}=\frac{1}{f}-\frac{1}{\alpha f}=\frac{1}{f}\left(\frac{\alpha-1}{\alpha}\right)$$

$$\therefore b=\left(\frac{\alpha}{\alpha-1}\right)f$$

2) 오목렌즈에서 $\dfrac{1}{a'}+\dfrac{1}{b'}=-\dfrac{1}{f}$

최종 상이 $+\infty$에서 형성되므로

$$\frac{1}{a'}=-\frac{1}{f}$$

$$a'=-f$$

이므로 볼록렌즈에 의한 상이 오목렌즈 오른쪽에 있어야 한다. 즉, $b>d$여야 한다.

$$d-b=-f$$

$$d-\frac{\alpha}{\alpha-1}f=-f$$

$$\therefore d=\frac{f}{\alpha-1}$$

22

본책 148p

정답 1) $f=4\text{cm}$, 2) $d=11\text{cm}$

영역	기하광학
핵심 개념	얇은 렌즈 공식, 배율, 실상과 허상
평가요소 및 기준	볼록렌즈 공식을 통한 거리와 배율 계산

해설

1) 얇은 렌즈 공식 $\frac{1}{a}+\frac{1}{b}=\frac{1}{f}$을 이용하면

$\frac{1}{12}+\frac{1}{6}=\frac{1}{4}=\frac{1}{f}$

$\therefore f=4\text{cm}$

2) 첫 번째 상의 배율은 $m_1=\frac{1}{2}$이므로 $\frac{h}{2}$의 상의 크기를 갖는다.

최종 상이 실상이고, 크기가 $2h$이므로 첫 번째 상과 오른쪽 렌즈 사이거리 $d-6$이면 오른쪽 렌즈와 최종 상까지의 거리는 4배인 $4(d-6)$인 된다.

$\frac{1}{d-6}+\frac{1}{4(d-6)}=\frac{1}{4}$

$\frac{5}{4(d-6)}=\frac{1}{4} \rightarrow d-6=5$

$\therefore d=11\text{cm}$

23

본책 149p

정답 1) 20cm, 2) $\frac{2}{3}$

영역	기하광학
핵심 개념	렌즈 공식, 횡배율
평가요소 및 기준	렌즈 공식의 활용으로 상의 위치 및 횡배율 계산

해설

1) 대물렌즈에 의한 상의 거리를 x라 하면

$\frac{1}{200-x}+\frac{1}{x}=\frac{1}{18}$

$x^2-200x+3600=0$

상의 대물렌즈와 접안렌즈 사이에 존재하므로 $x<25\text{cm}$

$\therefore x=20\text{cm}$

2) 대물렌즈의 배율 $m_1=\frac{20}{180}=\frac{1}{9}$

접안렌즈에 의한 상의 위치를 구해보면

$\frac{1}{5}+\frac{1}{b'}=\frac{1}{f}=\frac{1}{6}$

$b'=-30\text{cm}$

접안렌즈의 배율 $m_2=\left|\frac{-30}{5}\right|=6$

따라서 광학기기의 배율 $m=m_1m_2=\frac{6}{9}=\frac{2}{3}$

Chapter 06 파동역학

본책 155 ~ 181쪽

1 파동기본, 정상파, 도플러 효과

01

본책 155p

정답 1) $f=\dfrac{v_0}{2L}$, $\lambda_s=2L\dfrac{v_s}{v_0}$

2) 파장은 겨울철보다 여름철에 더 길다. (해설 참고)

영역	파동 광학
핵심 개념	정상파, 공명, 음파의 성질
평가요소 및 기준	정상파 조건과 공명현상의 이해, 음파의 속력과 온도관계

해설

1) 줄에 의한 정상파 조건 $L=\dfrac{n}{2}\lambda$이다. 기본진동이므로 $n=1$이다. 기타줄에서 줄의 파동 속력은 v_0이다.

$v_0=\lambda f \rightarrow L=\dfrac{1}{2}\dfrac{v_0}{f} \rightarrow f=\dfrac{v_0}{2L}$

발생되는 음파는 기타줄과 공명되는 진동수의 소리이므로 줄과 음파의 진동수는 동일하다.

$\therefore f=\dfrac{v_0}{2L}$

음파의 속도가 $v_s=\lambda_s f$이므로 $\lambda_s=2L\dfrac{v_s}{v_0}$

2) 정상파의 진동수가 불변하므로 음파의 파장은 음파의 속력에 의해 결정된다. 섭씨온도 $T(^\circ C)$일 때 음파의 속력은 $v=(331.5+0.6T)\,\mathrm{m/s}$이다. 음파는 탄성파 즉, 공기의 진동에 의한 종파이다. 진동은 온도가 증가함에 따라 빨라지므로 음파의 속력은 온도에 따라 증가하게 된다. 따라서 파장은 겨울철보다 여름철에 더 길다.

02

본책 155p

정답 ④

영역	파동광학
핵심 개념	파동기본, 정상파 조건, 도플러 효과
평가요소 및 기준	기주관과 열린 관의 정상파 조건과 도플러 효과의 활용

해설

파동기본은 진행 속력은 파장과 진동수의 곱이다.
그리고 한쪽이 막힌 기주관과 양쪽이 열린 개관에 대해 정상파 조건을 적용하면

$v_0=\lambda f$

$\mathrm{A}:\ L=\dfrac{2n-1}{4}\lambda_{\mathrm{A}}=\dfrac{v_0}{4f_{\mathrm{A}}}\ (n=1)$

$\mathrm{B}:\ L=\dfrac{n'}{2}\lambda_{\mathrm{B}}=\dfrac{v_0}{2f_{\mathrm{B}}}\ (n'=1)$

음원에서 나오는 고유진동수가 f_0라 하면 음원이 v로 움직이고 있으므로 도플러 효과는

$f'=\dfrac{1}{v_0\pm v}f_0 \rightarrow f_{\mathrm{A}}=\dfrac{v_0}{v_0+v}f_0,\ f_{\mathrm{B}}=\dfrac{v_0}{v_0-v}f_0$

앞의 각각의 정상파조건에서 $2f_{\mathrm{A}}=f_{\mathrm{B}}$ 이므로

$\dfrac{2}{v_0+v}=\dfrac{1}{v_0-v} \rightarrow \therefore v=\dfrac{1}{3}v_0$

03

본책 156p

정답 1) $L=2.0\mathrm{m}$

2) $\Delta\nu=f_{n+1}-f_n=\dfrac{c}{2L}=7.5\times10^7\mathrm{Hz}$

영역	파동광학
핵심 개념	광경로와 정상파
평가요소 및 기준	매질에서의 광경로 길이의 이해와 정상파 개념 확인

해설

광경로 길이

$L=\sum n_i L_i$(n_i: 매질 i에서의 굴절률, L_i매질 i의 실제길이)

$=1.0\times0.5\mathrm{m}+1.5\times1.0\mathrm{m}=2.0\mathrm{m} \rightarrow \therefore L=2.0\mathrm{m}$

매질 표면에서 반사는 무시하므로 광경로 길이에서 물체의 정상파(양쪽 거울 표면에서 고정단반사) 조건을 이용하면 된다.

$L=\dfrac{n}{2}\lambda=\dfrac{nc}{2f}$(정상파 조건: $n=$ 자연수) $\rightarrow f_n=\dfrac{nc}{2L}$

$\therefore \Delta\nu=f_{n+1}-f_n=\dfrac{c}{2L}=7.5\times10^7\mathrm{Hz}$

04

본책 156p

정답 1) $f_b=30\text{Hz}$, 2) $f_1=315\text{Hz}$, $f_2=285\text{Hz}$

영역	기하광학
핵심 개념	맥놀이
평가요소 및 기준	맥놀이 진동수와 파동의 세기의 진동수 관계

해설

세기가 같고 두 음파의 진동수가 각각 f_1, f_2라 하면

$$\Delta P$$
$$=\Delta P_1\sin2\pi f_1t+\Delta P_2\sin2\pi f_2t$$
$$=\Delta P_0\sin2\pi(\frac{f_1+f_2}{2})t\cos2\pi(\frac{f_1-f_2}{2})t\ (\Delta P_1=\Delta P_2)$$

가 된다. 압력변화는 $\frac{f_1+f_2}{2}$의 큰 진동수, 그리고 $\frac{f_1-f_2}{2}$의 작은 진동수를 가진다.

실제로 우리는 음파의 압력변화를 느끼는 것이 아니라 음파의 에너지의 세기를 느끼게 된다.

음파의 에너지의 세기 $I\propto(\Delta P)^2$이다. 그리고 일반적으로 우리는 큰 진동수는 인식범위를 넘어서서(예를 들어, 1초에 100번 깜박이는 불빛을 연속적으로 계속 켜져 있다고 느낌) 인식하지 못하고 상대적으로 작은 진동수를 느끼게 된다. 이때 느끼는 진동수를 맥놀이 진동수라 한다. 음파의 세기는 압력변화의 제곱에 비례하고 $\cos^2 2\pi ft$의 진동수는 $2f$가 되므로

$\therefore f_b=2\times\frac{f_1-f_2}{2}=f_1-f_2$이다.

그래프를 이용해서 각각의 진동수를 구하면

$$f_b=f_1-f_2=\frac{1}{\frac{3}{60}-\frac{1}{60}}=30\text{Hz}$$

$$\frac{f_1+f_2}{2}=10\times30\text{Hz}=300\text{Hz}$$

→ $\therefore f_1=315\text{Hz}$, $f_2=285\text{Hz}$이다.

2 간섭

05

본책 157p

정답 1) 바, 2) 가, 3) 라

영역	파동광학
핵심 개념	마이컬슨 간섭계, 간섭무늬 패턴
평가요소 및 기준	마이컬슨 간섭계에서 간섭조건과 무늬의 관계

해설

1) 평행광이고 M_2가 수직이면 스크린에 들어오는 모든 광선의 경로차가 동일하다. 그러므로 간섭무늬 패턴이 없다. 그냥 전체가 밝거나 어둡거나 중간이다. 따라서 간섭무늬 패턴이 없는 (바)이다.

2) b로 기울어지게 되면 M_2 맨 아래를 통과하는 빛부터 위로 올라갈수록 경로차가 발생한다. 그러므로 순차적으로 보강과 상쇄간섭이 이어지는 (가)가 된다.

3) 점광원이 M_2가 a에 있으면 멀어질수록 경로차가 대칭적으로 발생되게 된다. 그러므로 원형모양의 간섭무늬 패턴이 형성된다. 따라서 간섭무늬 패턴은 (라)이다.

06

본책 157p

정답 $d_1=7.5\mu\text{m}$

영역	파동광학
핵심 개념	얇은 박막 간섭
평가요소 및 기준	얇은 박만 간섭에서 조건 활용 및 계산

해설

두께가 0일 때부터 순차적으로 밝은 무늬가 생긴다고 하면, 얇은 토막의 두께를 d_1이라 하고 위치를 m번째 밝은 무늬라 하자.

$2d_1=m\lambda$

두꺼운 토막의 두께를 $d_2=10.0\mu\text{m}$이므로 $m+10$번째 밝은 무늬가 된다.

$2d_2=(m+10)\lambda$

$2(d_2-d_1)=10\lambda$

→ $d_1=d_2-5\lambda=10\mu\text{m}-2.5\mu\text{m}=7.5\mu\text{m}$

$\therefore d_1=7.5\mu\text{m}$

07

본책 158p

정답 1) $\Delta=\frac{2H^2}{L}=3\text{m}$, 2) $\Delta=3=\frac{2m+1}{2}\lambda$

3) $\lambda_{\max}=6\text{m}$

영역	파동광학
핵심 개념	간섭 조건, 경로차
평가요소 및 기준	경로차의 계산과 고정단반사의 위상변화의 이해

해설

1) 반사광의 경로는 $\sqrt{L^2+4H^2}$이고, 직접 송출된 경로는 L이다.

경로차 $\Delta=\sqrt{L^2+4H^2}-L$

$$=L\sqrt{1+(\frac{2H}{L})^2}-L\simeq L(1+\frac{2H^2}{L^2})-L$$
$$=\frac{2H^2}{L}$$

$\therefore \Delta=\frac{2H^2}{L}=3\text{m}$

2) 위상차가 $\pi(180^\circ)$만큼 나므로

보강조건은 $\Delta=3=\frac{2m+1}{2}\lambda$이다. 여기서 m은 0, 1, 2, 3…

3) $m=0$일 때 파장이 가장 길다. 즉, $\lambda_{\max}=6\text{m}$

08

본책 158p

정답 $I_P = 4I_0$

영역	파동광학
핵심 개념	위상차에 의한 빛의 간섭 현상
평가요소 및 기준	전기장의 위상차의 벡터적 이해와 빛의 세기의 정의

해설

$I_P = I_0\left(\frac{\sin N\alpha}{\sin\alpha}\right)^2$ 이다.

$\alpha = \frac{kd\sin\theta}{2} = \frac{\Delta\phi}{2}$

($\because$ d : 인접한 슬릿간격, $\Delta\phi$: 인접한 슬릿의 위상차)

$\Delta\phi = 60^\circ$ 이므로

$I_P = I_0\left(\frac{\sin N\alpha}{\sin\alpha}\right)^2 = I_0\left(\frac{\sin 90^\circ}{\sin 30^\circ}\right)^2 = 4I_0$

참고

빛의 세기는 전기장의 제곱에 비례한다. $I_0 \propto E_0^2$, 전기장은 벡터이므로 각각의 위상차에 의해서 간섭현상이 일어나게 된다. 전기장을 위상자로 표현하면 $\vec{E} = E_0(\cos\theta, \sin\theta)$ 이다. 맨 아래의 전기장의 벡터를 $E_0(1,0)$ 이라 하자. 그리고 위상차가 순차적으로 $60°$ 이므로 두 번째 전기장은 $E_0(\frac{1}{2}, \frac{\sqrt{3}}{2})$, 그리고 세 번째 전기장은 $E_0(-\frac{1}{2}, \frac{\sqrt{3}}{2})$ 이다.

$\sum\vec{E} = E_0(1,0) + E_0(\frac{1}{2}, \frac{\sqrt{3}}{2}) + E_0(-\frac{1}{2}, \frac{\sqrt{3}}{2})$

$= E_0(1, \sqrt{3})$

$I_P \propto E^2 = 4I_0$

09

본책 159p

정답 ②

영역	파동 광학
핵심 개념	간섭, 뉴턴링
평가요소 및 기준	뉴턴링에서 간섭현상의 계산

해설

근사적으로 $r_m^2 = 2Rt_m$, $2t_m = m\lambda$

뉴턴링에서 파장이 λ 일때, 곡률 반경 R 과 m 번째 무늬의 반경 r_m 과의 관계는 $R = \frac{r_m^2}{m\lambda}$ 이다.

그림 (나)에서 $m = 5$ 이므로 $R = \frac{(3\times10^{-3})^2}{5\times600\times10^{-9}} = 3$

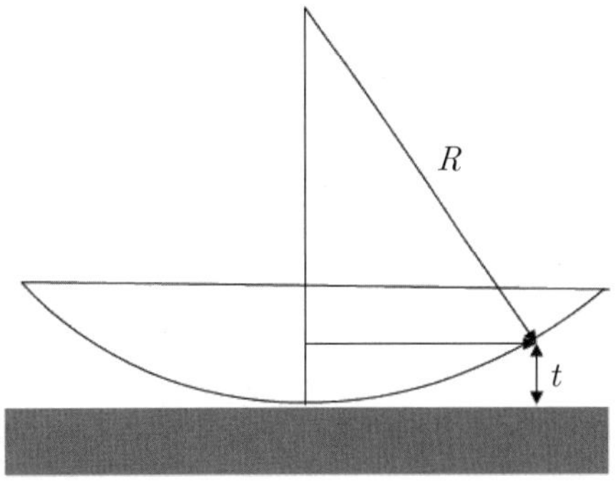

10

본책 160p

정답 ①

영역	파동광학
핵심 개념	이중슬릿 간섭 조건
평가요소 및 기준	이중슬릿의 간섭조건의 이해 및 계산

해설

이중슬릿의 간격 d, 스크린 사이까지의 거리 L 이라 하자. 그리고 $L \gg d$ 이다.

$$d\sin\theta = \begin{cases} m\lambda & ;\ \text{보강간섭} \\ \frac{2m+1}{2}\lambda & ;\ \text{상쇄간섭} \end{cases}$$

$x_P = \frac{L}{d}(3\lambda_1) = \frac{L}{d}(\frac{9}{2}\lambda_2) \rightarrow \lambda_1 = \frac{3}{2}\lambda_2$

$\rightarrow \therefore \lambda_2 = 420\,\text{nm}$

11

본책 161p

정답 ②

영역	파동광학
핵심 개념	간섭조건(경로차 및 위상차), 위상자 활용
평가요소 및 기준	간섭조건의 위상자 활용, 고정단반사 및 보강, 상쇄간섭의 개념 확인

해설

공기 중에 놓인 유전체 박막에 의해서 다중 반사된 빛이 P지점에 모여 보강을 이룬다고 하였다. 이때 총 N개의 광선이 P지점에 모인다고 하자. 그리고 공기의 굴절률을 n_1, 유전체의 굴절률을 n_2 라 하고, 박막의 두께를 d 라 하자.

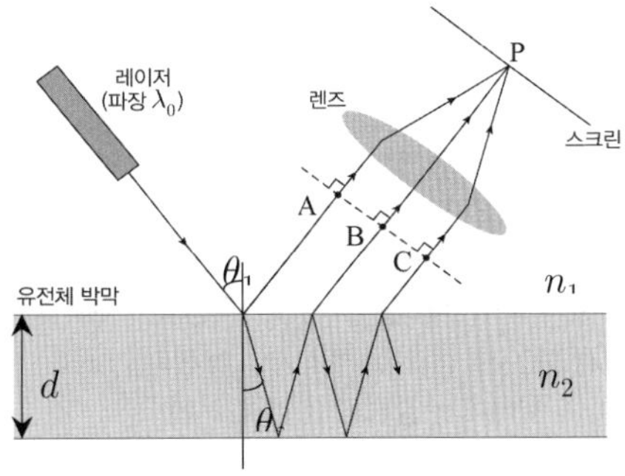

박막 표면에서 고정단반사를 하고 박막 아랫면에서는 자유단반사를 하기 때문에 A와 B광선의 광경로차는 다음과 같다.

광경로차 $\Delta_{AB} = 2n_2 d\cos\theta_2$

박막이 최소가 되기 위해서는 A와 B 사이의 광경로차가 최소가 되어야 한다.

A와 C의 광경로차는 $\Delta_{AC} = 2\Delta_{AB} = 4n_2 d\cos\theta_2$이다.

N이 매우 크다고 가정하고, 초기 레이저 빛의 세기를 I_i라하면 이론적 전개로 수식화하여 풀면 P지점에서 빛의 세기는 다음과 같다. (자세한 증명은 파동광학 이론강의 신규 교재 참고)

$$I_P = \left(\frac{2r^2(1-\cos\delta)}{1+r^4-2r^2\cos\delta}\right)I_i = 1-\left(\frac{(1-r^2)^2}{1+r^4-2r^2\cos\delta}\right)I_i$$

s-편광이므로 여기서 $r = \dfrac{n_1\cos\theta_1 - n_2\cos\theta_2}{n_1\cos\theta_1 + n_2\cos\theta_2}$,

$\delta = k\Delta_{AB} = \dfrac{2\pi}{\lambda}\Delta_{AB}$

I_P가 최대가 되기 위해서는 $\cos\delta = -1$이 되어야 한다.

이 조건을 만족하기 위해서는 광경로차는 다음과 같다.

광경로차 $\Delta_{AB} = 2n_2 d\cos\theta_2 = \dfrac{2m+1}{2}\lambda$ $(m=0,\ 1,\ 2,\ ...)$

최소박막이 되기 위해서는 $m=0$일 때이므로 $\Delta_{AB} = \dfrac{\lambda}{2}$가 된다. 이때는 A와 B는 보강간섭이 된다.

그리고 $\Delta_{AC} = 2\Delta_{AB} = \lambda$이므로 상쇄간섭이 된다.

참고

> 이 문제는 엄밀하게 증명하기 어려운 문제이다. 투과와 반사가 일어나므로 실상 전기장의 진폭이 점차적으로 바뀌기 때문이다. 그런데 거의 대부분 첫 번째와 두 번째 즉, A, B가 결정해버림을 명심하자. 즉, A, B가 보강이면 나머지는 부수적인 것에 불과하다. 이유는 투과와 반사를 거듭하면서 C 이후부터는 급격히 진폭이 줄어들기 때문에 전체에 미치는 영향력이 급격히 감소하기 때문이다.

12

본책 162p

정답 1) $2nd_m = \dfrac{2m+1}{2}\lambda_0$ $[where\ \ m = 0, 1, 2, 3, \cdots]$

2) $r_m = \sqrt{\dfrac{(2m+1)R\lambda_0}{2n}}$

영역	파동광학
핵심 개념	뉴턴링
평가요소 및 기준	매질이 차있는 뉴턴링에서 간섭현상

해설

간섭은 볼록 렌즈 표면에서 반사광과 유리 표면에서 반사광이 볼록 렌즈 표면에서 만나서 이뤄진다.

즉, 간섭무늬는 평면 볼록 렌즈 표면에서 일어난다.

렌즈 표면에서 자유단반사를 하므로 위상차는 0이고, 유리 표면에서 고정단반사를 하므로 위상차는 π이다.

광경로차를 이용해서 보강간섭 조건을 쓰면

$$\therefore 2nd_m = \frac{2m+1}{2}\lambda_0\ [where\ \ m = 0, 1, 2, 3, \cdots]$$

피타고라스 정리를 전개해서

$$r_m^2 = R^2 - (R-d_m)^2 = 2Rd_m - d_m^2 \simeq 2Rd_m \rightarrow d_m = \frac{r_m^2}{2R}$$

$$2n\left(\frac{r_m^2}{2R}\right) = \frac{2m+1}{2}\lambda_0$$

$$\therefore r_m = \sqrt{\frac{(2m+1)R\lambda_0}{2n}}$$

13

본책 162p

정답 ②

영역	파동광학
핵심 개념	반사 시 위상변화, 이중슬릿 간섭
평가요소 및 기준	고정단반사의 위상변화 및 이중슬릿의 간섭 조건 이해

해설

ㄱ. 거울이기 때문에 슬릿이 서로 $2d$만큼 떨어진 이중슬릿으로 생각할 수 있다.

다만 P지점에서 고정단반사를 하기 때문에 두 슬릿 사이의 위상차가 π가 된다.

그럼 경로차는 보강지점일 때 $\Delta = 2d\sin\theta = \dfrac{2n-1}{2}\lambda$가 되므로 3번째 보강지점은 $\Delta_3 = \dfrac{5}{2}\lambda$가 된다.

ㄴ. $L \gg d \gg \lambda$이므로 근사적으로 $2d\sin\theta \simeq 2d\dfrac{x_Q}{L} = \dfrac{5}{2}\lambda$

$x_Q = \dfrac{5L}{4d}\lambda$가 되므로 d를 증가시키면 O에 가까워지게 된다.

ㄷ. $x_Q = \dfrac{5L}{4d}\lambda$에서 파장 λ를 증가시키면 O에서 멀어지게 된다.

14

본책 163p

정답 ④

영역	광학 : 간섭
핵심 개념	마이컬슨 간섭계, 경로차와 간섭의 관계식
평가요소 및 기준	마이컬슨 간섭계의 간섭조건 계산

해설

움직이지 않았을 때 초기 경로차를 Δ_1이라 하면

$\Delta_1 = 2L - 2L_1$

움직이고 난 후 경로차를 Δ_2라 하자.

$\Delta_2 = 2L + 2\Delta L - 2L_1$

두 차이 동안 밝은 간섭무늬가 m번 나타났다고 했으므로

$\Delta_2 - \Delta_1 = 2\Delta L = m\lambda$

$\therefore \lambda = \dfrac{2\Delta L}{m}$

15

본책 164p

정답 1) $I = N^2 I_0 = 16 I_0$, 2) $\overline{\mathrm{OP}} = \dfrac{L\lambda}{4d}$, $\overline{\mathrm{OQ}} = \dfrac{L\lambda}{d}$
3) $(N-1)d\sin\theta = (N-1)\lambda = 3\lambda$

영역	파동광학
핵심 개념	다중슬릿에서 간섭현상
평가요소 및 기준	다중슬릿에서 극대, 극소점의 이해와 계산

해설

슬릿의 특정한 위치에서 구면파가 새로운 파원으로 작용하여 먼 스크린에 중첩되는 프라운호퍼 회절을 이용하면

$I = I'\left(\dfrac{\sin\beta}{\beta}\right)^2\left(\dfrac{\sin N\alpha}{\sin\alpha}\right)^2$ $\left[where\ \alpha = \dfrac{kd\sin\theta}{2},\ \beta = \dfrac{ka\sin\theta}{2}\right]$이다.

여기서 $\left(\dfrac{\sin\beta}{\beta}\right)$가 개별 슬릿에 의한 회절성분, $\left(\dfrac{\sin N\alpha}{\sin\alpha}\right)$가 N개의 슬릿에 의한 간섭성분이다.

이때 $d \gg a$이면 회절성분은 거의 영향을 미치지 않고 간섭성분이 주를 이루게 되어 아래의 그림처럼 된다.

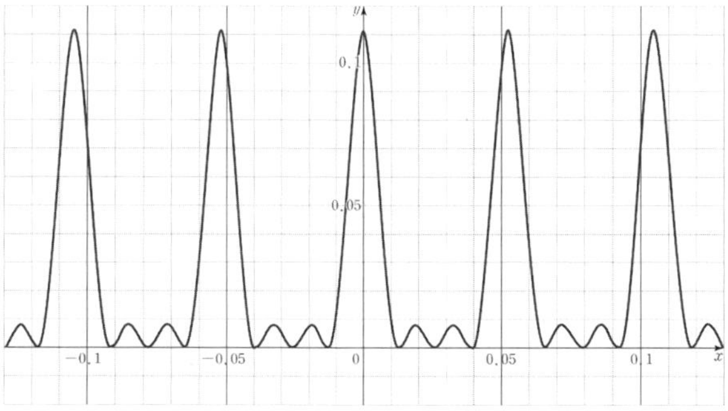

$N = 4,\ \lambda = 500\mathrm{nm}$
$a = 100\mathrm{nm},\ d = 10\mu\mathrm{m}$

만약 $d \gg a$가 아니라면 회절성분이 영향을 미치게 되어 아래의 그림처럼 간섭성분의 보강 지점들의 높이가 점차 줄어드는 모형이 된다. 첫 번째 그림의 이유인즉, a가 매우 작으면 $\left(\dfrac{\sin\beta}{\beta}\right) \simeq 1$되기 때문이다.

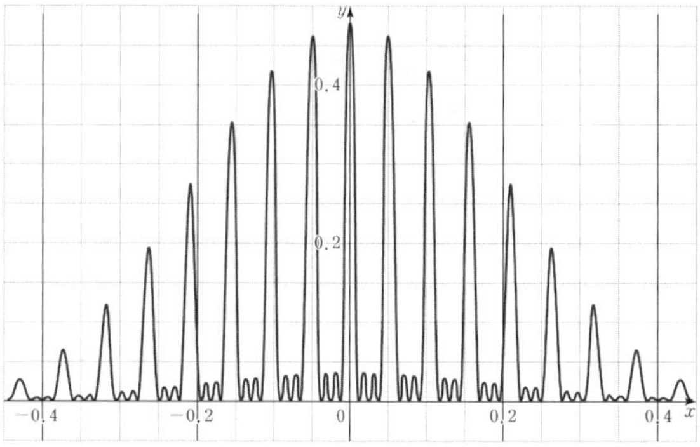

$N = 4,\ \lambda = 500\mathrm{nm}$
$a = 1\mu\mathrm{m},\ d = 10\mu\mathrm{m}$

이 문제에서는 회절성분을 고려하지 않고 첫 번째 그림처럼 간섭성분만 영향을 미친다고 했으므로 이를 참고해서 문제를 풀어보면

1) O에서의 빛의 세기를 I_0

$$I = I_0 \lim_{\alpha\to 0}\left(\frac{\sin N\alpha}{\sin\alpha}\right)^2\ [\because \theta\to 0 \to \alpha\to 0]$$

$\therefore I = N^2 I_0 = 16 I_0$

2) O와 P사이의 거리와 O와 Q 사이의 거리

$\overline{\mathrm{OP}}$ 사이의 거리는 간섭성분의 첫 번째 극소점이다.

먼저 $\left(\dfrac{\sin N\alpha}{\sin\alpha}\right)$의 형태를 보면 최댓값이 1이므로 최댓값이 되기 위해서는 $\sin\alpha = \sin N\alpha = 0$이어야 한다.

이때 중앙점을 벗어났으므로 $\alpha \neq 0$이 아니다.

만족하는 조건은

$\alpha = m\pi$ and $N\alpha = s\pi$ $[m, s = \pm 1, \pm 2, \cdots]$

두 조건을 모두 만족하는 값은 $\alpha = m\pi$이다.

$m > 0$인 경우에서 중앙점부터 첫 번째 극대점까지 $\sin N\alpha = 0$이 되는 점의 개수는

$N\alpha = s\pi$ $[s = 1, 2, 3\cdots, N-1]$

즉, 중앙 극대부터 첫 번째 극대까지 분모는 0이 안되는데 분자만 0이 되어 극소점이 반복하여 존재하게 된다.

$N\alpha = \pi$인 지점이 첫 번째 극소점이므로

$\dfrac{\pi d\sin\theta}{\lambda} = \dfrac{\pi}{N} \rightarrow \sin\theta \simeq \tan\theta = \dfrac{\overline{\mathrm{OP}}}{L} = \dfrac{\lambda}{Nd}$

$\therefore \overline{\mathrm{OP}} = \dfrac{L\lambda}{Nd} = \dfrac{L\lambda}{4d}$

N번째가 극대점이므로 $N\alpha = N\pi$

$\overline{\mathrm{OQ}} = \dfrac{L\lambda}{d}$

3) $|\ell_2 - \ell_1|$을 λ로 표현

첫 번째 슬릿과 네 번째 슬릿으로 사이의 거리는 $(N-1)d$이다.

$(N-1)d\sin\theta$가 광경로차이므로

$|\ell_2 - \ell_1| = (N-1)d\sin\theta = (N-1)\lambda = 3\lambda$

16

본책 165p

정답 1) $\lambda = \dfrac{\lambda_0}{n}$, 2) $n\Delta_2 = \dfrac{7}{2}\lambda_0$, 3) $n = 1.4$

영역	파동광학
핵심 개념	이중슬릿 간섭현상, 광경로차
평가요소 및 기준	광경로차와 간섭현상의 이해와 계산

해설

1) 파동 공식 $v = \lambda f$, 굴절률 정의 $n = \dfrac{c}{v}$이므로 파동은 매질에서 진동수가 변하지 않으므로 속력과 파장은 비례한다.

따라서 $\lambda = \dfrac{\lambda_0}{n}$

2) 상쇄지점에서는 광경로차가 반파장의 홀수배이다. 매질이 존재하면 기하학적 경로차는 동일하나 빛의 파장이 매질에서 바뀌게 되므로 실질적인 광경로차는 굴절률에 비례하여 증가하게 된다.

$$\Delta = \frac{2n-1}{2}\lambda_0 \rightarrow \Delta_1 = \frac{5}{2}\lambda_0, \Delta_2 = \frac{7}{2}\lambda$$

$$\rightarrow n\Delta_2 = \frac{7}{2}\lambda_0$$

$$\therefore n\Delta_2 = \frac{7}{2}\lambda_0$$

3) 같은 위치이므로 기하학적 경로차는 동일하다.

$$\Delta_1 = \Delta_2$$

$$n\frac{5}{2}\lambda_0 = \frac{7}{2}\lambda_0 \rightarrow \therefore n = 1.4$$

17

본책 165p

정답 $I_1 = I_0 + 3I_0 = 4I_0$,
$I_2 = I_0 + 3I_0 + 2\sqrt{I_0 3I_0} = (4+2\sqrt{3})I_0$

영역	파동광학
핵심 개념	incoherent, coherent 광원의 간섭현상
평가요소 및 기준	두 광원의 위상차를 이용한 간섭의 세기 계산

해설

두 광원의 간섭현상의 빛의 세기는 전기장의 제곱에 비례하다. 포인팅벡터가 단위면적당 에너지 방출량과 연관

$$\overrightarrow{E_1} = E_1 e^{i(kr-\omega t)} e^{i\phi_1}, \overrightarrow{E_2} = E_0 e^{i(kr-\omega t)} e^{i\phi_2}$$

$$I \propto E^2$$

$$\rightarrow I_1 \propto (\overrightarrow{E_1} + \overrightarrow{E_2})^2 = E_1^2 + E_2^2 + 2E_1E_2\cos(\phi_2 - \phi_1)$$

1) 어긋난(incoherent) 경우
$\cos(\phi_2 - \phi_1)$에서 $\phi_2 - \phi_1$ 위상차가 특정화되지 않고 변수이므로 평균을 내면 0이 된다.

$$\int \cos(\phi)d\phi = 0 \rightarrow I_1 = I_0 + 3I_0 = 4I_0$$

2) 결맞은(coherent) 경우
위상차가 없다고 했으므로

$$I_2 = I_0 + 3I_0 + 2\sqrt{I_0 3I_0} = (4+2\sqrt{3})I_0$$

정리: 어긋난(incoherent) 단순합
결맞은(coherent) $I = I_1 + I_2 + 2\sqrt{I_1 I_2}\cos\phi$

18

본책 166p

정답 1) $\Delta\phi = \frac{2\pi c}{\lambda}t_0$, 2) $\frac{I_P}{I_0} = \cos^2\left(\frac{\pi c}{\lambda}t_0\right)$

영역	파동광학
핵심 개념	이중슬릿 간섭, 빛의 세기
평가요소 및 기준	간섭조건과 위상과의 관계식 이해, 빛의 합성과 세기의 관계식의 이해

해설

1) 단색광의 전기장의 파동 함수 $y = A\sin(kx - \omega t + \delta)$이므로 경로 1, 2의 파동함수를 각각
$y_1 = A\sin(kx_1 - \omega t + \delta)$, $y_2 = A\sin(kx_2 - \omega t + \delta)$이라 하자.
위상차는 동일한 시간에 경로차 때문에 발생하므로
$\Delta\phi = kx_2 - kx_1$
(나)에서 최대위상 조건:
$kx_1 - \omega t + \delta = kx_2 - \omega t - \omega t_0 + \delta$
$kx_2 - kx_1 = \omega t_0$이므로

$$\therefore \Delta\phi = \frac{2\pi c}{\lambda}t_0 \ \left(\because \omega = kc = \frac{2\pi}{\lambda}c\right)$$

2) 합성파의 파동함수는

$$y_1 + y_2 = 2A\sin\left(\frac{k(x_1+x_2)}{2} - \omega t\right)\cos\left(\frac{k(x_2-x_1)}{2}\right)$$

$$y' = 2A\cos\left(\frac{k(x_2-x_1)}{2}\right)\sin\left(\frac{k(x_1+x)}{2} - \omega t\right)$$

빛의 세기는 전기장의 제곱에 비례하므로

$$I \simeq 4A^2\cos^2\frac{\Delta\phi}{2}\langle\sin^2(kx-\omega t)\rangle_t = 2A^2\cos^2\frac{\Delta\phi}{2}$$

$$I_O \simeq 2A^2\cos^2 0 = 2A^2$$

$$I_P \simeq 2A^2\cos^2\frac{\Delta\phi}{2}$$

$$\therefore \frac{I_P}{I_O} = \cos^2\frac{\Delta\phi}{2} = \cos^2\left(\frac{\pi c}{\lambda}t_0\right)$$

19

본책 167p

정답 1) $\Delta = d_0 + 2vt$, 2) $\Delta\phi = \frac{2\pi}{\lambda}(2vt) = \frac{4\pi vt}{\lambda}$
3) $v = 3\text{m/s}$

영역	파동광학
핵심 개념	마이컬슨 간섭계, 광경로차와 위상차
평가요소 및 기준	마이컬슨 간섭계의 성질을 통한 광경로차와 위상차 정의와 연산

해설

1) $t=0$일 때 점 P에 도달한 두 빛의 광경로차는 d_0이고, 거울이 움직일 때 왕복운동을 하므로
$\therefore \Delta = d_0 + 2vt$

2) $\Delta\phi = k\Delta = \frac{2\pi}{\lambda}(d_0 + 2vt) = \frac{4\pi vt}{\lambda}$; d_0일 때 보강지점이다.
$d_0 = n\lambda$ 여기서 n은 자연수, $\frac{2\pi}{\lambda}d_0 = 2n\pi$인데 위상차는 주기 성질에 의해서 2π의 정수배는 0과 동일시한다.

3) 1ms 동안 10^4번의 밝은 간섭무늬가 나타났으므로
$2vt = 10^4\lambda$이다.

$$\therefore v = \frac{10^4 \times 6 \times 10^{-7}\text{m}}{2 \times 10^{-3}\text{s}} = 3\text{m/s}$$

20

본책 167p

정답 1) $\Delta_{광} = 2(n-1)\alpha x$, 2) $S = \dfrac{\lambda}{2(n-1)\alpha}$

영역	광학
핵심 개념	마이컬슨 간섭계, 광경로차
평가요소 및 기준	마이컬슨 간섭계의 특징과 광경로차 관계식 계산

해설

1) 광경로는 $\Delta_{광} = \sum n_i L_i$

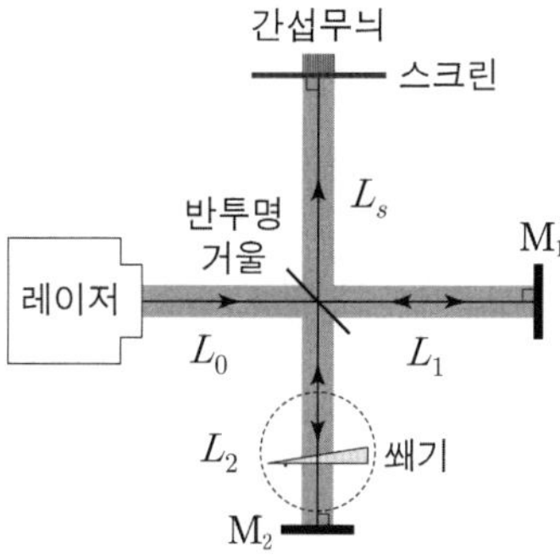

레이저에서 반투명 거울까지 거리 L_0, 반투명 거울로부터 거울 M_1과 M_2 그리고 스크린까지의 거리는 L_1, L_2, L_s라 하자. 그리고 쐐기의 두께를 y라 하자.

거울 M_1에 반사되어 스크린에 도달하는 빛의 광경로차 = $L_0 + 2L_1 + L_s$

거울 M_2에 반사되어 스크린에 도달하는 빛의 광경로차 = $L_0 + 2L_2 - 2y + 2ny + L_s$

$L_1 = L_2$이므로 두 빛의 광경로차

$$\Delta_{광} = 2(n-1)y = 2(n-1)\alpha x \ ; \ \tan\alpha = \frac{y}{x} \simeq \alpha$$

$\therefore \Delta_{광} = 2(n-1)\alpha x$

2) 스크린에서 인접한 밝은 무늬의 광경로차는 λ이다.

$\Delta_{광} = 2(n-1)\alpha S = \lambda$

$\therefore S = \dfrac{\lambda}{2(n-1)\alpha}$

21

본책 168p

정답 ④

영역	파동광학
핵심 개념	전자기파 진동과 진행, 간섭, 전기장과 빛의 세기 관계
평가요소 및 기준	전자기파의 간섭 조건, 전기장 벡터 합성과 빛의 세기와의 관계식 이해

해설

ㄱ. $\vec{E} = \vec{E_1} + \vec{E_2} = E_0\hat{x} + E_0\hat{y}$

$E^2 = E_0^2 + E_0^2 + 2E_0^2\,\hat{x}\cdot\hat{y} = 2E_0^2$

두 빛의 위상차와 관계없이 간섭항이 항상 0이므로 보강 또는 상쇄 간섭이 아니다. 간섭현상은 위상차에 의해서 간섭항이 변화해야 한다.

ㄴ. 빛의 세기 $I \propto E_0^2$이다.

P지점에서 특정시각 t에서 발생되는 빛의 전기장의 합성은 $\vec{E} = \vec{E_1} + \vec{E_2} = E_0\hat{x} + E_0\hat{y}$

$E^2 = E_0^2 + E_0^2 + 2E_0^2\,\hat{x}\cdot\hat{y} = 2E_0^2$

$\therefore I = 2I_0$

ㄷ. E_1은 x축 진동파이고, E_2은 y축 진동파이므로 서로 진동 방향이 수직이다.

22

본책 169p

정답 1) $K = 2k\sin\theta$, 2) $\Lambda = \dfrac{\pi}{k\sin\theta}$, 3) $v = \dfrac{\delta\omega}{2k\sin\theta}$

영역	파동광학
핵심 개념	전기장의 간섭, 위상 성분, 파동의 위상 속력
평가요소 및 기준	전기장의 간섭의 연산, 위상 성분의 공간 주기인 파장 및 위상 속력의 연산

해설

1) 간섭항을 계산해보면

$\overrightarrow{E_1^*}\cdot\overrightarrow{E_2} + \overrightarrow{E_1}\cdot\overrightarrow{E_2^*}$

$= (E_0 e^{-ik(-x\sin\theta + z\cos\theta)}e^{i\omega t})(E_0 e^{ik(x\sin\theta + z\cos\theta)}e^{-i(\omega+\delta\omega)t})$

$\quad + (E_0 e^{ik(-x\sin\theta + z\cos\theta)}e^{-i\omega t})(E_0 e^{-ik(x\sin\theta + z\cos\theta)}e^{i(\omega+\delta\omega)t})$

$= E_0^2 e^{2ikx\sin\theta}e^{-i\delta\omega t} + E_0^2 e^{-2ikx\sin\theta}e^{i\delta\omega t}$

$= 2E_0^2\left(\dfrac{e^{i(2kx\sin\theta - \delta\omega t)} + e^{-i(2kx\sin\theta - \delta\omega t)}}{2}\right)$

$= 2E_0^2\cos(2k\sin\theta x - \delta\omega t) = 2E_0^2\cos(Kx - \Omega t)$

$\therefore K = 2k\sin\theta$

2) $t=0$ 일 때 간섭항은 $2E_0^2\cos(2k\sin\theta x)$이다.

코사인의 주기는 2π이므로 한 주기일 때 공간 x의 파장이 Λ이므로

$2k\sin\theta\,\Lambda = 2\pi$

$\therefore \Lambda = \dfrac{\pi}{k\sin\theta}$

3) 파동의 진행 속력은 위상 성분의 속력을 의미한다.

$2E_0^2\cos(2k\sin\theta x - \delta\omega t)$

마루의 위상은 $2m\pi$이다. 이중 $m=0$인 마루가 짧은 시간 동안 이동한 거리를 계산해보면

$2k\sin\theta\,dx - \delta\omega dt = 0$

$\dfrac{dx}{dt} = v = \dfrac{\delta\omega}{2k\sin\theta}$

$\therefore v = \dfrac{\delta\omega}{2k\sin\theta}$

다른 풀이

1)의 경우 간섭의 전기장 합성 $E^2 = E_1^2 + E_2^2 + 2E_1E_2\cos\phi$를 이용하면 보다 쉽게 결과 도출이 가능하다.

$\overrightarrow{E_1} = E_0 e^{ik(-x\sin\theta + z\cos\theta)} e^{-i\omega t}\hat{y} = E_0 e^{i(-kx\sin\theta + kz\cos\theta - \omega t)}\hat{y}$

$\overrightarrow{E_2} = E_0 e^{ik'(x\sin\theta + z\cos\theta)} e^{-i(\omega+\delta\omega)t}\hat{y}$

$= E_0 e^{i(k'x\sin\theta + k'z\cos\theta - \omega t - \delta\omega t)}\hat{y}$

$k \simeq k'$ 이므로

E_1의 위상 $\phi_1 = -kx\sin\theta + kz\cos\theta - \omega t$

E_2의 위상 $\phi_2 = kx\sin\theta + kz\cos\theta - \omega t - \delta\omega t$

따라서 위상차 $\phi = \phi_2 - \phi_1 = 2k\sin\theta\, x - \delta\omega t$

간섭항 $2E_1E_2\cos\phi = 2E_0^2\cos(2k\sin\theta\, x - \delta\omega t)$

위와 같이 구할 수도 있다.

23

본책 170p

정답 1) $\sin\theta = \frac{\lambda}{d}$, 2) $I = 25I_0$, 3) $I_P = 9I_0$

영역	파동역학
핵심 개념	N중 슬릿 간섭
평가요소 및 기준	N중 슬릿의 보강지점 세기의 계산, 경로차식의 이해와 적용

해설

1) N중 슬릿에서 보강조건은 인접한 슬릿 사이의 거리가 결정한다. 첫 번째 주요 극대점(보강지점) 조건은 다음과 같다.

$d\sin\theta = \lambda$

$\therefore \sin\theta = \frac{\lambda}{d}$

2) N중 슬릿에서 보강지점에서의 밝기는 $I = N^2 I_0$이므로

$\therefore I = 25I_0$

3) 두 번째 슬릿과 네 번째 슬릿을 막아 5중 슬릿이 3중 슬릿이 되었을 때, 인접한 슬릿사이의 간격은 $2d$가 된다.
이때 P지점에서 경로차는 각도 θ는 동일하므로
$\Delta = 2d\sin\theta = 2\lambda$이다. 파장의 정수배이므로 보강지점이 된다.

$\therefore I_P = N^2 I_0 = 9I_0$

24

본책 171p

정답 1) $d_1 = \frac{\lambda}{4n}$, 2) $n_s = \frac{3}{2}$, $n = \frac{3}{\sqrt{2}}$

영역	파동광학
핵심 개념	박막 간섭의 보강과 상쇄, 경로차
평가요소 및 기준	박막 간섭에서 보강 조건을 통한 최소두께 계산, 그래프 해석

해설

1) 진공과 만나는 박막 표면에서는 고정단반사, 기판과 만나는 지점에서는 자유단반사를 하므로

보강 간섭 조건 $2nd = \frac{2m+1}{2}\lambda$

$\therefore d_1 = \frac{\lambda}{4n}$

2) $d = 0$에서 반사율이 최소이므로

$R_0 = \frac{n^2(n_s-1)^2}{n^2(n_s+1)^2} = 0.04$

$\frac{(n_s-1)}{(n_s+1)} = 0.2$

$\therefore n_s = \frac{3}{2}$

$d = d_1$에서 반사율이 최대이므로 $\delta = \frac{\pi}{2}$이다.

$R_1 = \frac{(n^2-n_s)^2}{(n^2+n_s)^2} = 0.25$

$\frac{(n^2-n_s)}{(n^2+n_s)} = 0.5$

$\therefore n = \frac{3}{\sqrt{2}}$

다른 풀이

단순하게 반사율 미분 조건을 이용해도 된다. 하지만 매우 시간이 오래 걸린다는 단점이 있다.

반사율의 최소와 최대가 극점이다. 그런데 반사율은 $\delta = 2\pi\frac{nd}{\lambda}$의 함수로 되어있다. δ와 두께 d가 일차 관계이므로 극점 조건은 다음과 같다.

$\frac{dR}{d\delta} = 0$

$a = n^2(n_s-1)^2,\ b = (n^2-n_s)^2$

$c = n^2(n_s+1)^2,\ d = (n^2+n_s)^2$

으로 치환하면

$$\frac{dR}{d\delta} = \frac{\sin2\delta(-a+b)(c\cos^2\delta + d\sin^2\delta) - \sin2\delta(a\cos^2\delta + b\sin^2\delta)(-c+d)}{[c\cos^2\delta + d\sin^2\delta]^2}$$

$$= \frac{\sin2\delta\,[bc(\cos^2\delta + \sin^2\delta) - ad(\cos^2\delta + \sin^2\delta)]}{[c\cos^2\delta + d\sin^2\delta]^2}$$

$$= \frac{\sin2\delta(bc-ad)}{[c\cos^2\delta + d\sin^2\delta]^2} = 0$$

$\sin2\delta = 0$에서 반사율이 최대와 최소가 된다.

$2\delta = m\pi$, m이 $0,\ 2,\ 4,\ \cdots$이면 반사율이 최소, m이 $1,\ 3,\ 5,\ \cdots$이면 최대이다.

$4\pi\frac{nd_1}{\lambda} = \pi$

$\therefore d_1 = \frac{\lambda}{4n}$

3 회절

25

본책 172p

정답 $\Delta = d(\sin\alpha + \sin\theta) = m\lambda$; $m = \pm 1, \pm 2, \cdots$

영역	파동광학
핵심 개념	회절, 상쇄/보강 조건
평가요소 및 기준	단일 회절 조건식 이해 및 계산

해설

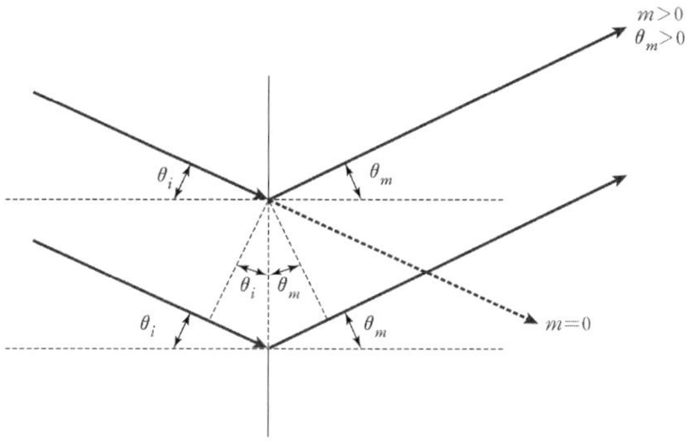

문제에서 광선의 경로차는 $\Delta = d(\sin\alpha + \sin\theta)$ 이다.
스크린에 어두운 무늬 즉, 상쇄조건식은 다음과 같다.
$\Delta = d(\sin\alpha + \sin\theta) = m\lambda$, $m = \pm 1, \pm 2, \cdots$

26

본책 172p

정답 ③

영역	광학
핵심 개념	회절 현상, 분해능의 이해
평가요소 및 기준	회절의 전반적인 이해

해설

① 회절의 정의에 대한 올바른 설명이다.

② 분해능은 $\theta = \dfrac{1.22\lambda}{D}$ 이고 분해능이 좋은 망원경은 지름 D가 커야 한다. 여기서 분해능 θ가 크다는 말은 각 θ가 크다는 말이 아니다. 예를 들어 일정한 거리를 둔 2개의 광원이 있을 때 거리가 멀어지게 되면 두 광원의 사이각은 작아지게 된다. 점점 멀어지면 어느 순간 우리 눈에는 2개의 광원이 하나처럼 보일 때가 있다. 2개의 광원을 하나가 아닌 2개의 광원으로 구분 가능한 최소의 사이각을 분해능이라 한다. 이때 분해능이 큰 렌즈라는 것은 최소의 사이각이 작은 렌즈를 말한다.

③ 스크린을 가까이 가져가게 되면 프레넬 회절이라 하는데, 이때는 슬릿으로부터 거리가 가까워지므로 충분히 멀리 있을 때의 회절무늬와 다른 형태의 회절 무늬가 형성된다. 스크린이 슬릿으로부터 충분히 멀리 있을 때의 회절을 프라운호퍼 회절이라 한다.

④ 회절격자의 분해능은 평균의 파장을 λ이고 분해할 수 있는 최소 파장의 간격을 $\Delta\lambda$라 할 때 $R = \dfrac{\lambda}{\Delta\lambda}$을 의미한다. 슬릿사이의 간격을 d라 하면 슬릿의 개수가 N일 때 회절무늬의 총 차수를 m이라 하면 $Nd\sin\theta = m\lambda$에 총 차수가 가장 큰 정수 m을 의미한다. 분해능은 $R = \dfrac{\lambda}{\Delta\lambda} = mN$ 이므로 슬릿 개수가 증가하면 분해능 R은 커진다. 슬릿개수의 증가는 렌즈로 치면 지름의 증가로 생각할 수도 있다.

⑤ 단일슬릿 간격을 D라 하면 중앙역역의 슬릿폭 $2x$는
$D\dfrac{x}{L} = \lambda \rightarrow 2x = \dfrac{L}{D}\lambda$
즉, 단일 슬릿폭이 커지면 중앙 밝은 영역의 폭은 줄어든다.

27

본책 173p

정답 ②

영역	광학
핵심 개념	회절에서 분해능
평가요소 및 기준	분해능 계산 및 렌즈의 초점 이해

해설

분해능 $\theta = \dfrac{1.22\lambda}{D} \rightarrow \theta = \dfrac{s}{f} = \dfrac{1.22\lambda}{D} \rightarrow s = \dfrac{1.22\lambda f}{D}$

ㄱ. λ가 일정할 때, 초점거리가 같고 지름이 작은 렌즈로 바꾸면 s는 증가한다.
ㄴ. λ가 일정할 때, 지름이 같고 초점거리가 긴 렌즈로 바꾸면 s는 증가한다.
ㄷ. 파장이 s에 비례하므로 맞다.

28

본책 174p

정답 $\lambda = 0.5\mu\mathrm{m} = 500\mathrm{nm}$

영역	파동광학
핵심 개념	회절격자에서의 반사광 회절
평가요소 및 기준	브래그회절 혹은 회절격자에서 반사광 회절 조건을 이용하여 계산

해설

회절격자 회절 보강 조건
$a(\sin\theta_m - a\sin\theta_i) = m\lambda$ (θ_i : 입사각, θ_m : 회절각)
$m\lambda = a\sin\theta_m$ m차 보강 회절각
$2\lambda = 2\mu m \sin 30^\circ \rightarrow \lambda = 0.5\mu\mathrm{m} = 500\mathrm{nm}$

참고

회절격자의 밝기는 회절격자의 개수의 제곱에 비례한다.

29

본책 174p

정답 총 11개

영역	파동광학
핵심 개념	다중슬릿에서 회절과 간섭항의 수식적 이해
평가요소 및 기준	다중슬릿에서 간섭무늬개수 계산

해설

$I = I'\left(\frac{\sin\beta}{\beta}\right)^2\left(\frac{\sin N\alpha}{\sin\alpha}\right)^2$

$[where\ \alpha = \frac{kd\sin\theta}{2},\ \beta = \frac{ka\sin\theta}{2}]$

가운데

회절성분 : $\left(\frac{\sin\beta}{\beta}\right)^2$, $[\beta = \frac{ka\sin\theta}{2}]$

간섭성분 : $\left(\frac{\sin N\alpha}{\sin\alpha}\right)^2$, $[\alpha = \frac{kd\sin\theta}{2}]$

회절 극소점 $\beta = n\pi \quad a\sin\theta = n\lambda$

1차 극속점 → $\sin\theta = \frac{\lambda}{a} > 0$일 때

간섭 극대점 : $\alpha = m\pi \rightarrow d\sin\theta' = m\lambda$

$\rightarrow -\sin\theta < \sin\theta' < \sin\theta$

$-\frac{\lambda}{a} < m\frac{\lambda}{d} < \frac{\lambda}{a} \rightarrow -\frac{d}{a} < m < \frac{d}{a}$; m은 정수

$-5.58 < m < 5.58$

상하로 5개씩 가운데 1개 총 11개

4 편광

30

본책 175p

정답 1) 수직한 성분 즉, s−편광(TE), 2) 해설 그래프 참고

3) $\theta_i + \theta_t = \frac{\pi}{2}$

영역	파동광학
핵심 개념	브루스터각, 편광, 말뤼스 법칙, 스넬의 법칙
평가요소 및 기준	브루스터와 편광의 관계, 말뤼스 법칙의 활용

해설

1) 브루스터 각일 때는 평면에 수직한 성분 즉, s−편광(TE) 빛만 살아 남는다.

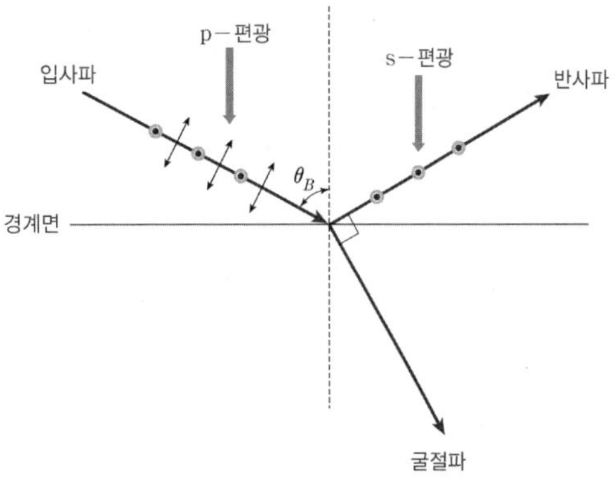

2) 말뤼스 법칙에 의해서 $I' = I\cos^2\theta$이므로

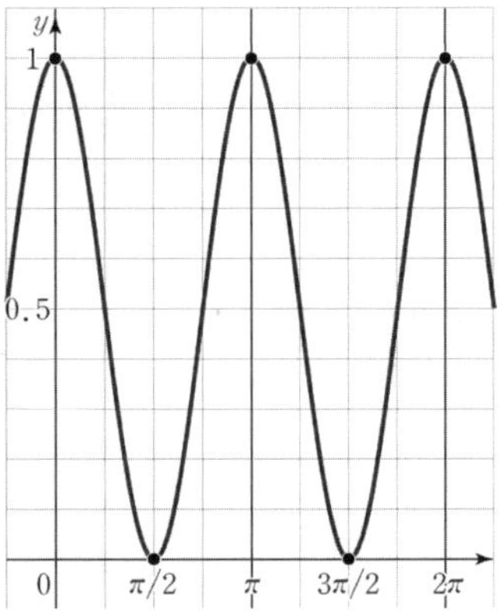

3) $\tan\theta_i = \frac{n_t}{n_i}$이므로

스넬의 법칙

$n_i\sin\theta_i = n_t\sin\theta_t = n_t\cos\theta_i$

$\rightarrow \sin\theta_i = \cos(\frac{\pi}{2} - \theta_i)$

$\frac{\pi}{2} - \theta_i = \theta_t$

$\therefore \theta_i + \theta_t = \frac{\pi}{2}$

31

본책 176p

정답 1) $\cos^2\theta_1\cos^2(\theta_2-\theta_1)\cos^2(\theta_3-\theta_2)$, 2) $\frac{1}{8}$

영역	파동광학
핵심 개념	편광, 말뤼스 법칙
평가요소 및 기준	말뤼스 법칙의 활용

해설

1) 말뤼스 법칙은 $I' = I\cos^2\theta$

첫 번째 투과율은 $\frac{I'}{I} = \cos^2\theta$

3개판을 통과후 투과율은

$\cos^2\theta_1\cos^2(\theta_2-\theta_1)\cos^2(\theta_3-\theta_2)$

2) $\theta_1 = \frac{\pi}{4}, \theta_2 = \frac{\pi}{2}, \theta_3 = \frac{3\pi}{4}$ 을 대입하면 투과율은 $\frac{1}{8}$ 이다.

32

본책 176p

정답 ②

영역	광학
핵심 개념	s(TE)편광, p(TM)편광, 브루스터 조건, 전반사
평가요소 및 기준	브루스터와 편광의 관계, 반사율

해설

p(TM)편광일 때 입사광선이 브루스터각(편광각)으로 입사할 경우, 반사율은 0이다.

전반사 조건은 $n\sin\theta_c = 1$이므로 임계각 θ_c보다 크면 반사율이 1이 된다.

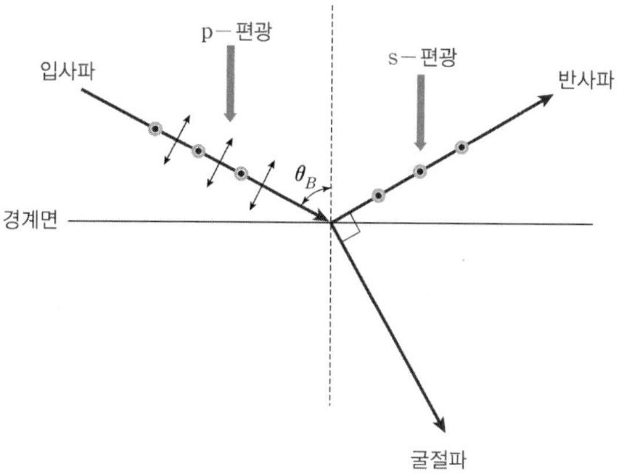

1) TM 편광(p－편광)

$$r_p = \frac{n_1\cos\theta_2 - n_2\cos\theta_1}{n_1\cos\theta_2 + n_2\cos\theta_1},\ t_p = \frac{2n_1\cos\theta_1}{n_1\cos\theta_2 + n_2\cos\theta_1}$$

(n_1=입사 매질의 굴절률, n_2= 투과 매질 굴절률)

참고 에너지 세기의 비

$$P = IA = \langle S\rangle A = \frac{E^2}{2\mu c}A\cos\theta \propto n\cos\theta E^2$$

$$R = \frac{I_r}{I_0} = r^2,\ T = \frac{I_t A\cos\theta_2}{I_0 A\cos\theta_1} = \left(\frac{n_2\cos\theta_2}{n_1\cos\theta_1}\right)t^2$$

2) TE 편광(s－편광)

$$r_s = \frac{n_1\cos\theta_1 - n_2\cos\theta_2}{n_1\cos\theta_1 + n_2\cos\theta_2},\ t_s = \frac{2n_1\cos\theta_1}{n_1\cos\theta_1 + n_2\cos\theta_2}$$

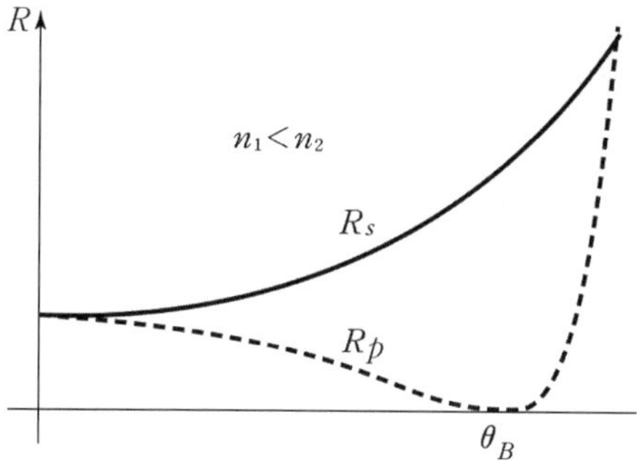

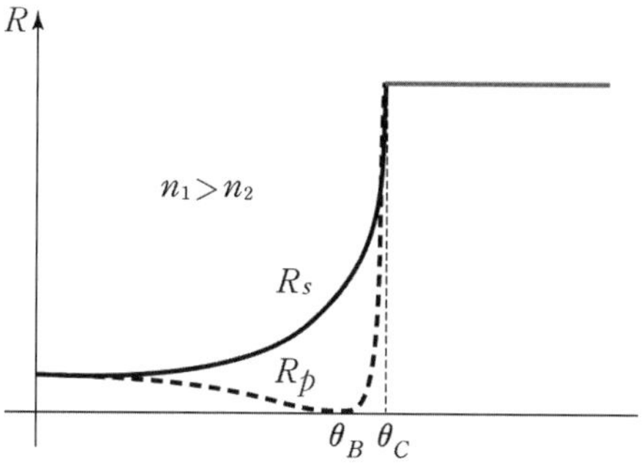

θ_B: 브루스터 각, θ_c: 전반사 임계각

33

본책 177p

정답 ③

영역	광학: 편광
핵심 개념	편광, 말뤼스 법칙
평가요소 및 기준	자연광의 편광과 원형편광판의 이해

해설

ㄱ. 편광 제 1법칙: 자연광이 선형편광판을 통과 시 빛의 세기는 $\frac{1}{2}I_0$이다.

(증명) $I_0 \propto E_0^2 \rightarrow I \propto \frac{1}{2\pi}\int_0^{2\pi}(E_0\cos\theta)^2 d\theta = \frac{1}{2}E_0^2$

$\rightarrow \therefore I = \frac{1}{2}I_0$

ㄴ. $\frac{1}{4}$파장판이라는 것은 λ의 위상이 2π이므로 위상차가 $\frac{2\pi}{4} = \frac{\pi}{2}$만큼 난다는 것이다. 즉, 공간상으로 느린축의 위상이 $\frac{\pi}{2}$만큼 앞서게 된다.

선형 편광

$\vec{E} = (E_{0x},\ E_{0y}) = (E_0\cos(-45°),\ E_0\sin(-45°))$

된 빛이 $\frac{1}{4}$파장판를 통과하면 다음과 같이 변화한다.

$E_x = \frac{1}{\sqrt{2}}E_0,\ E_y = \frac{-1}{\sqrt{2}}E_0 i$ 임의의 시간에 대해 E_y성분이 E_x성분보다 위상이 $\frac{\pi}{2}$만큼 뒤처지게 된다.

시계방향으로 회전하는 우원형 편광이다.

$\frac{1}{4}$파장판에서 편광을 파악하는 것은 이전 편광자에 따라 달라지게 된다. 이를 정확히 알기 위해서는 Jones Vector와 Muller Matrices를 알아야 하지만, 단순 벡터 연산만으로도 충분히 예측할 수 있다.

ㄷ. 고정단반사에서 위상차는 180°가 된다.

34

본책 178p

정답 반시계 방향으로 회전하는 좌원형편광

영역	전자기: 편광
핵심 개념	편광의 종류와 정의
평가요소 및 기준	위상차로 인한 편광의 이해

해설

$E_x = E_0 e^{-i\omega t},\ E_y = E_0 e^{-i\omega t + \frac{\pi}{2}i}$ 임의의 시간에 대해

E_y성분이 E_x성분보다 위상이 $\frac{\pi}{2}$만큼 앞선다.

반시계 방향으로 회전하는 좌원형편광이다.

06

35

본책 178p

정답 ①

영역	광학
핵심 개념	편광 법칙(말뤼스 법칙)
평가요소 및 기준	자연광의 편광과 말뤼스 법칙의 활용

해설

편광 제 1법칙 : 자연광이 선형편광판을 통과 시 빛의 세기는 $\frac{1}{2}I_0$이다.

(증명) $I_0 \propto E_0^2 \rightarrow I \propto \frac{1}{2\pi}\int_0^{2\pi}(E_0\cos\theta)^2 d\theta = \frac{1}{2}E_0^2$

$\rightarrow \therefore I_A = \frac{1}{2}I_0$

이후에는 선형편광된 빛과 편광판과의 사이각이 ϕ일 때는 $I_B = I_A\cos\phi^2 = I_A\cos^2\omega t$이다.

$I_C = I_B\cos^2(\frac{\pi}{2}-\omega t) = I_A\cos^2\omega t\sin^2\omega t = \frac{1}{4}I_A\sin^2(2\omega t)$

따라서 $\frac{I_C}{I_A} = \frac{1}{4}\sin^2(2\omega t)$

36

본책 179p

정답 ⑤

영역	기하광학
핵심 개념	스넬의 법칙, 브루스터 각 조건
평가요소 및 기준	스넬의 법칙과 브루스터 각의 조건의 상호 계산

해설

ㄱ. 스넬의 법칙에 의해서 $\sin\theta = n\sin\phi$

ㄴ. 두 광선이 입사면과 만나는 지점사이의 길이를 l이라 하면

$l\cos\theta = d_1$

$l\cos\phi = d_2$

$\therefore \frac{d_2}{d_1} = \frac{\cos\phi}{\cos\theta}$

ㄷ. 브루스터 각

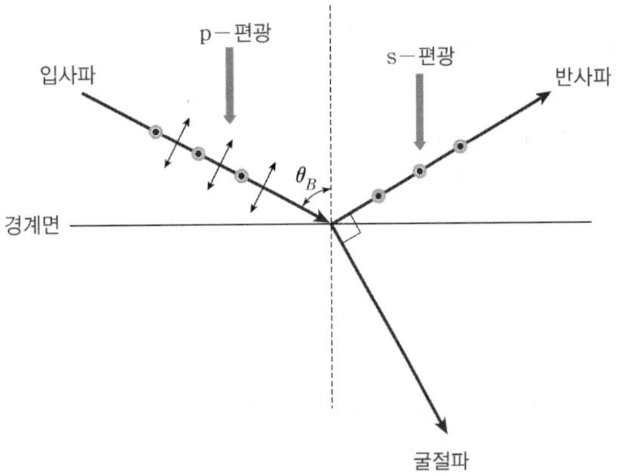

θ가 브루스터 각이면 $\phi = \frac{\pi}{2} - \theta$가 된다.

스넬의 법칙 $\sin\theta = n\sin\phi = n\cos\theta$

위에서 $\frac{d_2}{d_1} = \frac{\sin\theta}{\cos\theta} = n$이다.

37

본책 180p

정답 $t_{\parallel} = \frac{4}{5}$

영역	파동광학
핵심 개념	전자기파의 경계조건, 전기장의 굴절, 반사비
평가요소 및 기준	경계조건을 활용하여 전기장의 반사비 계산

해설

$r_{\parallel} = \frac{n_2\cos\theta_1 - n_1\cos\theta_2}{n_1\cos\theta_2 + n_2\cos\theta_1}$, $t_{\parallel} = \frac{2n_1\cos\theta_1}{n_1\cos\theta_2 + n_2\cos\theta_1}$

$r_{\perp} = \frac{n_1\cos\theta_1 - n_2\cos\theta_2}{n_1\cos\theta_1 + n_2\cos\theta_2}$, $t_{\perp} = \frac{2n_1\cos\theta_1}{n_1\cos\theta_1 + n_2\cos\theta_2}$

전기장이 평면에 나란하므로(TM모드)

$t_{\parallel} = \frac{2n_1\cos\theta_1}{n_1\cos\theta_2 + n_2\cos\theta_1} = \frac{2}{1+1.5} = \frac{4}{5}$

참고

에너지 세기의 비

$I = \langle S \rangle = \frac{E^2}{2\mu c} \propto nE^2$

$R = \frac{I_r}{I_0} = r^2$

$T = \frac{I_t A\cos\theta_2}{I_0 A\cos\theta_1} = \left(\frac{n_2\cos\theta_2}{n_1\cos\theta_1}\right)t^2$

38

본책 181p

정답 1) $r = \frac{k_1 - k_2}{k_1 + k_2}$, $t = \frac{2k_1}{k_1 + k_2}$, 2) $T = \frac{4k_1k_2}{(k_1+k_2)^2}$

영역	파동광학(전자기학)
핵심 개념	TE(M) 모드
평가요소 및 기준	TE(M)반사 반사 계수와 투과 계수의 연산, 투과율 연산

해설

1) 경계조건을 사용하면

$E_0 + rE_0 = tE_0$

$1 + r = t$ …… ①

$-ik_1(rE_0) + ik_1(E_0) = ik_2(tE_0)$

$-k_1r + k_1 = k_2t$ …… ②

①과 ②를 연립하여 정리하면

$$\therefore r = \frac{k_1 - k_2}{k_1 + k_2},\ t = \frac{2k_1}{k_1 + k_2}$$

2) $T = \sqrt{\frac{\epsilon_2}{\epsilon_1}}\, t^2 = \left(\frac{k_2}{k_1}\right)\left(\frac{2k_1}{k_1 + k_2}\right)^2$

$$\therefore T = \frac{4k_1 k_2}{(k_1 + k_2)^2}$$

Chapter 07 전기회로

본책 187 ~ 201쪽

1 키르히호프 법칙

01

본책 187p

정답 $I_3 = \frac{3}{110}\text{A}$

영역	전자기
핵심 개념	키르히호프 법칙
평가요소 및 기준	키르히호프 법칙을 통한 전류계산

해설

전하량보존법칙(전류 보존 법칙)에 의해서 $I_1 = I_2 + I_3$

전지 $4V$와 전류 I_1, I_3를 따르는 루프에 대해 키르히호프 법칙을 세우면

$4 = 10I_1 + 30I_3 = 10I_2 + 40I_3$

전지 $5V$와 전류 I_2, I_3를 따르는 루프에 대해 키르히호프 법칙을 세우면

$5 = -30I_3 + 20I_2$

식을 연립하면

$I_3 = \frac{3}{110}\text{A},\ I_1 = \frac{35}{110}\text{A},\ I_2 = \frac{32}{110}\text{A}$이다.

02

본책 187p

정답 1) $\varepsilon = L\frac{dI}{dt} + I_1R + I_3R$, 2) $I = \frac{\varepsilon}{3R}$

영역	전자기: 회로
핵심 개념	키르히호프 법칙, R, L에 대한 전압의 정의
평가요소 및 기준	• 루프에 대한 키르히호프법칙의 이해 와 기술 • 인덕터(코일)의 성질의 이해와 활용

해설

1) 인덕터에 걸리는 유도기전력은 $V = -L\frac{dI}{dt}$

왼쪽 루프에 키르히호프 법칙을 적용하면

$\varepsilon = -V_1 + I_1R + I_3R = L\frac{dI}{dt} + I_1R + I_3R$

$\therefore \varepsilon = L\frac{dI}{dt} + I_1R + I_3R$

2) 충분한 시간이 흐르면 전류 변화가 없으므로 인덕터에 전압이 걸리지 않는다. 왼쪽 인덕터에 흐르는 전류를 I라 하면 옴의 법칙을 활용하면

$\varepsilon = (2I)\frac{3}{2}R = 3RI$

$\therefore I = \frac{\varepsilon}{3R}$

03

본책 188p

정답 1) $\frac{dq}{dt} = I_1 + I_2,\ \frac{q}{C} + I_1R + (I_1 + I_2)R = 0,$

$\frac{q}{C} + L\frac{dI_2}{dt} + (I_1 + I_2)R = 0,$

2) $2\frac{d^2q}{dt^2} + (\frac{1}{RC} + \frac{R}{L})\frac{dq}{dt} + \frac{q}{LC} = 0$

영역	전자기: 회로
핵심 개념	키르히호프 법칙과 RLC 소자의 전압특성
평가요소 및 기준	키르히호프 법칙의 이해와 계산

해설

관계식: 전하량 보존 법칙에 의해서 $\frac{dq}{dt} = I_1 + I_2$이다.

R, L, C 회로에서 저항, 축전기, 코일은 전류방향에 대해 모두 전압강하 소자이다. 전류방향에 대해 전압 상승 소자는 전지가 있다.

키르히호프 법칙

$\sum V_{상승} = \sum V_{소비}$

루프 ①에 대해 $V_C + V_R + V_R' = 0$

$\frac{q}{C} + I_1R + (I_1 + I_2)R = 0$ ················· ①

루프 ②에 대해 $V_C + V_L + V_R' = 0$

$\frac{q}{C} + L\frac{dI_2}{dt} + (I_1 + I_2)R = 0$ ·············· ②

식 ①을 시간에 대해 미분하면

$\frac{1}{RC}\frac{dq}{dt} + \frac{dI_1}{dt} + \frac{d}{dt}(I_1 + I_2) = 0$

$\rightarrow \frac{1}{RC}\frac{dq}{dt} + \frac{dI_1}{dt} + \frac{d^2q}{dt^2} = 0 \quad (\because \frac{dq}{dt} = I_1 + I_2)$

식 ②를 L로 나누면

$\frac{q}{LC} + \frac{dI_2}{dt} + \frac{R}{L}\frac{dq}{dt} = 0$

두 식을 더하면

$\frac{1}{RC}\frac{dq}{dt} + \frac{q}{LC} + \frac{d}{dt}(I_1 + I_2) + \frac{d^2q}{dt^2} + \frac{R}{L}\frac{dq}{dt} = 0$

$\therefore 2\frac{d^2q}{dt^2} + (\frac{1}{RC} + \frac{R}{L})\frac{dq}{dt} + \frac{q}{LC} = 0$

04

본책 188p

정답 1) $I=\dfrac{\varepsilon_1+\varepsilon_2}{r+2R}$, 2) $R=\dfrac{r}{2}$

영역	전자기: 키르히호프 법칙
핵심 개념	키르히호프 법칙, 소비전력
평가요소 및 기준	키르히호프 법칙의 적용과 소비전력 계산

해설

전류방향으로 키르히호프 법칙을 구하면

$\varepsilon_1 = I_1 r + IR$

$\varepsilon_2 = I_2 r + IR$

두 식을 더하면 $\therefore I=\dfrac{\varepsilon_1+\varepsilon_2}{r+2R}$

저항 $R=x$로 두고 소비전력을 구해보면

$$P=I^2R=(\varepsilon_1+\varepsilon_2)^2\frac{x}{(r+2x)^2}$$

$$P\propto\frac{x}{(r+2x)^2}=\frac{x}{4x^2+4xr+r^2}=\frac{1}{4x+\dfrac{r^2}{x}+4r}\le\frac{1}{8r}$$

$$4x+\frac{r^2}{x}\ge 2\sqrt{4r^2}=4r$$

$$P=I^2R=(\varepsilon_1+\varepsilon_2)^2\frac{x}{(r+2x)^2}$$

그냥 미분해서 극값 찾으면 결과 동일

05

본책 189p

정답 1) $I=\dfrac{1}{20}A$, 2) $R_X=80\Omega$

영역	전자기
핵심 개념	옴의 법칙, 키르히호프 법칙
평가요소 및 기준	옴의 법칙 활용 및 회로이론의 이해

해설

직렬연결 된 저항에 걸리는 전압은 저항에 비례하므로

$R_X : R=4:5$

$\therefore R_X=80\Omega$

옴의 법칙 $V=IR$에 의해서 전체 합성 저항이

$R+R_X=180\Omega$이므로

$$I=\frac{9\,V}{180\Omega}=\frac{1}{20}A$$

$$\therefore I=\frac{1}{20}A$$

06

본책 189p

정답 1) 1A, 2) 2W

영역	전자기
핵심 개념	키리히호프 법칙, 소비전력
평가요소 및 기준	키리히호프 법칙으로 전류 계산, 저항의 소비전력 계산

해설

1) 아래 그림과 같이 저항에 각 저항에 흐르는 전류를 I_1, I_2, I_3 라 하자.

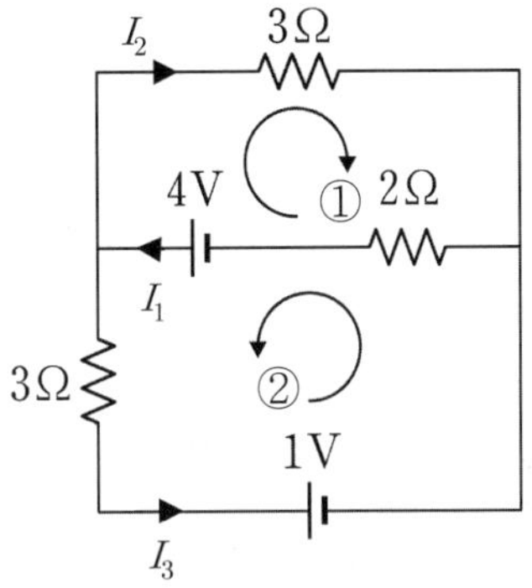

전하량 보존 법칙에 의해서 $I_1=I_2+I_3$이다.

키리히호프 법칙을 루프 ①과 ②에 대해 적용해보면

①: $4=2I_1+3I_2$

②: $4-1=2I_1+3I_3\rightarrow 3=5I_1-3I_2\quad(I_3=I_1-I_2)$

연립하여 계산하면 $I_1=1\text{A}$이다.

2) 소비 전력 $P=I^2R=2\text{W}$

2 직류 R, L, C 회로

07

본책 190p

정답 1) $V_A=10\,V$, $V_B=5\,V$, 2) $V_E=5\,V$

영역	전자기
핵심 개념	축전기의 연결과 합성
평가요소 및 기준	축전기의 합성을 통한 단자전압 계산, 축전기의 전하량 보존 및 충전 계산

해설

1) 축전기의 직렬연결일 때 $\dfrac{1}{C}=\dfrac{1}{C_1}+\dfrac{1}{C_2}$이고, 병렬일 때는 $C=C_1+C_2$이다. 이를 이용해서 접근하면 B, C, D의 합성 전기용량은 $10\mu\text{F}$이다. 따라서 A에 걸리는 전압은 10 V이다. 그리고 병렬연결은 전압이 같기 때문에 D에 걸리는 전압도 10 V이고, B와 C 양단에 걸리는 전압이 10 V이므로 B에 걸리는 전압은 5 V이다.

2) A, B, C, D 전체 합성전기용량은 $5\mu\text{F}$이고 이때 20 V 전위차를 가지고 있다.

따라서 전하량 $Q = 100\mu C$이다. 전하량 보존법칙을 사용하면 전하는 이동할 뿐 변화 없고, C_E와 전위가 같아질 때까지 전하의 이동이 발생하므로
$Q = 100\mu C = (5\mu F + 15\mu F)\,V_E$
$\therefore V_E = 5\,V$

08

본책 190p

정답 1) $U = \frac{1}{2}CV^2 = \frac{\omega L}{4d}(\varepsilon + \varepsilon_0)\,V^2$

2) $E_k = \frac{\omega L}{8d}(\varepsilon - \varepsilon_0)\,V^2$

영역	전자기
핵심 개념	축전기 전기용량, 일과 에너지 정리
평가요소 및 기준	부분적인 유전물질일 때 축전기의 합성 전기용량, 축전기의 저장된 에너지

해설

1) 축전기가 병렬로 연결되어 있으므로

$C_1 = \frac{\varepsilon\omega}{d}\frac{L}{2},\ C_2 = \frac{\varepsilon_0\omega}{d}\frac{L}{2} \rightarrow C = C_1 + C_2 = \frac{\omega L}{2d}(\varepsilon + \varepsilon_0)$

$\therefore U = \frac{1}{2}CV^2 = \frac{\omega L}{4d}(\varepsilon + \varepsilon_0)\,V^2$

2) 축전기의 일과 에너지 정리는 내부에너지 U와 운동에너지 E_k, 그리고 축전기 전하량 $Q = CV$인데 전기용량이 변화하면 축전기 도체판의 전하를 외부에 이동시키는데 에너지가 소비된다. 즉, 외력이 없다면 $\Delta U + \Delta E_k - \Delta QV = 0$을 만족한다.

$\Delta U = \frac{1}{2}\Delta CV^2,\ \Delta QV = \Delta CV^2$이므로

$\Delta E_k = \frac{1}{2}\Delta C\,V^2$이다. 따라서 ΔC가 양수여야 하므로 외력이 존재하지 않으면 유전체는 내부로 들어가게 된다.

$C' = \frac{\varepsilon\omega}{d}\left(\frac{3L}{4}\right) + \frac{\varepsilon_0\omega}{d}\left(\frac{L}{4}\right) = \frac{\omega L}{4d}(3\varepsilon + \varepsilon_0)$

$\rightarrow \Delta C = \frac{\omega L}{4d}(\varepsilon - \varepsilon_0)$

$\therefore E_k = \frac{\omega L}{8d}(\varepsilon - \varepsilon_0)\,V^2$

09

본책 191p

정답 1) $U(x) = \frac{dQ^2}{2\epsilon_0 L(L+x)}$

2) $|F(x)| = \frac{dQ^2}{2\epsilon_0 L(L+x)^2}$, 방향은 $+x$방향

영역	전자기
핵심 개념	전지용량, 축전기 저장 에너지, 힘과 에너지 관계
평가요소 및 기준	축전기의 저장 에너지 계산, 힘의 크기와 방향성의 이해 및 연산

해설

1) 축전기 전기 용량은 유전체 부분과 진공 부분의 병렬로 계산하면 된다. 유전체 부분은 C_1, 진공 부분을 C_2라 하면

$C = C_1 + C_2 = 2\epsilon_0\frac{Lx}{d} + \epsilon_0\frac{L(L-x)}{d}$
$= \frac{\epsilon_0 L}{d}(2x + L - x) = \frac{\epsilon_0 L}{d}(L+x)$

평행판 축전기에 저장된 전기 에너지 $U(x) = \frac{Q^2}{2C}$이므로

$\therefore U(x) = \frac{dQ^2}{2\epsilon_0 L(L+x)}$

2) 에너지 보존 법칙에 의해서 초기 위치 x_0라 하면 $U(x_0) = U(x) + E_k$가 된다. x가 증가함에 따라 $U(x)$된 에너지가 감소하므로 감소된 에너지는 유전체의 운동에너지로 전환된다. 따라서 축전기는 x가 증가하는 방향으로 힘을 받게 된다.

힘의 크기는 $|F(x)| = \left|\frac{dU(x)}{dx}\right| = \frac{dQ^2}{2\epsilon_0 L(L+x)^2}$

$\therefore |F(x)| = \frac{dQ^2}{2\epsilon_0 L(L+x)^2}$

방향은 $+x$방향

10

본책 191p

정답 ④

영역	전자기
핵심 개념	구형축전기 전기용량, 축전기 전기 에너지
평가요소 및 기준	구형축전기의 전기용량 계산, 축전기의 전기에너지 계산

해설

구형축전기의 전기용량은 $C = \frac{4\pi\epsilon_0 ab}{b-a}$이다. 축전기의 전기에너지는 $E = \frac{1}{2}QV = \frac{1}{2}CV^2 = \frac{Q^2}{2C}$이다.

ㄱ. $C = \frac{4\pi\epsilon_0 ab}{b-a} = 4\pi\epsilon_0 a\left(\frac{b-a+a}{b-a}\right) = 4\pi\epsilon_0 a\left(1 + \frac{a}{b-a}\right)$
이므로 b가 증가하면 축전기의 전기용량은 감소한다. 전하량이 일정하므로 $E = \frac{Q^2}{2C}$을 적용하면 전기에너지는 증가한다.

ㄴ. $C = \frac{4\pi\epsilon_0 ab}{b-a} = 4\pi\epsilon_0 b\left(\frac{-b+a+b}{b-a}\right)$
$= 4\pi\epsilon_0 b\left(-1 + \frac{b}{b-a}\right)$
이므로 a가 감소하면 축전기의 전기용량은 감소한다. 전위차가 일정하므로 $E = \frac{1}{2}CV^2$를 적용하면 전기에너지는 감소한다.

ㄷ. 선형유전체로 채우면 축전기의 전기용량은 증가한다. 전위차가 일정하므로 $E = \frac{1}{2}CV^2$에 따라서 전기에너지는 증가한다.

11

본책 192p

정답 ②

영역	전자기
핵심 개념	전기회로, 인덕터의 이해
평가요소 및 기준	인덕터 단자전압의 정의와 이해

해설

인덕터의 전압은 $V_L = L\dfrac{dI}{dt}$ 이다.

ㄱ. 닫는 순간 전류가 짧은 시간에 급격히 증가하므로 인덕터에 전압이 상승하여 전류가 흐르지 않는다. 즉, 모든 전류가 R_2 쪽으로 흐르므로 인덕터에 걸리는 전압은 $V_L = \dfrac{R_2}{R_1+R_2}V$ 이다.

ㄴ. 닫는 순간 전체 저항이 R_1+R_2이므로 전류는 $\dfrac{V}{R_1+R_2}$ 이다.

ㄷ. 시간이 충분히 지나게 되면 직류 전원이므로 전류의 변화가 없다. 인덕터에 걸리는 전압 $V_L = L\dfrac{dI}{dt} = 0$이므로 도선처럼 취급이 된다. 인덕터에 걸리는 전압은 0이다.

12

본책 192p

정답 ④

영역	전자기
핵심 개념	전기회로, 전지, 축전기, 저항의 에너지, LC회로 기본
평가요소 및 기준	축전기의 저장된 에너지, LC회로에서 키르히호프 법칙을 통한 진동수 계산

해설

ㄱ. 기전력원이 공급한 에너지 $E_\varepsilon = \int_0^{Q_0} \varepsilon dq = Q_0\varepsilon$

축전기에 저장된 에너지

$$E_C = \int_0^{Q_0} V_C dq = \int_0^{Q_0} \frac{q}{C}dq = \frac{Q_0^2}{2C}$$

저항에서 소비된 에너지

$$E_R = \int_0^{Q_0} V_R dq = \int_0^{Q_0} (\varepsilon - V_C)dq = E_\varepsilon - E_C$$

그런데 완충되면 전류가 흐르지 않으므로

$$\frac{Q_0}{C} = V_C(\text{완충}) = \varepsilon$$

$$E_\varepsilon = Q_0\varepsilon = \frac{Q_0^2}{C}$$

$$E_R = E_\varepsilon - E_C = \frac{Q_0^2}{2C}$$

RC 회로에서 충전하는 동안, 축전기에 저장된 에너지는 기전력원이 한 일의 $\dfrac{1}{2}$과 같다. 나머지 절반은 저항에서 소비된다.

ㄴ. LC 회로에서 키르히호프 법칙을 적용하면

$$V_C + V_L = 0 \to \frac{q}{C} + L\frac{dI}{dt} = 0 \ (I = \frac{dq}{dt})$$

$$\frac{d^2q}{dt^2} + \frac{1}{LC}q = 0$$

$$\therefore \omega = \frac{1}{\sqrt{LC}}$$

$q = Q_0\cos\omega t$ 이다.

$I = \dfrac{dq}{dt} = -Q_0\omega\sin\omega t = -\dfrac{Q_0}{\sqrt{LC}}\sin\omega t$이므로

전류의 진폭은 $\dfrac{Q_0}{\sqrt{LC}}$ 이다.

ㄷ. 축전기에 저장된 전기에너지 $E_C = \dfrac{q^2}{2C} = \dfrac{Q_0}{2C}\cos^2\omega t$

코일에 저장된 자기 에너지

$E_L = \dfrac{1}{2}LI^2 = \dfrac{1}{2}L\left(\dfrac{-Q_0}{\sqrt{LC}}\sin\omega t\right)^2 = \dfrac{Q_0^2}{2C}\sin^2\omega t$이다.

$E_C + E_L = \dfrac{Q_0^2}{2C}(\cos^2\omega t + \sin^2\omega t) = \dfrac{Q_0^2}{2C}$ 로 일정하다.

참고로 축전기와 코일은 교류소자이므로 에너지 소비가 없다. 한 주기 동안 평균 소비에너지는 모두 0이다. 실제로 에너지소비는 저항에서 발생된다.

13

본책 193p

정답 ①

영역	전기회로
핵심 개념	옴의 법칙, 저항의 정의, 비저항과 전기전도도 관계
평가요소 및 기준	전류밀도와 전기전도도의 정의를 통한 옴의 법칙을 활용

해설

옴의 법칙과 전류 및 저항의 정의로부터

$$V = IR = (JA)(\rho\frac{d}{A}) = \frac{Jd}{\sigma} \ (where\ \rho = \frac{1}{\sigma})$$

직렬연결의 경우 모든 위치에서 전류는 동일하므로

$$V_1 = \frac{Jd_1}{\sigma_1},\ V_2 = \frac{Jd_2}{\sigma_2}$$

$$V_1 + V_2 = V = J(\frac{d_1}{\sigma_1} + \frac{d_2}{\sigma_2})$$

$$\therefore J = \frac{V\sigma_1\sigma_2}{d_1\sigma_2 + d_2\sigma_1}$$

14

본책 193p

정답 ⑤

영역	전자기
핵심 개념	전기회로, 전력의 개념 축전기의 충전 이해, 키르히호프 법칙
평가요소 및 기준	키르히호프 법칙을 통한 전류와 축전기의 전력 계산

해설

$P=VI$이고 축전기에 걸리는 전압은 $V=\frac{Q}{C}$이므로

$P_C=\frac{QI}{C}$이다. 일단 수식으로 접근하기 전에 개념적으로 접근해보면 $t=0$일 때, 충전된 전하가 0이므로 $P_C(t=0)=0$, 충분한 시간이 지난 이후 $t=\infty$일 때 완충이 되면 더 이상 전류가 흐르지 않으므로 $I(t=\infty)=0$이 되어야 한다. 그리고 충전된 전하량과 전류 등은 모두 $e^{-t/a}$함수이므로 조건을 모두 만족하는 적당한 그래프는 ⑤밖에 없다.
아래는 직접 수식으로 풀어보자.
키르히호프 법칙

$$\varepsilon=IR+\frac{Q}{C}=R\frac{dQ}{dt}+\frac{Q}{C}$$

$$\frac{dQ}{dt}=-\frac{1}{RC}(Q-C\varepsilon)$$

$$\frac{dQ}{Q-C\varepsilon}=-\frac{dt}{RC}\rightarrow\int_0^Q\frac{dQ}{Q-C\varepsilon}=-\frac{t}{RC}$$

$$\therefore Q(t)=C\varepsilon(1-e^{-\frac{t}{RC}})$$

$$I(t)=\frac{dQ(t)}{dt}=\frac{\varepsilon}{R}e^{-\frac{t}{RC}}$$

$$P_C(t)=\frac{\varepsilon^2}{R}e^{-\frac{t}{RC}}(1-e^{-\frac{t}{RC}})$$

그래프의 형태를 보기 위해 정의역의 극한값을 보면,
$P_C(t=0)=0,\ P_C(t=\infty)=0$
따라서 만족하는 그래프는 ⑤이다.

15

본책 194p

정답 ④

영역	전자기: 회로
핵심 개념	인덕터의 효과, 소비 전력
평가요소 및 기준	인덕터의 단자전압의 이해와 저항의 소비 전력의 계산

해설

t_0일 때, $V_L=-L\frac{dI}{dt}$인데 스위치를 닫는 순간에는 코일에 전류가 흐르지 않게 된다.
그러므로 총 저항이 $3R$이 되므로

$$P_0=\frac{\varepsilon^2}{3R}$$

t_∞일 때는 코일은 전류변화가 없기 때문에 그냥 저항이 없는 도선으로 작용하게 된다.
전체 저항은 $\frac{5}{3}R$이 되므로

$$P_\infty=\frac{3\varepsilon^2}{5R}$$

$$\therefore\frac{P_\infty}{P_0}=\frac{9}{5}$$

16

본책 195p

정답 ②

영역	전자기: 회로
핵심 개념	전자기 유도, 축전기 효과, 축전기 저장 에너지와 기전력이 한 일의 관계
평가요소 및 기준	전자기 유도와 키르히호프 법칙의 응용, 에너지 보존법칙 활용

해설

ㄱ. $F=BI\ell$

$$V_{유도}=B\ell v_0=IR+\frac{Q}{C}$$

축전기에 충전된 전하 Q는 시간에 따라 증가하므로 전류는 점차 감소하게 된다.
따라서 도선에 작용하는 자기력은 점차 감소한다.

ㄴ. $t=\infty$이면 $I=0$

$$B\ell v_0=\frac{Q}{C}$$

$$U_C=\frac{1}{2}\frac{Q^2}{C}=\frac{C}{2}B^2\ell^2v_0^2$$

ㄷ. 도체막대에 일을 가해주면 유도 기전력을 발생시킨다. 즉, 기전력이 공급한 에너지의 절반이 축전기에 저장되고 나머지 절반은 저항에 소비된다.
기전력이 공급한 에너지 = 외력이 도체 막대에 해준 일

$$U_{외력}=\int_0^Q V_{유도}\,dq=B\ell v_0Q=C(B\ell v_0)^2\ (\because Q=B\ell v_0C)$$

17

본책 195p

정답 1) $V=\int_a^b\vec{E}\cdot d\vec{r}=\frac{\lambda_0}{2\pi\epsilon_0}\ln\frac{b}{a}$

2) $Q=Q_{진공}+Q_{유전체}=\frac{\lambda_0L}{2}(\frac{\epsilon_0+\epsilon}{\epsilon_0})$,

$$C=\frac{\pi(\epsilon_0+\epsilon)L}{\ln\frac{b}{a}}$$

영역	전자기: 쿨롱의 법칙과 축전기
핵심 개념	쿨롱의 법칙의 이해와 계산, 축전기 성질과 정의
평가요소 및 기준	주어진 조건에서 쿨롱의 법칙으로 전기장 및 전위 계산축전기 정의에 의해서 전기용량 계산

해설

1) 전위차 V

쿨롱의 법칙을 이용하여 진공 부분에서 전기장을 구해보자.

$$\int \vec{E} \cdot d\vec{a} = \frac{Q}{\epsilon_0} = \frac{\lambda_0 \frac{L}{2}}{\epsilon_0}$$

$$E = \frac{\lambda_0}{2\pi\epsilon_0 r} \ (a < r < b)$$

$$\therefore V = \int_a^b \vec{E} \cdot d\vec{r} = \frac{\lambda_0}{2\pi\epsilon_0} \ln\frac{b}{a}$$

2) 총 전하량 Q와 축전기의 전기용량 C

총 전하량은 진공 부분과 유전체 부분의 도체에서의 전하량의 합이다.

전위가 동일하므로 전기장 역시 진공 부분과 유전체 부분에서 동일하다.

$$\int \vec{E} \cdot d\vec{a} = \frac{Q_{진공}}{\epsilon_0} = \frac{Q_{유전체}}{\epsilon}$$

$$Q_{유전체} = \frac{\epsilon}{\epsilon_0} Q_{진공} = \frac{\epsilon}{\epsilon_0}(\lambda_0 \frac{L}{2})$$

$$\therefore Q = Q_{진공} + Q_{유전체} = \lambda_0 \frac{L}{2}(\frac{\epsilon_0 + \epsilon}{\epsilon_0})$$

마지막으로 $Q = CV$에 의해서 전기용량을 구하면

$$\therefore C = \frac{\pi(\epsilon_0 + \epsilon)L}{\ln\frac{b}{a}}$$

18

본책 196p

정답 1) $R^2 - \frac{4L}{C} < 0$

2) $\omega = \frac{1}{2L}\sqrt{\frac{4L}{C} - R^2} = \sqrt{\frac{1}{LC} - \frac{R^2}{4L^2}}$

3) $A = \frac{2V}{\sqrt{\frac{4L}{C} - R^2}}$

영역	전자기학
핵심 개념	미급 감쇠(underdamping), 이계 도함수 일반해, 초기 경계조건
평가요소 및 기준	이계 도함수 일반해중 미급 감쇠(underdamping)의 연산, 일반해와 초기 경계조건의 활용 및 계산

해설

1) 키르히호프 법칙을 활용하면

$V = V_L + V_R + V_C = L\frac{dI}{dt} + IR + \frac{q}{C}$ 이다.

양변을 한 번 더 미분하고 $\frac{dq}{dt} = I$를 이용해서 정리하면

$L\frac{d^2I}{dt^2} + R\frac{dI}{dt} + \frac{I}{C} = 0$ 이다.(자료로 주어졌으므로 바로 활용하면 됨)

$I = Ae^{\lambda t}$ 일반해 형태가 되므로 대입하면

$$L\lambda^2 + R\lambda + \frac{1}{C} = 0$$

$$\lambda = -\frac{R}{2L} \pm \frac{1}{2L}\sqrt{R^2 - \frac{4L}{C}}$$

미급 감쇠(under damping)이므로 $\sqrt{R^2 - \frac{4L}{C}}$ 가 복소수가 되어야 한다.

$$\therefore R^2 - \frac{4L}{C} < 0$$

2) $\lambda = -\frac{R}{2L} \pm \frac{1}{2L}\sqrt{R^2 - \frac{4L}{C}}$ 이므로

$$I(t) = ae^{\lambda_1 t} + be^{\lambda_2 t}$$

$$= ae^{-\frac{R}{2L}t} e^{\frac{i\sqrt{\frac{4L}{C} - R^2}}{2L}} + be^{-\frac{R}{2L}t} e^{\frac{-i\sqrt{\frac{4L}{C} - R^2}}{2L}}$$

$$= Ae^{-\frac{R}{2L}t} \sin\omega t$$

초기 조건을 활용하여 비교하면 $a = -b = \frac{A}{2i}$

$$\therefore \omega = \frac{1}{2L}\sqrt{\frac{4L}{C} - R^2} = \sqrt{\frac{1}{LC} - \frac{R^2}{4L^2}}$$

3) 초기 조건: $\left.\frac{dI(t)}{dt}\right|_{t=0} = \frac{V}{L}$을 활용하면

$$A\omega = \frac{V}{L}$$

$$A = \frac{V}{\omega L} = \frac{2V}{\sqrt{\frac{4L}{C} - R^2}}$$

$$\therefore A = \frac{2V}{\sqrt{\frac{4L}{C} - R^2}}$$

19

본책 196p

정답 1) $q(t) = \frac{2}{3}CV(2 + e^{-\frac{3}{2RC}t})$

2) $\tau = \frac{2}{3}RC$, 3) $E_R = \frac{1}{3}CV^2(1 - e^{-2})$

영역	전자기학
핵심 개념	축전기의 전하량, 전기 용량, 전위 관계식, 전하량 보존법칙, 키르히호프 법칙
평가요소 및 기준	$Q = CV$ 관계식과 전하량 보존 및 RC 회로의 특성을 활용한 키르히호프 법칙 정의, 시간에 따른 회로의 방정식 계산

해설

1) S를 a에 연결하여 전기 용량이 $2C$인 축전기를 완전히 충전하면 $t = 0$인 순간에 전기 용량이 $2C$인 축전기에 저장된 전하량은 $Q_0 = 2CV$이다. 전하량 보존법칙에 의해서 $t \geq 0$에서 전기 용량이 각각 C, $2C$인 축전기에 저장된 전하량을 $Q_1(t)$, $Q_2(t)$라 하면 $Q_1(t) + Q_2(t) = Q_0 = 2CV$이다. 두 축전기의 전위가 같아질 때까지 전류가 흐른다.

$(C_1+C_2)\,V' = 2CV = 3CV$

$V' = \frac{2}{3}V$

$q(t): 2CV \rightarrow \frac{4}{3}CV$

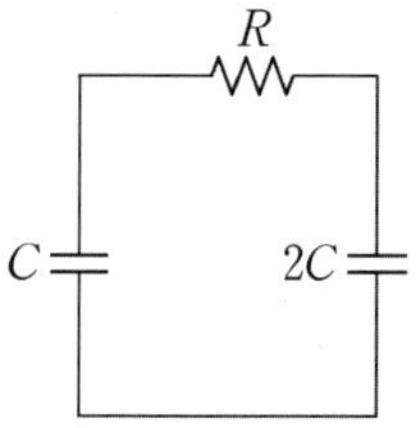

$Q_2(t) = q(t)\,,\ Q_1(t) = Q_0 - q(t)$

키르히호프 법칙을 적용하면 오른쪽 축전기를 기전력으로 저항과 왼쪽 축전기를 단자전압이 걸리는 소비 소자로 정의하여 수식을 세우면 다음과 같다.

$V_{2C} = IR + V_C$

$\frac{q}{2C} = IR + \frac{Q_0 - q}{C}$

$\frac{q}{2C} + \frac{q}{C} - \frac{Q_0}{C} = IR$

$t \geq 0$에서 $q(t)$는 감소하므로 $\frac{dq}{dt} < 0$ 이다.

따라서 $I = -\frac{dq}{dt}$ 이다.

$\frac{q}{2C} + \frac{q}{C} - \frac{Q_0}{C} = IR = -R\frac{dq}{dt}$

$\frac{3q}{2C} - \frac{Q_0}{C} = -R\frac{dq}{dt}$

$\frac{3}{2C}(q - \frac{2}{3}Q_0) = -R\frac{dq}{dt}$

$\frac{dq}{q - \frac{2}{3}Q_0} = -\frac{3}{2RC}\,dt$

$\ln\left(\frac{q(t) - \frac{2}{3}Q_0}{Q_0 - \frac{2}{3}Q_0}\right) = -\frac{3}{2RC}t$

$q(t) = \frac{2}{3}Q_0 + \frac{1}{3}Q_0\,e^{-\frac{3}{2RC}t}$

$\therefore q(t) = \frac{2}{3}CV(2 + e^{-\frac{3}{2RC}t})$

다른 풀이

축전기는 서로 직렬로 연결되어 있으므로 축전기의 합성법에 의해서 $\frac{1}{C_{합성}} = \frac{1}{C} + \frac{1}{2C} = \frac{3}{2C}$ 이므로 $C_{합성} = \frac{2}{3}C$인 하나의 축전기로 생각할 수 있다. $t=0$일 때 전기 용량이 C인 축전기는 완전 방전된 상태이고, 오른쪽 축전기의 전위가 V이므로 $I(t=0)$인 순간에는 저항에 모든 단자전압이 걸리므로 $\frac{V}{R}$인 전류가 흐른다.

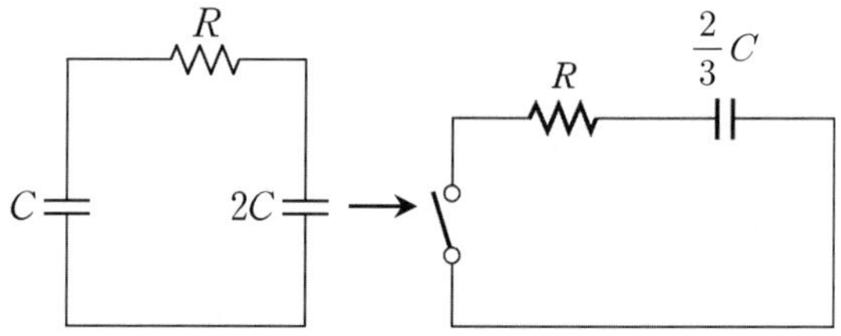

$I(t) = \frac{V}{R}e^{-\frac{3t}{2RC}}$

$Q_1(t)$는 충전되므로 전류가 시간에 흐름에 따라 증가한다.

$Q_1(t) = Q_1(0) + \int_0^t I(t)\,dt = \int_0^t \frac{V}{R}e^{-\frac{3t}{2RC}}\,dt$

$= \frac{2CV}{3}(1 - e^{-\frac{3t}{2RC}})$

전하량 보존법칙에 의해서 $Q_1(t) + Q_2(t) = Q_0 = 2CV$이므로 $Q_2(t) = 2CV - Q_1(t)$

$Q_2(t) = \frac{2}{3}CV(2 + e^{-\frac{3}{2RC}t})$

2) $I(t) = -\frac{dq}{dt} = \frac{V}{R}e^{-\frac{3}{2RC}t} = \frac{V}{R}e^{-\frac{t}{\tau}}$

$\therefore \tau = \frac{2}{3}RC$

3) 저항에서 소비되는 에너지는 $E_R = \int P_R dt = \int I^2 R\,dt$ 이다.

$E_R = \int_0^{\tau} \frac{V^2}{R}e^{-\frac{2t}{\tau}}\,dt = \frac{V^2}{R}(-\frac{2}{\tau})(e^{-2} - 1)$

$\therefore E_R = \frac{1}{3}CV^2(1 - e^{-2})$

3 교류 회로

20

본책 197p

정답 해설 참고

영역	전자기
핵심 개념	오실로스코프 작동원리
평가요소 및 기준	오실로스코프의 입력과 출력단자의 이해

해설

1) 오실로스코프 DC단자(DC Coupling)은 입력신호 전체를 보여준다.
   그러므로 입력신호와 동일한 형태의 파형이 나타난다.
2) 오실로스코프 GND단자(Ground)는 오실로스코프의 옵션조정 및 기준전압 조정할 때 사용한다.
   그러므로 입력신호에 상관없이 기준전압 $0\,V$의 직선형태의 파형이 나온다.
3) 오실로스코프 AC단자(AC Coupling)은 입력신호에서 DC성분을 뺀 나머지를 보여준다. 입력신호 그래프의 파형은 DC

성분 즉, 일정한 V_0에 사인파형의 AC성분이 더해진 형태이므로, AC단자에 연결하면 x축을 기준으로 사인파형 즉, $A\sin\omega t$형태의 파형이 출력신호로 나타난다.

21

본책 197p

정답 1) $|Z|=\sqrt{R^2+\frac{L^2}{C^2}\left(\frac{1}{\omega L-\frac{1}{\omega C}}\right)^2}$, 2) $I_0=\frac{V_0}{|Z|}$,

3) $C=\frac{1}{\omega^2 L}$

영역	전자기
핵심 개념	교류 회로, 축전기와 코일의 리액턴스, 임피던스 구하기
평가요소 및 기준	교류 회로에서 임피던스 계산 및 공명 진동수 정의

해설

1) 저항 R과 리액턴스 $X_L=i\omega L$, $X_C=\frac{1}{i\omega C}$라 하면, 리액턴스는 병렬로 연결되었으므로 회로의 임피던스는

$$Z=R+\frac{X_L X_C}{X_L+X_C}=R+\frac{L/C}{i\omega L-\frac{i}{\omega C}}$$

$$=R-i\left(\frac{L/C}{\omega L-\frac{1}{\omega C}}\right)$$

$$\therefore |Z|=\sqrt{R^2+\frac{L^2}{C^2}\left(\frac{1}{\omega L-\frac{1}{\omega C}}\right)^2}$$

2) 정상상태일 때 전류의 진폭은 존재하므로

$$V_0=I_0|Z| \rightarrow \therefore I_0=\frac{V_0}{|Z|}$$

3) $I_0=0$이 되기 위해서는

$$|Z|=\infty \rightarrow \omega L-\frac{1}{\omega C}=0$$

$$\therefore C=\frac{1}{\omega^2 L}$$

22

본책 198p

정답 1) $I_1=\frac{V_0}{\omega L_1}\sin(\omega t-\frac{\pi}{2})=-\frac{V_0}{\omega L_1}\cos\omega t$

2) $I_2=\frac{V_0}{\sqrt{(R^2+\omega^2 L_2^2)}}\sin(\omega t-\delta)$, $\delta=\mathrm{Tan}^{-1}(\frac{\omega L_2}{R})$

영역	전자기
핵심 개념	교류 회로, 리액턴스, 임피던스의 이해
평가요소 및 기준	교류 회로에서 리액턴스 및 키르히호프 법칙을 통한 위상차 계산

해설

1) 교류 회로에서 인덕터는 허수저항으로 인식된다. 복소평면으로 확장하면 훨씬 쉽게 이해할 수 있다.

전압을 $V_0\sin\omega t \rightarrow V_0 e^{i\omega t}$ 로 대응시키자.

그러면 $e^{i(\omega t+\phi)}=\sin(\omega t+\phi)$이다.

인덕터의 리액턴스는 각각 $X_{L1}=i\omega L_1$, $X_{L2}=i\omega L_2$이다.

각각의 병렬 회로이므로 L_1양단에 걸리는 전압과 $R+L_2$ 양단에 걸리는 전압은 전체 공급전압 $V_0\sin\omega t\rightarrow V_0 e^{i\omega t}$과 동일하다. 그리고 $i=e^{i\frac{\pi}{2}}$임을 활용하자.

$$V_{L1}=V_0 e^{i\omega t}=I_1 X_{L1}=I_1(i\omega L_1)=I_1(e^{i\frac{\pi}{2}}\omega L_1)$$

$$\therefore I_1=\frac{V_0}{\omega L_1}e^{i(\omega t-\frac{\pi}{2})}=\frac{V_0}{\omega L_1}\sin(\omega t-\frac{\pi}{2})=-\frac{V_0}{\omega L_1}\cos\omega t$$

2) 마찬가지로

$$V_2=V_0 e^{i\omega t}=I_2(R+i\omega L_2)$$

$$I_2=\frac{V_0}{R+i\omega L_2}e^{i\omega t}=\frac{V_0}{R^2+(\omega L_2)^2}(R-i\omega L_2)e^{i\omega t}$$

$$=\frac{V_0}{R^2+(\omega L_2)^2}(Re^{i\omega t}-\omega L_2 e^{i(\omega t+\frac{\pi}{2})})$$

$$=\frac{V_0}{R^2+(\omega L_2)^2}(R\sin\omega t-\omega L_2\cos\omega t)$$

$$=\frac{V_0}{R^2+(\omega L_2)^2}\sqrt{(R^2+\omega^2 L_2^2)}\sin(\omega t-\delta)$$

$$\therefore I_2=\frac{V_0}{\sqrt{(R^2+\omega^2 L_2^2)}}\sin(\omega t-\delta)$$

$$\delta=\mathrm{Tan}^{-1}(\frac{\omega L_2}{R})$$

23

본책 198p

정답 1) $f_0=\frac{1}{2\pi\sqrt{LC}}$, 2) $P(t)=\frac{V_0^2\sin^2 2\pi f_0 t}{R}$

3) $V_L=5V_0\sin\left(2\pi f_0 t+\frac{\pi}{2}\right)=5V_0\cos 2\pi f_0 t$

영역	전자기
핵심 개념	교류 RLC 회로, 공명 조건, 임피던스와 리액턴스
평가요소 및 기준	교류 회로에서 임피던스 계산 및 공명 주파수 정의

해설

1) 회로의 임피던스의 크기는 $|Z|=\sqrt{R^2+(\omega L-\frac{1}{\omega C})^2}$ 이다. 그리고 $V_0=I_0|Z|$로부터 임피던스의 최소일 때가 전류의 최댓값이 되기 때문에 $\omega_0 L=\frac{1}{\omega_0 C}$, $\omega_0^2=\frac{1}{LC}$

$$\omega_0=\frac{1}{\sqrt{LC}}\rightarrow 2\pi f_0=\frac{1}{\sqrt{LC}}$$

$$\therefore f_0 = \frac{1}{2\pi\sqrt{LC}}$$

2) 임피던스의 크기가 $|Z| = R$이므로

$$P(t) = \frac{V^2}{R} = \frac{V_0^2 \sin^2 2\pi f_0 t}{R}$$

3) 인덕터에 걸리는 전압은 전류의 위상보다 $\frac{\pi}{2}$만큼 앞선다.

공명진동수일 때 전류와 공급전원의 위상이 동일하므로

$$V_L = I_0 X_L = X_L \frac{V_0 \sin\left(2\pi f_0 t + \frac{\pi}{2}\right)}{R}$$

공명일 때 축전기와 인덕터의 리액턴스는 동일하므로

$$X_C = \frac{1}{\omega C},\ X_L = \omega L$$

$$5R = \frac{1}{\omega C} = X_L$$

$$\therefore V_L = 5V_0 \sin\left(2\pi f_0 t + \frac{\pi}{2}\right) = 5V_0 \cos 2\pi f_0 t$$

24

본책 199p

정답 ①

영역	전기회로: 교류 회로
핵심 개념	RLC 교류 회로 임피던스, 리액턴스 정의 및 공명진동수의 이해
평가요소 및 기준	교류 회로의 임피던스 계산과 공명진동수 이해

해설

RLC 회로에서 코일과 축전기의 인덕턴스는 각각

$X_L = i\omega L, X_C = \frac{1}{i\omega C}$이다.

직렬 RLC에서 회로의 임피던스 Z를 구해보자.
입력전압의 진폭을 $V_{입력}$이라 하고 저항 양단에 걸리는 전압의 진폭을 V_R이라 하면

$$Z = R + X_L + X_C = R + i(\omega L - \frac{1}{\omega C})$$

$$|Z| = \sqrt{R^2 + (\omega L - \frac{1}{\omega C})^2}$$

$$V_R = IR = \frac{V_{입력} R}{\sqrt{R^2 + (\omega L - \frac{1}{\omega C})^2}}$$

ㄱ. 공명진동수일 때 V_R은 최댓값을 잦는다. 주어진 그래프의 형태와 동일

ㄴ. $V_L + V_C = V_{입력} - V_R = V_{입력}(1 - \frac{R}{|Z|})$이다. 공명 진동수일 때 $V_L + V_C = 0$의 최솟값이 되므로 그래프의 형태가 안 된다.

ㄷ. $Z = R + \frac{X_L X_C}{X_L + X_C}$

$$= R + \frac{-\frac{L}{C}}{i\omega L + \frac{1}{i\omega C}}$$

$$= R + \frac{i\frac{L}{C}}{\omega L - \frac{1}{\omega C}}$$

$$|Z| = \sqrt{R^2 + \left(\frac{\frac{L}{C}}{\omega L - \frac{1}{\omega C}}\right)^2}$$

$V_R = \frac{V_{입력} R}{|Z|}$인데 공명진동수일 때 $|Z| = \infty$가 되므로 V_R은 0으로 최솟값을 갖는다. 그래프의 형태와 다르다.
이로서 만족하는 회로는 ㄱ이다.

25

본책 199p

정답 1) $\frac{I_2}{I_1} = \frac{1}{2}$, 2) $\frac{P_2}{P_1} = \frac{1}{4}$

영역	전자기
핵심 개념	변압 및 송전
평가요소 및 기준	변압의 에너지 보존과 송전시 에너지 소비

해설

1) 변압 시 에너지는 보존되므로

$$P_{공급} = V_1 I_1 = V_2 I_2$$

$$\therefore \frac{I_2}{I_1} = \frac{V_1}{V_2} = \frac{1}{2}$$

2) 송전 시 저항은 변압기부터 주택까지 길이의 송전선 전체 저항이다. 직렬로 죽 이어진 도선의 저항에서는 모든 지점에서 전류가 동일하고, 전압은 단자전압의 성질에 의해서 계속 감소하게 된다.

$$P_{소비} = I^2 R$$

$$\therefore \frac{P_2}{P_1} = \left(\frac{I_2^2 R}{I_1^2 R}\right) = \frac{1}{4}$$

4 상호 유도

26

본책 200p

정답 1) $B = \dfrac{\mu_0 NI_A}{2\pi a}$, 2) $M = \dfrac{\mu_0 nNb^2}{2a}$,

3) $V_A = \dfrac{\mu_0 nNb^2\omega I_0}{2a}\sin\omega t$

영역	전자기
핵심 개념	토로이드 내부 자기장, 상호 인덕턴스, 유도 기전력
평가요소 및 기준	토로이드 내부 자기장 계산 및 상호 유도 계수 정의, 전자기 유도

해설

1) $\int B\,dl = \int \mu_0 dI = \mu_0 NI_A$

$\therefore B = \dfrac{\mu_0 NI_A}{2\pi a}$

2) $M = \dfrac{N_B\phi_B}{I_A} = \dfrac{N_A\phi_A}{I_B}$

$\phi_B = BA = \dfrac{\mu_0 N}{2\pi a}\pi b^2$

$\therefore M = \dfrac{\mu_0 nNb^2}{2a}$

3) 상호유도에서 전자기 유도 법칙은 $V_{유도} = -M\dfrac{dI_{외부}}{dt}$이므로 $V_A = -M\dfrac{dI_B}{dt}$이다.

$\therefore V_A = \dfrac{\mu_0 nNb^2\omega I_0}{2a}\sin\omega t$

27

본책 201p

정답 ①

영역	전자기
핵심 개념	상호유도의 정의, 자기장 선속의 계산
평가요소 및 기준	자기장 선속의 계산 및 상호유도의 정의

해설

상호유도라는 것은 전류 I_1에 의서 발생된 자속에 의한 2차코일의 상호유도계수와 전류 I_2에 의한 1차 코일의 상호유도계수가 서로 동일하다를 의미한다.

I_1에 의서 발생된 자속에 의한 2차코일의 상호유도계수를 M_{21}이라 하고, I_1에 의해서 사각형 도선에 발생되는 자속을 ϕ_{21}이라 하면

$$\phi_{21} = \int_a^{a+\omega} B_1 dS = \int_a^{a+\omega} \frac{\mu_0 I_1 l}{2\pi r}dr = \frac{\mu_0 I_1 l}{2\pi}\ln\frac{a+\omega}{a}$$

$$\therefore M_{21} = \frac{\phi_{21}}{I_1} = \frac{\mu_0 l}{2\pi}\ln\frac{a+\omega}{a}$$

참고

상호유도와 유도 기전력 관계

1) 상호 유도 계수 $M_{12} = M_{21} = \dfrac{N_2\phi_2}{I_1} = \dfrac{N_1\phi_1}{I_2}$

2) 유도 기전력

$\varepsilon_1 = -N_1\dfrac{d\phi_1}{dt} = M\dfrac{dI_2}{dt}$

$\varepsilon_2 = -N_2\dfrac{d\phi_2}{dt} = M\dfrac{dI_1}{dt}$

Chapter 08 기본 전자기학

본책 207 ~ 235쪽

1 전기장 가우스 법칙과 전기적 퍼텐셜

01

본책 207p

정답 1) $E=\dfrac{q}{4\pi\epsilon_0 r^2}$,

2) $E=\dfrac{q}{4\pi\epsilon_0 r^2}+\dfrac{Q}{4\pi\epsilon_0}\dfrac{(r^3-a^3)}{r^2(b^3-a^3)}$, 3) $W=0$

영역	전자기
핵심 개념	전기장, 가우스 법칙
평가요소 및 기준	가우스 법칙으로부터 전기장의 계산

해설

1) 쿨롱의 법칙 $\int Eda=\dfrac{q}{\epsilon_0}$; $x<a$

$\therefore E=\dfrac{q}{4\pi\epsilon_0 r^2}$

2) $a<r<b$에서 전하밀도

$$\rho=\frac{Q}{V}=\frac{Q}{\frac{4}{3}\pi(b^3-a^3)}=\frac{3Q}{4\pi(b^3-a^3)}$$

$$\int Eda=\frac{1}{\epsilon_0}\int dQ=\frac{q}{\epsilon_0}+\frac{1}{\epsilon_0}\int_a^r \rho dV$$

$$E(4\pi r^2)=\frac{q}{\epsilon_0}+\frac{1}{\epsilon_0}\rho\frac{4}{3}\pi(r^3-a^3)$$

$$=\frac{q}{\epsilon_0}+\frac{Q}{\epsilon_0}\frac{(r^3-a^3)}{(b^3-a^3)}$$

$$\therefore E=\frac{q}{4\pi\epsilon_0 r^2}+\frac{Q}{4\pi\epsilon_0}\frac{(r^3-a^3)}{r^2(b^3-a^3)}$$

3) 가우스법칙에 의해서 균일한 외부 진하 분포가 안쪽 영역에 영향을 미치지 못하므로 $W=0$이다.

02

본책 208p

정답 1) $-\hat{x}-\hat{y}$, 2) $|\vec{E}_T|==\dfrac{2\sqrt{2}Q}{3\pi^2\epsilon_0 R^2}$

영역	전자기
핵심 개념	쿨롱의 법칙, 전기장 벡터 연산
평가요소 및 기준	쿨롱의 법칙 정확한 이해(전하와 전기장의 위치벡터 개념), 대칭성 활용

해설

전기장의 측정위치 벡터 $\vec{r}$, 전하의 위치벡터 $\vec{r}'$이라 하면

$$\vec{E}=\frac{Q}{4\pi\epsilon_0(\vec{r}-\vec{r}')^2}(\vec{r}-\hat{r}')$$

$\rightarrow d\vec{E}=\dfrac{dQ}{4\pi\epsilon_0(\vec{r}-\vec{r}')^2}(\vec{r}-\hat{r}')$ 이다.

선전하 밀도를 λ라 하면 $\lambda=\dfrac{Q}{r\phi}$이고 $dQ=\lambda d\phi$, 측정위치가 원점이므로 $\vec{r}=0$, $\hat{r}=0$이다. $\hat{r}'=\cos\phi\hat{x}+\sin\phi\hat{y}$

$+Q$로 대전된 전기장을 E_+라 하면 선전하 밀도는 $\lambda_+=\dfrac{2Q}{\pi R}$

$$\vec{E}_+=-\int_0^{\frac{\pi}{2}}\frac{\lambda_+ Rd\phi}{4\pi\epsilon_0 R^2}(\cos\phi\hat{x}+\sin\phi\hat{y})$$

$$=-\frac{\lambda_+}{4\pi\epsilon_0 R}\int_0^{\frac{\pi}{2}}(\cos\phi\hat{x}+\sin\phi\hat{y})d\phi$$

$$=-\frac{\lambda_+}{4\pi\epsilon_0 R}(\hat{x}+\hat{y})$$

$$\therefore \vec{E}_+=-\frac{Q}{2\pi^2\epsilon_0 R^2}(\hat{x}+\hat{y})$$

$-Q$로 대전된 전기장을 $E_$라 하면 선전하 밀도는

$$\lambda\_=-\frac{2Q}{3\pi R}$$

$$\vec{E}\_=-\int_{\frac{\pi}{2}}^{2\pi}\frac{\lambda\_ Rd\phi}{4\pi\epsilon_0 R^2}(\cos\phi\hat{x}+\sin\phi\hat{y})$$

$$=-\frac{\lambda\_}{4\pi\epsilon_0 R}\int_{\frac{\pi}{2}}^{2\pi}(\cos\phi\hat{x}+\sin\phi\hat{y})d\phi$$

$$=\frac{\lambda\_}{4\pi\epsilon_0 R}(\hat{x}+\hat{y})$$

$$\therefore \vec{E}\_=-\frac{Q}{6\pi^2\epsilon_0 R^2}(\hat{x}+\hat{y})$$

따라서 전체 전기장 $\vec{E}_T=\vec{E}_++\vec{E}\_=-\dfrac{2Q}{3\pi^2\epsilon_0 R^2}(\hat{x}+\hat{y})$

방향은 $-\hat{x}-\hat{y}$방향이고, 크기는 $|\vec{E}_T|==\dfrac{2\sqrt{2}Q}{3\pi^2\epsilon_0 R^2}$

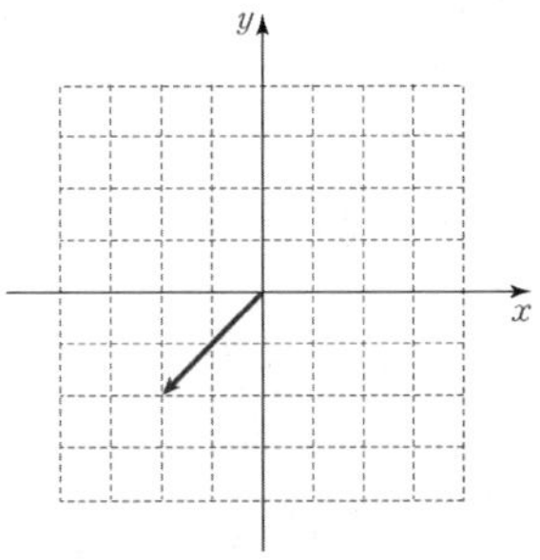

03

본책 209p

정답 1) $E_z = \dfrac{Qz}{2\pi\epsilon_0(R_2^2 - R_1^2)}\left(\dfrac{1}{(R_1^2+z^2)^{1/2}} - \dfrac{1}{(R_2^2+z^2)^{1/2}}\right)$

2) $E_z = \dfrac{Q}{4\pi\epsilon_0 z^2}$

영역	전자기
핵심 개념	원판에서 쿨롱의 법칙
평가요소 및 기준	균일한 전하분포의 원형판의 전기장 구하기, 벡터 연산 및 대칭성

해설

1) 표면전하 밀도를 σ라 하면 $\sigma = \dfrac{Q}{\pi(R_2^2 - R_1^2)}$

미소 면적요소를 $da = \rho d\rho d\phi$라 하면 $dQ = \sigma\rho d\rho d\phi$이다.

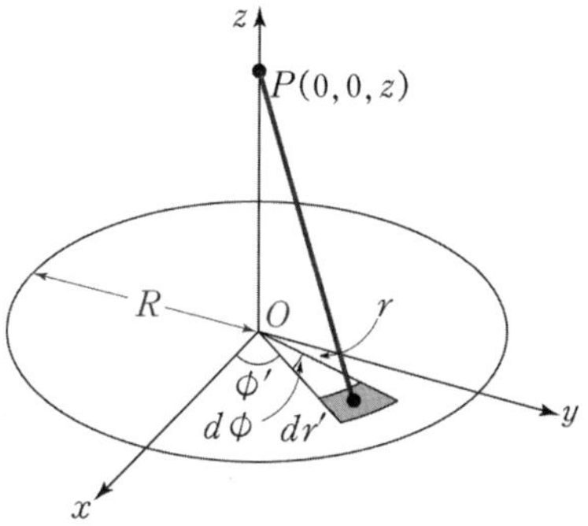

쿨롱의 법칙을 적용

$dE = \dfrac{dQ}{4\pi\epsilon_0 r^2}$ 그런데 전기장이 원형대칭성을 가지므로 z 축 성분만 살아남게 된다.

전기장과 z축과의 사이각을 θ라 하면, 따라서

$$dE_z = \frac{dQ}{4\pi\epsilon_0 r^2}\cos\theta = \frac{\sigma\rho z d\rho d\phi}{4\pi\epsilon_0 r^3} \quad (where\ \cos\theta = \frac{z}{r})$$

$$E_z = \frac{\sigma z}{4\pi\epsilon_0}\int_0^{2\pi} d\phi \int_{R_1}^{R_2} \frac{\rho d\rho}{r^3} = \frac{\sigma z}{2\epsilon_0}\int_{R_1}^{R_2}\frac{\rho d\rho}{(\rho^2+z^2)^{3/2}}$$

$$= \frac{\sigma z}{2\epsilon_0}\left[\frac{-1}{(\rho^2+z^2)^{1/2}}\right]_{R_1}^{R_2}$$

$$E_z = \frac{\sigma z}{2\epsilon_0}\left(\frac{1}{(R_1^2+z^2)^{1/2}} - \frac{1}{(R_2^2+z^2)^{1/2}}\right)$$

$$\therefore E_z = \frac{Qz}{2\pi\epsilon_0(R_2^2 - R_1^2)}\left(\frac{1}{(R_1^2+z^2)^{1/2}} - \frac{1}{(R_2^2+z^2)^{1/2}}\right)$$

2) $z \gg R_2$인 경우에는 $\dfrac{1}{\sqrt{1+x^2}} \simeq 1 - \dfrac{x^2}{2}$을 이용하면

$$E_z = \frac{Q}{2\pi\epsilon_0(R_2^2 - R_1^2)}\left(\frac{z}{(R_1^2+z^2)^{1/2}} - \frac{z}{(R_2^2+z^2)^{1/2}}\right)$$

$$= \frac{Q}{2\pi\epsilon_0(R_2^2 - R_1^2)}\left(\frac{1}{(1+\frac{R_1^2}{z^2})^{1/2}} - \frac{1}{(1+\frac{R_2^2}{z^2})^{1/2}}\right)$$

$$= \frac{Q}{2\pi\epsilon_0(R_2^2 - R_1^2)}\left((1+\frac{R_1^2}{z^2})^{-1/2} - (1+\frac{R_2^2}{z^2})^{-1/2}\right)$$

$$\simeq \frac{Q}{2\pi\epsilon_0(R_2^2 - R_1^2)}\left[(1-\frac{R_1^2}{2z^2}) - (1-\frac{R_2^2}{2z^2})\right]$$

$$E_z = \frac{Q}{2\pi\epsilon_0(R_2^2 - R_1^2)}\left(\frac{R_2^2 - R_1^2}{2z^2}\right)$$

$$\therefore E_z = \frac{Q}{4\pi\epsilon_0 z^2}$$

04

본책 210p

정답 1) i) $a < r < b$: $E = \dfrac{Q}{4\pi\epsilon_0 r^2}$

ii) $b < r < c$: $E = 0$

iii) $c < r < d$: $E = \dfrac{Q}{4\pi\epsilon_0 r^2}$

2) $\Delta V_{AC} = V_A - V_C = \dfrac{Q}{4\pi\epsilon_0}(\dfrac{1}{a} - \dfrac{1}{b} + \dfrac{1}{c} - \dfrac{1}{d})$

3) $C = \dfrac{C_1 C_2}{C_1 + C_2}$

영역	전자기
핵심 개념	전기장, 전위의 정의, 전기용량
평가요소 및 기준	전기장 및 전위의 명확한 정의, 축전기의 전기용량 계산

해설

1) i) $a < r < b$: $E = \dfrac{Q}{4\pi\epsilon_0 r^2}$

ii) $b < r < c$: $E = 0$ 도체 내부는 전기장이 0이다.

iii) $c < r < d$: $E = \dfrac{Q}{4\pi\epsilon_0 r^2}$

2) 전위는 기준점이 중요하다. 점전하의 경우 기준점을 $r = \infty$로 설정한다.

$$V_C = -\int_\infty^d \frac{Q}{4\pi\epsilon_0 r^2}dr = \frac{Q}{4\pi\epsilon_0 d}$$

$$V_A = -\int_\infty^c \frac{Q}{4\pi\epsilon_0 r^2}dr - \int_b^a \frac{Q}{4\pi\epsilon_0 r^2}dr$$

$$= \frac{Q}{4\pi\epsilon_0}(\frac{1}{a} - \frac{1}{b} + \frac{1}{c})$$

$$\Delta V_{AC} = V_A - V_C = \frac{Q}{4\pi\epsilon_0}(\frac{1}{a} - \frac{1}{b} + \frac{1}{c} - \frac{1}{d})$$

3) $Q = CV$에서 $V_B = \dfrac{Q}{4\pi\epsilon_0 c}$

$$\Delta V_{AB} = V_A - V_B = \frac{Q}{4\pi\epsilon_0}(\frac{1}{a} - \frac{1}{b})$$

$$Q = C_1 \Delta V_{AB} = C_1 \frac{Q}{4\pi\epsilon_0}(\frac{1}{a} - \frac{1}{b}) \rightarrow \therefore C_1 = \frac{4\pi\epsilon_0}{\frac{1}{a} - \frac{1}{b}}$$

$$\Delta V_{BC} = V_B - V_C = \frac{Q}{4\pi\epsilon_0}(\frac{1}{c} - \frac{1}{d})$$

$$Q = C_2 \Delta V_{BC} = C_2 \frac{Q}{4\pi\epsilon_0}\left(\frac{1}{c} - \frac{1}{d}\right) \rightarrow \therefore C_2 = \frac{4\pi\epsilon_0}{\frac{1}{c} - \frac{1}{d}}$$

$$Q = C\,\Delta V_{AC} = C\frac{Q}{4\pi\epsilon_0}\left(\frac{1}{a} - \frac{1}{b} + \frac{1}{c} - \frac{1}{d}\right)$$

$$\rightarrow \therefore C = \frac{4\pi\epsilon_0}{\frac{1}{a} - \frac{1}{b} + \frac{1}{c} - \frac{1}{d}}$$

$$\frac{1}{C} = \frac{1}{4\pi\epsilon_0}\left(\frac{1}{a} - \frac{1}{b}\right) + \frac{1}{4\pi\epsilon_0}\left(\frac{1}{c} - \frac{1}{d}\right) = \frac{1}{C_1} + \frac{1}{C_2}$$

$$\therefore C = \frac{C_1 C_2}{C_1 + C_2}$$

05

본책 210p

정답 1) $V = \dfrac{Q}{4\pi\epsilon_0\sqrt{a^2+d^2}}$

2) $v = \left(\dfrac{qQ}{2\pi m\epsilon_0\sqrt{a^2+d^2}}\right)^{1/2}$

영역	전자기
핵심 개념	전기적 전위, 에너지 보존
평가요소 및 기준	전기적 에너지 보존식의 이해와 활용

해설

1) $V = \displaystyle\int \frac{dQ}{4\pi\epsilon_0 r}$ 이다. $dQ = \dfrac{Q}{2\pi a}(ad\theta)$ 이므로

그리고 $r = \sqrt{a^2+d^2}$ 이다.

$$\therefore V = \frac{Q}{4\pi\epsilon_0\sqrt{a^2+d^2}}$$

2) 전기적 에너지 보존 법칙을 이용하면

$E_k + E_p =$ 일정

초기는 정지상태이고, 무한히 멀리 가면 퍼텐셜은 0이 된다.

$$qV = \frac{1}{2}mv^2$$

$$\frac{qQ}{4\pi\epsilon_0\sqrt{a^2+d^2}} = \frac{1}{2}mv^2$$

$$\therefore v = \left(\frac{qQ}{2\pi m\epsilon_0\sqrt{a^2+d^2}}\right)^{1/2}$$

06

본책 211p

정답 1) $\vec{E} = \left(\dfrac{A}{r^2} + E_0\cos\theta + \dfrac{2E_0a^3}{r^3}\cos\theta\right)\hat{r} + \left(E_0\sin\theta + \dfrac{E_0a^3}{r^3}\sin\theta\right)\hat{\theta}$

2) $Q = 4\pi\epsilon_0 A$

영역	전자기
핵심 개념	전기장과 퍼텐셜 관계식, 경계조건에 의한 표면전하밀도의 정의
평가요소 및 기준	전기장 및 퍼텐셜(전위)의 관계식 활용, 경계조건을 통한 표면전하 계산

해설

1) $\vec{E} = -\nabla V$

$$= \left(\frac{A}{r^2} + E_0\cos\theta + \frac{2E_0a^3}{r^3}\cos\theta\right)\hat{r} + \left(E_0\sin\theta + \frac{E_0a^3}{r^3}\sin\theta\right)\hat{\theta}$$

2) 경계조건에 의해서, 도체구 내부에는 전기장이 0이므로

$\nabla \cdot D|_{r=a} = \sigma_f \rightarrow \epsilon_0 E_r = \sigma_f$

$$\sigma_f = \epsilon_0\left(\frac{A}{a^2} + 3E_0\cos\theta\right)$$

$$Q = \int \sigma_f a^2 \sin\theta\, d\theta d\phi = 2\pi a^2\epsilon_0 \int_0^\pi \left(\frac{A}{a^2} + 3E_0\cos\theta\right)\sin\theta d\theta$$

$$= 4\pi\epsilon_0 A \quad \left(\because \int_0^\pi \sin\theta\cos\theta\, d\theta = 0\right)$$

07

본책 211p

정답 ⑤

영역	전자기
핵심 개념	무한 절연체판의 전기장, 전위차 정의
평가요소 및 기준	무한 절연체판의 전기장(벡터) 및 전위(스칼라)의 특징 이해 및 연산

해설

ㄱ. $\vec{E}_{xz} = \dfrac{\sigma}{2\epsilon_0}\hat{n}_{xz}$, $\vec{E}_{yz} = \dfrac{\sigma}{2\epsilon_0}\hat{n}_{yz}$, $\hat{n}$은 평면에 연직한 단위벡터 $E_0 = \dfrac{\sigma}{2\epsilon_0}$라 하면 a에서는 두 절연체판의 전기장의 합성이므로 $\vec{E}_a = E_0\hat{y} + E_0\hat{x} = E_0(1,1)$ 방향은 $\hat{x}+\hat{y}$방향이다.

ㄴ. $\vec{E}_b = E_0(-\hat{y}-\hat{x}) \rightarrow |\vec{E}_b| = \sqrt{2}E_0$

$\vec{E}_c = E_0(+\hat{y}-\hat{x}) \rightarrow |\vec{E}_c| = \sqrt{2}E_0$

크기는 서로 같다.

ㄷ. $V = -\displaystyle\int_{\text{기준}}^{r} \vec{E}\cdot d\vec{r}$ 이다. 전기장 방향으로 나아가는 방향으로 가면 퍼텐셜은 낮아진다. 예를 들어, 지표면에서 균일한 중력이 작용할 때($m\vec{g}$) 중력이 작용하는 방향은 위치에너지가 낮아지는 방향과 유사하다.

절연체판에서의 전위를 기준으로 하면

$$V(h) = -\int_{\text{기준}}^{h} \vec{E}\cdot d\vec{r} = -Eh + V_0$$

격자점 한 칸을 h라 하면

$V_a = E_0(-h+(-2h)) + 2V_0 = -3E_0h + 2V_0$

$V_b = E_0(-h+(-h)) + 2V_0 = -2E_0h + 2V_0$

$V_c = E_0(-2h+(-2h)) + 2V_0 = -4E_0h + 2V_0$

$V_a - V_b = -E_0h$

$V_c - V_a = -E_0h$

이므로 서로 같다.

08

본책 212p

정답 ①

영역	전자기
핵심 개념	전기장과 퍼텐셜의 정의
평가요소 및 기준	퍼텐셜 에너지의 명확한 정의 및 연산

해설

1) $r < R$에서 전기장을 구하면

$$\int EdA = \frac{Q_{en}}{\epsilon_0} = \frac{1}{\epsilon_0}\int_0^r \rho dV = \frac{4\pi\rho_0}{\epsilon_0}\int_0^r r^3 dr = \frac{\pi\rho_0 r^4}{\epsilon_0}$$

$$Q = \pi\rho_0 R^4$$

$$E_{in} = \pi k\rho_0 r^2 = \frac{kQ}{R^4}r^2$$

2) $r > R$에서 전기장을 구하면

$$E_{out} = \frac{kQ}{r^2}$$

퍼텐셜의 정의는 $V = -\int_{기준}^{r} Edr$이다. 즉, 기준부터 죽 적분해야하는데 전기장이 내부와 외부가 다르므로 각각 나눠서 적분해야 한다. 일반적으로 기준이 되는 곳을 퍼텐셜을 0으로 하는 곳이고 문제에서는 $r = \infty$이다.

$$V = -\int_\infty^R E_{out}dr - \int_R^r E_{in}dr = \frac{kQ}{R} - \frac{kQ}{3R^4}r^3 + \frac{kQ}{3R}$$

$$\therefore V(r<R) = \frac{kQ}{3R^4}(4R^3 - r^3)$$

09

본책 212p

정답 ③

영역	전자기
핵심 개념	도체에서 전기장, 가우스 법칙
평가요소 및 기준	도체 내부의 전기장의 정의, 가우스 법칙 활용

해설

ㄱ. 도체 내부에서 전기장은 0이므로 가우스 법칙에 의해서 A 표면에 대전되는 전하량은 $-q_1$인데 대칭 형태로 대전되어 대전된 전하에 의해서 받는 전기력은 0이다. 또한 주위가 도체로 이루어져있기 때문에 외부 전하 q_2에 의한 전기장은 전혀 영향을 주지 못한다. 참고로 q_2는 중앙에서 벗어나 있으므로 대전된 전하에 의해서 힘을 받는다.

ㄴ. A, B 사이에 도체가 존재하므로 도체 내부는 전기장이 0이므로 서로의 전기장이 도체 사이를 통과할 수 없기 때문에 서로의 내부 전기장에 영향을 주는 것이 불가능하다.

ㄷ. 가우스 법칙에 의해서 도체 내부의 전기장은 0이므로 C 표면에 대전되는 전하는 0이다.

10

본책 213p

정답 $x = \dfrac{Q^2}{2\epsilon_0 Ak}$

영역	전자기: 쿨롱의 법칙, 축전기의 힘과 전기에너지
핵심 개념	축전기의 도체판에 작용하는 힘과 에너지 정의
평가요소 및 기준	로렌츠힘의 정확한 이해 및 전기적 힘과 에너지의 활용

해설

$$F = -\nabla U$$

$$U = \frac{1}{2}\frac{Q^2}{C}\ \left(C = \epsilon_0\frac{A}{d_0 - x}\right) = \frac{1}{2}\frac{Q^2}{\epsilon_0 A}(d_0 - x)$$

$$F = \frac{Q^2}{2\epsilon_0 A} = kx \qquad \therefore x = \frac{Q^2}{2\epsilon_0 Ak}$$

다른 풀이

$$kx = QE_{외부}$$

두 번째 풀이에서 조심해야 하는 것은 전기력(로렌츠힘) 할 때 외부와 내부를 잘 구분해주어야 한다.

여기서 왼쪽 도체판에 전하 Q가 오른쪽 도체판에 의한 전기장 $E_{외부}$에 영향을 받는다. 즉, 축전기 내부 전기장과 구분을 잘해야 한다.

$$E_{외부} = \frac{\sigma}{2\epsilon_0} = \frac{Q}{2\epsilon_0 A} \qquad \therefore x = \frac{Q^2}{2\epsilon_0 Ak}$$

11

본책 213p

정답 1) $E_{II} = \dfrac{2}{3}E_0$, 2) 2σ

영역	전자기: 전기장
핵심 개념	평행판의 전기장과 중첩의 원리
평가요소 및 기준	가우스 법칙과 중첩의 원리를 활용하여 전기장 및 전하밀도 계산

해설

부도체판과, 도체판에서 나오는 전기장의 경우는 각각

$$E_\sigma = \frac{\sigma}{2\epsilon_0},\ E_{5\sigma} = \frac{5\sigma}{2\epsilon_0}$$

중첩의 원리를 이용하면 위에 영역 1)에서의 전기장을 구하면

$$E_I = E_{III} = E_\sigma + E_{5\sigma} = \frac{3\sigma}{\epsilon_0} = E_0$$

$$E_{II} = E_{5\sigma} - E_\sigma = \frac{2\sigma}{\epsilon_0} = \frac{2}{3}E_0$$

이다. 아래 도체판영역 III에서 전기장이 $E_I = E_{III} = \dfrac{3\sigma}{\epsilon_0} = E_0$ 이므로 아래 도체판 표면전하밀도는 3σ이고 윗면의 경우에는 2σ가 된다.

12

본책 214p

정답 1) $\frac{\sigma_1}{\sigma_0} = \frac{1}{\sqrt{2}}$, 2) $E(z=a) = \frac{\sigma_1}{\epsilon_0} = \frac{\sigma_0}{\sqrt{2}\,\epsilon_0}$

3) $V(z=a) = \frac{\sigma_1}{\epsilon_0}a$

영역	전자기
핵심 개념	중첩의 원리, 평행판 축전기 전기장, 전위의 정의
평가요소 및 기준	중첩의 원리를 사용하여 전기장 계산, 전위의 정의로부터 전위차 계산

해설

1) 반지름이 a인 구멍이 있는 면전하 밀도 $-\sigma_0$의 무한 평면은 면전하 밀도 $-\sigma_0$의 무한 평면과 면전하 밀도 $+\sigma_0$인 반지름 a인 도체판과의 중첩으로 생각할 수 있다.

$\vec{E}_{무한} = \frac{\sigma_0}{2\epsilon_0}\frac{z}{|z|}\hat{z}$, $\vec{E}_{원} = \frac{\sigma_0}{2\epsilon_0}(1 - \frac{|z|}{\sqrt{z^2+a^2}})\frac{z}{|z|}\hat{z}$

따라서 구멍이 있는 무한 평면의 전기장은

$\vec{E}_{구멍} = \vec{E}_{무한} + \vec{E}_{원} = -\frac{\sigma_0}{2\epsilon_0}\frac{z}{\sqrt{z^2+a^2}}\hat{z}$ 이다.

$z < 2a$인 영역에서 면전하 밀도 σ_1의 무한 평면에 의한 전기장은 $\vec{E}_{\sigma_1} = -\frac{\sigma_1}{2\epsilon_0}\hat{z}$

$z < 2a$인 영역에서 두 전기장의 합성 전기장을 $\vec{E}$라 하면

$\vec{E} = \vec{E}_{구멍} + \vec{E}_{\sigma_1} = -\frac{\sigma_0}{2\epsilon_0}\frac{z}{\sqrt{z^2+a^2}}\hat{z} - \frac{\sigma_1}{2\epsilon_0}\hat{z}$

$z = -a$에서 전기장이 0이므로

$\vec{E}(z=-a) = \vec{E}_{구멍} + \vec{E}_{\sigma_1} = -\frac{\sigma_0}{2\epsilon_0}\frac{-a}{\sqrt{a^2+a^2}}\hat{z} - \frac{\sigma_1}{2\epsilon_0}\hat{z} = 0$

$\frac{\sigma_0}{\sqrt{2}} = \sigma_1$

$\therefore \frac{\sigma_1}{\sigma_0} = \frac{1}{\sqrt{2}}$

2) $z = a$에서 전기장을 구해보면

$\vec{E}(z=a) = \vec{E}_{구멍} + \vec{E}_{\sigma_1} = -\frac{\sigma_0}{2\epsilon_0}\frac{a}{\sqrt{a^2+a^2}}\hat{z} - \frac{\sigma_1}{2\epsilon_0}\hat{z}$

$$= -\left(\frac{\sigma_0}{2\epsilon_0}\frac{1}{\sqrt{2}} + \frac{\sigma_1}{2\epsilon_0}\right)\hat{z}$$

그런데 $\frac{\sigma_1}{\sigma_0} = \frac{1}{\sqrt{2}}$ 이므로

$\therefore |\vec{E}(z=a)| = \frac{\sigma_1}{\epsilon_0} = \frac{\sigma_0}{\sqrt{2}\,\epsilon_0}$

3) $z = -a$지점에서 전위가 0이므로 $z = a$지점에서 전위를 구해보면 전위의 정의로부터

$\Delta V = V(z=a) - V(z=-a) = -\int_{-a}^{a}\vec{E}\cdot d\vec{z}$이다.

$$V(z=a) = -\int_{-a}^{a}\left(-\frac{\sigma_0}{2\epsilon_0}\frac{z}{\sqrt{z^2+a^2}} - \frac{\sigma_1}{2\epsilon_0}\right)dz$$

앞의 함수가 기함수이므로 적분하면 0이된다.

$\therefore V(z=a) = \frac{\sigma_1}{\epsilon_0}a$

13

본책 215p

정답 해설 참고

해설

$$\vec{E} = \frac{\lambda a}{4\pi\epsilon_0 r^2}2\pi\cos\theta\,\hat{z}$$

$$= \frac{\lambda R z}{2\epsilon_0(R^2+z^2)^{3/2}}\hat{z} \quad ;(\lambda = \frac{Q}{2\pi R})$$

$$E = \frac{Qz}{2\pi\epsilon_0(R^2+z^2)^{3/2}}$$

$$F = -qE = -\frac{qQz}{2\pi\epsilon_0(R^2+z^2)^{3/2}} = ma$$

$$\ddot{z} + \frac{qQz}{2\pi m\epsilon_0(R^2+z^2)^{3/2}} = 0$$

$$\ddot{z} + \frac{qQz}{2\pi m\epsilon_0 R^3(1+\frac{z^2}{R^2})^{3/2}} = 0$$

$$(1+\frac{z^2}{R^2})^{3/2} \simeq 1$$

$$\therefore \ddot{z} + \frac{qQ}{2\pi m\epsilon_0 R^3}z = 0$$

$$\omega = \sqrt{\frac{qQ}{2\pi m\epsilon_0 R^3}}$$

$z(t) = h\cos\omega t$

진폭이 A이고 각진동수가 ω인 단진동에서 최대속력은 $v_{\max} = A\omega$이므로 $v(z=0) = h\omega$를 만족한다.

$$\therefore v(z=0) = h\omega = h\sqrt{\frac{qQ}{2\pi m\epsilon_0 R^3}}$$

전자기파의 발생이 되면 운동에너지와 퍼텐셜 에너지의 합이 점차 감소하므로 진폭이 점차 감소하게 된다.

따라서 시간이 지남에 따라 진폭이 감소하여 결국 $z = 0$에서 정지하게 된다.

2 영상 전하법

14

본책 216p

정답 1) 해설 참고, 2) $F=\dfrac{Q^2}{16\pi\epsilon_0 d^2}$,

2-1) 해설 참고, 2-2) $E=\dfrac{Q}{2\pi\epsilon_0 d^2}$

영역	전자기
핵심 개념	영상 전하
평가요소 및 기준	영상 전하의 퍼텐셜의 이해 및 전기력, 전기장 연산

해설

1) 실선이 전기력선, 점선이 등전위선이다. 등전위선은 전기력선에 수직이다.
왜냐면 $\Delta V=0=\int \vec{F}\cdot d\vec{s}$이므로 전기력선과 이동방향이 수직이어야 한다.

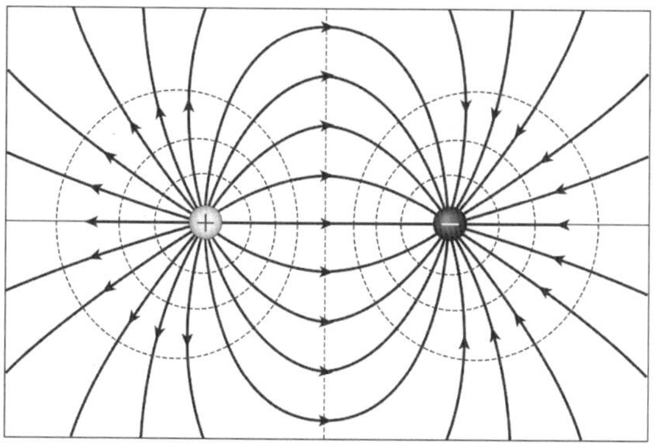

2) 거리가 $2d$만큼 떨어진 두 점전하가 받는 힘의 크기는 $F=\dfrac{Q^2}{16\pi\epsilon_0 d^2}$이다.

2-1) $+Q$전하가 도체판에 반대 전하를 대전시키는데 이 전하분포에 의해서 받는 힘의 크기가 영상전하 $-Q$가 반대편 d 위치에서 작용하는 힘의 크기와 동일하다.

2-2) $+Q$와 $-Q$에 의한 전기장의 합성이므로

$$E=2\times\frac{Q}{4\pi\epsilon_0 d^2}$$

$$\therefore E=\frac{Q}{2\pi\epsilon_0 d^2}$$

15

본책 217p

정답 1) $q'=-\dfrac{R}{a}q$

2) $V(r,\theta,\phi)=\dfrac{q}{4\pi\epsilon_0}\left(\dfrac{1}{(r^2+a^2-2ra\cos\theta)^{1/2}}-\dfrac{R/a}{[r^2+(R^2/a)^2-2r(R^2/a)\cos\theta]^{1/2}}\right)$

영역	전자기
핵심 개념	영상 전하법
평가요소 및 기준	구형 대칭성 전위의 영상 전하의 전하량과 전위 계산

해설

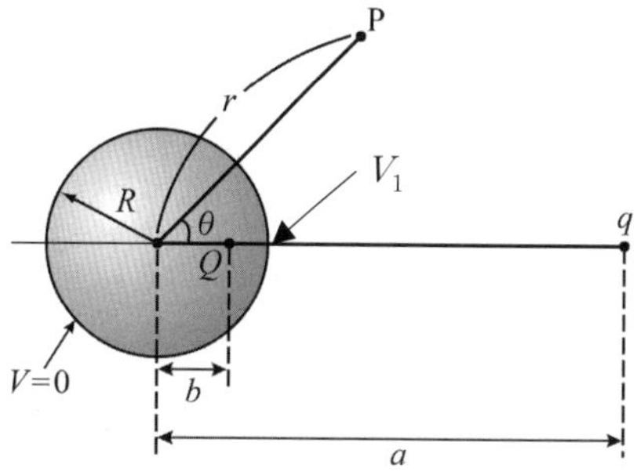

1) x축으로 $x=R$인 위치에서 전위를 V_1이라 하면, 구면의 전위는 0이므로 $V_1=0$을 만족한다.
$x=b$ 위치의 영상전하를 Q이라 하면

$$V_1=\frac{Q}{4\pi\epsilon_0(R-b)}+\frac{q}{4\pi\epsilon_0(a-R)}$$

$$Q=-\frac{(R-b)}{a-R}q\ \left(b=\frac{R^2}{a}\right)$$

$$=-R\frac{(1-R/a)}{a-R}q=-\frac{R}{a}\left(\frac{a-R}{a-R}\right)q$$

$$\therefore Q=-\frac{R}{a}q$$

2) 구면좌표계의 퍼텐셜을 나타내면

$$V(r,\theta,\phi)=\frac{1}{4\pi\epsilon_0}\left(\frac{q}{(r^2+a^2-2ra\cos\theta)^{1/2}}+\frac{Q}{(r^2+b^2-2rb\cos\theta)^{1/2}}\right)$$

$$V(r,\theta,\phi)=\frac{q}{4\pi\epsilon_0}\left(\frac{1}{(r^2+a^2-2ra\cos\theta)^{1/2}}-\frac{R/a}{[r^2+(R^2/a)^2-2r(R^2/a)\cos\theta]^{1/2}}\right)$$

16

본책 217p

정답 $\vec{E}=-\dfrac{\lambda}{5\sqrt{5}\,\epsilon_0 R}\hat{z}$

영역	전자기
핵심 개념	이미지 전하, 대칭성 전하분포에서 전기장
평가요소 및 기준	영상전하의 활용 및 전기장 계산

해설

무한 도체판이므로 전하분포는 반대 전하분포를 도체판 아래 $-R$위치에 반대 선전하 밀도로 이미지 전하분포를 형성한다. 원형고리 중심의 전기장은 이미지 전하분포가 형성하는 전기장을 구하면 된다. (자신은 중심부분에서 대칭이므로 0이다.)

이미지 전하 $dq = -\lambda R d\theta$에서 전기장은 대칭성에 의해서 오직 z축 성분만 남는다.
전기장과 z축과의 사이각을 θ라 하면

$r = \sqrt{(2R)^2 + R^2}$, $\cos\theta = \dfrac{2}{\sqrt{5}}$이다.

$$dE_z = \frac{dq}{4\pi\epsilon_0 r^2}\cos\theta = \frac{-\lambda R d\theta}{4\pi\epsilon_0(\sqrt{5}R)^2}\frac{2}{\sqrt{5}}$$

$$E_z = \frac{-\lambda R}{4\pi\epsilon_0(\sqrt{5}R)^2}\frac{2}{\sqrt{5}}\int d\theta = -\frac{\lambda}{5\sqrt{5}\epsilon_0 R}$$

$$\therefore \vec{E} = -\frac{\lambda}{5\sqrt{5}\epsilon_0 R}\hat{z}$$

17

본책 218p

정답 ②

영역	전자기: 이미지 전하
핵심 개념	이미지 전하, 전기적 퍼텐셜 에너지
평가요소 및 기준	이미지 전하에서 전기적 퍼텐셜 에너지의 정의와 활용

해설

자료

이미지 전하를 모두 포함한 전체 퍼텐셜

$E = \sum_{ij} E_{ij}9(i<j$; 전하 번호)

전하의 퍼텐셜 에너지 E_p = $\dfrac{\text{실제 전하개수}}{\text{실제 전하개수}+\text{이미지 전하개수}}\times$(전체 E_p)

이미지 전하를 모두 포함한 전체 퍼텐셜 $E = \sum_{ij} E_{ij}(i<j$; 전하 번호)

$$E_{AB} + E_{AA'} + E_{AB'} + E_{BA'} + E_{BB'} + E_{A'B'} = -\frac{1}{6}\frac{kq^2}{d}$$

$$E_T = -\frac{kq^2}{6d},\ E_p = \frac{1}{2}E_T$$

$$\therefore E_p = -\frac{1}{12}\frac{kq^2}{d}$$

같은 방식으로 이동 후 퍼텐셜 에너지를 구하면

$$E_p' = \left(1 - \frac{1}{5} - \frac{1}{8} - \frac{1}{12}\right)\frac{kq^2}{d}$$

$$\rightarrow \Delta E_p = E_p' - E_p = \left(1 - \frac{1}{5} - \frac{1}{8}\right)\frac{kq^2}{d} = \frac{27}{40}\frac{kq^2}{d}$$

$$\therefore \Delta E_p = \frac{1}{4\pi\varepsilon_0}\frac{27q^2}{40d}$$

18

본책 218p

정답 $V_0 = \dfrac{q}{4\pi\epsilon_0 d}$

영역	전자기: 이미지 전하
핵심 개념	이미지 전하와 중첩의 원리
평가요소 및 기준	• 이미지 전하법과 중첩의 원리를 정확히 적용 • 도체의 전위와 전하 분포의 이해

해설

도체가 접지되어 있을 때 이미지 전하는 도체로 들어오거나 빠져나가는 전하량을 특정위치 한 점에 위치시켰을 때와 같은 효과로 생각한다. 접지 상태에서 전위가 $V=0$이므로 이때 들어오는 전하의 반대를 보정해준다. 왜냐면 접지가 안 된 도체 구의 표면 전체 전하는 0이기 때문이다. 그리고 도체의 성질에 의해서 표면에서의 전위는 모두 동일하다.

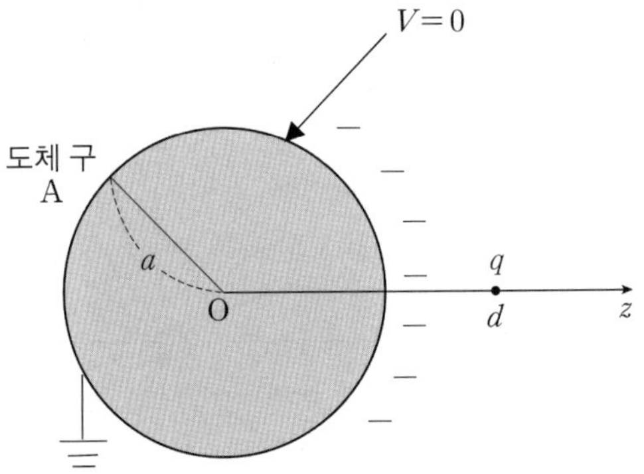

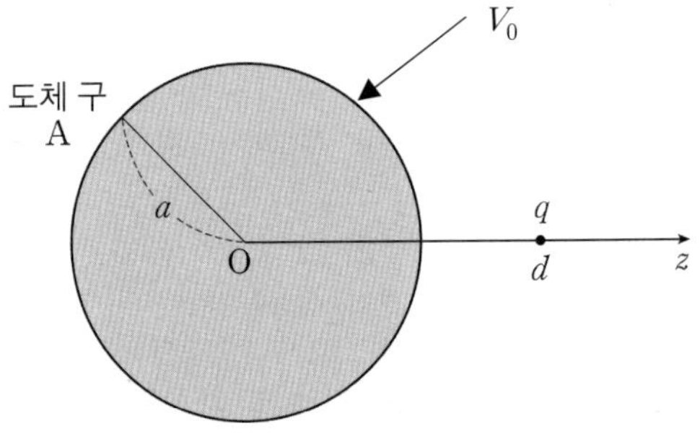

도체 구가 접지되어 있다고 하면 $q' = -\dfrac{a}{d}q$의 전하가 $z = b = \dfrac{a^2}{d}$ 위치에 영상 전하가 존재하는 것과 같다. 접지되어 있으므로 $V=0$이다.
접지되어 있지 않는 도체 구는 전하가 빠져나가지 못하므로 대전되지 않으며, 도체 구에서 전기장은 0이므로 전위는 V_0로 일정한 값을 갖는다. 그런데 앞서 접지되어 있을 때 $q'<0$은 외부에서 들어온 전하이다.
접지되어 있지 않으면 외부에서 전하유입 없이 정전기 유도에 의해서 전하가 분포하게 된다.
도체 구 표면에는 총 전하가 0이므로 만약 들어오는 전하가 q'이라면 0으로 만들어 주기 위해서는 $q'' = -q'$의 전하가 필요하다. 좀더 극단적으로 보자. 접지된 상태에서 d위치에 있는 전하를 매우 멀리 보내보자. 그럼 영상 전하는 $z = b = \dfrac{a^2}{d} \simeq 0$

에 위치하게 되고 q'의 전하는 밖으로 빠져나가게 된다. 여전히 전위는 0이다. 접지 되지 않는 상태에서 같은 방식으로 q의 전하를 멀리 보내게 되면 전하 분포는 0이 된다. 그리고 퍼텐셜은 V_0로 일정하다. 이는 q'' 전하가 중앙에 고정해 있는 상태와의 중첩과 동일한 현상이다.

$$\therefore V_0 = \frac{q''}{4\pi\epsilon_0 a} = \frac{q}{4\pi\epsilon_0 d}$$

3 비오-사바르 법칙

19

본책 219p

정답 1) $B_{AB} = \frac{3\mu_0 I}{2\pi L}$, 2) $B = \frac{9\mu_0 I}{2\pi L}$

영역	전자기
핵심 개념	비오-사바르 법칙
평가요소 및 기준	직선도선의 비오-사바르 법칙 계산

해설

1) 직선도선이 z축에 있을 때 수직한 ρ방향으로 d만큼 떨어진 위치 P에서 자기장의 세기와 방향을 구해보자.

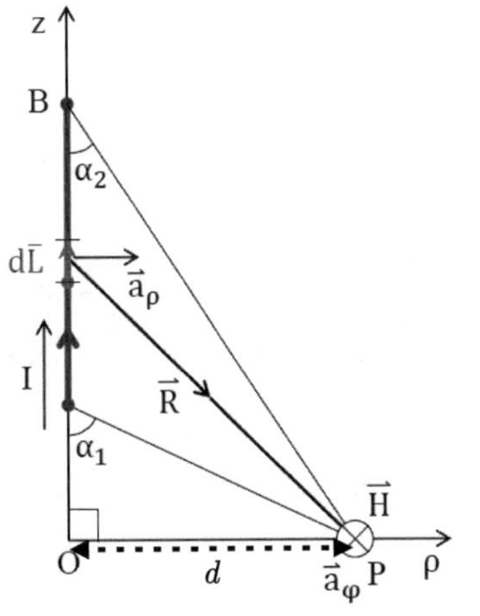

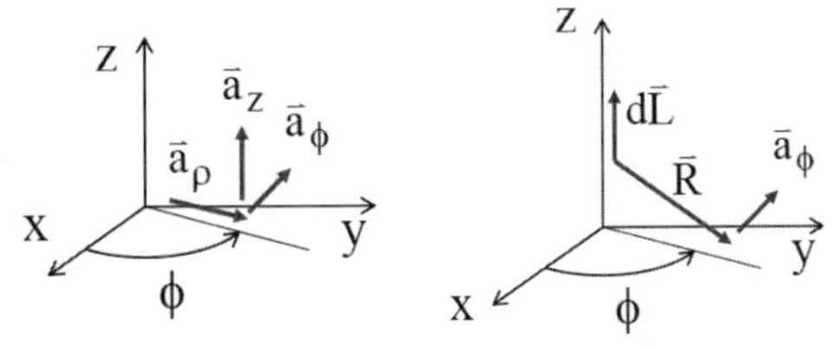

$$\vec{B} = \int \frac{\mu_0 I d\vec{l} \times \hat{r}}{4\pi r^2}$$

$$= \int \frac{\mu_0 I dl \sin\theta}{4\pi r^2}\hat{\phi} \ \left(dl = dz,\ r = \frac{d}{\sin\theta},\ z = d\cot\theta\right)$$

$$B = \int \frac{\mu_0 I dz \sin\theta}{4\pi r^2}$$

$$= \frac{\mu_0 I}{4\pi}\int_{\alpha_1}^{\alpha_2} \frac{-d \times \mathrm{cosec}^2\theta d\theta}{(d/\sin\theta)^2}\sin\theta$$

$$= \frac{\mu_0 I}{4\pi d}\int_{\alpha_1}^{\alpha_2} -\sin\theta d\theta$$

$$\therefore B = \frac{\mu_0 I}{4\pi d}(\cos\alpha_2 - \cos\alpha_1)$$

$$B_{\text{직선}} = \frac{\mu_0 I}{4\pi d}(\cos\alpha_2 - \cos\alpha_1)$$

2) 3개의 도선의 자기장의 세기와 방향이 동일하므로

$$\therefore B = \frac{9\mu_0 I}{2\pi L}$$

참고

α가 예각인지 둔각인지 잘 고려해야 한다.

$d = \frac{L}{2\sqrt{3}}$ 이고, $\alpha_2 = 30^\circ$, $\alpha_1 = 150^\circ$ 이므로

$$\therefore B_{AB} = \frac{3\mu_0 I}{2\pi L}$$

20

본책 219p

정답 $\vec{B} = \frac{\mu_0 I R^2}{2}\left(\frac{1}{(R^2+z^2)^{3/2}} + \frac{1}{(R^2+(L-z)^2)^{3/2}}\right)$

영역	전자기
핵심 개념	원형전류에 의한 자기장
평가요소 및 기준	비오-사바르 법칙으로 원형 전류로부터 자기장 연산

해설

자기장은 일단 $\hat{\rho}$방향성분은 적분에 의해서 대칭성 때문에 날아가게 된다. $\hat{z}$축성분만 구해보자.

R과 z축이 이루는 각을 θ라 하면 $B_z = B\sin\theta$이다.

$$B_z = \int \frac{\mu_0 I dl}{4\pi r^2}\sin\theta = \frac{\mu_0 I}{4\pi r^2}\sin\theta \int_0^{2\pi} R d\phi = \frac{\mu_0 I R}{2r^2}\sin\theta$$

$$\therefore B_{z1} = \frac{\mu_0 I R^2}{2(R^2+z^2)^{3/2}}$$

위 도선에 의한 자기장 성분은

$$B_{z2} = \frac{\mu_0 I R^2}{2(R^2+(L-z)^2)^{3/2}}$$

방향은 둘 다 $+\hat{z}$방향이다.

P에서 자기장

$$\vec{B} = \vec{B_{z1}} + \vec{B_{z2}} = \frac{\mu_0 I R^2}{2}\left(\frac{1}{(R^2+z^2)^{3/2}} + \frac{1}{(R^2+(L-z)^2)^{3/2}}\right)$$

21

본책 220p

정답 ②

영역	전자기: 자기장
핵심 개념	비오-사바르 법칙, 원형도선의 자기장
평가요소 및 기준	비오-사바르 법칙으로부터 솔레노이드의 일반적인 자기장 연산

해설

원형도선 중심에서 z만큼 떨어진 위치에서 자기장의 세기가 주어졌으므로 미소분량 dz일 때 전류의 세기 dI만 정의하면 된다. $dI= Indz$이므로

$$dB=\frac{\mu_0 R^2 dI}{2(z^2+R^2)^{3/2}}=\frac{\mu_0 R^2 Indz}{2(z^2+R^2)^{3/2}}$$

$$B=\int_L^{2L}\frac{\mu_0 R^2 Indz}{2(z^2+R^2)^{3/2}}=\frac{\mu_0 R^2 nI}{2}\left|\frac{z}{R^2\sqrt{z^2+R^2}}\right|_L^{2L}$$

$$\therefore B=\mu_0 nIL\left(\frac{1}{\sqrt{4L^2+R^2}}-\frac{1}{2\sqrt{L^2+R^2}}\right)$$

22

본책 221p

정답 1) $B=\frac{8\mu_0 I}{5\sqrt{5}a}$, 2) $U=-\frac{8\mu_0 Im}{5\sqrt{5}a}$

영역	전자기
핵심 개념	비오-사바르 법칙, 원형도선의 중심 자기장, 자기 퍼텐셜 에너지
평가요소 및 기준	원형도선 중심자기장 유도 및 자기 퍼텐셜 에너지 계산

해설

1) O지점에서 두 원형도선에 의한 자기장의 세기와 방향은 동일하다.
방향은 $+z$방향이고, 세기를 구하면

$$B=2\times\int\frac{\mu_0 Idl\sin\theta}{4\pi r^2}=\frac{\mu_0 Ia\sin\theta}{r^2}\quad ;\sin\theta=\frac{a}{r}$$

$$=\frac{\mu_0 Ia^2}{(a^2+\frac{a^2}{4})^{3/2}}=\frac{8\mu_0 I}{5\sqrt{5}a}$$

$$\therefore B=\frac{8\mu_0 I}{5\sqrt{5}a}$$

2) 자기 퍼텐셜 에너지는
$U=-\vec{m}\cdot\vec{B}$ 이므로

$$\therefore U=-\frac{8\mu_0 Im}{5\sqrt{5}a}$$

4 앙페르 법칙

23

본책 222p

정답 1) $B_a=\frac{\mu_0 I}{8\pi R}$, $B_b=0$, $B_c=B_a$, 2) 해설 참고

영역	전자기
핵심 개념	앙페르 법칙
평가요소 및 기준	앙페르 법칙의 활용

해설

1) 직선도선 자기장 공식으로부터

$$B_a=\frac{\mu_0 I}{8\pi R},\ B_b=0,\ B_c=B_a$$

2) 자기장이 0이 되는 위치가 $x=0,\pm\sqrt{3}R$이고, 크기가 최대가 되는 위치가 $x=\pm 3R$이므로 개략적인 그래프는 다음과 같다.

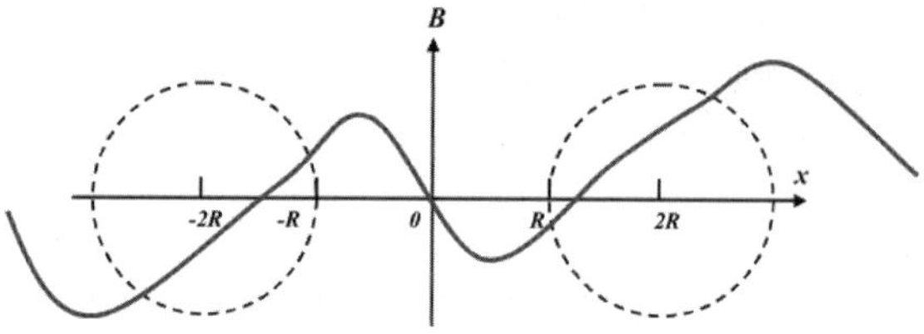

24

본책 223p

정답 ④

영역	전자기
핵심 개념	직선도선의 자기장, 자기력의 평형
평가요소 및 기준	앙페르 법칙으로부터 자기장의 벡터 연산

해설

직선도선에 의한 자기장의 세기는 앙페르 법칙으로부터

$B_{직선}=\frac{\mu_0 I}{2\pi r}$ 이다.

$$\frac{B_{직선}}{B_{지구}}=\tan 30^\circ=\frac{1}{\sqrt{3}}$$

$$\therefore I=\frac{2\pi r}{\mu_0\sqrt{3}}B_{지구}$$

25

본책 224p

정답 ⑤

영역	전자기
핵심 개념	앙페르 법칙, 자기장 방향
평가요소 및 기준	앙페르 법칙으로부터 자기장의 벡터 연산 및 극값 계산

해설

임의의 x축 위해서 자기장성분은 대칭성에 의해서 y축 성분밖에 없다. 도선의 위치 y축과 임의의 x축과의 거리 r의 사이각을 θ라 하면

즉, $B_y = 2 \times \dfrac{\mu_0 I}{2\pi r} \sin\theta = \dfrac{\mu_0 I}{\pi r^2} x = \dfrac{\mu_0 I}{\pi} \dfrac{x}{d^2 + x^2}$

$\dfrac{dB_y}{dx} = \dfrac{\mu_0 I}{\pi} \left(\dfrac{d^2 + x^2 - x(2x)}{d^2 + x^2} \right) = 0$

$\therefore x = \pm d$

산술기하로 풀어도 됨

$B_y = 2 \times \dfrac{\mu_0 I}{2\pi r} \sin\theta = \dfrac{\mu_0 I}{\pi r^2} x = \dfrac{\mu_0 I}{\pi} \dfrac{x}{d^2 + x^2}$

$= \dfrac{\mu_0 I}{\pi} \left(\dfrac{1}{d^2/x + x} \right)$

26

본책 225p

정답 ②

영역	전자기: 자기장
핵심 개념	비오-사바르 법칙 및 직선도선의 앙페르 법칙
평가요소 및 기준	호모형의 전류가 흐를 때 중심에서 자기장 및 앙페르 법칙

해설

비오-사바르 법칙으로부터 원형 도선의 일부 호의 각 ϕ일 때 중심에서 자기장을 구하면

$B_{원형} = \dfrac{\mu_0 I}{4\pi} \int \dfrac{dl}{R^2} = \dfrac{\mu_0 I}{4\pi R} \phi \ (\because dl = R d\phi)$

반원이므로 $\phi = \pi$

$B_{반원} = \dfrac{\mu_0 I_0}{4a}$

직선도선에 의한 자기장

$B = \dfrac{\mu_0 I_0}{2\pi a}$

⚠️ **참고**

직선도선이 무한이 아닌 경우
다음은 직선 도선에서 자기장을 구해보자. 도선과 수직방향으로 떨어진 거리를 d라 하고, 자기장을 측정하고자하는 위치에서부터 도선의 왼쪽 끝과 오른쪽 끝까지의 연직각을 θ_1, θ_2라 하자.

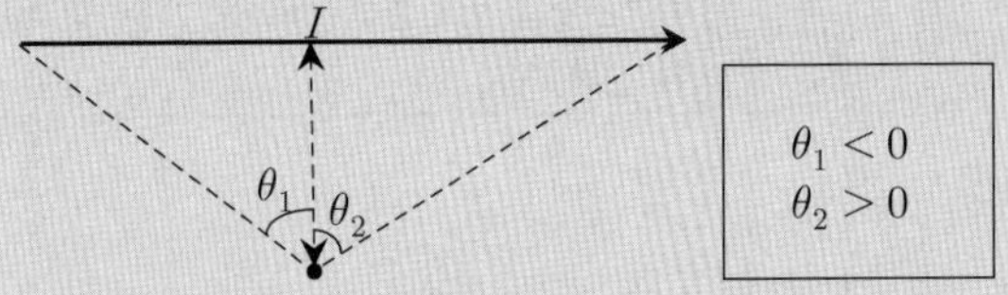

$$\theta_1 < 0$$
$$\theta_2 > 0$$

$B = \dfrac{\mu_0 I}{4\pi} \int \dfrac{dx \cos\theta}{r^2} \ (x = d\tan\theta, dx = d \cdot \sec^2\theta d\theta)$

$= \dfrac{\mu_0 I}{4\pi} \int \dfrac{d\cos\theta}{r^2 \cos^2\theta} d\theta \ (r\cos\theta = d)$

$= \dfrac{\mu_0 I}{4\pi} \int_{\theta_1}^{\theta_2} \dfrac{\cos\theta}{d} d\theta$

$\therefore B_{직선} = \dfrac{\mu_0 I}{4\pi d} [\sin\theta_2 - \sin\theta_1]$

이다. 여기서 부호를 조심하자. 예를 들어 무한 직선 도선의 경우에는 $\theta_1 = -\dfrac{\pi}{2}, \theta_2 = \dfrac{\pi}{2}$가 되어 $B_{무한직선} = \dfrac{\mu_0 I}{2\pi d}$가 된다.

27

본책 225p

정답 1) $B = \dfrac{\mu_0 J}{2} \rho = \dfrac{\mu_0 I}{2\pi R^2} \rho$, 2) 방향은 $\hat{\phi}$

영역	전자기: 암페어 법칙
핵심 개념	암페어 법칙의 정의와 벡터의 이해
평가요소 및 기준	암페어 법칙의 계산 및 방향의 이해

해설

도선의 전류 밀도 $J = \dfrac{I}{\pi R^2}$이고, 암페어(앙페르) 법칙을 활용하면

$\int \vec{B} \cdot \vec{dl} = \mu_0 \int \vec{J} \cdot \vec{da}$

$B(2\pi\rho) = \mu_0 J \pi \rho^2$

$\therefore B = \dfrac{\mu_0 J}{2} \rho = \dfrac{\mu_0 I}{2\pi R^2} \rho$

방향은 $\hat{\phi}$

08

28

본책 226p

정답 ②

영역	전자기
핵심 개념	축전기의 충전된 전하량, 변위전류에서의 자기장
평가요소 및 기준	키르히호프 법칙으로 전하량 계산 및 변위 전류 계산

해설

$$\varepsilon = V_R + V_C = IR + \frac{q}{C} = R\frac{dq}{dt} + \frac{q}{C}$$

$$\frac{dq}{dt} = -\frac{1}{RC}(q - C\varepsilon) \rightarrow \frac{dq}{q - C\varepsilon} = -\frac{1}{RC}dt$$

$$q = C\varepsilon(1 - e^{-\frac{t}{RC}})$$

$$\sigma_f = \frac{q}{\pi a^2}$$

축전기 내부에서 전기장의 세기는 $E = \frac{\sigma_f}{\varepsilon_0}$

$$\frac{\partial E}{\partial t} = \frac{1}{\varepsilon_0 \pi a^2}\left(\frac{\varepsilon}{R}e^{-\frac{t}{RC}}\right)$$

맥스웰 방정식으로부터 $\nabla \times B = \mu_0 J_f + \mu_0 \varepsilon_0 \frac{\partial E}{\partial t}$ 인데 축전기 내부에서는 실제전류밀도 J_f가 0이므로

$$\nabla \times B = \mu_0 \varepsilon_0 \frac{\partial E}{\partial t} = \mu_0 \frac{1}{\pi a^2}\left(\frac{\varepsilon}{R}e^{-\frac{t}{RC}}\right)$$

$$\int B dl = \int \mu_0 \varepsilon_0 \frac{\partial E}{\partial t} dS$$

$$\rightarrow B(2\pi b) = \mu_0 \frac{1}{\pi a^2}\left(\frac{\varepsilon}{R}e^{-\frac{t}{RC}}\right)\pi b^2$$

$$\therefore B = \left(\frac{\mu_0 b \varepsilon}{2\pi a^2 R}\right)e^{-\frac{t}{\tau}}$$

5 페러데이 법칙

29

본책 227p

정답 $V = 12\pi\cos\theta\sin(120\pi t)$

영역	전자기
핵심 개념	발전기에서 패러데이 법칙
평가요소 및 기준	자기장 선속의 벡터 연산과 발전기에서 패러데이 법칙

해설

패러데이 법칙으로 유도기전력을 구해보자.
자기장 선속의 최댓값은 $\phi_B = \vec{B} \cdot \vec{A} = BA\cos\theta$이다. 그리고 시간 $t = 0$일 때 자기장 선속이 최대라고 하면 이때 회전하므로 시간에 따른 자기장 선속의 크기는 $\phi_B(t) = BA\cos\theta\cos\omega t$이다.

분당 회전수가 3600이므로 초당 회전수 즉, 진동수 $f = 60Hz$이다.

$$V = \left|-n\frac{d(BA\cos\theta\cos\omega t)}{dt}\right|$$
$$= nBA\omega\cos\theta\sin\omega t \ (\omega = 2\pi f)$$

$$\therefore V = 12\pi\cos\theta\sin(120\pi t)$$

30

본책 227p

정답 1) 반시계방향, 2) $V(t) = \frac{\mu_0 Ib}{2\pi}\frac{v_0}{a + v_0 t}$

영역	전자기
핵심 개념	패러데이 법칙, 렌츠의 법칙
평가요소 및 기준	패러데이 법칙의 연산과 렌츠 법칙의 이해

해설

1) 전자기유도에서 변화를 방해하는 방향으로 전류가 흐르므로 자속의 증가를 방해하는 방향 즉, 반시계 방향으로 전류가 흐른다.

2) $\phi_B = \int BdS = \int_a^{a+x} \frac{\mu_0 I}{2\pi r}bdx = \frac{\mu_0 Ib}{2\pi}\ln\frac{a+x}{a}$

$$V = \frac{d\phi_B}{dt} = \frac{\mu_0 Ib}{2\pi}\frac{v_0}{a+x} \quad (x = v_0 t)$$

$$\therefore V(t) = \frac{\mu_0 Ib}{2\pi}\frac{v_0}{a + v_0 t}$$

31

본책 228p

정답 1) $\oint_c \vec{E} \cdot d\vec{l} = \pi b^2 B_0 \omega \sin\omega t$

2) $\vec{E} = \frac{bB_0\omega\sin\omega t}{2}\hat{y}$

영역	전자기
핵심 개념	패러데이 법칙
평가요소 및 기준	맥스웰 방정식의 패러데이 법칙과 전기장 연산

해설

1) 맥스웰 방정식으로부터

$$\vec{\nabla} \times \vec{E} = -\frac{\partial \vec{B}}{\partial t}$$

$$\int \vec{\nabla} \times \vec{E} \cdot d\vec{a} = \oint \vec{E} \cdot d\vec{l} = -\int \frac{\partial \vec{B}}{\partial t} \cdot d\vec{a}$$

$$\therefore \oint_c \vec{E} \cdot d\vec{l} = \pi b^2 B_0 \omega \sin\omega t$$

2) $E(2\pi b) = \pi b^2 B_0 w \sin\omega t$

$$E = \frac{bB_0\omega\sin\omega t}{2}$$

전기장은 경로 C(그림의 실선)에 나란하므로 점 P에서 전기장의 방향은 $\hat{y}$이다.

$$\therefore \vec{E} = \frac{bB_0\omega\sin\omega t}{2}\hat{y}$$

32

본책 229p

정답 ③

영역	전자기학
핵심 개념	패러데이 법칙, 유도기전력의 정의
평가요소 및 기준	움직이는 도선의 패러데이 법칙과 전기장 계산

해설

$$V=\int_l^{2l} Edr=\frac{d}{dt}\int_l^{2l} BdS=\frac{1}{2}B\omega(4\ell^2-\ell^2)=\frac{3}{2}B\omega\ell^2$$

여기서 $d\ell$은 폐회로에 접촉되어 있는 움직이는 도선의 길이이다. 즉, ℓ이다.

만약 반경 $\ell<r<2\ell$에서 전기장의 세기를 구하라고 한다면

$$\int_l^r Edr=\frac{d}{dt}\int_l^r BdS=\frac{1}{2}B\omega(r^2-\ell^2)$$

$$E=B\omega r$$

33

본책 230p

정답 1) $I_0=\dfrac{Ba^2\omega}{2R}$, 2) 해설 그림 참고

영역	전자기
핵심 개념	전자기 유도, 렌츠법칙
평가요소 및 기준	패러데이 법칙의 연산 및 렌츠법칙으로부터 전류방향 확인

해설

1) 패러데이 법칙에 의해서

$$V=-N\frac{d\phi_B}{dt}=-B\frac{dS}{dt}$$

$$\rightarrow dS=\frac{1}{2}a^2d\theta \quad \left(\frac{dS}{dt}=\frac{1}{2}a^2\omega\right)$$

$$V=\frac{Ba^2\omega}{2}=I_0R \rightarrow I_0=\frac{Ba^2\omega}{2R}$$

2) 자기장 영역을 통과하는 반지름 성분의 도선을 기준으로 움직이는 도선이 기전력역할을 하므로 렌츠법칙에 의해서 1사분면일 때는 시계 방향의 전류가 흐른다.
   2사분면에 있을 때는 자기장선속의 변화가 없다. 즉, 전류가 흐르지 않는다. 3사분면에 있으면 반시계 방향으로 전류가 흐른다. 그리고 4사분면에 있을 때는 역시 자기장 선속의 변화가 없으므로 전류가 흐르지 않는다.

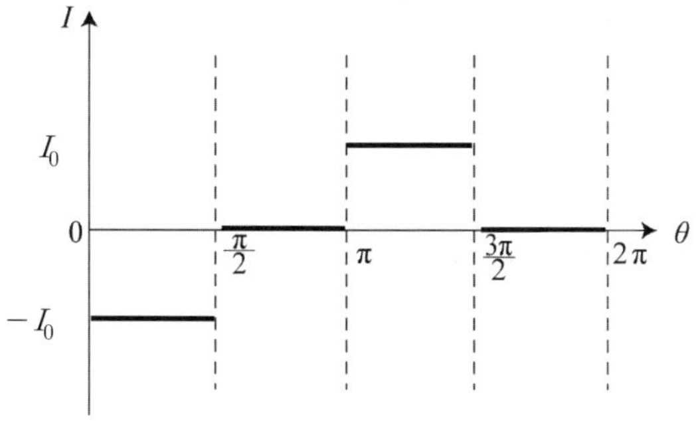

34

본책 231p

정답 $I=\dfrac{1}{2}Ba^2\omega\left(\dfrac{R_1+R_2}{R_1R_2}\right)$

영역	전자기−전자기 유도
핵심 개념	전자기 유도의 정의
평가요소 및 기준	전자기 유도의 정의로부터 정확한 계산

해설

움직이는 막대의 경우 전지역학을 하게 된다.

패러데이 법칙에 의해서 $V=B\dfrac{dS}{dt}=\dfrac{1}{2}Ba^2\omega=IR_{전체}$

저항이 병렬로 연결되어 있으므로 $R_{전체}=\dfrac{R_1R_2}{R_1+R_2}$

$$\therefore I=\frac{1}{2}Ba^2\omega\left(\frac{R_1+R_2}{R_1R_2}\right)$$

35

본책 231p

정답 ②

영역	전자기학
핵심 개념	전자기 유도, 운동방정식, 종단속도의 정의
평가요소 및 기준	전자기 유도와 자기력의 이해, 힘의 평형으로부터 종단 속력 계산

해설

도체 막대의 질량을 M이라 하면 운동방정식을 세워보자.

$mg-F=(m+M)a$

$F=B\ell$이고 유도기전력의 크기는 $V=B\ell v=IR$이므로

$F=\dfrac{B^2\ell^2v}{R}$이다.

$mg-\dfrac{B^2\ell^2v}{R}=(m+M)a$ 인데 종단속도에 도달하게 되면 가속도가 0이 되므로

$$\therefore v_f=\frac{mgR}{B^2\ell^2}$$

36

본책 232p

정답 ②

영역	전자기 : 패러데이 법칙(로렌츠 힘)
핵심 개념	전자기 유도의 이해, 전위 개념
평가요소 및 기준	움직이는 도선의 전자기 유도, 유도 기전력의 전위차 확인

해설

패러데이 법칙과 렌츠법칙을 이용하면
자기장이 균일하므로

$$|V| = NB\frac{dS}{dt} = \frac{Ba^2\omega dt}{2dt} = \frac{Ba^2\omega}{2} \quad (dS = \frac{1}{2}r^2 d\theta = \frac{1}{2}r^2\omega dt)$$

O점을 기준으로 P의 전위는 렌츠법칙에 의해서 O점의 전위가 높으므로

$$V_P = -\frac{1}{2}Ba^2\omega$$

O′점을 기준으로 Q의 전위는 렌츠법칙에 의해서 O′점의 전위가 높으므로

$$V_Q = -\frac{1}{2}Bb^2\omega$$

$$\therefore (V_P - V_Q) = \frac{1}{2}\omega B(b^2 - a^2)$$

참고

로렌츠힘 접근

$$F = qvB = q\omega rB = qE$$

$$\Delta V = \int Edr = \frac{B\omega r^2}{2}$$

이하 도체 속의 전자가 힘을 받아 움직이는 방향이 막대 중심에서 멀어지는 방향이므로 전류는 반대이다. 즉 전위는 전류방향이 높으므로 위의 패러데이 법칙과 동일한 결과를 가져온다.

37

본책 232p

정답 1) $\Phi = \pi B_0 b^2 \sin\omega t$, 2) $I = \dfrac{\pi B_0 a^2 b\omega}{2\rho}cos\omega t$, 3) $\dfrac{\pi}{2\omega}$

영역	전자기 – 전자기 유도
핵심 개념	저항의 정의 및 전자기 유도의 활용
평가요소 및 기준	저항의 정의를 통한 옴의 법칙 계산 전자기 유도로부터 유도 기전력의 계산

해설

$$\Phi = \int \vec{B} \cdot d\vec{a} = \pi B_0 b^2 \sin\omega t$$

$$|V| = IR = \left|-\frac{\partial\Phi}{\partial t}\right| = \pi B_0 b^2 \omega\cos\omega t$$

$$R = \rho\frac{l}{A} = \rho\frac{2\pi b}{\pi a^2} = \rho\frac{2b}{a^2}$$

$$\therefore I = \frac{\pi B_0 a^2 b\omega}{2\rho}cos\omega t$$

Φ와 I가 각각 0이 되는 시간차는 $\dfrac{T}{4}$이므로 $\dfrac{\pi}{2\omega}$이다.

38

본책 233p

정답 1) $|E_{내부}| = \dfrac{\beta\rho}{2}$, $|E_{외부}| = \dfrac{\beta R^2}{2\rho}$

2) $|V| = \beta\pi R^2$, $-\hat{\phi}$

영역	전자기: 전자기 유도
핵심 개념	전자기 유도의 정의, 렌츠법칙 이해
평가요소 및 기준	• 전자기 유도로부터 유도 기전력의 계산 • 렌츠법칙의 이해와 방향 설정

해설

맥스웰 방정식 (패러데이법칙)에 의해서

$$\oint \vec{E} \cdot d\vec{l} = -\frac{\partial}{\partial t}\int \vec{B} \cdot d\vec{a}$$

① $\rho \le R$ 내부 영역에서 전기장을 구하면

$$E(2\pi\rho) = -\frac{\partial}{\partial t}(\beta t\pi\rho^2) = -\beta\pi\rho^2$$

$$\therefore |E_{내부}| = \frac{\beta\rho}{2}$$

③ $\rho > R$ 내부 영역에서 전기장을 구하면

$$E(2\pi\rho) = -\frac{\partial}{\partial t}(\beta t\pi R^2) = -\beta\pi R^2$$

$$\therefore |E_{외부}| = \frac{\beta R^2}{2\rho}$$

유도 기전력은 다음과 같다.

$$V = \oint \vec{E} \cdot d\vec{l} = -\frac{\partial}{\partial t}\int \vec{B} \cdot d\vec{a} = -\beta\pi R^2$$

$$|V| = \beta\pi R^2$$

유도전류의 방향은 전기장의 방향과 일치한다. 그리고 렌츠법칙에 의해서 $-\hat{\phi}$방향으로 전류가 흐른다.

39

본책 233p

정답 1) $B = \dfrac{\mu_0 I_0}{2\pi r}$, 2) $V = \dfrac{L\mu_0 a I_0}{2\pi}\ln\dfrac{3}{2}$

영역	전자기: 맥스웰 법칙
핵심 개념	암페어 법칙과 패러데이 법칙
평가요소 및 기준	위 법칙의 단순 활용 및 계산

해설

1) 암페어 법칙을 사용하여 계산하면 대칭표면 안에 있는 전류만 고려하면 되므로

$$\int Bdl = \mu_0 I_{en} = \mu_0 I_0$$

$$\therefore B = \frac{\mu_0 I_0}{2\pi r}$$

2) $V = -N\dfrac{d\phi}{dt}$ 크기만 생각하자.

$$\phi = \int_{2d}^{3d} BLdr = \frac{L\mu_0 I}{2\pi}\ln\frac{3}{2}, \quad \frac{dI(t)}{dt} = aI_0$$

$$\therefore V = \frac{L\mu_0 a I_0}{2\pi}\ln\frac{3}{2}$$

40

본책 234p

정답 1) 윗방향(운동방향에 반대방향)

2) $F=\dfrac{B^2\ell^2 v}{R}$, $I=\dfrac{mg}{B\ell}(1-e^{-\frac{B^2\ell^2}{mR}t})$

영역	전자기
핵심 개념	전자기 유도, 렌츠법칙, 운동방정식
평가요소 및 기준	렌츠법칙의 이해, 유도 기전력과 자기력 활용, 유도 전류 계산

해설

1) 렌츠법칙에 의해서 자기력은 운동방향에 반대방향이다.

2) $V_{유도}=B\ell v=IR$

$$F=BI\ell=\frac{B^2\ell^2 v}{R}$$

$$\therefore F=\frac{B^2\ell^2 v}{R}$$

3) 운동방정식 $mg-F=ma$

$$mg-\frac{B^2\ell^2 v}{R}=m\frac{dv}{dt}$$

$$g-\frac{B^2\ell^2 v}{mR}=\frac{dv}{dt}$$

$$-\frac{B^2\ell^2}{mR}\left(v-\frac{mgR}{B^2\ell^2}\right)=\frac{dv}{dt}$$

$$\rightarrow\int_0^v\frac{dv}{v-\frac{mgR}{B^2\ell^2}}=-\int_0^t\frac{B^2\ell^2}{mR}dt$$

$$\ln\left(\frac{v-\frac{mgR}{B^2\ell^2}}{-\frac{mgR}{B^2\ell^2}}\right)=-\frac{B^2\ell^2}{mR}t$$

$$v(t)=\frac{mgR}{B^2\ell^2}(1-e^{-\frac{B^2\ell^2}{mR}t})$$

$$I=\frac{B\ell}{R}v(t)$$

$$\therefore I(t)=\frac{mg}{B\ell}(1-e^{-\frac{B^2\ell^2}{mR}t})$$

41

본책 234p

정답 1) $\phi_B=B_0a^2\sin\omega t$, 2) $I=\left|\dfrac{B_0a^2\omega\cos\omega t}{R}\right|$

3) $\vec{m}=\dfrac{B_0a^4\omega}{R}(-\hat{y}+\hat{z})$

영역	전자기학
핵심 개념	전자기 유도, 렌츠 법칙, 쌍극자 모멘트
평가요소 및 기준	자기 선속의 정의로부터 연산, 유도 전류 계산, 렌츠 법칙으로부터 전류방향에 따른 쌍극자 모멘트 연산

해설

1) 자기 선속 $\phi_B=\int\vec{B}\cdot d\vec{S}=B_0a^2\sin\omega t$

2) 유도 기전력

$$\varepsilon=\frac{d\phi_B}{dt}=B_0a^2\omega\cos\omega t=IR$$

$$\therefore I=\left|\frac{B_0a^2\omega\cos\omega t}{R}\right|$$

3) $\omega t=2\pi$일 때 자기장 선속이 증가하는 방향이므로 전류는 이를 방해하는 방향으로 형성된다. xy평면의 도선에 흐르는 전류방향은 시계 방향이다. 따라서 자기 쌍극자 모멘트를 구하면

$$\vec{m}=\sum I\vec{A}=Ia^2\hat{z}+Ia^2(-\hat{y})$$

$$\therefore\vec{m}=\frac{B_0a^4\omega}{R}(-\hat{y}+\hat{z})$$

42

본책 235p

정답 1) $\Phi=\dfrac{\mu_0Ia}{2\pi}\ln\left(\dfrac{x+a}{x}\right)$, 2) $\varepsilon=\dfrac{\mu_0Ia^2v}{2\pi x(x+a)}$

3) 반시계 방향

영역	전자기학
핵심 개념	자기선속 정의, 유도 기전력 정의, 렌츠 법칙
평가요소 및 기준	자기선속의 계산, 유도 기전력 계산, 렌츠 법칙을 통한 전류 방향 확인

해설

1) 자기장 선속의 정의 $\Phi=\int\vec{B}\cdot d\vec{S}=\int_x^{x+a}\frac{\mu_0I}{2\pi r}adr$

$$\therefore\Phi=\frac{\mu_0Ia}{2\pi}\ln\left(\frac{x+a}{x}\right)$$

2) 유도 기전력의 정의 $\varepsilon=\left|-N\frac{d\Phi}{dt}\right|=\frac{\mu_0Ia}{2\pi}\left|\frac{v}{x+a}-\frac{v}{x}\right|$

$$\therefore\varepsilon=\frac{\mu_0Ia^2v}{2\pi x(x+a)}$$

일반적으로 유도 기전력은 세기로 정의한다.

3) 도선이 움직임에 따라 $+z$축방향으로 나오는 자기장이 감소하므로 렌츠법칙에 의해서 반시계 방향의 유도 전류가 발생된다.

43

본책 235p

정답 1) $\Phi(y)=\dfrac{B_0}{2}(2by+b^2)$

2) $\varepsilon=B_0bv$, 3) $P_g=\left(\dfrac{mg}{bB_b}\right)^2R$

영역	전자기학
핵심 개념	자기 선속, 유도 기전력, 자기력과 운동 방정식
평가요소 및 기준	자기 선속의 정의로부터 유도 기전력 계산, 종단 속력일 때 운동방정식

해설

1) $\Phi(y)=\int\vec{B}\cdot d\vec{S}=B_0\dfrac{1}{a}\int y\,dx\,dy=B_0\int_y^{y+b}y\,dy$

$=\dfrac{B_0}{2}(2by+b^2)$

$\therefore\ \Phi(y)=\dfrac{B_0}{2}(2by+b^2)$

2) $\varepsilon=\left|-N\dfrac{d\Phi(y)}{dt}\right|=B_0b\left|\dfrac{dy}{dt}\right|=B_0bv$

$\therefore\ \varepsilon=B_0bv$

3) 중력이 한 일 >0

등속으로 움직이므로 에너지 보존 법칙에 의해서 $P_g=P_R$ 이다.

운동방정식 $mg-F_{자기력}=ma=0$

$\vec{B}(y)=-B_0\dfrac{y}{a}\hat{z}$이므로 $+y$에 따라 자기장의 세기가 증가하므로 유도 전류는 시계방향으로 흐르게 된다.

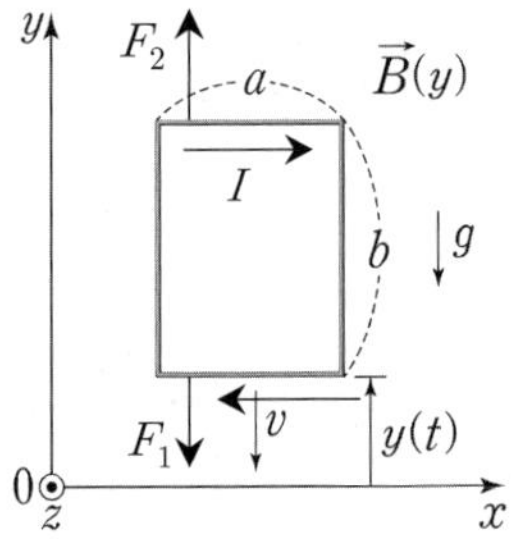

자기력은 위쪽 도선과 아래쪽 도선에 받는 힘의 차이이다.

$F_{자기력}=F_2-F_1=B_2Ia-B_2Ia=(B_2-B_1)Ia$

$=B_0(\dfrac{b}{a})Ia$

$F_{자기력}=B_0bI$

운동방정식 $mg=F_{자기력}=B_0bI=B_0b\dfrac{B_0bv}{R}=\dfrac{B_0^2b^2v}{R}$

$P_R=I^2R=\left(\dfrac{mg}{bB_b}\right)^2R$

$P_g=mgv=mg(\dfrac{mgR}{b^2B_0^2})=\left(\dfrac{mg}{bB_b}\right)^2R$

$\therefore\ P_R=P_g=\left(\dfrac{mg}{bB_b}\right)^2R$

Chapter 09 심화 전자기학

본책 242 ~ 265쪽

1 멕스웰 방정식

01

본책 242p

정답 ⑤

영역	전자기학
핵심 개념	맥스웰 방정식
평가요소 및 기준	맥스웰 방정식의 적용 및 이해

해설

ㄱ. $\vec{\nabla}\times\vec{B}=\mu_0\vec{J}+\mu_0\epsilon_0\dfrac{\partial\vec{E}}{\partial t}$ 에서 회전성분에 발산을 취하면 무조건 0이 되므로

$\vec{\nabla}\cdot(\vec{\nabla}\times\vec{B})=\mu_0\vec{\nabla}\cdot\vec{J}+\mu_0\epsilon_0\dfrac{\partial\vec{\nabla}\cdot\vec{E}}{\partial t}=0$,

$\vec{\nabla}\cdot\vec{E}=\dfrac{\rho}{\epsilon_0}$를 대입하여 정리하면

$\vec{\nabla}\cdot\vec{J}+\dfrac{\partial\rho}{\partial t}=0$: 연속 방정식이 유도가 된다. 연속방정식은 시간에 따른 전하량의 변화는 발산하는 전류량과 동일하다를 의미한다.

ㄴ. $\vec{\nabla}\cdot\vec{E}=\dfrac{\rho}{\epsilon_0}\rightarrow\int\vec{E}\cdot d\vec{S}=\dfrac{Q}{\epsilon_0}$이므로 전하는 전기장을 생성한다.

ㄷ. $\int\vec{E}\cdot d\vec{S}=\dfrac{Q}{\epsilon_0}\rightarrow E=\dfrac{Q}{4\pi\epsilon_0 r^2}$이므로 전기장의 세기는 거리의 제곱에 반비례한다.

2 로렌츠 힘

02

본책 243p

정답 1) b, 2) $a\rightarrow b$, 3) $\Delta V=BLv\sin\theta$

영역	전자기
핵심 개념	로렌츠 힘
평가요소 및 기준	자기력과 전기력의 평형 및 전위 계산

해설

1) 로렌츠힘 자기력은 $\vec{F}=q\vec{v}\times\vec{B}$이므로 전하량이 음수인 전자는 $-\hat{z}$방향으로 힘을 받는다.
$\therefore b$

2) 전자가 b쪽으로 쌓이면서 상대적으로 a쪽이 양으로 대전되므로 전기장의 방향은 $a\rightarrow b$이다.

3) 전기력과 자기력이 평형을 이룰 때까지 전하의 이동이 일어나므로

$qE=qvB\sin\theta$

$\dfrac{\Delta V}{L}=vB\sin\theta$

$\therefore\Delta V=BLv\sin\theta$

03

본책 243p

정답 $\theta=\left(\dfrac{q^2}{16\pi\epsilon_0 mgl^2}\right)^{1/3}$

영역	전자기
핵심 개념	전기력과 중력의 평형
평가요소 및 기준	전기력과 중력의 평형관계 단순 계산

해설

중력과 전기력과 장력이 힘의 평형을 이루므로

$$\tan\theta=\frac{F_E}{F_G}=\frac{\frac{q^2}{4\pi\epsilon_0 r^2}}{mg}=\frac{q^2}{4\pi\epsilon_0(2l\sin\theta)^2 mg}$$

$$\theta^3=\frac{q^2}{16\pi\epsilon_0 mgl^2}$$

$$\therefore\theta=\left(\frac{q^2}{16\pi\epsilon_0 mgl^2}\right)^{1/3}$$

04

본책 244p

정답 1) $v_B=\dfrac{qEd}{2mv_A}$, 2) $W=\dfrac{(qEd)^2}{2mv_A^2}$

영역	전자기
핵심 개념	전기장 영역에서 운동, 전기력이 한 일
평가요소 및 기준	위 개념 활용을 통한 연산

해설

1) 입자 A는 x축으로 등속직선운동 y축으로 등가속도 운동을 한다. 입자 B는 y축으로 등속직선운동하므로

$x: d=v_A t$

$y: \dfrac{1}{2}(\dfrac{qE}{m})t^2=v_B t$

$v_B=\dfrac{qE}{2m}t=\dfrac{qEd}{2mv_A}$

2) 전기력이 한 일은 $W=qEy=qEv_B t=\dfrac{(qEd)^2}{2mv_A^2}$

05

본책 244p

정답 ①

영역	전자기
핵심 개념	전기장, 자기장의 벡터 퍼텐셜과의 관계, 로렌츠 힘
평가요소 및 기준	전기장에서 운동의 이해, 벡터 퍼텐셜로부터 로렌츠 힘의 연산

해설

$x<0$에서

$\vec{E}=-\nabla\phi=-\alpha\hat{x}$

$\vec{F}=q\vec{E}=e\alpha\hat{x}$

$F=ma \rightarrow a=\frac{e\alpha}{m}=$ 일정

$2ad=v_0^2=\frac{2e\alpha d}{m}$

$\vec{B}=\vec{\nabla}\times\vec{A}$이므로

$$\vec{\nabla}\times\vec{A}=\beta\begin{vmatrix}\hat{x} & \hat{y} & \hat{z}\\ \partial_x & \partial_y & \partial_z\\ y & -x & 0\end{vmatrix}=-2\beta\hat{z}$$

자기장 영역에 입사 직후 자기력의 크기와 방향은

$\vec{F}_B=q\vec{v}\times\vec{B}=-2e\beta v_0\hat{y}$

자기력은 구심력으로 작용하므로 자기장 영역에서 속력은 변하지 않는다.

$F=2e\beta v_0=\frac{mv_0^2}{r}$

$\therefore r=\frac{m}{2e\beta}v_0=\frac{1}{\beta}\sqrt{\frac{m\alpha d}{2e}}$

06

본책 245p

정답 ④

영역	전자기
핵심 개념	로렌츠 힘(전기력, 자기력)에서의 운동
평가요소 및 기준	전기력과 자기력의 평형 및 힘의 분해

해설

병진 성분과 회전 성분을 나눠서 보는 것이므로 먼저 병진 속도 $\vec{v}_d$의 방향을 알아보자.

$\vec{E}+\vec{v}_d\times\vec{B}=0$에서 전기장은 $\hat{x}$방향이고, 자기장은 $\hat{z}$방향이므로 병진 속도의 방향은 $-\hat{y}$방향이다. 그리고 양전하가 초기 속도 $\vec{v}_0=v_0\hat{x}$로 입사하였으므로 원운동은 자기력에 의해서 시계방향으로 회전한다.

만족하는 그래프는 ④이다.

참고

로렌츠 힘에 대한 운동방정식 풀이

$\vec{v}=\vec{v}_d+\vec{v}_\perp$

$\vec{F}=q\vec{E}+q\vec{v}\times\vec{B}=m\vec{a}$

$\vec{E}=(E_0,\ 0,\ 0),\ \vec{B}=(0,\ 0,\ B_0),\ \vec{v}=(v_x,\ v_y,\ v_z)$;

$t\geq 0$에서 $\vec{v}$

$$\vec{v}\times\vec{B}=\begin{vmatrix}\hat{x} & \hat{y} & \hat{z}\\ v_x & v_y & v_z\\ 0 & 0 & B_0\end{vmatrix}=(B_0v_y,\ -B_0v_x,\ 0)$$

$\vec{a}=\frac{q}{m}(E_0+B_0v_y,\ -B_0v_x,\ 0)$

$a_x=\frac{qE_0}{m}+\frac{qB_0}{m}v_y=\dot{v}_x$

$a_y=-\frac{qB_0}{m}v_x=\dot{v}_y$

$a_z=0=\dot{v}_z\rightarrow v_z=0$

$\ddot{v}_y=-\frac{qB_0}{m}\dot{v}_x=-\frac{qB_0}{m}(\frac{qE_0}{m}+\frac{qB_0}{m}v_y)$

$\ddot{v}_y=(\frac{qB_0}{m})^2(v_y+\frac{E_0}{B_0})=0$; $w=\frac{qB_0}{m}$

$v_y+\frac{E_0}{B_0}=A\cos\omega t+B\sin\omega t$

$t=0$ $v_y(t=0)=-\frac{E_0}{B_0}+A=0\rightarrow A=\frac{E_0}{B_0}$

$\dot{v}_y(t=0)=B\omega=-\omega v_0\rightarrow B=-v_0$

$\therefore v_y(t)=-\frac{E_0}{B_0}+\frac{E_0}{B_0}\cos\omega t-v_0\sin\omega t$

$v_x(t)=\frac{E_0}{B_0}\sin\omega t+v_0\cos\omega t$

$(v_y(t)+\frac{E_0}{B_0})^2+(v_x(t))^2=(\frac{E_0}{B_0})^2+v_0^2=v_\perp^2$

$t=0\rightarrow\vec{v}(0)=\vec{v}_d(0)+\vec{v}_\perp(0)=v_0\hat{x}$

$\vec{v}_d=-\frac{E_0}{B_0}\hat{y}$, $\vec{v}_\perp(0)=v_0\hat{x}+\frac{E_0}{B_0}\hat{y}$

$\vec{v}_d=\vec{v}_d(0)=-\frac{E_0}{B_0}\hat{y},\ |\vec{v}_\perp|=\sqrt{v_0^2+\left(\frac{E_0}{B_0}\right)^2}$; 원운동 속력

$-y$방향으로 등속운동 하면서 원운동을 동시에 하는 궤도 운동이다.

$x(t)=\frac{E_0}{B_0\omega}(1-\cos\omega t)+\frac{v_0}{w}\sin\omega t$

$y(t)=-\frac{E_0}{B_0}t+\frac{E_0}{B_0\omega}\sin\omega t-\frac{v_0}{w}(1-\cos\omega t)$

$(x-\frac{E_0}{B_0\omega})^2+(y+\frac{v_0}{\omega}+\frac{E_0}{B_0}t)^2$

$=\frac{1}{\omega^2}\left[(\frac{E_0}{B_0})^2+v_0^2\right]=R^2$

$v_d = v_{cm} = \frac{E_0}{B_0}$, $R\omega = \sqrt{\left[(\frac{E_0}{B_0})^2 + v_0^2 \right]}$

$v_{cm} < R\omega$이다.

그래프를 그려보면 다음과 같다.

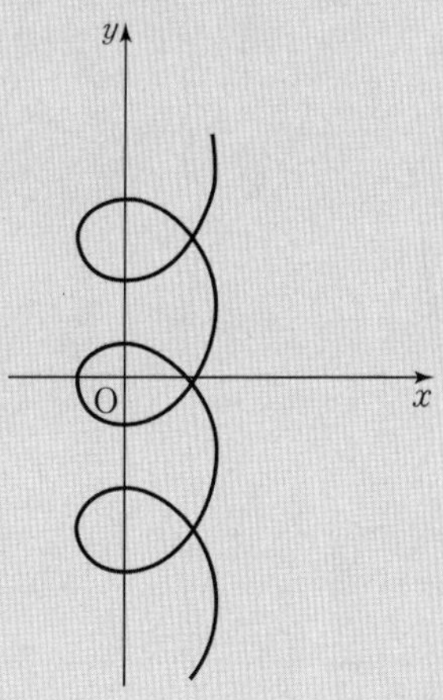

만약 $v_0 = 0$이면 $v_{cm} = R\omega$가 되어 사이클로이드 곡선 운동을 하게 된다.

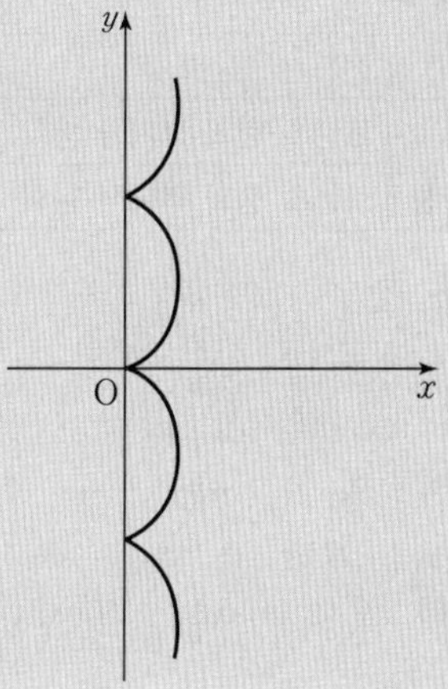

07

본책 246p

정답 ⑤

영역	전자기: 로렌츠힘
핵심 개념	전기력과 자기력, 자기장 영역에서 원운동 주기
평가요소 및 기준	로렌츠 힘의 방향과 힘의 평형, 자기장 영역에서 원운동 주기

해설

ㄱ. 전기력과 자기력이 평형을 이루므로 방향이 서로 반대이다.

$\vec{F}_{자기력} = q\vec{v} \times \vec{B} = qvB(-\hat{y})$

$\vec{F}_{전기력} = q\vec{E} \rightarrow \vec{E} = E_0\hat{y}$

ㄴ. $qvB = qE \rightarrow \therefore v = \frac{E}{B}$

ㄷ. 총 걸린 시간은

$2 \times t_{반원} + 2 \times t_{직선}$ $(qB = mw)$

$t_{반원} = \frac{\pi}{w} = \frac{\pi m}{qB}$, $t_{직선} = \frac{2r}{v} = \frac{2}{w} = \frac{2m}{qB}$

$\therefore t = \frac{2\pi m}{qB} + \frac{4m}{qB} = \frac{2m}{qB}(\pi + 2)$

08

본책 246p

정답 1) $a_x = \dot{v}_x = \frac{qB}{m}v_y$, $a_y = \dot{v}_y = \frac{qE}{m} - \frac{qB}{m}v_x$

2) $v_x(t) = -\left(\frac{E}{B}\right)\cos\omega t + \frac{E}{B}$ $where\ \omega = \frac{qB}{m}$

영역	전자기: 로렌츠 힘
핵심 개념	로렌츠 힘으로부터 운동방정식
평가요소 및 기준	• 로렌츠 힘의 정의 • 운동방정식 계산

해설

로렌츠 힘을 써서 구해보면

$\vec{F} = q\vec{E} + q\vec{v} \times \vec{B} = m\vec{a}$

$\vec{E} = (0, E, 0)$

$\vec{v} \times \vec{B} = \begin{vmatrix} \hat{x} & \hat{y} & \hat{z} \\ v_x & v_y & v_z \\ 0 & 0 & B \end{vmatrix} = (Bv_y, -Bv_x, 0)$

$(a_x, a_y, a_z) = \frac{q}{m}(Bv_y, E - Bv_x, 0)$

운동방정식은 아래와 같다.

$a_x = \dot{v}_x = \frac{qB}{m}v_y$

$a_y = \dot{v}_y = \frac{qE}{m} - \frac{qB}{m}v_x$

x축 운동방정식을 각각 양변에 시간에 대해 미분해서 정리하면

$\ddot{v}_x = \frac{qB}{m}\dot{v}_y$ …… ①

①식에 y축 운동방정식을 대입하여 정리하면

$\ddot{v}_x + \left(\frac{qB}{m}\right)^2 v_x = \left(\frac{q}{m}\right)^2 BE$

$\frac{qB}{m} = \omega$라 정의하자.

일반해: $v_{xc} = M\sin\omega t + N\cos\omega t$

특수해: $v_{xp} = \frac{E}{B}$

전체해=$v_x(t) = v_{xc} + v_{xp} = M\sin\omega t + N\cos\omega t + \frac{E}{B}$가 된다.

초기 조건 $v_x(0) = 0$이므로 $N = -\frac{E}{B}$이다.

x축 운동방정식 $a_x = \dot{v}_x = \frac{qB}{m}v_y$에 대입하여 정리하면

$v_y(t) = M\cos\omega t + \frac{E}{B}\sin\omega t$인데 $v_y(0) = 0$이므로 $M = 0$이다.

$\therefore v_x(t) = -\left(\frac{E}{B}\right)\cos\omega t + \frac{E}{B}$ $where\ \omega = \frac{qB}{m}$

09

본책 247p

정답 1) $\varepsilon = B_0 av,\ I = -\dfrac{B_0 av}{R}\hat{\phi},\ \vec{F} = -\dfrac{B_0^2 a^2 v}{R}\hat{z}$

2) $L = \dfrac{mRv_0}{B_0^2 a^2}$

영역	전자기: 맥스웰 방정식 및 로렌츠 힘
핵심 개념	맥스웰 방정식, 전자기 유도, 로렌츠 힘을 통해 운동방정식 정의
평가요소 및 기준	• 맥스웰 방정식 활용하여 전자기 유도 계산 • 로렌츠 힘을 통해 운동방정식 정의 및 관심값 계산

해설

1) 도선에 유도되는 기전력 ε, 고리에 흐르는 유도 전류 I, 고리가 받는 힘 $\vec{F}$

맥스웰 방정식을 이용하면

$$\vec{\nabla}\times\vec{E} = -\frac{\partial}{\partial t}\vec{B}$$

$$\varepsilon = \int \vec{E}\cdot d\vec{l} = -\frac{\partial}{\partial t}\int \vec{B}\cdot d\vec{a}\ \ (where\ d\vec{a} = 2\pi\rho d\rho\hat{z})$$

$\varepsilon = -B_0 av$

$\therefore |\varepsilon| = B_0 av$

$I = -\dfrac{B_0 av}{R}\hat{\phi}$

$\vec{F} = \oint I d\vec{l}\times\vec{B}$ 선적분 과정에서 고리가 대칭형이므로 $\hat{\rho}$ 방향의 힘의 성분은 합력이 0이다.

$\therefore \vec{F} = -\dfrac{B_0^2 a^2 v}{R}\hat{z}$

그런데 실전이라면 렌츠법칙을 활용해서 다음과 같이 구하는 게 계산적인 면에서 더 빠르고 효율적이다. 자기력이 한 일은 $W = \int \vec{F}\cdot d\vec{s} = -\int I^2 R dt + \Delta E_k$으로 특정 시각 t일 때 전력은 $P = \dfrac{dW}{dt} = \vec{F}\cdot\vec{v} = -I^2 R$이다.

여기서 −가 붙는 이유는 저항에서 에너지 소비만 일어나기 때문이다. 그리고 렌츠법칙에 의해서 운동방향에 반대되는 힘을 받기 때문에 힘의 부호를 그렇게 찾아도 된다.

$\vec{v} = v\hat{z}$이므로 F의 성분은 z축에 나란하다. 크기 성분만 써보면 $Fv = \dfrac{B_0^2 a^2 v^2}{R}$

$\therefore \vec{F} = -\dfrac{B_0^2 a^2 v}{R}\hat{z}$

2) 정지할 때까지 이동하는 거리 L

고리가 받는 가속도는 $a = -\dfrac{B_0^2 a^2}{mR}v = -kv$; 역학에서도 언급했듯이 조건과 결과를 잘 맞춰주면 된다.

조건 속도 → 결과 이동거리

따라서 $v-x$ 함수로 바꿔보자.

$a = \dfrac{dv}{dt}\dfrac{dx}{dx} = v\dfrac{dv}{dx} = -kv$

$dv = -kds$

$-v_0 = -kL$

$\therefore L = \dfrac{mRv_0}{B_0^2 a^2}$

다른 풀이

$a = \dfrac{dv}{dt} = -kv$

$\dfrac{dv}{v} = -kdt$

$v = v_0 e^{-kt}$

$L = \int vdt = \int_0^\infty v_0 e^{-kt}dt = \dfrac{v_0}{k}$

$\therefore L = \dfrac{mRv_0}{B_0^2 a^2}$

10

본책 247p

정답 1) $N = mg\cos\theta - BId\sin\theta$, 2) $I = \dfrac{mg}{Bd}$

3) $a = \sqrt{2}g$

영역	전자기
핵심 개념	로렌츠 힘의 크기와 방향
평가요소 및 기준	로렌츠 힘과 역학적 힘의 평형관계

해설

1) $I = I_0 + I_d$ (I_0=공급전류, I_d=유도전류)

$\sum F_x = ma$: $mg\sin\theta + F\cos\theta = ma$ …… ①

$\sum F_y = 0$: $N + F\sin\theta = mg\cos\theta$ …… ②

$\therefore N = mg\cos\theta - BId\sin\theta$

2) $N = 0, \theta = 45^\circ$ 일 때 $mg\cos\theta = BId\sin\theta$

$\therefore I = \dfrac{mg}{Bd}$

3) 식 ①에서 $mg\sin 45^\circ + BId\cos 45^\circ = ma$,

$mg\dfrac{1}{\sqrt{2}} + mg\dfrac{d}{\sqrt{2}} = ma$

$\therefore a = \sqrt{2}g$

11

본책 248p

정답 1) $B_P = \dfrac{\mu_0 Id}{\pi(d^2 + \dfrac{a^2}{4})}$

2) $|\vec{\tau}| = \dfrac{\mu_0 Iia^2 d}{\pi(d^2 + \dfrac{a^2}{4})}$, $+z$방향

영역	전자기학
핵심 개념	직선도선의 자기장, 자기력과 돌림힘
평가요소 및 기준	3차원상에서 직선도선의 자기장 크기와 방향 연산, 자기력과 돌림힘 계산

해설

1) 평면상으로 그림을 그려보면 아래와 같다. P지점에서 두 도선에 의한 자기장은 x축 성분만을 갖는다.

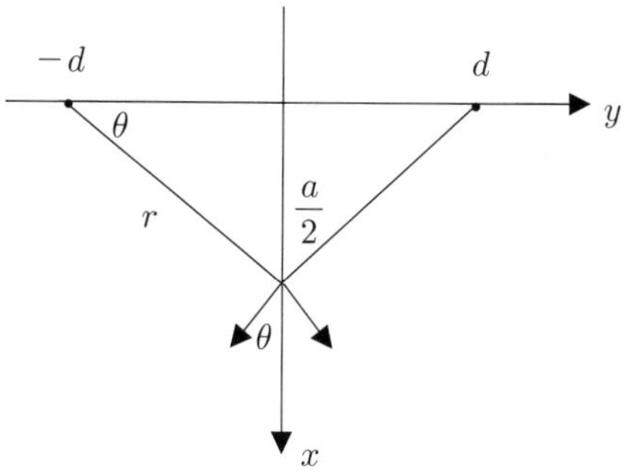

$$B_x = 2\times\frac{\mu_0 I}{2\pi r}\cos\theta$$

$$\therefore B_P = \frac{\mu_0 I d}{\pi(d^2+\frac{a^2}{4})}$$

2) $\vec{F}=i\vec{\ell}\times\vec{B}$이다. x축에 나란한 도선은 힘을 받지 않고, z축에 나란한 도선만 힘을 받는다.

P지점을 포함한 도선이 받는 힘은 $\vec{F_1}=iaB\hat{y}$이고, 반대편 도선이 받는 힘은 $\vec{F_2}=-iaB\hat{y}$ 이다.

돌림힘 $\vec{\tau}=\vec{r}\times\vec{F}$이므로 원점에 대한 두 도선의 알짜 돌림힘은

$$\vec{\tau}=\left(\frac{a}{2}\hat{x}\right)\times\vec{F}_1+\left(-\frac{a}{2}\hat{x}\right)\times\vec{F}_2=ia^2B\hat{z}$$

$$\therefore |\vec{\tau}|=\frac{\mu_0 I i a^2 d}{\pi(d^2+\frac{a^2}{4})}$$

방향은 $+z$방향이다.

12

본책 249p

정답 1) $C=\frac{E}{B\omega}$, 2) $t_P=\frac{\pi}{\omega}$, 3) $\frac{F_E}{F_M}=\frac{1}{2}$

영역	전자기
핵심 개념	로렌츠 힘, 전기력과 자기력의 정의
평가요소 및 기준	입자의 위치 정보로 부터 속도 연산, 전기력과 자기력의 크기 계산

해설

1) $t=0$에서 $v_y(t=0)=\frac{E}{B}-C\omega=0$

$$\therefore C=\frac{E}{B\omega}$$

2) $z_{max}=2C$이므로 $t_P=\frac{\pi}{\omega}$이다.

3) $F_E=qE$, $F_M=|q\vec{v}\times\vec{B}|$

$$\vec{v}_P=(0,\ \frac{E}{B}+C\omega,\ 0)=(0,\ 2\frac{E}{B},\ 0)$$

$$F_M=|q\vec{v}\times\vec{B}|=2qE$$

$$\therefore \frac{F_E}{F_M}=\frac{1}{2}$$

3 편극 및 전기 쌍극자 모멘트

13

본책 250p

정답 ⑤

영역	전자기
핵심 개념	전기쌍극자의 전기장 및 쌍극자 모멘트, 쌍극자 퍼텐셜 에너지
평가요소 및 기준	전기쌍극자의 자기장, 선형유전체 편극의 정의, 퍼텐셜 에너지 개념

해설

일직선상에서 각 전하의 크기가 q이고 거리 d로 떨어진 쌍극자가 있다고 하자. 쌍극자의 중심으로부터 r만큼 떨어진 위치에서 전기장의 세기를 구하면

$-q$에 의한 전기장을 E_-라 하면 $E_-(r)=-\frac{kq}{(r+\frac{d}{2})^2}$

$+q$에 의한 전기장을 E_+라 하면 $E_+(r)=\frac{kq}{(r-\frac{d}{2})^2}$

ㄱ. 쌍극자의 전기장은

$$E_A=E_-+E_+=kq\left[\frac{1}{(r+\frac{d}{2})^2}-\frac{1}{(r-\frac{d}{2})^2}\right]$$

$$=kq\left(\frac{(r-\frac{d}{2})^2-(r+\frac{d}{2})^2}{(r^2-\frac{d^2}{4})}\right)$$

$$\simeq\frac{2kqd}{r^3}$$

따라서 쌍극자에 의한 전기장은 r^3에 반비례한다.

ㄴ. 선형유전체라고 하였으므로 $D=\epsilon_0 E+P=\epsilon E$ 이다.

편극 P는 단위부피당 쌍극자 모멘트 p이므로 편극이 외부 전기장에 비례한다.

ㄷ. 전기쌍극자 B의 전기적 퍼텐셜 에너지는

$$U_B=-\vec{p}\cdot\vec{E}_A$$

B의 쌍극자 모멘트는 외부 전기장 E_A에 비례하므로 전기적 퍼텐셜 에너지는 r^6에 반비례한다.

14

본책 250p

정답 ②

영역	전자기학
핵심 개념	유전체에서 맥스웰 방정식, 편극
평가요소 및 기준	위 개념의 확인 및 연산

해설

ㄱ. 자유전하와 알짜전하가 없는 유전체이므로 $\rho_f = 0$이다.

$\vec{\nabla} \cdot \vec{D} = \rho_f = 0$

ㄴ. 자기장은 없으므로

$\vec{\nabla} \times \vec{E} = -\dfrac{\partial \vec{B}}{\partial t} = 0$

ㄷ. $\vec{D} = \epsilon_0 \vec{E} - \vec{P} = \epsilon \vec{E}$

$\vec{P} = \dfrac{\epsilon - \epsilon_0}{\epsilon} \vec{D}$

$\therefore \vec{\nabla} \cdot \vec{P} = \dfrac{\epsilon - \epsilon_0}{\epsilon} (\vec{\nabla} \cdot \vec{D}) = 0$

15

본책 251p

정답 ③

영역	전자기
핵심 개념	라플라스 방정식, 외부 전기장이 있을 때 유전체에서 경계조건
평가요소 및 기준	구형 대칭성에서 라플라스 방정식 및 경계조건

해설

ㄱ. 퍼텐셜은 연속이므로 $r = R$에서 $\phi_{안} = \phi_{밖}$이다.

ㄴ. 대전되지 않는 유전체 경계면에서는 $\nabla \cdot D = 0$이다.

$\vec{D} \cdot \hat{n} = 0$이므로 $\epsilon E_{안, r} = \epsilon_0 E_{밖, r}$

$\rightarrow \epsilon \left(-\dfrac{\partial \phi_{안}}{\partial r} \right)_{r=R} = \epsilon_0 \left(-\dfrac{\partial \phi_{밖}}{\partial r} \right)_{r=R}$

ㄷ. $r = \infty$에서는 유전체와 무한히 멀어지므로 외부 전기장과 같아져야 한다.

즉, $\lim_{r \to \infty} \vec{E}_{밖} = E_0 \hat{z} = \lim_{r \to \infty} (-\vec{\nabla} \phi_{밖})$

$\lim_{r \to \infty} (\vec{\nabla} \phi_{밖}) = -E_0 \hat{z}$

16

본책 251p

정답 1) $E = \dfrac{V}{d}$, 2) $Q_b = \dfrac{\varepsilon_0 A V}{d}$

영역	전자기
핵심 개념	축전기에서 쿨롱의 법칙, 편극
평가요소 및 기준	축전기에서 전기장 및 편극, 편극 전하밀도 연산

해설

1) 축전기 내부에서 전기장의 세기는 일정하다. 전위차가 V로 일정하므로 $V = -\int E dr$

$\therefore E = \dfrac{V}{d}$

2) 편극의 정의로부터 $D = \varepsilon_0 E + P = \varepsilon_0 E_0 = \varepsilon E$,

$P = (\varepsilon - \varepsilon_0) E = \varepsilon_0 E$, $\sigma_b = \vec{P} \cdot \hat{n}' = \dfrac{\varepsilon_0 V}{d}$

$\therefore Q_b = \sigma_b A = \dfrac{\varepsilon_0 A V}{d}$

17

본책 252p

정답 1) $E_I = \dfrac{3\sigma}{2\epsilon_0}$, $E_{II} = \dfrac{\sigma}{6\epsilon_0}$, 2) $\sigma_b = -\dfrac{\sigma}{3}$

영역	전자기학
핵심 개념	부도체판의 가우스 법칙, 중첩, 편극의 정의
평가요소 및 기준	무한 도체판에서 중첩으로 영역별 전기장 계산, 편극의 정의로부터 편극의 면전하 밀도 계산

해설

1) 왼쪽 도체판에 의한 대체장의 크기 $D_A = \dfrac{2\sigma}{2}$, 오른쪽 도체판에 의한 대체장의 크기 $D_B = \dfrac{\sigma}{2}$

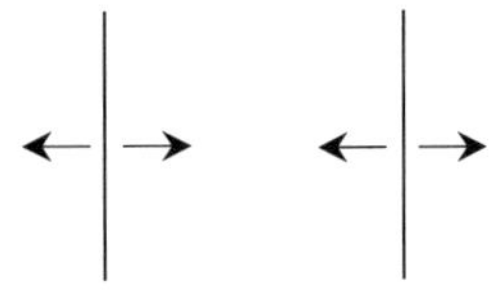

중첩을 이용하면

$D_I = D_A + D_B = \dfrac{3}{2}\sigma$, $D_{II} = D_A - D_B = \dfrac{1}{2}\sigma$

$D = \epsilon E$이므로

$\epsilon_0 E_I = D_I = \dfrac{3}{2}\sigma$

$\therefore E_I = \dfrac{3\sigma}{2\epsilon_0}$

$3\epsilon_0 E_{II} = D_{II} = \dfrac{1}{2}\sigma$

$\therefore E_{II} = \dfrac{\sigma}{6\epsilon_0}$

2) $\vec{P} = (\epsilon - \epsilon_0) \vec{E}_{II} = 2\epsilon_0 \vec{E}_{II}$

$\sigma_b = \vec{P} \cdot \hat{n}' = -2\epsilon_0 \dfrac{\sigma}{6\epsilon_0} = -\dfrac{\sigma}{3}$

$\therefore \sigma_b = -\dfrac{\sigma}{3}$

유전체에서 전기장의 방향은 오른쪽이므로 왼쪽 면에 편극에 의한 면전하의 부호는 −이다. 부호는 이런 방식으로 찾는 것이 유리하다.

18

본책 252p

정답 ②

영역	전자기 : 유전체
핵심 개념	편극, 축전기 저장 에너지
평가요소 및 기준	편극의 연산 및 축전기의 저장에너지 계산

해설

ㄱ. $D=\varepsilon_0 E+\mathrm{P}=\varepsilon E$

$\vec{\mathrm{P}}=(\varepsilon-\varepsilon_0)\vec{E}$

$\vec{\mathrm{P}}=\dfrac{(\varepsilon-\varepsilon_0)}{\varepsilon}\vec{D}=\left(\dfrac{K-1}{K}\right)\dfrac{Q}{4\pi r^2}\hat{r}$

$\therefore \vec{\mathrm{P}}=\left(\dfrac{K-1}{K}\right)\dfrac{Q}{4\pi r^3}\vec{r}\ \ (\vec{r}=r\hat{r})$

ㄴ. $U_E=\dfrac{1}{2}QV$

$V=\displaystyle\int_a^b E dr=\int_a^b \dfrac{Q}{4\pi\varepsilon r^2}dr=\dfrac{Q}{4\pi\varepsilon}\left(\dfrac{b-a}{ab}\right)$

$\therefore U_E=\dfrac{Q^2}{8\pi K\varepsilon_0}\left(\dfrac{b-a}{ab}\right)$

ㄷ. r 내부에서 총 전하는 중심에 점전하와 반경 $r=a$인 유전체 표면에 편극된 표면전하의 총합과 동일하다.

$Q_T=Q+Q_b(r=a)$

$\vec{\mathrm{P}}\cdot\hat{n}'=\sigma_b=\dfrac{K-1}{K}(-\sigma_f)$

($\hat{n}'=-\hat{r}$: 유전체 밖을 향하는 벡터)

$Q_b=\dfrac{1-K}{K}Q$

$\therefore Q_T=Q+Q_b=\dfrac{Q}{K}$

19

본책 253p

정답 1) $E(r>c)=\dfrac{q}{4\pi\varepsilon_0 r^2}$, 2) $\dfrac{Q_c}{Q_a}=-\dfrac{\varepsilon-\varepsilon_0}{\varepsilon}$

영역	전자기 : 매질에서 전기장
핵심 개념	쿨롱의 법칙, 편극
평가요소 및 기준	• 쿨롱의 법칙의 이해 • 편극의 정의와 편극 전하량 계산

해설

1) 중심 O로부터 거리 r인 유전체 밖($r>c$)에서의 전기장의 크기

맥스웰 방정식으로부터

$\displaystyle\int\vec{D}\cdot d\vec{a}=q$, $D=\varepsilon E=\varepsilon_0 E_0$

$\rightarrow \therefore E(r>c)=\dfrac{q}{4\pi\varepsilon_0 r^2}$

2) 도체구의 안쪽면($r=a$)에 유도된 전하량을 Q_a, 유전체 바깥면($r=c$)의 편극에 의한 면 전하량을 Q_c라 할 때, $\dfrac{Q_c}{Q_a}$

먼저 도체구 안쪽면에 유도된 전하량 Q_a를 구하면

도체 내부에 전기장은 0이고 도체의 유도전하는 표면에만 존재하므로

$\displaystyle\int\vec{D}\cdot d\vec{a}=q+Q_a=0 \rightarrow \therefore Q_a=-q$

$D=\varepsilon_0 E_0=\varepsilon E$, $D=\varepsilon_0 E+P$

$P=\left(\dfrac{\varepsilon-\varepsilon_0}{\varepsilon}\right)\varepsilon_0 E_0$

$\vec{P}\cdot\hat{n}'=\sigma_b$ ($\hat{n}'=\hat{r}$: 유전체 밖을 향하는 단위벡터)

$Q_c=\left(\dfrac{\varepsilon-\varepsilon_0}{\varepsilon}\right)\varepsilon_0\displaystyle\int E_0 da=\left(\dfrac{\varepsilon-\varepsilon_0}{\varepsilon}\right)q$

$\therefore Q_c=\left(\dfrac{\varepsilon-\varepsilon_0}{\varepsilon}\right)q$

$\dfrac{Q_c}{Q_a}=-\dfrac{\varepsilon-\varepsilon_0}{\varepsilon}$

20

본책 253p

정답 $\phi(r,\theta)=-\dfrac{pr\cos\theta}{4\pi\epsilon_0 R^3}+\dfrac{p\cos\theta}{4\pi\epsilon_0 r^2}$

영역	전자기 : 구좌표계의 전기 쌍극자 모멘트
핵심 개념	경계조건에 대한 쌍극자 모멘트의 퍼텐셜 유도
평가요소 및 기준	경계조건과 구면 대칭성을 활용한 퍼텐셜 유도

해설

이 문제는 boundary condition 문제이다.

도체구가 접지되어 있으므로 경계조건 $r=R$에서

$\phi(R,\theta)=\displaystyle\sum_{l=0}^{\infty}A_l R^l \mathrm{P}_l(\cos\theta)+\dfrac{p\cos\theta}{4\pi\epsilon_0 R^2}=0$을 만족한다.

$A_0\mathrm{P}_0(\cos\theta)+A_1 R\mathrm{P}_1(\cos\theta)+A_2R^2\mathrm{P}_2(\cos\theta)+\cdots+\dfrac{p\cos\theta}{4\pi\epsilon_0 R^2}=0$

임의의 θ에 대해서 위식이 만족해야 하므로

르장드르 다항식 $\mathrm{P}_l(\cos\theta)$, $\mathrm{P}_0(\cos\theta)=1$, $\mathrm{P}_1(\cos\theta)=\cos\theta$, $\mathrm{P}_2(\cos\theta)=\dfrac{1}{2}(3\cos^2\theta-1)$, $\cdots$

에 의해서 $A_1 R\cos\theta=\dfrac{-p\cos\theta}{4\pi\epsilon_0 R^2}$ ($all\ other\ A_l=0$)

$A_1=-\dfrac{p}{4\pi\epsilon_0 R^3}$

따라서 $\phi(r,\theta)=-\dfrac{pr\cos\theta}{4\pi\epsilon_0 R^3}+\dfrac{p\cos\theta}{4\pi\epsilon_0 r^2}$

09

21

본책 254p

정답 1) $A_1 = \frac{K_0}{3\epsilon_0}$ (others all zero)

2) $E_{안} = -\frac{K_0}{3\epsilon_0}\cos\theta\,\hat{r} + \frac{K_0}{3\epsilon_0}\sin\theta\,\hat{\theta} = -\frac{K_0}{3\epsilon_0}\hat{z}$

영역	전자기: 구면 대칭성의 편극
핵심 개념	경계조건, 편극의 정의, 가우스 법칙
평가요소 및 기준	• 구면 대칭성에서 르장드르 다항식을 이용하여 퍼텐셜 계산 • 퍼텐셜로부터 전기장의 계산

해설

에너지 연속성에 의해서 퍼텐셜은 경계면에서 무조건 연속이어야 한다. (단, 전기장은 불연속 가능)

$V_{안}(R) = V_{밖}(R)$ ··············· ① 경계조건

경계면에서 전하분포가 있으므로 $D = \epsilon_0 E + P$

$\epsilon_0 E = -P$ 경계면에서 가우스 법칙을 이용하면

$\epsilon_0(\overrightarrow{E_{밖}} \cdot \hat{n} - \overrightarrow{E_{안}} \cdot \hat{n}) = -(\overrightarrow{P_{밖}} \cdot \hat{n} - \overrightarrow{P_{안}} \cdot \hat{n})$

$= \sigma_b = K_0\cos\theta$ ··········· ② 경계조건

$E = -\nabla V$, $\cos\theta$이 1차 함수이므로 만족하는 값은 $l = 1$이다.

$V_{안} = A_1 r\cos\theta$

$V_{밖} = \frac{A_1 R^3 \cos\theta}{r^2}$

$\overrightarrow{\nabla} = (\frac{\partial}{\partial r}, \frac{1}{r}\frac{\partial}{\partial\theta}, \frac{1}{r\sin\theta}\frac{\partial}{\partial\phi})$

$E_{안} = -A_1\cos\theta\,\hat{r} + A_1\sin\theta\,\hat{\theta}$

$E_{밖} = \frac{2A_1R^3\cos\theta}{r^3}\hat{r} + \frac{A_1R^3\sin\theta}{r^3}\hat{\theta}$

경계조건 ②에 의해서 $A_1 = \frac{K_0}{3\epsilon_0}$

$E_{안} = -\frac{K_0}{3\epsilon_0}\cos\theta\,\hat{r} + \frac{K_0}{3\epsilon_0}\sin\theta\,\hat{\theta} = -\frac{K_0}{3\epsilon_0}\hat{z}$ $(\because \hat{z} = \hat{r}\cos\theta - \hat{\theta}\sin\theta)$

$E_{밖} = \frac{2K_0R^3\cos\theta}{3\epsilon_0 r^3}\hat{r} + \frac{K_0R^3\sin\theta}{3\epsilon_0 r^3}\hat{\theta}$

22

본책 255p

정답 1) $A_1 = -E_0$, 2) $A_2 = -\frac{2\epsilon}{\epsilon_0+\epsilon}E_0$

3) $E_{in} = \frac{2\epsilon}{\epsilon_0+\epsilon}E_0$

영역	전자기
핵심 개념	원통 대칭성에서 퍼텐셜(베셀 함수), 경계조건
평가요소 및 기준	원통 대칭성 퍼텐셜의 경계조건으로 퍼텐셜과 전기장의 계산

해설

1) 공동에서 충분히 멀어진 $\rho\to\infty$인 영역에서는 외부 전기장과 동일한 값을 갖게 된다.

$\lim_{\rho\to\infty} E_{out} = \lim_{\rho\to\infty}(-\overrightarrow{\nabla}V_1) = -A_1\cos\phi\,\hat{\rho} = E_0\hat{x}$

외부 전기장이 x축 성분밖에 없으므로

$\hat{\rho}$방향 성분 중 $\hat{x}$축 성분은 $\hat{\rho}\cos\phi$이다.

$-A_1\cos\phi\,\hat{\rho} = E_0\hat{x}$

$\therefore A_1 = -E_0$

2) 주어진 퍼텐셜에서 경계조건은 2가지를 만족해야 한다.

경계면 $\rho = R$에서

퍼텐셜 연속조건: $V_1(R) = V_2(R)$

$V_1(R) = V_2(R)$

$-E_0R\cos\phi + \frac{B_1}{R}\cos\phi = A_2R\cos\phi$

$-E_0 + \frac{B_1}{R^2} + A_2$ ······ ①

대체장 연속조건: $\overrightarrow{\nabla}\cdot\overrightarrow{D} = 0$ → 알짜 전하가 없다.

발산 성분이므로 전기장의 ρ성분만 보면 된다.

$\epsilon_0 E_{in,\rho}(R) = \epsilon E_{out,\rho}(R)$

$\epsilon_0(A_2) = \epsilon(A_1 - \frac{B_1}{R^2})$ ······ ②

①과 ②에서 의해서

$\epsilon_0 A_2 = \epsilon(-E_0 - E_0 - A_2) = -\epsilon(2E_0 + A_2)$

$\therefore A_2 = -\frac{2\epsilon}{\epsilon_0+\epsilon}E_0$

3) $\overrightarrow{E_{in}} = -\overrightarrow{\nabla}V_2 = -A_2\cos\phi\,\hat{\rho} + A_2\sin\phi\,\hat{\phi}$

$|\overrightarrow{E_{in}}| = |A_2|$

$\therefore E_{in} = \frac{2\epsilon}{\epsilon_0+\epsilon}E_0$

23

본책 255p

정답 1) $\overrightarrow{D} = \frac{a\sigma_f}{\rho}\hat{\rho}$, 2) $\overrightarrow{P} = \left(\frac{\epsilon-\epsilon_0}{\epsilon}\right)\left(\frac{a\sigma_f}{\rho}\right)\hat{\rho}$

3) $\Delta V = \frac{a\sigma_f}{\epsilon}\ln\left(\frac{b}{a}\right)$

영역	전자기학
핵심 개념	전기 변위, 편극, 전위차와 전기장
평가요소 및 기준	가우스 법칙으로 전기 변위 연산, 편극의 정의와 연산, 전위차의 정의와 연산

해설

1) $\int \overrightarrow{D}\cdot d\overrightarrow{a} = Q_f$

$D(2\pi\rho L) = \sigma_f(2\pi a L)$

$D = \frac{a\sigma_f}{\rho}$

$\therefore \overrightarrow{D} = \frac{a\sigma_f}{\rho}\hat{\rho}$

2) $\epsilon_0\vec{E}+\vec{P}=\vec{D}=\epsilon\vec{E}$

$\vec{P}=(\epsilon-\epsilon_0)\vec{E}=\left(\frac{\epsilon-\epsilon_0}{\epsilon}\right)\left(\frac{a\sigma_f}{\rho}\right)\hat{\rho}$

$\therefore \vec{P}=\left(\frac{\epsilon-\epsilon_0}{\epsilon}\right)\left(\frac{a\sigma_f}{\rho}\right)\hat{\rho}$

3) $\Delta V=\left|-\int_a^b\vec{E}\cdot d\vec{\rho}\right|=\int_a^b\frac{a\sigma_f}{\epsilon}\frac{d\rho}{\rho}=\frac{a\sigma_f}{\epsilon}\ln\left(\frac{b}{a}\right)$

$\therefore \Delta V=\frac{a\sigma_f}{\epsilon}\ln\left(\frac{b}{a}\right)$

4 자기화 및 자기 쌍극자 모멘트

24

본책 256p

정답 1) $\vec{M}=(\frac{\mu}{\mu_0}-1)nI\hat{x}$

2) $\Delta U=\frac{n^2I^2A}{2}(\mu-\mu_0)\Delta x$

3) $F_{막대}=\frac{n^2I^2A}{2}(\mu-\mu_0)\hat{x}$, $+\hat{x}$

영역	전자기학
핵심 개념	자화, 보조장, 자기에너지, 자기장에서 일과 에너지 정리
평가요소 및 기준	자화의 정의, 솔레노이드 저장에너지 및 일과 에너지 정리 활용

해설

1) 선형 유전체일 때 보조장과 자화의 정의로부터

$H=\frac{B}{\mu_0}-M=\frac{B}{\mu}$

$\vec{M}=(\frac{1}{\mu_0}-\frac{1}{\mu})\vec{B}_{내부}=(\frac{1}{\mu_0}-\frac{1}{\mu})\mu nI\hat{x}$

$\therefore \vec{M}=(\frac{\mu}{\mu_0}-1)nI\hat{x}$

2) 자기에너지 $U=\frac{1}{2}LI^2$, 솔레노이드 자체유도계수의 정의로부터

$L=\frac{N\phi_B}{I}=\frac{N(BA)}{I}=\frac{NA}{I}(\frac{\mu nI}{L}x+\frac{\mu_0 nI}{L}(L-x))$

$U=\frac{n^2I^2A}{2}(\mu x+\mu_0(L-x))$

$U'=\frac{n^2I^2A}{2}(\mu(x+\Delta x)+\mu_0(L-x-\Delta x))$

$\therefore \Delta U=\frac{n^2I^2A}{2}(\mu-\mu_0)\Delta x$

3) 축전기이든 솔레노이드이든 물질을 안으로 가져갈 때 단순히 전자기적 에너지 증감으로 하면 안된다.
이유인즉, 물질을 채울 때 퍼텐셜 에너지 뿐만 아니라 전위의 변화에 의한 외부에 에너지 변화를 일으키기 때문이다. 따라서 일과 에너지 정리로 접근해야 정확한 방향을 구할 수 있게 된다.

만약 막대를 외부 힘 F로 등속으로 우측으로 가져간다고 해보자. 등속으로 움직이기 위해서는 막대의 알짜힘이 0이 되므로 막대가 솔레노이드로부터 받는 실제 힘 $F_{막대}$와 외부 힘 $F_{외부}$와 합력이 0이다. 즉, 외부 힘과 반대 방향으로 실제 힘이 작용한다.

일과 에너지 정리에 의해서 $W=\int Fdx=\Delta U+\int V_L Idt$

여기서 ΔU는 내부 퍼텐셜 에너지(자기장 에너지) 변화량, 그리고 우측의 $\int V_L Idt$은 전위가 변함에 따라 외부에 한 일이 된다.

$V_L=-N\frac{d\phi_B}{dt}=-\frac{dL}{dt}I$ 이다.

$F=\frac{dU}{dx}-\frac{dL}{dx}I^2=-\frac{1}{2}\frac{dL}{dx}I^2=-\frac{n^2I^2A}{2}(\mu-\mu_0)$이므로 외부에 가해야 하는 힘은 $-\hat{x}$방향이다.

등속으로 움직이기 위해서는 외부에 가해야 하는 힘이 왼쪽이므로 막대는 $+\hat{x}$방향으로 힘을 받게 된다.

예를 들어, 지구 지표면에서 물체를 등속으로 연직 방향으로 움직이기 위해서는 윗 방향의 힘을 가해야 하는데 중력은 외부의 반대 방향으로 작용한다.

$\therefore \vec{F}_{막대}=\frac{n^2I^2A}{2}(\mu-\mu_0)\hat{x}$

25

본책 257p

정답 ①

영역	전자기 : 매질에서의 자기장
핵심 개념	보조장 H, 자화 및 자기장의 이해
평가요소 및 기준	위 개념을 통한 자화 및 자기장 계산

해설

$H=\frac{B}{\mu_0}-M$

$\nabla\times H=J_f$

실제 전류가 없으므로

$\vec{B}=\mu_0\vec{M}$이다. 균일한 자화체이므로

$\vec{M}=\begin{cases}0 & ;\ r<a, r>b\\ M_0\hat{z} & ;\ a\le r\le b\end{cases}$

$\vec{B}=\begin{cases}0 & ;\ r<a, r>b\\ \mu_0M_0\hat{z} & ;\ a\le r\le b\end{cases}$

따라서 만족하는 그래프는 ①이다.

09

26

본책 257p

정답 1) $\vec{B}_{외부}=0, \vec{B}_{내부}=\mu_0\vec{M}=\mu_0 M_0\hat{z}$

2) $\vec{A}_{외부}=\dfrac{\mu_0 M_0 R^2}{2\rho}\hat{\phi}$

영역	전자기: 맥스웰 방정식
핵심 개념	암페어 법칙, 자화밀도, 벡터퍼텐셜
평가요소 및 기준	• 자화밀도의 정의와 활용을 통해 자기장 계산 • 벡터퍼텐셜 정의 및 계산

해설

$J_m=\nabla\times M$

$\nabla\times B=\mu_0 J_{total}=\mu_0 J_f+\mu_0(\nabla\times M)\rightarrow\nabla\times(\dfrac{B}{\mu_0}-M)$

$=J_f\ (where\ H=\dfrac{B}{\mu_0}-M)$

외부에서 $M=0,\ J_f=0$이므로 $B_{외부}=0$이다.

$\therefore \vec{B}_{외부}=0$

내부에서 $J_f=0$이므로 $\therefore \vec{B}_{내부}=\mu_0\vec{M}=\mu_0 M_0\hat{z}$

$\vec{B}=\vec{\nabla}\times\vec{A}$이다.

스토크스 정리를 이용하면

$$\int(\vec{\nabla}\times\vec{A})\cdot d\vec{a}=\oint\vec{A}\cdot d\vec{l}=\int\vec{B}\cdot d\vec{a}$$

$A_{외부}(2\pi\rho)=\mu_0 M_0(\pi R^2)$

$\vec{A}_{외부}=\dfrac{\mu_0 M_0 R^2}{2\rho}\hat{\phi}$

벡터퍼텐셜 $\vec{A}$의 방향은 적분 $d\vec{l}$ 방향인 $\hat{\phi}$를 따른다.

27

본책 258p

정답 1) $K=\sigma R\beta t_0$, 2) $B=\mu_0\sigma R\beta t_0$, 3) $E=\dfrac{\mu_0\sigma R\beta}{2}\rho$

영역	전자기
핵심 개념	전류정의, 표면전류밀도, 표면전류밀도와 자기장관계, 패러데이 법칙
평가요소 및 기준	회전하는 전하분포로부터 전류밀도와 자기장 계산, 패러데이 법칙의 이해

해설

1) 전류의 정의로부터 $I=\dfrac{q}{T}=\dfrac{q\omega}{2\pi}$

$q=\sigma(2\pi R)L$

$I=\dfrac{\sigma(2\pi R)L}{2\pi}\omega=\sigma R\omega L$

$K=\dfrac{I}{L}=\sigma\omega R(=\sigma v)$

$\therefore K=\sigma R\beta t_0$

2) $\vec{k}=\hat{M}\times\hat{n}$

$\therefore\ B=\mu_0 M=\mu_0\sigma R\beta t_0$

만약 위식이 이해가 안 된다면 표면전하로 회전하는 원통은 표면전류밀도 K를 가진 솔레노이드와 동일하다.

솔레노이드의 내부 자기장은 $B=\mu_0\dfrac{NI}{L}$이다. 이때 NI의 의미는 총 표면에 흐르는 총 전류를 의미하므로 $K=\dfrac{NI}{L}$가 표면전류밀도가 된다.

즉, $B=\mu_0 K=\mu_0\sigma R\beta t_0$이다.

3) 패러데이 법칙에 의해서 $\vec{\nabla}\times\vec{E}=-\dfrac{\partial\vec{B}}{\partial t}$

$\int\vec{E}\cdot d\vec{l}=-\dfrac{\partial}{\partial t}\int Bda$

$E(2\pi\rho)=|-\mu_0\sigma R\beta\pi\rho^2|$

$\therefore\ E=\dfrac{\mu_0\sigma R\beta}{2}\rho$

28

본책 258p

정답 1) $U=\dfrac{\mu_0 N^2 I^2 h}{4\pi}\ln(\dfrac{r_2}{r_1})$, 2) $I=20A$

영역	전자기학
핵심 개념	자기에너지 정의, 인덕턴스와 자기에너지 관계식
평가요소 및 기준	토로이드에서 자기에너지 연산, 인덕턴스에 따른 자기에너지식 계산

해설

1) 자기장이 주어질 때 자기 에너지 $U=\int\dfrac{B^2}{2\mu_0}dV$이다.

여기서 $B(r)=\dfrac{\mu_0 NI}{2\pi r},\ dV=2\pi hr\,dr$

$$U=\int\frac{B^2}{2\mu_0}dV=\int_{r_1}^{r_2}\frac{1}{2\mu_0}\left(\frac{\mu_0 NI}{2\pi r}\right)^2(2\pi hrdr)$$

$$=\int_{r_1}^{r_2}\frac{\mu_0 N^2 I^2 h}{4\pi r}dr=\frac{\mu_0 N^2 I^2 h}{4\pi}\ln(\frac{r_2}{r_1})$$

$\therefore\ U=\dfrac{\mu_0 N^2 I^2 h}{4\pi}\ln(\dfrac{r_2}{r_1})$

2) 자체 유도에 따른 자기 에너지는 $U=\dfrac{1}{2}LI^2$이다.

$\therefore\ I=20A$

29

본책 259p

정답 1) $\mu = Ia^2$, 2) $\tau = Ia^2 B_0$

영역	전자기학
핵심 개념	자기쌍극자 모멘트의 정의, 자기 토크의 정의
평가요소 및 기준	자기쌍극자 모멘트를 정의 후 자기 토크의 크기를 계산

해설

1) 자기쌍극자 모멘트의 크기 $\mu = IA = Ia^2$

2) 자기 토크 크기 $|\vec{\tau}| = |\vec{\mu} \times \vec{B}| = |\vec{\mu}||\vec{B}|\sin\theta$

$\vec{\mu}$는 z축에 나란하고, $\vec{B}$는 xy평면에 나란하므로 서로 사이각 θ는 $90°$이다. 자기장의 크기 $|\vec{B}| = B_0$이다.

$\therefore \tau = Ia^2 B_0$

다음과 같이 성분으로 구할 수도 있다.

$$\vec{\tau} = \vec{\mu} \times \vec{B} = Ia^2 \hat{z} \times \frac{B_0}{\sqrt{2}}(\hat{x} + \hat{y}) = \frac{Ia^2 B_0}{\sqrt{2}}(\hat{y} - \hat{x})$$

$\therefore \tau = Ia^2 B_0$

30

본책 260p

정답 1) ㉠: $V = -\dfrac{\mu_0 M M_0}{4\pi r^3}$, ㉡: $\vec{F} = -\dfrac{3\mu_0 M M_0}{4\pi r^4}\hat{e}_r$,

㉢: $U_{\text{eff}}(r) = \dfrac{L^2}{2mr^2} - \dfrac{\mu_0 M M_0}{4\pi r^3}$,

㉣: $R = \dfrac{\mu_0 m M M_0}{4\pi L^2}$, 2) 해설 참고

해설

1) $\vec{M_0} = M_0 \hat{z}$이고, $\vec{M} = M(-\hat{z})$, $\hat{e}_r \perp \hat{z}$이므로

$V = -\dfrac{\mu_0 M M_0}{4\pi r^3}$이다.

$\vec{F} = -\vec{\nabla} V = -\dfrac{\mu_0 M M_0}{4\pi r^4}\hat{e}_r$이다.

유효 퍼텐셜 $U_{\text{eff}}(r) = \dfrac{L^2}{2mr^2} + V(r) = \dfrac{L^2}{2mr^2} - \dfrac{\mu_0 M M_0}{4\pi r^3}$ 이다.

원운동 조건은 $\dfrac{d}{dr}U_{\text{eff}}(r) = -\dfrac{L^2}{mr^3} + \dfrac{3\mu_0 M M_0}{4\pi r^4} = 0$이므로 원운동 반지름 $R = \dfrac{\mu_0 m M M_0}{4\pi L^2}$이다.

2) 유효 퍼텐셜의 개형은 다음과 같다. 안정적 평형점 조건은 $\left(\dfrac{d^2 U_{\text{eff}}(r)}{dr^2}\right)_{r=R} > 0$이고, 불안정적 평형점 조건은 반대로 $\left(\dfrac{d^2 U_{\text{eff}}(r)}{dr^2}\right)_{r=R} < 0$이다. 그런데 해당 유효 퍼텐셜의 평형점은 $\left(\dfrac{d^2 U_{\text{eff}}(r)}{dr^2}\right)_{r=R} < 0$을 만족하므로 원 궤도는 불안정하다.

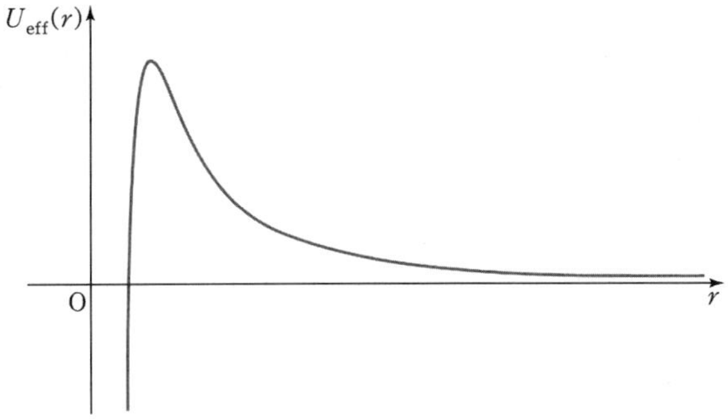

5 포인팅 벡터 및 전자기파

31

본책 261p

정답 ⑤

영역	전자기학
핵심 개념	전자기파의 전기장과 자기장의 파동의 진동방향, 맥스웰 방정식
평가요소 및 기준	맥스웰 방정식을 통한 전자기장의 진동방향 계산, 전자기파 진행 방향

해설

$B_x(z,t) = B_0 \sin(kz - \omega t)\hat{x}$

전자기파는 맥스웰 방정식을 따르기 때문에 $\nabla \times B = \mu_0 \epsilon_0 \dfrac{\partial E}{\partial t}$를 만족한다. 자기장과 전기장의 진동 방향은 서로 수직하다.

$$\nabla \times B = \begin{vmatrix} \hat{x} & \hat{y} & \hat{z} \\ \partial_x & \partial_y & \partial_z \\ B_x & 0 & 0 \end{vmatrix} = B_0 k \cos(kz - \omega t)\hat{y}$$

$$E = \frac{B_0 k}{\mu_0 \epsilon_0}\hat{y}\int \cos(kz - \omega t)\,dt = -\frac{B_0 k}{\mu_0 \epsilon_0 \omega}\sin(kz - \omega t)\hat{y}$$

따라서 전기장은 자기장과 수직한 방향인 y축 진동을 하고 만족하는 그래프는 ⑤이다.

오른손 법칙을 활용해서 확인하는 방법도 있다.

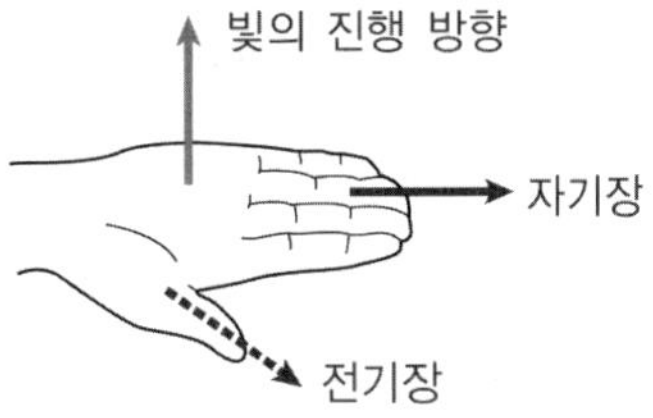

32

본책 262p

정답 ③

영역	전자기: 전자기파
핵심 개념	맥스웰 방정식, 전자기파 진행벡터, 포인팅 벡터의 정의, 빛의 세기
평가요소 및 기준	전자기파의 파동방정식의 이해, 포인팅 벡터와 빛의 세기 관계식

해설

ㄱ. $\vec{S}$는 단위시간당 단위 면적당 방출에너지이고, $\vec{k}$는 빛의 진행 방향과 일치하므로 $\vec{S}$와 $\vec{k}$는 방향이 일치한다.
따라서 $\vec{k}\times\vec{S}=0$

ㄴ. $\vec{E}=E_0\sin(kz-\omega t)\hat{x}$
$\vec{B}=B_0\sin(kz-\omega t)\hat{y}$
라 하면 맥스웰 방정식 $\nabla\times E=-\dfrac{\partial B}{\partial t}$

$kE_0=\omega B_0 \rightarrow \dfrac{E_0}{B_0}=c=\dfrac{1}{\sqrt{\mu_0\varepsilon_0}}$

ㄷ. $I=|\langle\vec{S}\rangle_t|=\dfrac{E_0^2}{\mu_0 c}\dfrac{1}{T}\displaystyle\int_0^T \sin^2\omega t dt=\dfrac{E_0^2}{2\mu_0 c}$

$\therefore I=\dfrac{1}{2}\sqrt{\dfrac{\varepsilon_0}{\mu_0}}E_0^2$

33

본책 263p

정답 ②

영역	전자기: 시간변수일 때 유전체 맥스웰 방정식
핵심 개념	대체 전기장 D, 보조장 H
평가요소 및 기준	축전기에서 대체장과 보조장의 정의, 포인팅 벡터의 정의 및 개념 활용

해설

ㄱ. 평행판 축전기에서 $E=\dfrac{\sigma}{\varepsilon}$
$\vec{D}\cdot\hat{n}=\sigma_f$이므로 경계조건에 의해서
$D=\dfrac{Q(t)}{\pi R^2}$이다.

ㄴ. 정적인 상태가 아닌 시간에 관계된 맥스웰 방정식
$\nabla\times H=J_f+J_d \quad (J_d=\varepsilon\dfrac{\partial E}{\partial t})$
내부에서 실제 전류가 없고 변위 전류만 존재하므로
$J_d=\varepsilon\dfrac{\partial E}{\partial t}$

$\displaystyle\int(\nabla\times H)da=\int Hdl=\int\frac{\partial D}{\partial t}da$

$H(2\pi r)=\dfrac{\partial}{\partial t}(\dfrac{Q(t)}{\pi R^2})(\pi r^2)$

$\therefore H=\dfrac{I(t)r}{2\pi R^2} \quad (\dfrac{\partial Q(t)}{\partial t}=I(t))$

ㄷ. 단위 시간당 단위 면적당 방출되는 에너지를 의미하는 것은 포인팅 벡터이다.
유전체 표면 $r=R$에서 면적을 A라 하면 단위 시간당 방출되는 에너지 크기는

$P=\left|\displaystyle\int\vec{S}\cdot d\vec{A}\right|$

$\vec{S}=\vec{E}\times\vec{H}=(\dfrac{Q(t)}{\varepsilon\pi R^2}\hat{z})\times(\dfrac{I(t)r}{2\pi R^2}\hat{\phi})=-\dfrac{Q(t)I(t)r}{2\varepsilon\pi^2R^4}\hat{\rho}$

$\vec{S}(r=R)=-\dfrac{Q(t)I(t)}{2\varepsilon\pi^2R^3}\hat{\rho}$

$P=\left|\displaystyle\int\vec{S}\cdot d\vec{A}\right|=\dfrac{Q(t)I(t)}{2\varepsilon\pi^2R^3}\times 2\pi Rd=\dfrac{Q(t)I(t)d}{\varepsilon\pi R^2}$

참고

단위 시간당 전자기 에너지의 크기는 임의의 시간 t에서 축전기의 전력 $P(t)$와 동일하다.
$P_c=V_cI_c=(Ed)I_c=\dfrac{Q(t)I(t)d}{\varepsilon\pi R^2}$
또한 축전기는 진동소자이므로 에너지 흐름의 시간 평균값은 0이 된다.
$\langle P_c\rangle_t=0$
즉, 한 주기 동안 에너지가 방출되고 들어오는 양을 평균을 내면 0이다.

34

본책 264p

정답 1) 해설 참고
2) $\therefore E_z(y,t)=E_0\sin(\dfrac{2\pi}{\lambda_0}[y-ct])\hat{z}$,
$\vec{B}(y,t)=\dfrac{E_0}{c}\sin(\dfrac{2\pi}{\lambda_0}[y-ct])\hat{x}$

영역	전자기: 맥스웰 방정식 전자기파
핵심 개념	전자기 파동 방정식의 유도와 이해, 맥스웰 방정식의 활용
평가요소 및 기준	맥스웰 방정식을 이용하여 전자기 파동 방정식 유도 및 전기장 및 자기장 계산

해설

맥스웰 방정식을 이용하면 파동 방정식을 이끌어 낼 수 있다.

파동 방정식 $\nabla^2\psi=\dfrac{1}{v^2}\nabla_t^2\psi$

$\vec{\nabla}\times(\vec{\nabla}\times\vec{E})=-\dfrac{\partial}{\partial t}(\vec{\nabla}\times\vec{B})$

$\vec{\nabla}(\vec{\nabla}\cdot\vec{E})-\nabla^2\vec{E}=-\mu_0\epsilon_0\dfrac{\partial^2}{\partial t^2}\vec{E}\ (where\ \vec{\nabla}\cdot\vec{E}=0)$

$\nabla^2\vec{E}=\mu_0\epsilon_0\dfrac{\partial^2}{\partial t^2}\vec{E}$

$$\nabla^2\vec{E}=(\frac{\partial^2E_x}{\partial x^2}+\frac{\partial^2E_x}{\partial y^2}+\frac{\partial^2E_x}{\partial z^2},\ \frac{\partial^2E_y}{\partial x^2}+\frac{\partial^2E_y}{\partial y^2}+\frac{\partial^2E_y}{\partial z^2},$$
$$\frac{\partial^2E_z}{\partial x^2}+\frac{\partial^2E_z}{\partial y^2}+\frac{\partial^2E_z}{\partial z^2})$$
$$=(0,\ 0,\ \frac{\partial^2E_z}{\partial x^2}+\frac{\partial^2E_z}{\partial y^2}+\frac{\partial^2E_z}{\partial z^2})$$

전기장의 진행방향에 나란한 $\vec{k}=(k_x,k_y,k_z)=(0,k_y,0)$라 하면 $E_z(y,t)=E_0\sin(k_yy-\omega t)\hat{z}$가 된다.

$$\nabla^2\vec{E}=\frac{\partial^2E}{\partial y^2}\hat{z}=\mu_0\epsilon_0\frac{\partial^2E}{\partial t^2}\hat{z}\ \ (let\ c=\frac{1}{\sqrt{\mu_0\epsilon_0}})$$
$$k_y^2=\frac{\omega^2}{c^2}\rightarrow k_yc=\omega$$
$$k_y(\lambda f)=2\pi f$$
$$\therefore k_y=\frac{2\pi}{\lambda},\ \omega=\frac{2\pi}{\lambda}c$$
$$\therefore E_z(y,t)=E_0\sin(\frac{2\pi}{\lambda_0}[y-ct])\hat{z}$$

$\vec{\nabla}\times\vec{E}=-\frac{\partial\vec{B}}{\partial t}$ 에서

$$\vec{\nabla}\times\vec{E}=(k_yE_0\cos(k_yy-\omega t),0,0)$$
$$\frac{\partial\vec{B}}{\partial t}=-kE_0\cos(k_yy-\omega t)\hat{x}$$
$$\vec{B}=-\hat{x}\int kE_0\cos(k_yy-\omega t)dt$$
$$=\frac{k_y}{\omega}E_0\sin(k_yy-\omega t)\hat{x}$$
$$\therefore\vec{B}(y,t)=\frac{E_0}{c}\sin(\frac{2\pi}{\lambda_0}[\mathrm{y}-\mathrm{ct}])\hat{\mathrm{x}}$$

35

본책 265p

정답 1) $\langle\vec{g}\rangle=\frac{\epsilon_0E_0^2}{2c}\hat{z}$,

$$\left\langle\frac{d\vec{p}}{dt}\right\rangle=\langle\vec{F}_{날개}\rangle=2\langle g\rangle Ac\hat{z}=\epsilon_0AE_0^2\hat{z}$$

2) $|\vec{\tau}|=\epsilon_0ARE_0^2$

영역	전자기 : 전자기파의 운동량과 충격량
핵심 개념	전자기파의 벡터계산, 운동량과 충격량의 정확한 이해와 계산
평가요소 및 기준	작용 반작용 법칙과 운동량 변화량의 명확한 이해

해설

1) $\langle\vec{g}\rangle=\langle\epsilon_0(\vec{E}\times\vec{B})\rangle$와 평균 운동량(평균 힘)

$$\vec{g}=\epsilon_0(\vec{E}\times\vec{B})$$
$$\vec{E}=E_0\cos(kz-\omega t)\hat{x},\ \vec{B}=\frac{E_0}{c}\cos(kz-\omega t)\hat{y}$$

($\because\hat{k}$는 진행방향 $\hat{z}$, $\hat{z}\times\hat{x}=\hat{y}$)

$$\vec{g}=\frac{\epsilon_0E_0^2}{c}\cos^2(kz-\omega t)\hat{z}\qquad Let\ \theta=kz-\omega t$$
$$\langle\vec{g}\rangle=\frac{\epsilon_0E_0^2}{c}\langle\cos^2\theta\rangle\hat{z}$$
$$\rightarrow\langle\cos^2\theta\rangle=\frac{1}{2\pi}\int_0^{2\pi}\cos^2\theta d\theta=\frac{1}{2}$$
$$\therefore\langle\vec{g}\rangle=\frac{\epsilon_0E_0^2}{2c}\hat{z}$$

2) 단위 시간 동안 입자의 평균 운동량(평균 힘) → 완전 반사체(탄성 충돌)이므로 입자의 운동량 변화

$$d\vec{p}=-dp\hat{z}-dp\hat{z}=-2dp\hat{z}$$
$$=-2g(dV)\hat{z}=-2g(Acdt)\hat{z}$$
$$\frac{d\vec{p}}{dt}=\overrightarrow{F_{입자}}=-2gAc\hat{z}$$

작용 반작용에 의해서 날개에 전달된 평균 운동량(평균 힘)은 크기는 같고 방향이 반대이므로

$$\frac{d\vec{p}}{dt}=\overrightarrow{F_{날개}}=2gAc\hat{z}$$
$$\therefore\left\langle\frac{d\vec{p}}{dt}\right\rangle=\langle\overrightarrow{F_{날개}}\rangle=2\langle g\rangle Ac\hat{z}=\epsilon_0AE_0^2\hat{z}$$
$$|\vec{\tau}|=|R(-\hat{y})\times F\hat{z}|=|\epsilon_0ARE_0^2(-\hat{x})|$$
$$\therefore|\vec{\tau}|=\epsilon_0ARE_0^2$$

36

본책 265p

정답 1) $\vec{E}=(0,-2cB_0\sin kz\sin\omega t,0)$,

$$\vec{S}=\frac{B_0^2c}{\mu_0}(\sin2kz\sin2\omega t)\hat{z},\ \langle\vec{S}\rangle_t=0$$

2) 한주기 동안 외부로 에너지 방출이 없다.

영역	전자기 – 맥스웰 방정식과 전자기파 에너지
핵심 개념	맥스웰 방정식의 이해, 포인팅 벡터의 계산 및 이해
평가요소 및 기준	• 전자기파의 성질을 이용, 포인팅 벡터의 물리적 의미 해석 • 파동함수의 형태에 따른 의미 이해 (정상파 개념)

해설

$$\vec{B}(z,t)=B_0[\cos(kz+\omega t)+\cos(kz-\omega t)]\hat{x}$$

진행파의 경우 전기장은 $\vec{E}=c(\vec{B}\times\hat{k})$로 구하면 된다.

$$\vec{B}(z,t)=B_0\cos(kz+\omega t)\hat{x}+B_0\cos(kz-\omega t)\hat{x}$$

자기장이 각각 좌측 진행파, 우측 진행파이므로 개별적으로 전기장을 구하면

$$\vec{E}(z,\ t)=cB_0\cos(kz+\omega t)\hat{y}-cB_0\cos(kz-\omega t)\hat{y}$$
$$=-2cB_0\sin kz\sin\omega t\hat{y}$$

09

다른 풀이

$$\nabla \times B = \mu_0\epsilon_0 \frac{\partial E}{\partial t} = (0, -2kB_0 \sin kz \cos\omega t, 0)$$

$$\frac{\partial E}{\partial t} = -\frac{2kB_0}{\mu_0\epsilon_0}\sin kz \cos\omega t$$

$$E = -\frac{2kB_0}{\mu_0\epsilon_0}\sin kz \int \cos\omega t\, dt$$

$$= -2cB_0 \sin kz \sin\omega t \ \ (\because \omega = kc)$$

$$E = (0, -2cB_0 \sin kz \sin\omega t, 0)$$

$$\vec{S} = \frac{1}{\mu_0}(\vec{E} \times \vec{B})$$

$$= \frac{1}{\mu_0}(2cB_0 \sin kz \sin\omega t)(-\hat{y}) \times 2B_0 \cos kz \cos\omega t(\hat{x})$$

$$= \frac{B_0^2 c}{\mu_0}(\sin 2kz \sin 2\omega t)\hat{z}$$

$$\langle \vec{S} \rangle_t = \frac{B_0^2 c}{\mu_0}(\sin 2kz)\frac{1}{T}\int_0^T \sin 2\omega t\, dt = 0$$

참고

포인팅 벡터는 단위면적당 에너지 방출량과 방향을 알려준다. 어느 방향으로 에너지를 방출하는지를 알 수가 있다. 한 주기 동안의 평균값 $\langle \vec{S} \rangle_t$은 한 주기 동안 어느 방향으로 방출하는지 평균값을 알려준다.
그런데 0이라는 것은 한 주기 동안 주위로 에너지 방출이 없다는 것을 말한다.
포인팅 벡터를 보면 $+z$축 방향으로 방출하는 에너지와 $-z$축 방향으로 방출되는 에너지가 서로 같다. 즉, 방향만 다를 뿐 방출정도가 동일하므로 평균을 내면 어느 방향으로 치우쳐지지 않았으므로 0이다. 이를 Standing EM wave라 한다. 정상파는 입사파와 반사파의 중첩현상이다. 즉 방향만 다를 뿐 나가는 것과 들어오는 것이 동일하다. 이것은 중첩하면 특정 공간에 갇혀있는 현상과 같다. 예를 들어 줄을 진동하였을 때 양끝이 고정되어 있으면 줄의 에너지는 특정 공간에 갇혀있는 형태가 된다. 주위로 에너지가 퍼져나가지 못한다. 호수에 돌을 던지면 파가 주위로 퍼져 나가는데 작은 수조에 갇혀있는 물결파 역시 마찬가지다. 벽에 반사되어 정상파를 형성하게 된다.
$\vec{B}(z,t) = 2B_0\cos(kz)\cos(\omega t)\hat{x}$ 문제와 같이 공간과 시간이 분리된 파형을 정상파라 한다.
즉, 다시 말하면 $\langle \vec{S} \rangle_t = 0$이라는 것은 한 주기 동안 외부로 에너지 방출이 없다는 것을 말한다.
EM 정상파의 $\langle \vec{S} \rangle_t = 0$이다.

Chapter 10 양자역학

본책 272 ~ 309쪽

1 연산자 성질 및 슈뢰딩거 방정식

01

본책 272p

정답 1) $E=a$일 때, $\psi_+=\frac{1}{\sqrt{2}}\begin{pmatrix}1\\1\end{pmatrix}$, $E=-a$일 때, $\psi_-=\frac{1}{\sqrt{2}}\begin{pmatrix}1\\-1\end{pmatrix}$,

2) $\langle E\rangle=0$

영역	양자역학
핵심 개념	고윳값 및 고유벡터 연산, 에너지 기댓값 계산
평가요소 및 기준	위 개념을 통한 연산

해설

1) $H\psi=E\psi$

$\begin{vmatrix}-E & a\\ a & -E\end{vmatrix}=0$

$\therefore E=\pm a$

① $E=a$일 때, 규격화된 고유벡터를 구하면

$\begin{pmatrix}0 & a\\ a & 0\end{pmatrix}\begin{pmatrix}x\\y\end{pmatrix}=a\begin{pmatrix}x\\y\end{pmatrix}$

$x=y$

$\therefore \begin{pmatrix}x\\y\end{pmatrix}=\frac{1}{\sqrt{2}}\begin{pmatrix}1\\1\end{pmatrix}$

② $E=-a$일 때, 고유벡터를 구하면

$\begin{pmatrix}0 & a\\ a & 0\end{pmatrix}\begin{pmatrix}x\\y\end{pmatrix}=-a\begin{pmatrix}x\\y\end{pmatrix}$

$x=-y$

$\therefore \begin{pmatrix}x\\y\end{pmatrix}=\frac{1}{\sqrt{2}}\begin{pmatrix}1\\-1\end{pmatrix}$

2) 에너지 기댓값은 $\langle E\rangle=\langle\psi|H|\psi\rangle=(1\,0)\begin{pmatrix}0 & a\\ a & 0\end{pmatrix}\begin{pmatrix}1\\0\end{pmatrix}=0$

02

본책 272p

정답 ③

영역	양자역학
핵심 개념	슈뢰딩거 방정식의 이해, 고유에너지 산출 방법
평가요소 및 기준	위 방식을 통한 양자적 연산

해설

슈뢰딩거 방정식은 $-\frac{\hbar^2}{2m}\frac{d^2}{dx^2}\psi(x)+V\psi(x)=E\psi(x)$이다.

여기서 E는 에너지 고윳값으로 x에 관계없는 상수이다.

만약 파동함수가 주어진다면 슈뢰딩거 방정식을 만족하여야 하므로 $\frac{d^2}{dx^2}\psi(x)=-2ABe^{-Bx^2}+4AB^2x^2e^{-Bx^2}$이고

$-\frac{\hbar^2}{2m}\frac{d^2}{dx^2}\psi(x)=\frac{\hbar^2B}{m}\psi(x)-\frac{2\hbar^2B}{m}x^2\psi(x)$이다.

이식을 슈뢰딩거 방정식에 대입하면

$-\frac{\hbar^2}{2m}\frac{d^2}{dx^2}\psi(x)+V\psi(x)=E_0\psi(x)$

$\frac{\hbar^2B}{m}\psi(x)-\frac{2\hbar^2B}{m}x^2\psi(x)+V\psi(x)=E_0\psi(x)$

$\therefore E_0=\frac{\hbar^2B}{m}$, $V(x)=\frac{2\hbar^2B^2}{m}x^2$ ($\because V(0)=0$)

위와 같이 에너지와 퍼텐셜을 구할 수 있게 된다.

03

본책 272p

정답 ①

영역	양자역학
핵심 개념	시간의존 파동함수, 해밀토니안 H
평가요소 및 기준	해밀토니안 정의로부터 시간의존 파동함수 도출

해설

시간의존 해밀토니안은 $H=i\hbar\frac{\partial}{\partial t}$이고 $H\psi(t)=E\psi(t)$을 만족하므로 $\psi(t)=e^{-\frac{iE}{\hbar}t}$이다.

전체 파동함수는 $\Psi(x,t)=\sum c_n\phi_n(x)\psi_n(t)$로 표현 가능하므로 임의의 시간 t에서 파동함수는

$\sqrt{\frac{1}{3}}e^{-i\frac{\epsilon_1}{\hbar}t}|1\rangle+\sqrt{\frac{2}{3}}ie^{-i\frac{\epsilon_2}{\hbar}t}|2\rangle$이다.

04

본책 273p

정답 ⑤

영역	양자역학
핵심 개념	연산자 성질, 교환자, 주기함수의 특징, 고윳값 정의
평가요소 및 기준	위 개념을 통한 양자적 계산

해설

ㄱ. 테스트 함수를 $\psi(x)$라 하면

$[S,\, V(x)]\psi(x) = SV\psi - VS\psi$
$S(V(x)\psi(x)) = V(x+L)\psi(x+L)$
$VS\psi(x) = V(x)\psi(x+L) \quad (V(x) = V(x+L))$
$\therefore [S,\, V(x)] = 0$

ㄴ. $S\phi(x) = \lambda\phi(x)$로 나타낼 수 있으면 $\phi(x)$는 S의 고유함수이고 고윳값은 λ이다.

$$S\phi(x) = e^{ik(x+L)}\cos\frac{2\pi}{L}(x+L) = e^{ikL}e^{ikx}\cos\frac{2\pi}{L}x$$
$$= e^{ikL}\phi(x)$$

따라서 고윳값은 e^{ikL}이고 $\phi(x)$는 S의 고유함수이다.

ㄷ. $S^3\phi(x) = \lambda^3\phi(x) \to \lambda = e^{ikL}$

$$\lambda^3 = e^{i3kL} = e^{i3(\frac{2\pi}{3L})L} = e^{2\pi i} = 1$$

05

본책 273p

정답 ③

영역	양자역학
핵심 개념	에너지 고윳값, 고유함수 및 축퇴
평가요소 및 기준	연산자로부터 고윳값 및 축퇴 확인

해설

$H = \alpha\begin{bmatrix}1 & 0 & 0\\ 0 & 2 & i\\ 0 & -i & 2\end{bmatrix}$, $H\psi = E\psi \to$ 여기서 $\frac{E}{\alpha} = \lambda$라 하면

$$\begin{vmatrix}1-\lambda & 0 & 0\\ 0 & 2-\lambda & i\\ 0 & -i & 2-\lambda\end{vmatrix} = 0 \to (1-\lambda)[(2-\lambda)^2 + i^2] = 0$$

$(\lambda-1)^2(\lambda-3) = 0$
$\therefore E_1 = \alpha,\, E_2 = 3\alpha$

바닥상태 에너지 E_1은 고윳값이 중근이므로 축퇴되어 있다. 고유값이 같더라도 파동함수의 성질에 따라 고유함수는 모두 직교하고 3개의 고유함수가 존재해야 한다.

ㄷ. $hf = E_2 - E_1 = 2\alpha$이므로 $f = \dfrac{2\alpha}{h}$이다.

06

본책 273p

정답 ③

영역	양자역학
핵심 개념	파동함수의 정규화, 확률, 기댓값의 정의
평가요소 및 기준	위 개념을 통한 양자적 연산

해설

파동함수의 확률을 P라 하면

$\psi = \sum c_n u_n$, $|c_n|^2 = P_n \to \sum |c_n|^2 = 1 = 5a^2$

에너지 기댓값은

$$\langle E\rangle = \sum |c_n|^2 E_n = a^2E_1 + 4a^2E_2 = \frac{1}{5}(-\epsilon_0) + \frac{4}{5}(-\frac{\epsilon_0}{4})$$

$$\therefore \langle E\rangle = -\frac{2}{5}\epsilon_0$$

07

본책 274p

정답 ④

영역	양자역학
핵심 개념	파동함수 확률 및 기댓값, 규격화 조건
평가요소 및 기준	파동함수의 특징을 통해 기댓값 계산 및 규격화 연산

해설

확률의 정의에 의해서 규격화 조건

파동함수 $\phi(x)$와 $\phi(x-L)$은 x축 방향으로 평행이동 관계이다.

$$1 = \int_{-L}^{0}|\phi(x)|^2dx + \int_{0}^{L}9|\phi(x-L)|^2dx = 10\int_{-L}^{0}|\phi(x)|^2dx$$

$$\therefore \int_{-L}^{0}|\phi(x)|^2dx = \frac{1}{10}$$

$$\langle x\rangle = \int_{-L}^{0}x|\phi(x)|^2dx + \int_{0}^{L}9x|\phi(x-L)|^2dx \quad (let\, y = x-L)$$
$$= \int_{-L}^{0}x|\phi(x)|^2dx + \int_{-L}^{0}9(y+L)|\phi(y)|^2dy$$
$$= \int_{-L}^{0}x|\phi(x)|^2dx + 9\int_{-L}^{0}y|\phi(y)|^2dy + 9\int_{-L}^{0}L|\phi(y)|^2dy$$

(적분변수는 무관하므로)

$$= 10\int_{-L}^{0}x|\phi(x)|^2dx + 9\int_{-L}^{0}L|\phi(x)|^2dx$$

주어진 조건 $\int_{-L}^{0}x|\phi(x)|^2dx = -\frac{L}{2}\int_{-L}^{0}|\phi(x)|^2dx$을 대입하면 $\langle x\rangle = -\frac{L}{2} + \frac{9}{10}L = \frac{4}{10}L$

08

본책 274p

정답 ①

영역	양자역학
핵심 개념	연산자와 고윳값의 성질, 교환자와 고유상태의 관계
평가요소 및 기준	위 개념을 통한 양자적 이해

해설

ㄱ. $B(|a\rangle + |-a\rangle) = |a\rangle + |-a\rangle$이므로 $|a\rangle + |-a\rangle$는 B의 고유상태이다.

ㄴ. $AB|a\rangle = A(B|a\rangle) = A|-a\rangle = -a|-a\rangle$
$BA|a\rangle = B(A|a\rangle) = aB|a\rangle = a|-a\rangle$
$a \neq -a$
$\therefore AB \neq BA$ or $[A,B] \neq 0$

ㄷ. 공통 고유상태를 갖기 위해서는 $[A,B]=0$이어야 한다.
증명: A, B의 공통 고유상태를 $|f\rangle$라 하고, 각각의 고유값은 λ_A, λ_B라 하자.
$AB|f\rangle = A(B|f\rangle) = \lambda_B A|f\rangle = \lambda_A\lambda_B|f\rangle$
$BA|f\rangle = B(A|f\rangle) = \lambda_A B|a\rangle = \lambda_A\lambda_B|f\rangle$
$\therefore [A,B]=0$
위에서 교환자가 성립이 안 되므로 같은 고유상태를 갖지 않는다.

09

본책 275p

정답 ⑤

영역	양자역학
핵심 개념	시간 의존 해밀토니안 성질, 에렌페스트 정리(Ehrenfest Theorem)
평가요소 및 기준	위 개념의 확인 및 연산

해설

파동함수 $\Psi(x,t)$는 공간과 시간에 대해 분리되어 있다.
$\frac{\partial H}{\partial t} = \frac{\partial A}{\partial t} = 0$의 의미는 해밀토니안이 시간에 양적으로 표현이 안 되어 있다는 의미 즉, 시간이 흐르더라도 에너지의 고유값이 보존된다는 의미이다. 에너지의 고윳값이 보존되므로 확률 역시 시간에 대해 일정하다.
이것을 가장 쉽게 파악하는 방법은 에렌페스트 정리를 이용하는 방법이다.

$$\Psi(x,t) = \sum c_n \psi_n(x) e^{-\frac{iE_n}{\hbar}t}$$

$$\frac{d\langle \hat{A}\rangle}{dt} = \frac{i}{\hbar}\langle[\hat{H},\hat{A}]\rangle + \left\langle \frac{\partial \hat{A}}{\partial t}\right\rangle$$: Ehrenfest Theorem

$\langle H\rangle = |c_1|^2 E_1 + |c_2|^2 E_2$이다.

$$\frac{d\langle \hat{H}\rangle}{dt} = \frac{i}{\hbar}\langle[\hat{H},\hat{H}]\rangle + \left\langle \frac{\partial \hat{H}}{\partial t}\right\rangle = 0$$

ㄱ, ㄴ. 따라서 각 에너지를 측정할 확률인 $|c_1|^2, |c_2|^2$이 시간에 대해 불변이다. 또한 $\langle \hat{H}\rangle$ 역시 시간에 대해 불변이다.

ㄷ. 에렌페스트 정리에 의해서 $\frac{\partial H}{\partial t} = \frac{\partial A}{\partial t} = 0$이라면 $[H, A] = 0$을 만족하는 연산자 A에 대해서는 $\langle \hat{A}\rangle$는 시간에 대해 불변한다.
양자역학에서 Ehrenfest Theorem을 증명해 보자.

$$\frac{d\langle \hat{A}\rangle}{dt} = \frac{d\langle \psi|\hat{A}|\psi\rangle}{dt}$$
$$= \frac{d}{dt}\int \psi^* \hat{A}\psi dx$$
$$= \int \frac{\partial \psi^*}{\partial t}\hat{A}\psi dx + \int \psi^* \frac{\partial \hat{A}}{\partial t}\psi dx + \int \psi^* \hat{A}\frac{\partial \psi}{\partial t}dx$$

$\hat{H} = i\hbar\frac{\partial}{\partial t}$ 이므로

$$\frac{\partial \psi}{\partial t} = -\frac{i}{\hbar}\hat{H}\psi, \quad \frac{\partial \psi^*}{\partial t} = \frac{i}{\hbar}\hat{H}\psi$$

$$\frac{d\langle\psi|\hat{A}|\psi\rangle}{dt} = \frac{i}{\hbar}\int \psi^* \hat{H}\hat{A}\psi dx + \int \psi^* \frac{\partial \hat{A}}{\partial t}\psi dx - \frac{i}{\hbar}\int \psi^* \hat{A}\hat{H}\psi dx$$
$$= \frac{i}{\hbar}\langle\psi|\hat{H}\hat{A}|\psi\rangle - \frac{i}{\hbar}\langle\psi|\hat{A}\hat{H}|\psi\rangle + \left\langle\psi\left|\frac{\partial \hat{A}}{\partial t}\right|\psi\right\rangle$$
$$= \frac{i}{\hbar}\langle[\hat{H},\hat{A}]\rangle + \left\langle\frac{\partial \hat{A}}{\partial t}\right\rangle$$

10

본책 275p

정답 ⑤

영역	양자역학
핵심 개념	연산자 성질, 교환자 특징
평가요소 및 기준	연산자 및 교환자 성질을 통한 개념적 이해

해설

ㄱ. $A = CB$이므로
$[B, A] = BA - AB = BCB - CBB = [B, C]B = B$

ㄴ. 만약 $B\psi_n$은 A의 고유함수라면 $A(B\psi_n) = \lambda(B\psi_n)$와 같은 형태가 되어야 한다. 여기서 λ는 고윳값 상수
$[B, A] = BA - AB = B$를 이용하면 $AB = BA - B$이므로
$AB\psi_n = (BA - B)\psi_n = BA\psi_n - B\psi_n$
$= nB\psi_n - B\psi_n = (n-1)B\psi_n$
$\therefore A(B\psi_n) = (n-1)(B\psi_n)$

ㄷ. 위에서 $n=1$일 때 고윳값이 0이므로 $AB\psi_1 = 0$을 만족한다.

11

본책 275p

정답 $E_1 = E - \epsilon_0,\ E_2 = E + \epsilon_0$

영역	양자역학
핵심 개념	연산자 성질
평가요소 및 기준	연산자 성질을 활용하여 고윳값 계산

해설

위 문제는 하모니오실레이터를 각색한 문제이다.
ladder operator 활용법과 매우 유사.

$[\hat{a},\ \hat{b}] = 1$ 을 이용하면

$[\hat{a},\ \hat{H}] = \epsilon_0[\hat{a},\ \hat{a}\hat{b}] = \epsilon_0\hat{a}[\hat{a},\ \hat{b}] = \epsilon_0\hat{a}$ ········· ①

$[\hat{b},\ \hat{H}] = \epsilon_0[\hat{b},\ \hat{a}\hat{b}] = \epsilon_0[\hat{b},\ \hat{a}]\hat{b} = -\epsilon_0\hat{b}$ ······ ②

식 ①을 활용하면

$\hat{H}\hat{a}|\psi\rangle = (\hat{a}\hat{H} - \epsilon_0\hat{a})|\psi\rangle = \hat{a}\hat{H}|\psi\rangle - \epsilon_0\hat{a}|\psi\rangle = (E - \epsilon_0)\hat{a}|\psi\rangle$

$\therefore E_1 = E - \epsilon_0$

식 ②를 활용하면

$\hat{H}\hat{b}|\psi\rangle = (\hat{b}\hat{H} + \epsilon_0\hat{b})|\psi\rangle = \hat{b}\hat{H}|\psi\rangle + \epsilon_0\hat{b}|\psi\rangle = (E + \epsilon_0)\hat{b}|\psi\rangle$

$\therefore E_2 = E + \epsilon_0$

12

본책 276p

정답 $\lambda = \sqrt{2}$

영역	양자역학
핵심 개념	연산자 성질과 고윳값
평가요소 및 기준	연산자 성질을 통해 고윳값 계산

해설

$$A^2\psi \equiv \frac{1}{\sqrt{2}}\left(\frac{1}{\sqrt{2}}[\psi + \psi^*] + \frac{1}{\sqrt{2}}[\psi^* + \psi]\right) = \psi + \psi^*$$

$$A^3\psi = \sqrt{2}(\psi + \psi^*) = \sqrt{2}(A^2\psi)$$

$$\therefore \lambda = \sqrt{2}$$

13

본책 276p

정답 $[A, B] = -2x^2$

영역	양자역학
핵심 개념	연산자 성질과 교환자
평가요소 및 기준	주어진 연산자 성질로부터 교환자 값 계산

해설

$$[A, B]\psi = AB\psi - BA\psi = A\left(x\frac{d\psi}{dx}\right) - B(x^2\psi)$$

$$= x^3\frac{d\psi}{dx} - x\frac{d}{dx}(x^2\psi)$$

$$= x^3\frac{d\psi}{dx} - x\left(2x\psi + x^2\frac{d\psi}{dx}\right) = -2x^2\psi$$

$$\therefore [A, B] = -2x^2$$

14

본책 276p

정답 1) $\begin{pmatrix} a \\ b \\ c \end{pmatrix} = \frac{1}{\sqrt{2}}\begin{pmatrix} 1 \\ i \\ 0 \end{pmatrix}$, 2) $\lambda = \frac{hc}{\mu B}$, 3) $\langle E \rangle = -\frac{2}{3}\mu B$

영역	양자역학
핵심 개념	고유함수, 고윳값, 빛에너지, 기댓값
평가요소 및 기준	고유함수, 고윳값, 빛에너지, 기댓값의 개별적 계산

해설

$$H = -\mu\vec{S}\cdot\vec{B} = -\mu B S_z,\ \psi = \begin{pmatrix} a \\ b \\ c \end{pmatrix}$$

$$-\mu B\begin{pmatrix} 0 & -i & 0 \\ i & 0 & 0 \\ 0 & 0 & 0 \end{pmatrix}\begin{pmatrix} a \\ b \\ c \end{pmatrix} = E\begin{pmatrix} a \\ b \\ c \end{pmatrix} \rightarrow k = -\frac{E}{\mu B}$$ 이라 하면

$$\begin{pmatrix} -k & -i & 0 \\ i & -k & 0 \\ 0 & 0 & -k \end{pmatrix}\begin{pmatrix} a \\ b \\ c \end{pmatrix} = 0$$

$$k(k-1)(k+1) = 0$$

$$E_{바닥} = -\mu B,\ E_1 = 0,\ E_2 = \mu B$$

바닥일 때 $k = 1$이므로

$$\begin{pmatrix} -1 & -i & 0 \\ i & -1 & 0 \\ 0 & 0 & -1 \end{pmatrix}\begin{pmatrix} a \\ b \\ c \end{pmatrix} = \begin{pmatrix} -a - bi \\ ai - b \\ -c \end{pmatrix} = 0$$

$$\therefore \begin{pmatrix} a \\ b \\ c \end{pmatrix} = \frac{1}{\sqrt{2}}\begin{pmatrix} 1 \\ i \\ 0 \end{pmatrix}$$

첫 번째 들뜬상태에서 바닥상태로 전이할 때 에너지 차이는

$$\mu B = \frac{hc}{\lambda} \rightarrow \therefore \lambda = \frac{hc}{\mu B}$$

에너지 기댓값은

$$\langle E \rangle = \langle \psi | H | \psi \rangle$$

$$= \frac{1}{\sqrt{3}}(1\ -i\ \ 1)(-\mu B)\begin{pmatrix} 0 & -i & 0 \\ i & 0 & 0 \\ 0 & 0 & 0 \end{pmatrix}\left(\frac{1}{\sqrt{3}}\right)\begin{pmatrix} 1 \\ i \\ 1 \end{pmatrix}$$

$$= -\frac{2}{3}\mu B$$

15

본책 276p

정답 1) 4ϵ, 2) $a = \sqrt{3}$

영역	양자역학
핵심 개념	행렬 연산자 고윳값
평가요소 및 기준	행렬 연산자의 고윳값 계산

해설

1) 고유함수를 ψ라 하면 $H\psi = E\psi$를 만족한다. 여기서 $E = \lambda\epsilon$이고 고윳값이다.

$(H - E)\psi = 0$을 만족하는 행렬식 $\begin{vmatrix} 1-\lambda & a \\ a & 3-\lambda \end{vmatrix} = 0$을 계산하면

$(1-\lambda)(3-\lambda)-a^2=0$

$\lambda^2-4\lambda+3-a^2=0$

만족하는 $\lambda_1+\lambda_2=4$이므로 두 고윳값의 합은 다음과 같다.

$\therefore E_1+E_2=4\epsilon$

2) $\lambda=0$일 때, 식 $\lambda^2-4\lambda+3-a^2=0$는 $3-a^2=0$이다.
만족하는 양수인 a는

$\therefore a=\sqrt{3}$

2 무한 퍼텐셜

16

본책 277p

정답 1−1) 해설 참고, 1−2) 해설 참고

2−1) $E_n=\dfrac{n^2\pi^2\hbar^2}{8mL^2}$, 2−2) $x=L$

영역	양자역학
핵심 개념	무한 퍼텐셜 우물 경계조건, 에너지 준위, 파동함수의 확률적 의미
평가요소 및 기준	위 개념을 통한 양자적 이해

해설

1−1) 무한 퍼텐셜 우물 밖에서는 입자의 존재 확률이 0이다. 파동함수의 크기의 제곱 $|\phi|^2$이 확률을 의미하므로 $\phi(0)=0$이 되어야 한다. $\phi(x)=A\sin kx+B\cos kx$에서 경계조건을 만족하기 위해서는 $B=0$이어야 하므로 $\cos kx$ 형태는 파동함수가 될 수 없다.

1−2) $\phi(x)=A\sin kx$에서 경계조건 $\phi(x=2L)=0$을 만족한다.

$\dfrac{2mE}{\hbar^2}\equiv k^2 \rightarrow k=\dfrac{\sqrt{2mE}}{\hbar}>0,$

$\phi(2L)=A\sin k2L=0 \rightarrow k2L=n\pi$

$k=\dfrac{n\pi}{2L}>0\ (\because k=\dfrac{\sqrt{2mE}}{\hbar}>0)$

k의 정의에 의해서 k가 0보다 크므로 경계조건 $x=2L$에서 파동함수가 0이 될 조건식 $k=\dfrac{n\pi}{2L}$이 나오므로 $n=0$이 될 수 없다.

2−1) $k^2=(\dfrac{n\pi}{2L})^2=\dfrac{2mE}{\hbar^2} \rightarrow E_n=\dfrac{n^2\pi^2\hbar^2}{8mL^2}$

2−2) $n=2$일 때 파동함수는 $\phi(x)=A\sin\dfrac{\pi}{L}x$이다.

파동함수의 크기의 제곱이 확률이므로

$|\phi(x)|^2=\left|A\sin\dfrac{\pi}{L}x\right|^2=0$

$\therefore x=L$

17

본책 277p

정답 양자역학적 바닥상태 에너지 $E_1=\dfrac{\pi^2\hbar^2}{2mL^2}$, 고전역학적 바닥상태 에너지 $E=0$

영역	양자역학
핵심 개념	무한 퍼텐셜 우물, 고전 역학적 에너지
평가요소 및 기준	양자역학과 고전역학의 차이의 이해

해설

슈뢰딩거 방정식을 통한 파동함수를 구해서 경계조건 $\phi(x=0)=\phi(x=L)=0$을 대입하면

$\phi_n(x)=\sqrt{\dfrac{2}{L}}\sin\dfrac{n\pi}{L}x$ 을 얻는다.

$kL=n\pi=\dfrac{\sqrt{2mE}}{\hbar}L$

$E_n=\dfrac{n^2\pi^2\hbar^2}{2mL^2}$

$\therefore E_1=\dfrac{\pi^2\hbar^2}{2mL^2}$

고전역학적 에너지는 퍼텐셜 에너지와 운동 에너지의 합이므로 퍼텐셜 에너지도 0이고, 운동 에너지도 0이 가능하기 때문에 바닥상태 에너지는 0이다.

18

본책 278p

정답 $E_1=\dfrac{h^2}{2md^2}$

영역	양자역학
핵심 개념	3차원 지름 무한 퍼텐셜 함수
평가요소 및 기준	3차원 구형 파동함수의 이해 및 연산

해설

최소 운동 에너지일 때는 각운동량 성분이 없다.

파동함수는 $\psi(r)$ 오직 반경 r에 함수로 이뤄져 있다.

슈뢰딩거 방정식은

$-\dfrac{\hbar^2}{2m}\dfrac{d^2\psi(r)}{dr^2}=E\psi(r)$이다.

3차원에서 조심해야 하는 것은 지름방향 파동함수 $R(r)$, θ방향 파동함수 $\Theta(\theta)$, ϕ방향 파동함수 $\Phi(\phi)$일 때

$$\int_0^r|\psi(r)|^2dr=\iiint|R(r)|^2|\Theta(\theta)|^2|\Phi(\phi)|r^2\sin\theta drd\theta\phi$$

$$=4\pi\int_0^r r^2R^2(r)dr$$

※ 바닥상태일 때는 파동함수가 θ, ϕ에 대해 무관하다.

즉, 3차원 구면좌표계 파동함수는

$\Psi(r,\theta,\phi)=R(r)\Theta(\theta)\Phi(\phi)$임을 명심하자.

파동함수 $\psi(r)$ 혼동해서는 안 된다.

즉, $\psi(r)=\sqrt{4\pi}\,rR(r)$이다. 만약 파동함수를 구하라고 한다면 $\Psi(r,\theta,\phi)=R(r)\Theta(\theta)\Phi(\phi)$을 구해야 한다.

바닥상태이므로 $\Psi(r,\theta,\phi)=R(r)=\dfrac{1}{\sqrt{4\pi}}\dfrac{1}{r}\psi(r)$이다.

$\dfrac{d^2\psi(r)}{dr^2}+\dfrac{2mE}{\hbar^2}\psi(r)=0$으로부터 $\dfrac{2mE}{\hbar^2}=k^2$이라 하면

$\psi(r)=A\sin kr+B\cos kr$이다. 경계조건 $r=0,\ r=\dfrac{d}{2}$에서 파동함수가 0이 되어야 하므로

$B=0$이고, $k\dfrac{d}{2}=n\pi$이다.

$$k^2\left(\frac{d}{2}\right)^2=n^2\pi^2=\frac{2mE}{\hbar^2}\times\frac{d^2}{4}$$

$$E_n=\frac{2n^2\pi^2\hbar^2}{md^2}=\frac{n^2h^2}{2md^2}\quad(\because \hbar=\frac{h}{2\pi})$$

$$\therefore E_1=\frac{h^2}{2md^2}$$

참고

바닥상태 파동함수는

$$\Psi(r)=R(r)=\frac{1}{\sqrt{4\pi}}\sqrt{\frac{4}{d}}\frac{1}{r}\sin\frac{2\pi}{d}r$$

$$\therefore \Psi(r)=R(r)=\frac{1}{\sqrt{\pi d}}\frac{1}{r}\sin\frac{2\pi}{d}r$$

19

본책 278p

정답 1) $\psi(x,y,z)=A\sin\dfrac{n_x\pi}{L}x\sin\dfrac{n_y\pi}{2L}y\sin k_zz$

2) $E=E_x+E_y+E_z=\dfrac{\pi^2\hbar^2}{2mL^2}\left(n_x^2+\dfrac{n_y^2}{4}\right)+\dfrac{\hbar^2}{2m}k_z^2$

영역	양자역학
핵심 개념	3차원 퍼텐셜 우물, 경계조건, 변수분리, 파동함수의 특징
평가요소 및 기준	위 개념 적용 및 연산

해설

허용 가능한 에너지를 $E=E_x+E_y+E_z$라 하자.

전체 파동함수는 각각의 변수분리에 의해서 $\psi(x,y,z)=\phi_x(x)\phi_y(y)\phi_z(z)$로 쓸 수 있다.

슈뢰딩거 방정식을 이용하여 변수분리에 의해서 각 좌표축에 대한 파동함수를 구하면

$$-\frac{\hbar^2}{2m}\nabla^2\Psi=E\Psi$$

$$-\frac{\hbar^2}{2m}\left(\phi_y\phi_z\frac{\partial^2\phi_x}{\partial x^2}+\phi_x\phi_z\frac{\partial^2\phi_y}{\partial y^2}+\phi_x\phi_y\frac{\partial^2\phi_z}{\partial z^2}\right)$$
$$=(E_x+E_y+E_z)\phi_x\phi_y\phi_z$$

$$\frac{1}{\phi_x}\frac{\partial^2\phi_x}{\partial x^2}+\frac{1}{\phi_y}\frac{\partial^2\phi_y}{\partial y^2}+\frac{1}{\phi_z}\frac{\partial^2\phi_z}{\partial z^2}=-\frac{2m}{\hbar^2}(E_x+E_y+E_z)$$

여기서

$$\frac{1}{\phi_x}\frac{\partial^2\phi_x}{\partial x^2}=-k_x^2=-\frac{2mE_x}{\hbar^2},\ \frac{1}{\phi_y}\frac{\partial^2\phi_y}{\partial y^2}=-k_y^2=-\frac{2mE_y}{\hbar^2},$$
$$\frac{1}{\phi_z}\frac{\partial^2\phi_z}{\partial z^2}=-k_z^2=-\frac{2mE_z}{\hbar^2}$$

$\phi_x''+k_x\phi_x=0$에서 $\phi_x=A\sin k_xx+B\cos k_xx$

경계조건 $x=0,\ x=L$을 만족해야 하므로 $B=0$이고 $k_xL=n_x\pi$이다.

따라서 $\phi_x(x)=A\sin\dfrac{n_x\pi}{L}x$이고, $E_x=\dfrac{n_x^2\pi^2\hbar^2}{2mL^2}$이다.

같은 방식으로 $\phi_y''+k_y\phi_y=0$를 구하면,

경계조건 $y=0,\ y=2L$을 만족해야 하므로

$\phi_y(x)=A'\sin\dfrac{n_y\pi}{2L}y$이고, $E_y=\dfrac{n_y^2\pi^2\hbar^2}{8mL^2}$

z축의 파동함수인 경우에는 $\phi_z''+k_z\phi_z=0$

경계조건 $z=0$인 경우밖에 없으므로 $\phi_z=A''\sin k_zz$이고,

이때 에너지는 $E_z=\dfrac{\hbar^2}{2m}k_z^2$으로 에너지를 특정하지 못한다.

이유는 z축으로는 닫힌 공간이 아닌 열린 공간이기 때문에 파장에 따른 다양한 에너지가 가능하기 때문이다.

$$\therefore \psi(x,y,z)=A\sin\frac{n_x\pi}{L}x\sin\frac{n_y\pi}{2L}y\sin k_zz$$

$$\therefore E=E_x+E_y+E_z=\frac{\pi^2\hbar^2}{2mL^2}\left(n_x^2+\frac{n_y^2}{4}\right)+\frac{\hbar^2}{2m}k_z^2$$

20

본책 278p

정답 1) $C=\dfrac{1}{\sqrt{5}}$, 2) $\langle E\rangle=\dfrac{8}{5}E_1$

영역	양자역학
핵심 개념	1차원 무한 퍼텐셜 우물, 규격화, 평균 에너지
평가요소 및 기준	위 개념을 통한 연산

해설

1) 규격화된 고유함수 $\psi_n(x)$이므로 $|\langle\psi_n\rangle|^2=1$이다.

전체 파동함수 역시 규격화를 만족해야 하므로

$$|\langle\psi\rangle|^2=1=\frac{4}{5}|\langle\psi_1\rangle|^2+C^2|\langle\psi_2\rangle|^2$$

$$\therefore C=\frac{1}{\sqrt{5}}$$

2) 평균 에너지는

$$\langle E\rangle=\sum|c_n|^2E_n=\frac{4}{5}E_1+\frac{1}{5}(4E_1)=\frac{8}{5}E_1$$

21

본책 279p

정답 ④

영역	양자역학
핵심 개념	2차원 무한 퍼텐셜 우물, 축퇴 개념
평가요소 및 기준	2차원 에너지 준위 및 축퇴도 확인

해설

폭이 L인 1차원 무한 퍼텐셜 우물에서 규격화된 고유함수는 $\psi(x)=\sqrt{\frac{2}{L}}\sin\frac{n\pi}{L}x$이고, 이때의 허용 가능한 에너지는 $E_n=\frac{n^2\pi^2\hbar^2}{2mL^2}$이다.

2차원 무한 퍼텐셜 우물의 파동함수는 변수 분리에 의해서 $\psi(x,y)=\psi_x(x)\times\psi_y(y)$ 형태가 되고 이때의 에너지는 $E_T=E_x+E_y$이다. x축의 폭은 $2a$이고, y축의 폭은 a이므로 각각의 고유함수와 에너지는

$$\psi(x)=\sqrt{\frac{1}{a}}\sin\frac{n_x\pi}{2a}x,\ E_x=\frac{n_x^2\pi^2\hbar^2}{8ma^2}$$

$$\psi(y)=\sqrt{\frac{2}{a}}\sin\frac{n_y\pi}{a}y,\ E_n=\frac{n_y^2\pi^2\hbar^2}{2ma^2}$$

$$\psi(x,y)=\frac{\sqrt{2}}{a}\sin\frac{n_x\pi}{2a}x\sin\frac{n_y\pi}{a}y,$$

$$E_T=\frac{\pi^2\hbar^2}{2ma^2}\left(\frac{n_x^2}{4}+n_y^2\right)$$

그런데 이때 $(n_x,n_y)=(4,\ 1),\ (2,\ 2)$일 때 에너지가 서로 동일하므로 축퇴되어 있다.

22

본책 279p

정답 ④

영역	양자역학
핵심 개념	파동함수의 특정 고윳값 확률계산
평가요소 및 기준	개별 파동함수와 전체 파동함수의 관계식을 통한 확률 계산

해설

초기 파동함수는 서로 직교하는 가능한 파동함수의 합으로 표현된다.
이때 앞의 계수의 제곱이 확률이 된다.

$$\psi(x)=\sum c_n\psi_n\rightarrow\int\psi_n\psi(x)dx=c_n$$

$$P_n=|c_n|^2=\left|\int\psi_n\psi(x)dx\right|^2$$

$\frac{\pi^2\hbar^2}{2mL^2}$는 에너지 $E_n=\frac{n^2\pi^2\hbar^2}{2mL^2}$ 일 때 $n=1$일 때이므로 파동함수는 $\psi_1=\sqrt{\frac{2}{L}}\sin\frac{\pi}{L}x$가 된다.

즉, $P_1=|c_1|^2=\left|\int_{L/4}^{L/2}\psi_1\psi(x)dx\right|^2$

$$=\left|\int_{L/4}^{L/2}\sqrt{\frac{2}{L}}\frac{2}{\sqrt{L}}\sin\frac{\pi}{L}xdx\right|^2$$

$$\therefore P_1=\left|\frac{2\sqrt{2}}{L}\int_{L/4}^{L/2}\sin\frac{\pi}{L}xdx\right|^2$$

23

본책 280p

정답 1) $\psi_{바닥}(x)=\sqrt{\frac{2}{L}}\cos\frac{\pi}{L}x$

2) $\Delta p=\sqrt{\langle p^2\rangle-\langle p\rangle^2}=\frac{\hbar\pi}{L}$

영역	양자역학
핵심 개념	무한 퍼텐셜 우물, 양자적 평균값
평가요소 및 기준	무한 퍼텐셜 우물의 파동함수를 구하고 이로부터 양자적 평균값 계산

해설

운동량 연산자 $p=\frac{\hbar}{i}\nabla$

슈뢰딩거 파동방정식: $-\frac{\hbar^2}{2m}\frac{d^2}{dx^2}\psi+V\psi=E\psi$

$-\frac{L}{2}<x<\frac{L}{2}$ 에서

$$\frac{d^2}{dx^2}\psi+\frac{2mE}{\hbar^2}\psi=0\qquad k^2=\frac{2mE}{\hbar^2}$$

$\psi(x)=A\cos kx$, 경계조건 $\psi(x=\pm\frac{L}{2})=0$을 이용하면

$kL=(2n-1)\pi$

$\psi(x)=A\cos kx$

규격화 $\int_{-\frac{L}{2}}^{+\frac{L}{2}}A^2\cos^2kxdx=1\ \rightarrow A=\sqrt{\frac{2}{L}}$

$$\psi_{바닥}(x)=\sqrt{\frac{2}{L}}\cos\frac{\pi}{L}x$$

$$\langle p\rangle=\int_{-\frac{L}{2}}^{+\frac{L}{2}}\psi\frac{\hbar}{i}\nabla\psi\,dx$$

$$=i\hbar\left(\frac{2}{L}\right)\frac{\pi}{L}\int_{-\frac{L}{2}}^{+\frac{L}{2}}\cos\frac{\pi x}{L}\sin\frac{\pi x}{L}\,dx=0$$; 직교조건

$$\langle p^2\rangle=\int_{-\frac{L}{2}}^{+\frac{L}{2}}\psi\left(\frac{\hbar}{i}\right)^2\nabla^2\psi\,dx$$

$$=\hbar^2\left(\frac{2}{L}\right)\left(\frac{\pi}{L}\right)^2\int_{-\frac{L}{2}}^{+\frac{L}{2}}\cos^2\frac{\pi x}{L}\,dx$$

$$=\left(\frac{\hbar\pi}{L}\right)^2$$

$$\therefore\Delta p=\sqrt{\langle p^2\rangle-\langle p\rangle^2}=\frac{\hbar\pi}{L}$$

24

본책 280p

정답 1) $E_0=\frac{\hbar^2\pi^2}{2m}\left(\frac{1}{a^2}+\frac{1}{b^2}\right)$, $E_1=\frac{\hbar^2\pi^2}{2m}\left(\frac{1}{a^2}+\frac{4}{b^2}\right)$

2) $E_u=\frac{\hbar^2}{8m}\left((\frac{1}{a})^2+(\frac{1}{b})^2\right)$

영역	양자역학
핵심 개념	2차원 무한 퍼텐셜 우물, 불확정성 원리
평가요소 및 기준	2차원 무한 퍼텐셜에서 고유함수 계산과 불확정성 원리 이용하여 근삿값 계산

해설

1) 이 입자의 바닥상태 에너지 E_0과 첫 번째 들뜬상태 에너지 E_1 파동함수 변수분리에 의해서 아래와 같이 쓸 수 있다.

$\Psi(x,y)=f(x)g(y)$

슈뢰딩거 방정식을 이용하면

$$-\frac{\hbar^2}{2m}\nabla^2\Psi=E\Psi \quad [0\le x\le a, 0\le y\le b]$$

$$-\frac{\hbar^2}{2m}\left(g\frac{\partial^2 f}{\partial x^2}+f\frac{\partial^2 g}{\partial y^2}\right)=Efg$$

$$\rightarrow \frac{1}{f}\frac{\partial^2 f}{\partial x^2}+\frac{1}{g}\frac{\partial^2 g}{\partial y^2}=-\frac{2mE}{\hbar^2}$$

여기서 $\frac{1}{f}\frac{\partial^2 f}{\partial x^2}=-k_x^2$, $\frac{1}{g}\frac{\partial^2 g}{\partial y^2}=-k_y^2$

일반식 $f(x)=A\sin k_x x$, $g(y)=C\sin k_y y$

[경계조건 $k_x a=n_x\pi, k_y b=n_y\pi$]

$$\Psi(x,y)=\sqrt{\frac{2}{a}}\sqrt{\frac{2}{b}}\sin k_x x\sin k_y y$$

$$k_x^2+k_y^2=\frac{2mE}{\hbar^2}=\frac{n_x^2\pi^2}{a^2}+\frac{n_y^2\pi^2}{b^2}$$

$$\therefore E(n_x,n_y)=\frac{\hbar^2\pi^2}{2m}\left(\frac{n_x^2}{a^2}+\frac{n_y^2}{b^2}\right)$$

바닥상태 에너지 E_0는 $n_x=n_y=1$일 때이므로

$$\therefore E_0=\frac{\hbar^2\pi^2}{2m}\left(\frac{1}{a^2}+\frac{1}{b^2}\right)$$

첫 번째 들뜬상태 에너지 E_1은 $(n_x, n_y)=(1, 2)$ or $(2,1)$ 두 경우 인데 $a<b$라고 하였으므로 $(n_x, n_y)=(1,2)$일 때가 에너지가 더 작으므로 첫 번째 들뜬상태 에너지가 된다.

$$\therefore E_1=\frac{\hbar^2\pi^2}{2m}\left(\frac{1}{a^2}+\frac{4}{b^2}\right)$$

2) 불확정성 원리 $\Delta x\Delta p_x\ge\frac{\hbar}{2}$, $\Delta y\Delta p_y\ge\frac{\hbar}{2}$를 이용하여 이 입자의 최소 에너지 E_u

양자역학에서 어떠한 값은 확률 값임을 알아야 한다. 우리는 $E=\langle H\rangle$을 통해 에너지 확률 값을 알 수 있다.

해밀토니안 연산자는 $H=\frac{p^2}{2m}+V$로 내부에서 $V=0$이므로 $\langle H\rangle=\frac{1}{2m}\langle p^2\rangle$이 된다.

이때 $\Delta p=\sqrt{\langle p^2\rangle-(\langle p\rangle)^2}=\sqrt{\langle p^2\rangle}$이다. 같은 상태에서 전자의 운동량의 기댓값 $\langle p\rangle=0$이다.

불확정성 정리에 의해서 $\Delta p\ge\frac{\hbar}{2}\frac{1}{\Delta x}$이므로

$$E=\langle H\rangle=\frac{1}{2m}(\langle p_x^2\rangle+\langle p_y^2\rangle\ge\frac{\hbar^2}{8m}\left((\frac{1}{\Delta x})^2+(\frac{1}{\Delta y})^2\right)$$

이 된다.

여기서 2가지 풀이가 존재한다. 첫 번째 풀이만 언급하도록 한다.

무한 퍼텐셜에서 입자의 위치 불확정도 $\Delta x\simeq a, \Delta y\simeq b$로 가정하여 푸는 경우, 일반적으로 이렇게 풀게 되지만 문제에서 주어지지 않아 전개과정에서 논리성이 조금 부족하다.

$$\therefore E_u=\frac{\hbar^2}{8m}\left((\frac{1}{a})^2+(\frac{1}{b})^2\right)$$

25

본책 280p

정답 1) $\langle E\rangle=\frac{2\pi^2\hbar^2}{3mL^2}$, 2) $P_1=\frac{256}{27\pi^2}$

영역	양자역학
핵심 개념	슈뢰딩거 방정식, 에너지 평균값, 확률계산
평가요소 및 기준	위 개념의 명확한 이해와 연산

해설

1) $\Psi(x)=\sqrt{\frac{2}{3L}}(1-\cos\frac{2\pi}{L}x)=\sum c_n\phi_n$

슈뢰링거 방정식: $-\frac{\hbar^2}{2m}\Psi''+V\Psi=E\Psi$, $V=0$이다.

$$\langle H\rangle=\langle\Psi|H|\Psi\rangle=\int_0^L\Psi^*H\Psi dx$$

$$=\int_0^L\Psi^*(-\frac{\hbar^2}{2m}\Psi'')dx$$

$$\Psi'=\sqrt{\frac{2}{3L}}\sin\frac{2\pi}{L}x\times\frac{2\pi}{L},$$

$$\Psi''=\sqrt{\frac{2}{3L}}\left(\frac{2\pi}{L}\right)^2\cos\frac{2\pi}{L}x$$

$$\langle E\rangle=\frac{2}{3L}\int_0^L\left(-\frac{\hbar^2}{2m}\right)\left(\frac{2\pi}{L}\right)^2(1-\cos\frac{2\pi}{L}x)\cos\frac{2\pi}{L}xdx$$

$$=-\left(\frac{2}{3L}\right)\left(\frac{2\pi}{L}\right)^2\left(\frac{\hbar^2}{2m}\right)\int_0^L(\cos\frac{2\pi}{L}x-\cos^2\frac{2\pi}{L}x)dx$$

$$=-\left(\frac{2}{3L}\right)\left(\frac{2\pi}{L}\right)^2\left(\frac{\hbar^2}{2m}\right)\left(\int_0^L\cos\frac{2\pi}{L}xdx-\int_0^L\cos^2\frac{2\pi}{L}xdx\right)$$

$$=-\left(\frac{2}{3L}\right)\left(\frac{2\pi}{L}\right)^2\left(\frac{\hbar^2}{2m}\right)\left\{\left[\frac{L}{2\pi}\sin\frac{2\pi}{L}x\right]_0^L-\int_0^L\frac{1+\cos\frac{4\pi}{L}x}{2}dx\right\}$$

$$=-\left(\frac{2}{3L}\right)\left(\frac{2\pi}{L}\right)^2\left(\frac{\hbar^2}{2m}\right)\left(0-\frac{L}{2}\right)$$

$$\therefore\langle E\rangle=\frac{2\pi^2\hbar^2}{3mL^2}$$

2) $\Psi(x)=\sqrt{\frac{2}{3L}}(1-\cos\frac{2\pi}{L}x)=\sum c_n\phi_n$

앞의 계수의 크기의 제곱이 발견할 확률을 의미한다.

$n=1,\ P_1=|c_1|^2$

파동함수의 직교성실에 의해서 $c_n=\int_0^L \phi_1\Psi(x)dx$,

$$\phi_1=\sqrt{\frac{2}{L}}\sin\frac{\pi}{L}x$$

$$c_1=\int_0^L\sqrt{\frac{2}{L}}\cdot\sqrt{\frac{2}{3L}}\sin\frac{\pi}{L}x(1-\cos\frac{2\pi}{L}x)dx$$
$$=\sqrt{\frac{2}{L}}\sqrt{\frac{2}{3L}}\int_0^L(\sin\frac{\pi}{L}x-\sin\frac{\pi}{L}x\cos\frac{2\pi}{L}x)dx$$
$$=\sqrt{\frac{2}{L}}\sqrt{\frac{2}{3L}}\int_0^L\sin\frac{\pi}{L}xdx-\int_0^L\sin\frac{\pi}{L}x\cos\frac{2\pi}{L}xdx$$
$$=\sqrt{\frac{2}{L}}\sqrt{\frac{2}{3L}}\left\{\left|-\frac{L}{\pi}\cos\frac{\pi}{2}x\right|_0^L-\frac{1}{2}\int_0^L(\sin\frac{3\pi}{L}x-\sin\frac{\pi}{L}x)dx\right\}$$
$$=\sqrt{\frac{2}{L}}\sqrt{\frac{2}{3L}}\left\{\left(\frac{2L}{\pi}\right)-\frac{1}{2}\left[\left|-\frac{L}{3\pi}\cos\frac{3\pi}{L}x\right|_0^L+\left|\frac{L}{\pi}\cos\frac{\pi}{L}x\right|_0^L\right]\right\}$$
$$=\sqrt{\frac{2}{L}}\sqrt{\frac{2}{3L}}\left\{\left(\frac{2L}{\pi}\right)-\frac{1}{2}\left(\frac{2L}{3\pi}-\frac{2L}{\pi}\right)\right\}$$
$$=\sqrt{\frac{2}{L}}\sqrt{\frac{2}{3L}}\left(\frac{8L}{3\pi}\right)$$

$$\therefore P_1=|c_1|^2=\frac{2}{L}\cdot\frac{2}{3L}\cdot\left(\frac{8L}{3\pi}\right)^2=\frac{256}{27\pi^2}$$

26

본책 281p

정답 1) $\psi_0(x)=\frac{1}{\sqrt{L}}\cos\frac{\pi}{2L}x$,

$\psi_1(x)=\frac{1}{\sqrt{L}}\sin\frac{\pi}{L}x$

2) $\langle|x|\rangle=\frac{L}{2}$

영역	양자역학
핵심 개념	무한 퍼텐셜, 상대 좌표계
평가요소 및 기준	무한 퍼텐셜의 바닥상태와 첫 번째 들뜬 상태의 고유함수와 고유에너지 연산, 평균값 계산

해설

1) 상대 좌표계 $|x|\le L$이므로 $-L\le x\le L$인 구간에서 환산질량 μ인 입자가 갇혀있는 무한 퍼텐셜 상황과 동일하다.

$$-\frac{\hbar^2}{2\mu}\frac{d^2}{dx^2}\psi(x)=E\psi(x)$$
$$\frac{d^2}{dx^2}\psi(x)+\frac{2\mu E}{\hbar^2}\psi(x)=0$$
$$\frac{d^2}{dx^2}\psi(x)+k^2\psi(x)=0$$

경계조건 $\psi(x=\pm L)=0$을 이용하여 규격화된 고유함수를 정리하면

$$\psi_{(n-1)}(x)=\frac{1}{\sqrt{L}}\sin\left(\frac{n\pi}{2L}x+\frac{n\pi}{2}\right)\text{ or }\frac{1}{\sqrt{L}}\begin{cases}\cos\frac{n\pi x}{2L} & ;n=\text{홀수}\\ \sin\frac{n\pi x}{2L} & ;n=\text{짝수}\end{cases}$$

$$\therefore\psi_0(x)=\frac{1}{\sqrt{L}}\sin\left(\frac{\pi}{2L}x+\frac{\pi}{2}\right)=\frac{1}{\sqrt{L}}\cos\frac{\pi}{2L}x$$
$$\psi_1(x)=\frac{1}{\sqrt{L}}\sin\left(\frac{\pi}{L}x+\pi\right)=-\frac{1}{\sqrt{L}}\sin\frac{\pi}{L}x$$
$$\psi_1(x)=\frac{1}{\sqrt{L}}\sin\frac{\pi}{L}x$$

※ 고유함수의 부호는 무관

2) 평균값의 정의에 의해서

$$\langle|x|\rangle=\int_{-L}^{+L}|x||\psi_1|^2dx\ \ ;\text{ 우함수적분}$$
$$=2\int_0^L x\frac{1}{L}\sin^2(\frac{\pi}{L}x)dx\ \ ;\ \frac{\pi}{L}x=\theta\text{ 치환}$$
$$=\frac{2L}{\pi^2}\int_0^\pi\theta\sin^2\theta\,d\theta=\frac{2L}{\pi^2}\frac{\pi^2}{4}=\frac{L}{2}$$
$$\therefore\langle|x|\rangle=\frac{L}{2}$$

27

본책 281p

정답 1) $E_1=\frac{\pi^2\hbar^2}{2ma^2}$, 2) $P=\frac{1}{4}-\frac{1}{2\pi}$

3) $[p^2,\ x]\phi_1(x)=\frac{-2\pi\hbar^2}{a}\sqrt{\frac{2}{a}}\cos\frac{\pi}{a}x$

영역	양자역학
핵심 개념	무한 퍼텐셜 기본 성질, 경계 조건, 확률 정의, x, p 교환자
평가요소 및 기준	무한 퍼텐셜의 고윳값과 고유함수 정의, 확률 계산, 연산자 계산

해설

1) 폭이 a인 무한 퍼텐셜의 에너지 고윳값은 $E_n=\frac{n^2\pi^2\hbar^2}{2ma^2}$이므로 바닥상태 에너지 고윳값은 $E_1=\frac{\pi^2\hbar^2}{2ma^2}$이다.

2) 파동함수 $\phi(x)=A\sin kx+B\cos kx$인데 경계 조건에 의하면 $\phi(x=0)=0$이어야 하므로 $B=0$이다.

$\phi(x)=A\sin kx$ 규격화 조건에 의해 $\phi(x)=\sqrt{\frac{2}{a}}\sin kx$이다. 그리고 경계 조건 $\phi(a)=\sqrt{\frac{2}{a}}\sin ka=0$이므로 $ka=n\pi$이다. 그런데 파동함수와 고유함수의 관계식 $\phi(x)=\sqrt{\frac{2}{a}}\sin kx=\sum c_n\sqrt{\frac{2}{a}}\sin\frac{n\pi}{a}x$이다. 파동함수는 고유함수의 선형 결합으로 표현이 가능하다. 그런데 $\phi(x)=\sqrt{\frac{2}{a}}\sin kx=\sqrt{\frac{2}{a}}\sin\frac{n\pi}{a}x$는 $\sqrt{\frac{2}{a}}\sin\frac{n\pi}{a}x$의 선형 결합으로 표현이 불가능하며, 파동함수가 고유함수일 때만 가능하다.

바닥상태 고유함수가 발견이 되었다면, 파동함수는 곧 바닥상태 고유함수이다. 파동함수가 바닥상태가 아닌 특정 들뜬 상태라면 바닥상태의 고유함수를 발견하는 것은 불가능하다.

$$P = \int_{3a/4}^{a} \phi_1^2(x)\,dx = \int_{3a/4}^{a} \frac{2}{a}\sin^2\frac{\pi}{a}x\,dx$$
$$= \frac{1}{a}\int_{3a/4}^{a}(1-\cos\frac{2\pi}{a}x)\,dx = \frac{1}{4}-\frac{1}{2\pi}$$
$$\therefore P = \frac{1}{4}-\frac{1}{2\pi}$$

3) $[p^2,\ x] = 2p[p,\ x]$이다.

참고

$[A,\ [A,\ B]] = [B,\ [A,\ B]] = 0$가 성립할 때

$[A^n,\ B] = nA^{n-1}[A,\ B]$를 만족한다.

$2p[p,\ x]\phi_1(x)$
$$= 2p(-i\hbar)\phi_1(x) = -2i\hbar(\frac{\hbar}{i}\frac{d}{dx})\phi_1(x)$$
$$= -2\hbar^2\frac{d}{dx}(\sqrt{\frac{2}{a}}\sin\frac{\pi}{a}x) = -2\hbar^2(\frac{\pi}{a})\sqrt{\frac{2}{a}}\cos\frac{\pi}{a}x$$
$$\therefore [p^2,\ x]\phi_1(x) = \frac{-2\pi\hbar^2}{a}\sqrt{\frac{2}{a}}\cos\frac{\pi}{a}x$$

3 유한 퍼텐셜

28

본책 282p

정답 $\psi_2(x) = A_2e^{k_2x} + A_2'e^{-k_2x}\ ;\ -a < x < a$

영역	양자역학
핵심 개념	유한 퍼텐셜 장벽
평가요소 및 기준	파동함수의 진행방향의 이해와 경계조건 활용

해설

$-a < x < a$ 영역, 장력 내부에서 슈뢰딩거 방정식을 써보면
$$-\frac{\hbar^2}{2m}\frac{d^2\psi}{dx^2} + V_0\psi = E\psi$$
$$\frac{d^2\psi}{dx^2} - \frac{2m(V_0-E)}{\hbar^2}\psi = 0$$
$$k_2 = \frac{\sqrt{2m(V_0-E)}}{\hbar}$$
$$\psi_2(x) = A_2e^{k_2x} + A_2'e^{-k_2x}$$
$x < -a,\ x > a$ 영역에서 슈뢰딩거 방정식은
$$\frac{d^2\psi}{dx^2} + \frac{2m(E)}{\hbar^2}\psi = 0$$
$$k_1 = \frac{\sqrt{2mE}}{\hbar}$$
$$\psi_1(x) = A_1e^{ik_1x} + A_1'e^{-ik_1x}\ ;\ x < -a$$
$$\psi_3(x) = A_3e^{ik_1x} + A_3'e^{-ik_1x}\ ;\ x > a$$

$x = -\infty$에서 $x = \infty$ 방향으로 입사되므로 파동함수의 진행 방향 $kx - \omega t$에 의해서 $\psi_3(x) = A_3e^{ik_1x} + A_3'e^{-ik_1x}\ (x < a)$에서는 왼쪽방향 진행성분이 존재하지 않으므로 $A_3' = 0$이다. ψ_1, ψ_2는 경계면에서 반사하는 성분이 있기 때문에 모두 살아남게 된다.

즉, 파동함수 형태만 구하면
$$\psi_2(x) = A_2e^{k_2x} + A_2'e^{-k_2x}\ ;\ -a < x < a$$

29

본책 282p

정답 1) $q^2 + k^2 = \frac{2mV_0}{\hbar^2}$, 2) $\tan qa = \frac{k}{q}$

영역	양자역학
핵심 개념	슈뢰딩거 방정식, 파동함수의 조건
평가요소 및 기준	유한 퍼텐셜 우물의 슈뢰딩거 방정식과 경계조건 활용

해설

1) 슈뢰딩거 방정식을 영역별로 전개해보면
$$-\frac{\hbar^2}{2m}\frac{d^2\psi}{dx^2} + V\psi = E\psi$$
$$-\frac{\hbar^2}{2m}(-q^2\psi) - V_0\psi = E\psi\ ;\ |x| < a$$
$$q^2 = \frac{2m(E+V_0)}{\hbar^2}$$
$$-\frac{\hbar^2}{2m}(k^2\psi) = E\psi\ ;\ |x| > a$$
$$k^2 = -\frac{2mE}{\hbar^2}$$
$$\therefore q^2 + k^2 = \frac{2mV_0}{\hbar^2}$$

2) 파동함수의 연속조건과 미분가능조건에 의해서 $x = a$에서 각각의 조건을 구해보면 파동함수를 문제의 조건을 따라
$$\psi(x) = \begin{cases} A\cos qx & ;|x| < a \\ Be^{-k|x|} & ;|x| > a \end{cases}$$ 라 하자.

연속조건: $A\cos qa = Be^{-ka}$

미분가능조건: $-Aq\sin qa = -Bke^{-ka}$

서로 나누면 $\tan qa = \frac{k}{q}$이다.

30

본책 283p

정답 ②

영역	양자역학: 유한 퍼텐셜 우물
핵심 개념	파동의 성질, 입사와 반사파의 성질
평가요소 및 기준	유한 퍼텐셜 우물에서의 파동함수 형태 및 물질파 이론의 이해

해설

ㄱ. 전자의 파동성을 나타내는데 입사파와 반사파, 투과파의 진동수는 연속성질에 의해서 불변한다. 즉, 파동의 진동수는 불변한다.

ㄴ. 슈뢰딩거 방정식을 생각해보자.

$$-\frac{\hbar^2}{2m}\psi'' + V_0\psi = E\psi \rightarrow -\frac{\hbar^2}{2m}\psi'' + (V_0 - E)\psi = 0$$

$$\psi'' - \frac{2m}{\hbar^2}(V_0 - E)\psi = 0$$

(여기서 $\frac{2m}{\hbar^2}(V_0 - E) = k^2 > 0$)

$$\psi'' - k^2\psi = 0$$

파동함수의 조건에 만족하는 해의 형태는 $\psi(x) \propto e^{-kx}$이다.

ㄷ. 슈뢰딩거 방정식에서 영역 Ⅰ, Ⅲ가 서로 k값이 동일하므로 $k = \frac{2\pi}{\lambda}$이므로 파장이 동일하다.

31

본책 283p

정답 1) $E_{\min} = U + \frac{\pi^2\hbar^2}{2mL^2}$, 2) $\lambda = 2L$

영역	양자역학
핵심 개념	유한 퍼텐셜 투과율과 물질파 이론
평가요소 및 기준	특정 투과율 연산, 파수 텍터와 드브로이 파장 관계식 활용

해설

1) $T = 1$이면 $\frac{U^2\sin^2(kL)}{4E(E-U)} = 0$이 되어야 한다.

$\sin^2(kL) = 0$에서 $kL = n\pi$, 여기서 n은 자연수이다.

$k = \frac{\sqrt{2m(E-U)}}{\hbar}$이므로 k가 최소가 될 때 E가 최소가 되므로 만족하는 $n = 1$이다.

$$k^2L^2 = \pi^2$$

$$\frac{2m(E-U)L^2}{\hbar^2} = \pi^2$$

$$\therefore E_{\min} = U + \frac{\pi^2\hbar^2}{2mL^2}$$

2) $k = \frac{\pi}{L} = \frac{2\pi}{\lambda}$

$$\therefore \lambda = 2L$$

4 델타 함수

32

본책 284p

정답 1) $E = -\frac{ma^2}{2\hbar^2}$, 2) $x_0 = \frac{\ln 2}{2k} = \frac{\hbar^2}{2ma}\ln 2$

영역	양자역학
핵심 개념	무한 퍼텐셜 우물
평가요소 및 기준	무한 퍼텐셜 우물에서 에너지와 확률 계산

해설

1) 〈자료〉를 활용하여 E를 풀이

$$\frac{d\psi}{dx}|_{-\epsilon} = k\sqrt{k}e^{kx} = k\psi(0),$$

$$\frac{d\psi}{dx}|_{+\epsilon} = -k\sqrt{k}e^{-kx} = -k\psi(0)$$

자료를 이용하면 좌변은 $-2k\psi(0)$이 되고 우변과 비교하면 $k = \frac{ma}{\hbar^2}$이다. 이로서 $k = \frac{\sqrt{-2mE}}{\hbar}$를 이용해 에너지를 구하면 된다.

$$\therefore E = -\frac{ma^2}{2\hbar^2}$$

참고

슈뢰딩거 방정식에 $V(x) = -a\delta(x)$를 대입하여 정리하면

$$-\frac{\hbar^2}{2m}\frac{d^2\psi(x)}{dx^2} - a\delta(x)\psi(x) = E\psi(x)$$

양변을 $\lim_{\epsilon\to 0}\int_{x=-\epsilon}^{x=+x}$ 에 대하여 적분하면

$$\lim_{\epsilon\to 0}\int_{x=-\epsilon}^{x=+\epsilon} -\frac{\hbar^2}{2m}\frac{d^2\psi}{dx^2}dx + \lim_{\epsilon\to 0}\int_{x=-\epsilon}^{x=+\epsilon} -a\delta(x)\psi(x)dx$$

$$= \lim_{\epsilon\to 0}\int_{x=-\epsilon}^{x=+\epsilon} E\psi(x)dx = 0$$

$$= -\frac{\hbar^2}{2m}\lim_{\epsilon\to 0}\left(\frac{d\psi}{dx}|_{+\epsilon} - \frac{d\psi}{dx}|_{-\epsilon}\right) - a\psi(0) = 0$$

$$= -\frac{\hbar^2}{2m}\left(-\frac{2m}{\hbar^2}a\psi(0)\right) - a\psi(0) = 0$$

2) 입자를 $|x| < x_0$에서 발견할 확률이 $\frac{1}{2}$이 되는 x_0

$$\psi(x) = \sqrt{k}e^{-k|x|}$$

$$P(|x| < x_0) = 2\int_0^{x_0}\psi^2(x)dx = \frac{1}{2}$$

$$= 2k\int_0^{x_0} e^{-2kx}dx = 1 - e^{-2kx_0}$$

$$= \frac{1}{2}$$

$$\therefore x_0 = \frac{\ln 2}{2k} = \frac{\hbar^2}{2ma}\ln 2$$

5 조화 진동자

33

본책 285p

정답 1) $\psi_0 = Ae^{-\frac{m\omega}{2\hbar}x^2}$, 2) $\psi_1 = Bxe^{-\frac{m\omega}{2\hbar}x^2}$

영역	양자역학
핵심 개념	조화진동자, 사다리 연산자
평가요소 및 기준	사다리 연산자의 특징을 통한 조화진동자의 파동함수 연산

해설

1) 바닥상태 고유함수 구하기

$$H = \hbar\omega\left(a^\dagger a + \frac{1}{2}\right)$$

$H\psi_n = \hbar\omega(n+\frac{1}{2})\psi_n$이므로 $a|\psi_0\rangle = 0$을 만족한다.

$$a\psi_0 = \sqrt{\frac{m\omega}{2\hbar}}(x + i\frac{p}{m\omega})\phi_0 = 0$$

$$x\psi_0 + i\frac{1}{m\omega}(\frac{\hbar}{i}\frac{d}{dx}\psi_0)$$

$$\frac{d\psi_0}{\psi_0} = -\frac{m\omega}{\hbar}xdx$$

$$\therefore \psi_0 = Ae^{-\frac{m\omega}{2\hbar}x^2}$$

A는 규격화 상수

$\int_{-\infty}^{+\infty} e^{-ax^2}dx = (\frac{\pi}{a})^{\frac{1}{2}}$ 이용하면

$$\psi_0(x) = \left(\frac{m\omega}{\pi\hbar}\right)^{\frac{1}{4}} e^{-\frac{m\omega}{2\hbar}x^2}$$

2) 첫 번째 들뜬상태의 파동함수 $\psi_1(x)$ 구하기

실제로는 $a|n\rangle = \sqrt{n}|n-1\rangle$, $a^+|n\rangle = \sqrt{n+1}|n+1\rangle$이다. 그런데 $H = \hbar\omega\left(a^\dagger a + \frac{1}{2}\right)$의 정의로부터 $a^\dagger\psi_n = c\psi_{n+1}$ 사실을 알 수 있다. 여기서 c는 상수

$$a^\dagger = \sqrt{\frac{m\omega}{2\hbar}}(x - i\frac{p}{m\omega})$$

$a^\dagger\psi_0 = c\psi_1$이므로 $\phi_0 = Ae^{-\frac{m\omega}{2\hbar}x^2}$를 대입하면

$$a^\dagger\psi_0 = \sqrt{\frac{m\omega}{2\hbar}}(x - i\frac{p}{m\omega})\psi_0 = c\psi_1$$

$$(x - i\frac{p}{m\omega})\psi_0$$

$$\rightarrow x\psi_0 - i\frac{1}{m\omega}(\frac{\hbar}{i}\frac{d}{dx}\psi_0)$$

$$= Axe^{-\frac{m\omega}{2\hbar}x^2} - \frac{\hbar}{m\omega}(-\frac{m\omega}{\hbar}x)Ae^{-\frac{m\omega}{2\hbar}x^2}$$

$$\therefore \psi_1 = Bxe^{-\frac{m\omega}{2\hbar}x^2}$$

여기서 B는 규격화 상수

34

본책 285p

정답 ③

영역	양자역학
핵심 개념	2차원 조화진동자, 파동함수의 대칭성, 축퇴도
평가요소 및 기준	파동함수의 경계조건과 대칭성의 활용, 축퇴도 확인

해설

$$V(x) = \frac{1}{2}m\omega^2x^2,\ H = \frac{p^2}{2m} + \frac{m\omega^2}{2}x^2$$

슈뢰딩거 방정식

$$-\frac{\hbar^2}{2m}\frac{d^2}{dx^2}\psi(x) + \frac{m\omega^2}{2}x^2\psi(x) = E\psi(x)$$

양자수 $n = 0, 1, 2, \cdots$에 대해 $\psi_n(x) = N_nH_n(\alpha x)e^{-\frac{\alpha^2}{2}x^2}$이다. 이에 따른 에너지는 $\epsilon_n = (n+\frac{1}{2})\hbar\omega$이다.

$N_n = \left(\frac{m\omega}{\pi\hbar}\right)^{\frac{1}{4}}\sqrt{\frac{1}{2^n n!}}$과 $\alpha = \sqrt{\frac{m\omega}{\hbar}}$는 상수이고, 에르미트 다항식 $H_n(\xi)$의 몇 가지 예는

$H_0(\xi) = 1$, $H_1(\xi) = 2\xi$,

$H_2(\xi) = 4\xi^2 - 2$, $H_3(\xi) = 8\xi^3 - 12\xi, \cdots$이다.

파동함수의 경계조건 때문에 $x = 0$에서 파동함수가 0이 되어야 하므로 ϕ_x는 기함수 형태만 가능하게 된다.

2차원 파동함수는 $\psi(x,y) = \psi_x(x)\psi_y(y)$의 곱 형태로 표현 가능하다.

2차원 조화진동자의 에너지는 $E(n_x, n_y) = \hbar\omega(n_x + n_y + 1)$이므로 n_x가 홀수인 상태만 가능하고 n_y는 0부터 순차적으로 모든 값을 가질 수 있다.

바닥상태는 $(n_x, n_y) = (1, 0)$이므로 $E_{바닥} = 2\hbar\omega$이다.

$E(n_x, n_y) = \hbar\omega(n_x + n_y + 1) = 4\hbar\omega$이라면

$(n_x, n_y) = (0, 3), (1, 2), (2, 2), (2, 1), (3, 0)$ 중에 경계조건에 어긋나는 ϕ_x가 우함수인 $(n_x, n_y) = (0, 3), (2, 2), (2, 1)$를 빼면 $(n_x, n_y) = (1, 2), (3, 0)$가 만족하므로 축퇴도는 2이다.

35

본책 286p

정답 ④

영역	양자역학: 조화진동자
핵심 개념	3차원 조화진동자 에너지 및 축퇴도
평가요소 및 기준	위 개념의 확인 및 연산

해설

1차원 조화진동자 에너지는 $E=\hbar\omega(n+\frac{1}{2})$이다.

3차원 조화진동자 에너지는

$E(n_x,\ n_y,\ n_z)=\hbar\omega(n_x+n_y+n_z+\frac{3}{2})$

$(n_x,\ n_y,\ n_z)$ 조합을 생각해보면

바닥상태는 $(n_x,\ n_y,\ n_z)=(0,\ 0,\ 0)$이고

에너지는 $E_{바닥}=\frac{3}{2}\hbar\omega$

첫 번째 들뜬상태는

$(n_x,\ n_y,\ n_z)=(1,\ 0,\ 0),\ (0,\ 1,\ 0),\ (0,\ 0,\ 1)$이고

이때 에너지는 $E_{1들뜬}=\frac{5}{2}\hbar\omega$

상태수가 3가지이므로 축퇴도 3이다.

36

본책 286p

정답 1) $\phi_1(x)=Axe^{-\alpha^2x^2/2}=2\pi^{-1/4}\alpha^{3/2}xe^{-\alpha^2x^2/2}$,

2) $\epsilon_3=(3+\frac{1}{2})\hbar\omega=\frac{7}{2}\hbar\omega$

영역	양자역학
핵심 개념	비대칭 1차원 조화진동자 퍼텐셜
평가요소 및 기준	비대칭 하모니진동자에서 고유함수의 특성을 활용하여 계산

해설

파동함수의 경계조건에 의해서 $\phi(0)=0\ (\because V(0)=\infty)$을 만족한다. 그러므로 1차원 조화진동자에서 조건을 만족하는 파동 함수는 $n=$홀수일 때 가능하다.

$\phi_1(x)=Axe^{-\alpha^2x^2/2}$이라 하면 규격화를 하면

$1=\int_0^\infty \phi_1^2(x)dx=\frac{1}{2}A^2\int_{-\infty}^\infty x^2e^{-\alpha^2x^2}dx$이다.

$K(a)=\int_{-\infty}^\infty e^{-ax^2}dx$로 정의하면

$-\frac{\partial K(a)}{\partial a}=\int_{-\infty}^\infty x^2e^{-ax^2}dx$가 되므로 (여기서 $a=\alpha^2$)

$K^2=\frac{\pi}{a}$

$\rightarrow K=\sqrt{\frac{\pi}{a}}$

$\rightarrow -\frac{\partial K(a)}{\partial a}=\int_{-\infty}^\infty x^2e^{-ax^2}dx=\frac{\sqrt{\pi}}{2a^{3/2}}=\frac{\sqrt{\pi}}{2\alpha^3}$

$\therefore A=2\pi^{-1/4}\left(\frac{m\omega}{\hbar}\right)^{3/4}=2\pi^{-1/4}\alpha^{3/2}$

바닥상태의 규격화된 고유 함수

$\phi_1(x)=Axe^{-\alpha^2x^2/2}=2\pi^{-1/4}\alpha^{3/2}xe^{-\alpha^2x^2/2}$

바닥상태가 $n=1$이므로 첫 번째 들뜬상태는 $n=3$인 경우이다.

$\epsilon_3=(3+\frac{1}{2})\hbar\omega=\frac{7}{2}\hbar\omega$

37

본책 287p

정답 1) $E_{0,0}=\hbar\omega$, 2) $E_{0,0}^{(1)}=\epsilon\hbar\omega$

영역	양자역학
핵심 개념	사다리(Rasing, Lowering) 연산자, 조화 퍼텐셜에서 에너지, 섭동이론
평가요소 및 기준	조화 퍼텐셜의 에너지와 사다리 연산자를 활용 섭동이론의 보정값을 구하기

해설

1차원 단순 조화 퍼텐셜의 에너지는 아래와 같다.

$E_{n_1,n_2}=\hbar\omega(n_1+\frac{1}{2})+\hbar\omega(n_1+\frac{1}{2})$

$(where\ n_i=0,\ 1,\ 2,\cdots)$

$E_{0,0}=\hbar\omega$

$E_{0,0}^{(1)}=\langle\psi_{00}|H'|\psi_{00}\rangle$

$x_i=\sqrt{\frac{\hbar}{2m\omega}}(a_i+a_i^\dagger)$와 $H'=\frac{\epsilon m^2\omega^3}{3\hbar}(x_1-x_2)^4$를 이용하면

$E_{0,0}^{(1)}=\langle\psi_{00}|H'|\psi_{00}\rangle\rightarrow H'=\frac{\epsilon\hbar\omega}{12}(a_1+a_1^+-a_2-a_2^+)^4$

$\langle\psi_{00}|H'|\psi_{00}\rangle=\frac{\epsilon\hbar\omega}{12}\langle\psi_{00}|(a_1+a_1^+-a_2-a_2^+)^4|\psi_{00}\rangle$

① $(a_1+a_1^+-a_2-a_2^+)|\psi_{00}\rangle=|\psi_{10}\rangle-|\psi_{01}\rangle$

② $(a_1+a_1^+-a_2-a_2^+)(|\psi_{10}\rangle-|\psi_{01}\rangle)$
$=2|\psi_{00}\rangle-2|\psi_{11}\rangle+\sqrt{2}|\psi_{20}\rangle+\sqrt{2}|\psi_{02}\rangle$

③ $(a_1+a_1^+-a_2-a_2^+)(2|\psi_{00}\rangle-2|\psi_{11}\rangle+\sqrt{2}|\psi_{20}\rangle+\sqrt{2}|\psi_{02}\rangle)$
$=6|\psi_{10}\rangle-6|\psi_{01}\rangle+\cdots$

④ $(a_1+a_1^+-a_2-a_2^+)(6|\psi_{10}\rangle-6|\psi_{01}\rangle+\cdots)$
$=12|\psi_{00}\rangle+\cdots\ \}$

$E_{0,0}^{(1)}=\langle\psi_{00}|H'|\psi_{00}\rangle\rightarrow H'=\frac{\epsilon\hbar\omega}{12}(a_1+a_1^+-a_2-a_2^+)^4$

$\langle\psi_{00}|H'|\psi_{00}\rangle=\frac{\epsilon\hbar\omega}{12}\langle\psi_{00}|(a_1+a_1^+-a_2-a_2^+)^4|\psi_{00}\rangle$
$=\frac{\epsilon\hbar\omega}{12}\langle\psi_{00}|12|\psi_{00}\rangle=\epsilon\hbar\omega$

38

본책 287p

정답 1) $\psi(x,t)=\frac{1}{\sqrt{2}}[\phi_0(x)e^{-\frac{i\omega t}{2}}+i\phi_1(x)e^{-\frac{i3\omega t}{2}}]$

2) $\langle x\rangle=\sqrt{\frac{\hbar}{2m\omega}}\sin\omega t$

영역	양자역학
핵심 개념	조화진동자 연산자, 기댓값
평가요소 및 기준	조화진동자 연산자의 특성을 통해 기댓값 계산

10

해설

$\psi(x,\ t) = \phi_n(x)e^{-iEt/\hbar}$ 형태이다. 그러므로

$\psi(x,\ t) = \frac{1}{\sqrt{2}}[\phi_0(x)e^{-\frac{i\omega t}{2}} + i\phi_1(x)e^{-\frac{i3\omega t}{2}}]$

$x|\phi_0\rangle = \sqrt{\frac{\hbar}{m\omega}}\frac{1}{\sqrt{2}}|\phi_1\rangle$,

$x|\phi_1\rangle = \sqrt{\frac{\hbar}{m\omega}}(|\phi_2\rangle + \frac{1}{\sqrt{2}}|\phi_0\rangle$

직교조건 $\langle\phi_i|\phi_j\rangle = \delta_{ij}$를 활용하면

$\langle x\rangle = \langle\psi(x,t)|x|\psi(x,t)\rangle$

$= \frac{1}{2}\sqrt{\frac{\hbar}{m\omega}}\langle\phi_0 e^{-\frac{i\omega t}{2}} + i\phi_1 e^{-\frac{i3\omega t}{2}}|$

$\frac{i}{\sqrt{2}}\phi_0 e^{-\frac{i3\omega t}{2}} + \frac{1}{\sqrt{2}}\phi_1 e^{-\frac{i\omega t}{2}} + i\phi_2 e^{-\frac{i3\omega t}{2}}\rangle$

$= \frac{1}{2}\sqrt{\frac{\hbar}{m\omega}}\left(\phi_0 e^{+\frac{i\omega t}{2}} - i\phi_1 e^{+\frac{i3\omega t}{2}}\right)$

$\left(\frac{i}{\sqrt{2}}\phi_0 e^{-\frac{i3\omega t}{2}} + \frac{1}{\sqrt{2}}\phi_1 e^{-\frac{i\omega t}{2}} + i\phi_2 e^{-\frac{i3\omega t}{2}}\right)$

$= \frac{1}{\sqrt{2}}\sqrt{\frac{\hbar}{m\omega}}(\frac{e^{i\omega t} - e^{-i\omega t}}{2i}) = \sqrt{\frac{\hbar}{2m\omega}}\sin\omega t$

39

본책 288p

정답 1) $j=3$, 2) $\alpha=-12$

영역	양자역학
핵심 개념	조화진동자 사다라 연산자 성질, 해밀토니안
평가요소 및 기준	사다리 연산자 연산으로 고윳값 및 고유함수 계산

해설

1) $a_+a_-\psi_j = j\psi_j$이고, $a_+a_- = \frac{1}{2}(x-\frac{d}{dx})(x+\frac{d}{dx})$이다.

여기서 주의할 것은 미분 연산자 $\frac{d}{dx}$와 위치 연산자 x는 교환이 안 되므로 인수분해를 풀면 안 된다.

즉, $(x-\frac{d}{dx})(x+\frac{d}{dx}) \neq x^2 - \left(\frac{d}{dx}\right)^2$

$(x+\frac{d}{dx})\psi_j = A_j(6x^2-3)e^{-\frac{x^2}{2}}$

$\frac{1}{2}(x-\frac{d}{dx})(x+\frac{d}{dx})\psi_j = \frac{A_j}{2}(x-\frac{d}{dx})\left[(6x^2-3)e^{-\frac{x^2}{2}}\right]$

$= A_j(6x^3-9x)e^{-\frac{x^2}{2}} = 3\psi_j$

$\therefore j=3$

참고

2018-A06 자료를 보면 조화진동자의 일반적인 고유함수가 언급되어 있다.

$\psi_n = N_n H_n(\alpha x)e^{-\frac{\alpha x^2}{2}}$ $(\alpha = \sqrt{\frac{m\omega}{\hbar}})$; N_n은 규격화 상수

그런데 에르미트 다항식 $H_n(\alpha x)$은 최고차항의 차수가 n의 값과 일치한다는 것을 알 수 있다.

$\psi_j = A_j(2x^3-3x)e^{-x^2/2}$으로 주어졌으므로 이 문제는 계산하지 않더라도 답을 확신할 수 있다.

$(2x^3-3x)$의 최고차항의 차수는 3이다.

2) $a_+\psi_j = \sqrt{j+1}\,\psi_{j+1}$

$\frac{A_j}{\sqrt{2}}(x-\frac{d}{dx})\left[(2x^3-3x)e^{-\frac{x^2}{2}}\right]$

$= \frac{A_j}{\sqrt{2}}(4x^4-12x^2+3)e^{-\frac{x^2}{2}}$

$\therefore \alpha = -12$

40

본책 288p

정답 1) $\frac{\alpha}{\beta} = \frac{\sqrt{2}}{2}$, 2) $\langle E\rangle = \frac{9}{4}\hbar\omega$

영역	양자역학
핵심 개념	파동함수 규격화, 에너지 기댓값
평가요소 및 기준	파동함수 규격화로부터 확률 계수 계산, 에너지 기댓값 계산

해설

1) 파동함수의 크기의 제곱 즉, 확률은 1이 되므로

$\Psi = \sum c_i\psi_i$

$|\Psi|^2 = \sum|c_i|^2$

$= \alpha^2 + \beta^2 + \frac{1}{4} = 1$

$\alpha = \frac{1}{2},\ \beta = \frac{1}{\sqrt{2}}$

$\therefore \frac{\alpha}{\beta} = \frac{\sqrt{2}}{2}$

2) $\langle E\rangle = \sum|c_n|^2 E_n$ $[E_n = \hbar\omega(n+\frac{1}{2})]$

$= \left(\frac{1}{8} + \frac{5}{4} + \frac{7}{8}\right)\hbar\omega = \frac{9}{4}\hbar\omega$

$\therefore \langle E\rangle = \frac{9}{4}\hbar\omega$

6 섭동 이론

41

본책 289p

정답 ①

영역	양자역학 : 무한 퍼텐셜 우물
핵심 개념	섭동이론
평가요소 및 기준	1차 보정 섭동이론의 이해

해설

1차 에너지 보정값은 $E_n^{(1)} = \langle \psi_n | H' | \psi_n \rangle$

파동함수는 $\psi_n = \sqrt{\dfrac{2}{L}} \sin \dfrac{n\pi}{L} x$

바닥상태는 $n=1$이므로

$$E_1^{(1)} = \int_0^{\frac{L}{3}} \frac{2}{L} V_0 \sin^2 \frac{\pi x}{L} dx = \frac{2}{L} V_0 \int_0^{\frac{L}{3}} \frac{1-\cos\frac{2\pi x}{L}}{2} dx$$

$$= V_0 \left(\frac{1}{3} - \frac{\sqrt{3}}{4\pi} \right)$$

$$\therefore E_1^{(1)} = V_0 \left(\frac{1}{3} - \frac{\sqrt{3}}{4\pi} \right)$$

42

본책 289p

정답 ④

영역	양자역학
핵심 개념	조화진동자, 사다리 연산자 활용, 섭동이론
평가요소 및 기준	조화진동자의 사다리 연산자 특징을 통한 섭동이론 연산

해설

$[a, a^\dagger] = 1, \ [x, p] = i\hbar$

$$a^\dagger a = \frac{m\omega}{2\hbar} \left(x - i\frac{1}{m\omega} p \right) \left(x + i\frac{1}{m\omega} p \right)$$

$$= \frac{m\omega}{2\hbar} \left(x^2 + \frac{1}{(m\omega)^2} p^2 + i\frac{1}{m\omega} [x, p] \right)$$

$$= \frac{m\omega}{2\hbar} \left(x^2 + \frac{1}{(m\omega)^2} p^2 - \frac{\hbar}{m\omega} \right)$$

$$\hbar\omega (a^\dagger a) = \frac{p^2}{2m} + \frac{m\omega^2}{2} x^2 - \frac{\hbar\omega}{2}$$

$$\therefore H = \hbar\omega \left(a^\dagger a + \frac{1}{2} \right) = \hbar\omega \left(a a^\dagger - \frac{1}{2} \right)$$

$a^\dagger a |n\rangle = n|n\rangle, \ a a^\dagger |n\rangle = (n+1)|n\rangle$

바닥상태의 에너지 고윳값의 1차 보정값

$E_0^{(1)} = \langle 0 | \lambda \epsilon a a^\dagger a a^\dagger | 0 \rangle = \lambda\epsilon \ (\because a a^\dagger |0\rangle = 1|0\rangle)$

43

본책 290p

정답 1) $\varepsilon_{바닥} = \dfrac{3\pi^2\hbar^2}{2ma^2}$

2) $U(x, y, z) = -\dfrac{qE_0}{a} xy, \ \varepsilon_{바닥}^{(1)} = -\dfrac{qE_0 a}{4}$

영역	양자역학
핵심 개념	무한 퍼텐셜 에너지 고윳값, 전기장과 전위 관계식, 섭동이론
평가요소 및 기준	3차원 무한 퍼텐셜 바닥상태 에너지 구하기, 전기장과 전위 관계식을 활용하여 전기적 퍼텐셜 에너지 연산, 섭동이론으로 1차 에너지 보정값 계산

해설

1) $\varepsilon_{바닥} = \dfrac{3\pi^2\hbar^2}{2ma^2}$

2) $\vec{E} = -\vec{\nabla}\phi$이므로

$$E_x = -\frac{\partial \phi}{\partial x}$$

$$\rightarrow \phi(x, y, z) = -\frac{E_0}{a} \int_0^x y\,dx = -\frac{E_0}{a} xy + C_1(y, z)$$

$$E_y = -\frac{\partial \phi}{\partial y}$$

$$\rightarrow \phi(x, y, z) = -\frac{E_0}{a} \int_0^y x\,dy = -\frac{E_0}{a} xy + C_2(x, z)$$

$$E_z = -\frac{\partial \phi}{\partial z} \rightarrow \phi(x, y, z) = C_3(x, y)$$

기준점 $\phi(0, 0, 0) = 0$이 되므로

$C_1 = C_2 = 0, \ C_3 = -\dfrac{E_0}{a} xy$이다.

$$\therefore U(x, y, z) = -\frac{qE_0}{a} xy$$

3) 섭동이론에 의해서

$$\varepsilon_{바닥}^{(1)} = \langle \psi_{바닥} | U | \psi_{바닥} \rangle$$

$$= -\frac{qE_0}{a} \left(\frac{2}{a} \right)^3 \left(\int_0^a x \sin^2 \frac{\pi x}{a} dx \right) \left(\int_0^a y \sin^2 \frac{\pi y}{a} dy \right) \left(\int_0^a \sin^2 \frac{\pi z}{a} dz \right)$$

$$= -\frac{qE_0}{a} \left(\frac{2}{a} \right)^3 \left(\frac{a^2}{4} \right) \left(\frac{a^2}{4} \right) \left(\frac{a}{2} \right) = -\frac{qE_0 a}{4}$$

$$\therefore \varepsilon_{바닥}^{(1)} = -\frac{qE_0 a}{4}$$

참고

2)의 경우 선적분으로 구할 수도 있다.

$$\phi = -\int_0^r \vec{E} \cdot d\vec{r}, \ \vec{r} = (x, y, z)$$

$$= -\frac{E_0}{a} \int_0^r (y\,dx + x\,dy)$$

이때 보존력의 특성에 의해서 $(0, 0, 0)$부터 (x, y, z)까지 어떠한 경로를 선택하더라도 값은 동일하다.

전기장 $y = x = z = t$인 경로를 선택하자.

$$\phi=-\frac{E_0}{a}\int_0^t(tdt+tdt)=-\frac{E_0}{a}t^2=-\frac{E_0}{a}xy$$

$t^2=xx,\ xy,\ yy$가 가능한데 이것 중 편미분해서 $\vec{E}=(E_x,\ E_y,\ E_z)=\left(\frac{E_0}{a}y,\ \frac{E_0}{a}x,\ 0\right)$가 나오는 건 $t^2=xy$밖에 없다.

44

본책 291p

정답 1) $E_n=\frac{n^2\hbar^2}{2MR^2}$, 2) $\Delta E=-n\mu B_0$

영역	양자역학
핵심 개념	각운동량 해밀토니안, 섭동이론
평가요소 및 기준	해밀토니안 연산으로부터 에너지 고윳값 계산, 섭동 에너지 보정값 계산

해설

1) $H=-\frac{\hbar^2}{2MR^2}\frac{\partial^2}{\partial\phi^2}$이고, $H\psi_n=E_n\psi_n$이다.

$$H\psi_n=-\frac{\hbar^2}{2MR^2}(in)^2\psi_n=\frac{n^2\hbar^2}{2MR^2}\psi_n$$

$$\therefore E_n=\frac{n^2\hbar^2}{2MR^2}$$

2) 섭동에 의한 에너지 보정값 $\Delta E=\langle\psi_n|H'|\psi_n\rangle$

$$H'\psi_n=-\frac{\mu B_0}{\hbar}\left(\frac{\hbar}{i}\frac{\partial}{\partial\phi}\right)\psi_n=-\frac{\mu B_0}{\hbar}\left(\frac{\hbar}{i}\right)(in)\psi_n$$

$$=-n\mu B_0\psi_n$$

$$\Delta E=-n\mu B_0\langle\psi_n|\psi_n\rangle$$

$$\therefore \Delta E=-n\mu B_0$$

만약 적분으로 해결한다면

$$\Delta E=\langle\psi_n|H'|\psi_n\rangle=\int_0^{2\pi}\psi_n^{\dagger}H'\psi_n\,d\phi$$

$$=-n\mu B_0\int_0^{2\pi}\frac{1}{2\pi}d\phi=-n\mu B_0$$

45

본책 292p

정답 1) $H'=\frac{1}{2}m\omega^2(a^2-x^2)$

2) $E_{바닥}=E_0+\int_{-a}^{+a}H'\psi_0^2(x)\,dx$

3) $\Delta E_0^{(1)}=\frac{1}{3\sqrt{\pi}}(2a^3-a^5)$

영역	양자역학
핵심 개념	1차원 조화 퍼텐셜, 섭동 이론
평가요소 및 기준	섭동 이론의 기본적 성질과 에너지 보정값 계산

해설

1) $-a\le x\le a$ 구간에서 $\frac{1}{2}m\omega^2x^2$와 H'의 합이 $\frac{1}{2}m\omega^2a^2$이 된다.

$$\therefore H'=\frac{1}{2}m\omega^2(a^2-x^2)$$

2) 섭동에 대한 정의

$$E_{바닥}=E_0+\Delta E_0^{(1)}=E_0+\int_{-a}^{+a}H'\psi_0^2(x)\,dx$$

3) $\Delta E_0^{(1)}=\int_{-a}^{+a}H'\psi_0^2(x)\,dx$

$$=2\int_0^a\frac{1}{\sqrt{\pi}}e^{-x^2}\frac{1}{2}(a^2-x^2)dx$$

$$=\frac{1}{\sqrt{\pi}}\left[\int_0^a a^2e^{-x^2}dx-\int_0^a x^2e^{-x^2}dx\right]$$

$$=\frac{1}{\sqrt{\pi}}\left[a^2(a-\frac{a^3}{3})-\frac{a^3}{3}\right]=\frac{1}{\sqrt{\pi}}(\frac{2a^3}{3}-\frac{a^5}{3})$$

$$\therefore \Delta E_0^{(1)}=\frac{1}{3\sqrt{\pi}}(2a^3-a^5)$$

46

본책 293p

정답 해설 참고

해설

1) 바닥상태의 에너지

[방법 1] Bohr-Sommerfeld 양자화 사용

$$E=\frac{p^2}{2m}+Ax\rightarrow p=\sqrt{2m(E-Ax)}$$

$$\oint p\,dx=2\int_0^{E/A}\sqrt{2m(E-Ax)}\,dx$$

$$=2\sqrt{2m}\int_0^{E/A}\sqrt{E-Ax}\,dx$$

$u=E-Ax$

$$2\sqrt{2m}\int_E^0 u^{1/2}(-\frac{1}{A})du=\frac{2\sqrt{2m}}{A}\frac{2}{3}E^{3/2}=nh$$

$$\therefore E_{바닥}=\left(\frac{9A^2h^2}{32m}\right)^{1/3}$$

[방법 2] 불확정성 원리

$$E(\Delta p)=\frac{(\Delta p)^2}{2m}+A\Delta x=\frac{(\Delta p)^2}{2m}+A\frac{\hbar}{\Delta p}$$

$\Delta p=y$

$$E(y)=\frac{y^2}{2m}+A\frac{\hbar}{y}\rightarrow\frac{dE(y)}{dy}=\frac{y}{m}-A\frac{\hbar}{y^2}=0$$

$y=(Am\hbar)^{1/3}$

$$\frac{y}{m}-A\frac{\hbar}{y^2}=0\rightarrow\frac{y^2}{m}=A\frac{\hbar}{y}$$

$$E(y)=\frac{y^2}{2m}+\frac{A\hbar}{y}=\frac{1}{2}\frac{A\hbar}{y}+\frac{A\hbar}{y}$$

$$=\frac{3}{2}\frac{A\hbar}{y}=\frac{3}{2}\left(\frac{A^2\hbar^2}{m}\right)^{1/3}$$

$$E_{바닥} = \frac{3}{2}\left(\frac{A^2\hbar^2}{m}\right)^{1/3} = \frac{3}{2}\left(\frac{A^2h^2}{4\pi^2 m}\right)^{1/3} = \left(\frac{27A^2h^2}{32\pi^2 m}\right)^{1/3}$$

[방법 3]

$E(a)$

$$= \int_0^\infty \psi^*(x)\left(-\frac{\hbar^2}{2m}\frac{d^2}{dx^2}+Ax\right)\psi(x)\,dx$$

$$= 4a^3\int_0^\infty (xe^{-ax})\left(\frac{\hbar^2 a}{m}e^{-ax} - \frac{\hbar^2 a^2}{2m}xe^{-ax} + Ax^2e^{-ax}\right)dx$$

$$= 4a^3\int_0^\infty \left(\frac{\hbar^2 a}{m}xe^{-2ax} - \frac{\hbar^2 a^2}{2m}x^2e^{-2ax} + Ax^3e^{-2ax}\right)dx$$

$$= 4a^3\left(\frac{\hbar^2 a}{m}\frac{1}{4a^2} - \frac{\hbar^2 a^2}{2m}\frac{1}{4a^3} + A\frac{3}{8a^4}\right)$$

$$E(a) = \frac{\hbar^2 a^2}{2m} + \frac{3A}{2a}$$

$$\frac{dE(a)}{da} = \frac{\hbar^2 a}{m} - \frac{3A}{2a^2} = 0$$

$$a = \left(\frac{3Am}{2\hbar}\right)^{1/3}$$

$$E = \frac{3A}{4a} + \frac{3A}{2a} = \frac{9A}{4a} = \frac{9}{4}\left(\frac{2A^2\hbar^2}{3m}\right)^{1/3} = \frac{9}{4}\left(\frac{A^2h^2}{6\pi^2 m}\right)^{1/3}$$

$$E_{바닥} = \left(\frac{243A^2h^2}{128\pi^2 m}\right)^{1/3}$$

각 방법에 대한 바닥상태의 에너지 크기 비교

[방법 1]: $E_{바닥} = \left(\frac{9A^2h^2}{32m}\right)^{1/3} \simeq 0.655\left(\frac{A^2h^2}{m}\right)^{1/3}$

[방법 2]: $E_{바닥} = \left(\frac{27A^2h^2}{32\pi^2 m}\right)^{1/3} \simeq 0.441\left(\frac{A^2h^2}{m}\right)^{1/3}$

[방법 3]: $E_{바닥} = \left(\frac{243A^2h^2}{128\pi^2 m}\right)^{1/3} \simeq 0.577\left(\frac{A^2h^2}{m}\right)^{1/3}$

2) 한계점

[방법 2]

불확정성 원리 접근법은 변분법과 다르게 추정값의 한계를 제공하지 않는다. 변분법은 항상 추정값이 실제 바닥상태 에너지보다 크거나 같지만, 이 방법은 이러한 정보를 제공하지 못하므로 바닥상태 에너지보다 작은지 큰지 알 수 있는 방법이 없다. 그리고 델타 함수 퍼텐셜이나 무한 퍼텐셜, 비선형 퍼텐셜(지수함수, 삼각함수 등)에서는 적용이 어렵다. 더욱이 에너지 고윳값을 결정하는 데 중요한 역할을 하는 파동함수의 구체적인 모양이나 경계 조건을 고려하지 않는다.

[방법 3]

변분법의 정확성은 시험 파동함수 ψ_{trial}의 선택에 따라 결괏값이 크게 달라질 수 있다. 시험 파동함수를 잘못 선택하면 실제 바닥상태 에너지와 상당한 편차가 발생할 수 있다. 그리고 시험 파동함수의 선택에는 물리적 직관이나 시스템에 대한 사전 지식이 필요한 경우가 많으며, 알려지지 않았거나 매우 복잡한 상호작용이 있는 시스템의 경우 합리적인 시험 파동함수를 구성하는 것이 어려울 수 있다. 더욱이 합리적인 시험 파동함수라 하더라도 적분이 불가능한 시험 파동함수가 존재할 수도 있다.

47

본책 294p

정답 해설 참고

해설

$x = \sqrt{\frac{\hbar}{2m\omega}}(a^\dagger + a)$, $p = i\sqrt{\frac{m\hbar\omega}{2}}(a^\dagger - a)$ 이므로

$T = \frac{p^2}{2m} = -\frac{\hbar\omega}{4}(a^\dagger - a)^2$,

$V = \frac{1}{2}m\omega^2 x^2 = \frac{\hbar\omega}{4}(a^\dagger + a)^2$이다.

n번째 상태에 대한 기댓값을 구해보자.

$$\langle T\rangle = -\frac{\hbar\omega}{4}\langle\psi_n|(a^\dagger - a)^2|\psi_n\rangle$$

$$(a^\dagger - a)|\psi_n\rangle = \sqrt{n+1}|\psi_{n+1}\rangle - \sqrt{n}|\psi_{n-1}\rangle$$

$$(a^\dagger - a)^2|\psi_n\rangle$$
$$= \sqrt{n+1}(a^\dagger - a)|\psi_{n+1}\rangle - \sqrt{n}(a^\dagger - a)|\psi_{n-1}\rangle$$
$$= \sqrt{(n+1)(n+2)}|\psi_{n+2}\rangle - (n+1)|\psi_n\rangle - n|\psi_n\rangle$$
$$- \sqrt{(n)(n-1)}|\psi_{n-2}\rangle$$

$$\therefore \langle T\rangle = \frac{\hbar\omega}{4}(2n+1)$$

$$\langle V\rangle = \frac{\hbar\omega}{4}\langle\psi_n|(a^\dagger + a)^2|\psi_n\rangle$$

$$(a^\dagger + a)|\psi_n\rangle = \sqrt{n+1}|\psi_{n+1}\rangle + \sqrt{n}|\psi_{n-1}\rangle$$

$$(a^\dagger + a)^2|\psi_n\rangle$$
$$= \sqrt{n+1}(a^\dagger + a)|\psi_{n+1}\rangle + \sqrt{n}(a^\dagger + a)|\psi_{n-1}\rangle$$
$$= \sqrt{(n+1)(n+2)}|\psi_{n+2}\rangle + (n+1)|\psi_n\rangle + n|\psi_n\rangle$$
$$+ \sqrt{(n)(n-1)}|\psi_{n-2}\rangle$$

$$\therefore \langle V\rangle = \frac{\hbar\omega}{4}(2n+1)$$

$$\langle T\rangle = \frac{\hbar\omega}{4}(2n+1) = \frac{\langle p^2\rangle}{2m}$$

$$\langle p^2\rangle = \frac{m\hbar\omega}{2}(2n+1)$$

$$\langle V\rangle = \frac{\hbar\omega}{4}(2n+1) = \frac{m\omega^2\langle x^2\rangle}{2}$$

$$\langle x^2\rangle = \frac{\hbar}{2m\omega}(2n+1)$$

$$\langle x\rangle = \sqrt{\frac{\hbar}{2m\omega}}\langle\psi_n|(a^\dagger + a)|\psi_n\rangle$$

$$(a^\dagger + a)|\psi_n\rangle = \sqrt{n+1}|\psi_{n+1}\rangle + \sqrt{n}|\psi_{n-1}\rangle$$

$$\therefore \langle x\rangle = 0$$

$$\langle p\rangle = i\sqrt{\frac{m\hbar\omega}{2}}\langle\psi_n|(a^\dagger - a)|\psi_n\rangle$$

$$(a^\dagger - a)|\psi_n\rangle = \sqrt{n+1}|\psi_{n+1}\rangle - \sqrt{n}|\psi_{n-1}\rangle$$

$$\therefore \langle p\rangle = 0$$

$$\Delta x\,\Delta p = \sqrt{\langle x^2\rangle - (\langle x\rangle^2)} \times \sqrt{\langle p^2\rangle - (\langle p\rangle^2)}$$
$$= \frac{\hbar}{2}(2n+1) \geq \frac{\hbar}{2}$$

따라서 불확정성 원리가 만족한다.

$$H = \frac{1}{2}m\ell^2\dot{\theta}^2 + mg\ell(1-\cos\theta) \quad ; \cos x$$
$$= \sum_{n=0}^{\infty}(-1)^n \frac{x^{2n}}{2n!} = 1 - \frac{x^2}{2} + \frac{x^4}{24} + \cdots$$
$$\simeq \frac{1}{2}mg\ell\theta^2 + mg\ell\left(\frac{\theta^2}{2} - \frac{\theta^4}{24}\right)$$
$$= \frac{1}{2}mg\ell\theta^2 + mg\ell\frac{\theta^2}{2} - mg\ell\frac{\theta^4}{24}$$
$$= H_0 + H'$$

H' 에 의한 바닥상태의 1차 보정에너지

① 사다리 연산자 사용법

$$\Delta E_0^{(1)} = \langle \psi_0 | H' | \psi_0 \rangle$$

〈자료 1〉 $H_0 = T + V = \frac{p^2}{2m} + \frac{1}{2}m\omega^2 x^2$과

〈자료 2〉 $H_0 = \frac{1}{2}m\ell^2\dot{\theta}^2 + \frac{1}{2}mg\ell\theta^2$ 를 비교하면

$$H_0 = \frac{1}{2}m\ell^2\dot{\theta}^2 + \frac{1}{2}mg\ell\theta^2$$
$$= \frac{p_\theta^2}{2m} + \frac{1}{2}mg\ell\theta^2 \quad ;(p_\theta = m\ell\dot{\theta})$$

$$p \to p_\theta,\ x \to \ell\theta,\ \omega \to \sqrt{\frac{g}{\ell}}$$

$$a = \sqrt{\frac{m}{2\hbar}\sqrt{\frac{g}{\ell}}}\left(\ell\theta + i\frac{p_\theta}{mg}\right)$$
$$= \sqrt{\frac{m\ell^2}{2\hbar}\sqrt{\frac{g}{\ell}}}\left(\theta + i\frac{p_\theta}{mg\ell}\right)$$
$$a^\dagger = \sqrt{\frac{m\ell^2}{2\hbar}\sqrt{\frac{g}{\ell}}}\left(\theta - i\frac{p_\theta}{mg\ell}\right)$$
$$x = \sqrt{\frac{\hbar}{2m\omega}}(a^\dagger + a) \to \theta = \sqrt{\frac{\hbar}{2m\ell^2}\sqrt{\frac{\ell}{g}}}(a^\dagger + a)$$

$$\langle \psi_0 | H' | \psi_0 \rangle$$
$$= -\frac{mg\ell}{24}\langle \psi_0 | \theta^4 | \psi_0 \rangle$$
$$= -\frac{mg\ell}{24} \times \left(\frac{\hbar}{2m\ell^2}\right)^2\left(\frac{\ell}{g}\right)\langle \psi_0 | (a^\dagger + a)^4 | \psi_0 \rangle$$
$$\langle \psi_0 | (a^\dagger + a)^4 | \psi_0 \rangle = \langle (a^\dagger + a)^2\psi_0 | (a^\dagger + a)^2\psi_0 \rangle$$
$$(a^\dagger + a)|\psi_0\rangle = |\psi_1\rangle$$
$$(a^\dagger + a)^2|\psi_0\rangle = (a^\dagger + a)|\psi_1\rangle = \sqrt{2}|\psi_2\rangle + |\psi_0\rangle$$
$$\therefore \Delta E_0^{(1)} = \langle \psi_0 | H' | \psi_0 \rangle = -\frac{3\hbar^2}{96m\ell^2}$$

② 적분 사용법

$\psi_0(x) = \left(\frac{m\omega}{\pi\hbar}\right)^{\frac{1}{4}}\exp\left(-\frac{m\omega}{2\hbar}x^2\right)$ 에서

$H' = -\frac{1}{24}m\frac{g\ell^4}{\ell^3}\theta^4 = -\frac{1}{24}m\frac{g}{\ell^3}x^4$ 이므로

$$\therefore \Delta E_0^{(1)}$$
$$= \langle \psi_0 | H' | \psi_0 \rangle$$
$$= -\frac{1}{24}m\frac{g}{\ell^3}\int_{-\infty}^{\infty}\left(\frac{m\omega}{\pi\hbar}\right)^{1/2} x^4 e^{-\frac{m\omega}{\hbar}x^2}dx$$
$$= -\frac{1}{24}m\frac{g}{\ell^3}\left(\frac{m\omega}{\pi\hbar}\right)^{1/2} \times \frac{3}{4}\sqrt{\pi}\left(\frac{\hbar}{m\omega}\right)^{5/2}$$
$$= -\frac{3}{96}m\frac{g}{\ell^3}\frac{\hbar^2}{m^2\omega^2} \quad \left(\omega^2 = \frac{g}{\ell}\right)$$
$$= -\frac{3}{96}m\frac{g}{\ell^3}\frac{\hbar^2\ell}{m^2 g} = -\frac{3\hbar^2}{96m\ell^2}$$

θ로 적분을 안 하고 x로 한 이유는 $\theta \ll 1$이고 주기성을 가지고 있기 때문에 x로 변환하여 적분하였다.

7 보어 수소원자 모형

48

본책 295p

정답 $\frac{\lambda_1}{\lambda_2} = \frac{7}{20}$

영역	현대물리
핵심 개념	보어의 수소원자 모형 에너지 준위, 빛의 에너지와 파장과의 관계
평가요소 및 기준	수소원자의 에너지 준위차와 빛의 방출 에너지 관계식 활용

해설

수소원자의 에너지 준위는 $E_n = -\frac{13.6\text{eV}}{n^2}$ 이다.

방출되는 빛의 파장은 에너지 준위 차이이므로

$$E_m - E_n = \frac{hc}{\lambda}$$

파장이 크려면 에너지 준위 차이가 작아야 하므로 발머계열은 $n=2$이고, 파셴 계열은 $n=3$이다.

따라서

$$E_3 - E_2 = \frac{hc}{\lambda_1},\ E_4 - E_3 = \frac{hc}{\lambda_2}$$

$$\therefore \frac{\lambda_1}{\lambda_2} = \frac{E_4 - E_3}{E_3 - E_2} = \frac{\frac{1}{9} - \frac{1}{16}}{\frac{1}{4} - \frac{1}{9}} = \frac{7}{20}$$

49

본책 295p

정답 $C = \frac{1}{\sqrt{96\pi a^5}}$

영역	보어 수소원자 모형(현대물리/양자역학)
핵심 개념	3차원 구면좌표계 파동함수의 규격화
평가요소 및 기준	수소원자의 구면좌표계에서 확률개념 확인

해설

$$|\psi|^2 = \int C^2 r^2 e^{-r/a} r^2 \sin\theta dr d\theta d\phi$$
$$= 4\pi C^2 \int_0^\infty r^4 e^{-r/a} dr \ (let\ x = \frac{r}{a})$$
$$= 4\pi C^2 a^5 \int_0^\infty x^4 e^{-x} dx = 96\pi a^5 C^2 = 1$$
$$\therefore C = \frac{1}{\sqrt{96\pi a^5}}$$

50

본책 295p

정답 ⑤

영역	현대물리
핵심 개념	원자 Z일 때, 보어 모델의 에너지 준위
평가요소 및 기준	수소원자의 개념적인 확장

해설

물질파 운동량 $p = mv = \frac{h}{\lambda}$

궤도의 정상파 조건 $2\pi r = n\lambda$

둘을 합하면 $2\pi rmv = nh \rightarrow mvr = n\hbar$: 각운동량 양자조건

원자 번호 Z인 원자에서 전자의 에너지를 구해보자.

원운동이라 가정하면, 전자가 받는 힘의 전기력은 원심력과 동일하므로 $\frac{Zke^2}{r^2} = \frac{mv^2}{r}$이다.

위 양자조건을 대입하여 정리하면

$$r_n = \frac{\hbar^2}{Zkm_e e^2}$$

전자의 에너지는 $E = \frac{1}{2}mv^2 - \frac{Zke^2}{r}$ 이고 위식을 대입하여 정리하면 $E_n = -Z^2 \frac{m_e k^2 e^4}{2\hbar^2} \frac{1}{n^2}$이다.

수소원자 바닥상태 에너지는

$$E_{바닥} = -\frac{m_e k^2 e^4}{2\hbar^2} = -13.6\text{eV}$$이다.

따라서 $Z = 11$인 나트륨의 바닥상태 에너지는 -1645.6eV이다. 제거하기 위해서는 바닥상태 에너지에서 전자의 에너지를 $n = \infty$일 때의 에너지 즉, 0까지 올려야 하므로 약 1.65keV 에너지가 필요하다.

51

본책 296p

정답 ⑤

영역	양자역학 / 현대물리
핵심 개념	수소원자 모형, 3차원 좌표계에서의 확률 계산
평가요소 및 기준	3차원 구면좌표계에서 파동함수와 확률과의 개념적인 상호 연계

해설

수소원자 모형의 파동함수는 변수분리가 되어 $\psi_{211}(r,\theta,\phi) = R(r)\Theta(\theta)\Phi(\phi)$로 표현 가능하다.

3차원 구면좌표계이므로 확률은 다음과 같다.

$$확률\ P = \int |\psi_{211}|^2 dV$$
$$= \iiint |R(r)|^2 |\Theta(\theta)|^2 |\Phi(\phi)^2| r^2 \sin\theta\, dr d\theta d\phi$$
$$\rightarrow \int \frac{1}{64\pi a_0^5} r^2 e^{-\frac{r}{a_0}} \sin\theta |e^{i\phi}|^2 r^2 \sin\theta\, dr d\theta d\phi$$
$$= \int_0^r |R(r)|^2 r^2 dr \int_0^\theta |\Theta(\theta)|^2 \sin\theta d\theta \int_0^\phi |\Phi(\phi)^2| d\phi$$

r에 대한 확률을 P_r이라 하면

$$P_r = |R(r)|^2 r^2 = Ar^4 e^{-\frac{r}{a_0}} \ (A = 규격화상수)$$

확률이 최대가 되는 값을 찾으면

$$\frac{dP_r}{dr} = Ar^3 e^{-\frac{r}{a_0}} (4 - \frac{r}{a_0}) = 0$$

$r = 0$일 때 확률이 최소이고, $r = 4a_0$일 때 확률이 최대이다.

52

본책 296p

정답 1) $E_{바닥} = \frac{\hbar^2\pi^2}{2\mu a^2}$

2) $\psi_{바닥}(r,\theta,\phi) = \frac{1}{\sqrt{2\pi a}} \frac{1}{r} \sin\frac{\pi}{a} r$

영역	양자역학
핵심 개념	무한 퍼텐셜 우물 파동함수
평가요소 및 기준	3차원 무한 퍼텐셜 파동함수 계산

해설

$r < a$에서 $u'' + \frac{2\mu E}{\hbar^2} u = 0$ ($k^2 = \frac{2\mu E}{\hbar^2}$이라고 하면)

$u = A\sin kr + B\cos kr$가 해가 된다.

경계조건 $u(0) = u(a) = 0$이 된다. ($\because R(r) = \frac{u(r)}{r}$이 유한한 값이 나오려면 $u(0) = 0$)

$B = 0$이 되므로 $u(r) = A\sin kr$

$$ka = n\pi \rightarrow k^2 a^2 = n^2\pi^2 \rightarrow \frac{2\mu E a^2}{\hbar^2} = n^2\pi^2$$
$$\rightarrow E_n = \frac{\hbar^2\pi^2}{2\mu a^2} n^2$$
$$\therefore E_{바닥} = \frac{\hbar^2\pi^2}{2\mu a^2}$$
$$\psi(r,\ \theta,\ \phi) = \frac{1}{\sqrt{4\pi}} \frac{A}{r} \sin kr$$
$$\rightarrow \psi_{바닥}(r,\ \theta,\ \phi) = \frac{1}{\sqrt{4\pi}} \frac{A}{r} \sin\frac{\pi}{a} r \ (\because ka = n\pi)$$

$$1=\int_0^{r=a}\int_0^{\theta=\pi}\int_0^{\phi=2\pi}|\psi_{\text{바닥}}|^2 r^2\sin\theta drd\theta d\phi$$
$$=A^2\int_0^a \sin^2\frac{\pi}{a}rdr=A^2\frac{a}{\pi}\int_0^\pi \sin^2 xdx$$
$$=A^2\left(\frac{a}{2}\right)=1$$
$$\therefore A=\sqrt{\frac{2}{a}}$$
$$\therefore \psi_{\text{바닥}}(r,\ \theta,\ \phi)=\frac{1}{\sqrt{2\pi a}}\frac{1}{r}\sin\frac{\pi}{a}r$$

53

본책 296p

정답 1) $r_0=4a$, 2) $\dfrac{P(2a)}{P(3a)}=\dfrac{16}{81}e$

영역	양자역학
핵심 개념	3차원 수소원자 파동함수, 변수분리, 구면좌표계 확률
평가요소 및 기준	3차원 구면좌표계에서 파동함수와 확률과의 개념적인 상호 연계

해설

1) 3차원 파동함수는 변수가 분리되어

$\Psi(r,\theta,\phi)=R(r)\Theta(\theta)\Phi(\phi)$ 된다.

확률 $P=\int|R(r)|^2|\Theta(\theta)|^2|\Phi(\phi)|^2 r^2\sin\theta drd\theta d\phi$

$$1=\int_0^\infty\int_0^\pi\int_0^{2\pi}|A|^2 r^2 e^{-\frac{r}{a}}r^2|\Theta(\theta)|^2|\Phi(\phi)|^2\sin\theta drd\theta d\phi$$
$$=\int_0^\infty |A|^2 r^4 e^{-\frac{r}{a}}dr\int_0^\pi|\Theta(\theta)|^2\sin\theta d\theta\int_0^{2\pi}|\Phi(\phi)|^2 d\phi$$

$\therefore P(r)=4\pi|A|^2 r^4 e^{-\frac{r}{a}}=\lambda r^4 e^{-\frac{r}{a}}$ ……… ① (A는 규격화 상수)

$$\frac{d}{dr}P(r)=4\lambda r^3 e^{-\frac{r}{a}}-\frac{\lambda r^4}{a}e^{-\frac{r}{a}}=r^3 e^{-\frac{r}{a}}\left(4-\frac{r}{a}\right)=0$$

$\therefore r_0=4a$

2) 식 ①로부터 $\dfrac{P(2a)}{P(3a)}=\dfrac{\lambda 2^4 a^4 e^{-\frac{2a}{a}}}{\lambda 3^4 a^4 e^{-\frac{3a}{a}}}=\dfrac{16}{81}e$

54

본책 297p

정답 ⑤

영역	양자역학
핵심 개념	보어 원자 모델, 자기모멘트 정의
평가요소 및 기준	보어의 원자 모형과 자기모멘트의 개념 확장

해설

드브로이 물질파 이론, 정상파 이론

$p=mv=\dfrac{h}{\lambda}$, $2\pi r=n\lambda\rightarrow 2\pi rmv=nh$

ㄱ. 원운동을 가정하므로 전기력과 원심력의 평형

$$\frac{ke^2}{r^2}=\frac{mv^2}{r}\rightarrow\frac{mke^2}{r}=(mv)^2=\left(\frac{nh}{2\pi r}\right)^2$$
$$r_n=\frac{n^2h^2}{4\pi mke^2}\propto n^2$$
$$\therefore\frac{a_A}{a_B}=\left(\frac{n_A}{n_B}\right)^2=\frac{9}{16}$$

ㄴ. 수소원자의 에너지

$$E_n=-\frac{13.6\text{eV}}{n^2}$$
$$\frac{E_A}{E_B}=\left(\frac{n_B}{n_A}\right)^2=\frac{16}{9}$$

ㄷ. 자기모멘트의 정의는

$$m=AI=\pi r^2\frac{e}{t}=\pi r^2\frac{e}{2\pi r/v}=\frac{erv}{2}\quad(2\pi rmv=nh)$$
$$m\propto n$$
$$\therefore\frac{m_A}{m_B}=\frac{3}{4}$$

55

본책 298p

정답 해설 참고

해설

1) 3차원 무한 퍼텐셜 우물에서 전자의 운동에 대한 에너지에 대해 알아보자.

파동방정식 : $-\dfrac{\hbar^2}{2m^*}\nabla^2\psi+V\psi=E\Psi$

알갱이 내부에서 전자가 존재하므로 알갱이의 한 변의 길이를 L이라 하면 변수 분리에 의해서

$$\psi(x,\ y,\ z)$$
$$=A(x)B(y)C(z)$$
$$=\left(\sqrt{\frac{2}{L}}\sin k_x x\right)\left(\sqrt{\frac{2}{L}}\sin k_y y\right)\left(\sqrt{\frac{2}{L}}\sin k_z z\right)$$

경계 조건 : $k_xL=k_yL=k_zL=n\pi$

양자화된 에너지 :

$$E(n_x,\ n_y,\ n_z)=\frac{\pi^2\hbar^2}{2m^*L^2}(n_x^2+n_y^2+n_z^2)$$

바닥상태와 첫 번째 들뜬상태의 에너지 차이

$$\Delta E=\frac{3\pi^2\hbar^2}{2m^*L^2}=\frac{3h^2}{8m^*L^2}\quad\left(\hbar=\frac{h}{2\pi}\right)$$

빛의 파장과 에너지 준위 차이의 관계

$$\Delta E=\frac{3h^2}{8m^*L^2}=\frac{hc}{\lambda}$$

입자 한 변의 크기 L이 커지면 붉은색 계열로 보이고 작아지면 파란색에 가까워지는 색으로 보이게 된다.

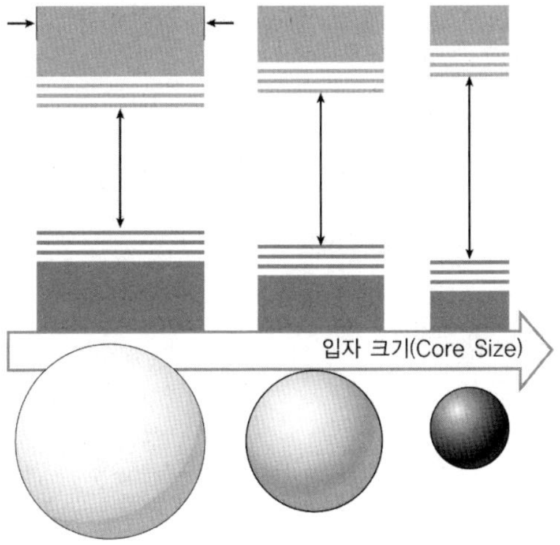

빨강 → 노랑 → 초록 → 파랑 → 보라

2) 주어진 자료를 활용하여 붉은색의 빛의 파장 $\lambda = 660\text{nm}$ 인 알갱이의 한 변의 길이를 계산해 보자.

$\Delta E = \dfrac{3h^2}{8m^* L^2} = \dfrac{hc}{\lambda}$ 이므로

$$L^2 = \frac{3h\lambda}{8m^* c} = \frac{3\times(6.6\times10^{-34})\times6.6\times10^{-7}}{8\times(8\times10^{-33})\times(3\times10^8)}$$

$$= \left(\frac{6.6}{8}\right)^2 \times 10^{-16}$$

$$\therefore L = \frac{6.6}{8}\times10^{-8}\text{m} = 8.25\,\text{nm}$$

실제 크기와 가깝게 하기 위해서는 첫 번째 정육면체 무한 퍼텐셜이 아닌 3차원 구면 무한 퍼텐셜로 수정되어야 한다. 두 번째는 반도체에서 전자의 퍼텐셜 효과를 고려해야 한다. 이유는 실제 입자는 정육면체가 아닌 구형 대칭성을 지니고 있기 때문이다. 그리고 양공과 전자의 결합에 의한 퍼텐셜 효과가 존재하므로 이를 보정 해주어야 한다.
먼저 첫 번째 구면 무한 퍼텐셜만 가정한 상태에서 입자의 크기를 구해보자.
질량 m^*인 입자가 다음과 같은 반지름 a인 구형 퍼텐셜 우물 $V(r)$에서 3차원 운동을 한다.

$$V(r) = \begin{cases} 0 & (r < a) \\ \infty & (r \geq a) \end{cases}$$

슈뢰딩거 방정식의 해인 파동함수는
$\psi(r,\theta,\phi) = R(r)Y_{lm}(\theta,\phi)$로 변수 분리가 된다.
단, $Y_{lm}(\theta,\phi)$는 구면조화함수이고, l과 m은 각각 궤도 양자수와 자기 양자수이다. 바닥상태에서 $l=0$과 $m=0$이고, $Y_{00}(\theta,\phi) = \dfrac{1}{\sqrt{4\pi}}$이다. 지름 방향 파동함수 $R(r)$를 $R(r) = \dfrac{u(r)}{r}$로 치환하면, $u(r)$의 방정식은 $l=0$과 $m=0$일 때 다음과 같다.

$$-\frac{\hbar^2}{2m^*}\frac{d^2u}{dr^2} + V(r)u = Eu$$

구형 대칭 파동함수 : $\psi(r,\theta,\phi) = \dfrac{1}{\sqrt{4\pi}}\sqrt{\dfrac{2}{a}}\dfrac{1}{r}\sin kr$

바닥상태와 첫 번째 들뜬상태의 에너지 차이

$$\Delta E = \frac{3h^2}{8m^* r^2} = \frac{hc}{\lambda}$$

$r = 8.25\,\text{nm}$, 입자의 크기는 지름이므로 $D = 2r = 16.5\,\text{nm}$이다.

섭동과 적분 근삿값을 활용하여 퍼텐셜 $V(r) = -\dfrac{ke^2}{r}$일 때 퍼텐셜에 의한 에너지는 다음과 같다. (적분 과정은 어렵기 때문에 생략)

$$\Delta E = \frac{3h^2}{8m^* r^2} - (2.44)k\frac{e^2}{r} = \frac{hc}{\lambda} \qquad \left(k = \frac{1}{4\pi\epsilon}\right)$$

근사적으로 계산하면 $r \simeq 7.37\,\text{nm}$이고, $D = 2r \simeq 14.7\,\text{nm}$이다. 붉은색을 내는 나노 알갱이의 크기는 12~15nm이라고 하였으므로 퍼텐셜을 고려한 값이 더 실제 크기와 가깝다.

8 각운동량 및 스핀

56

본책 299p

정답 ②

영역	양자역학
핵심 개념	슈테른-게를라흐(Stern-Gerlach) 실험, 전자의 스핀
평가요소 및 기준	전자의 스핀 확인 실험의 명확한 이해

해설

슈테른-게를라흐(Stern-Gerlach) 실험은 최외각 전자가 하나인 중성 은원자를 비균일한 자기장에 통과시켰을 때 은 원자가 자기장에 힘을 받아 2개의 선으로 갈라지는 현상을 확인한 실험이다.
바닥상태의 은원자의 각운동량은 최외각 전자의 경우 $l=0$이므로 각운동량의 크기는 0이다.
그렇다면 각운동량만 생각하면 각운동량 자기모멘트가 0이 되어 힘을 받지 않아야 한다.
그런데 전자의 스핀에 의한 자기모멘트가 생기므로 $U_s = -\mu_s B_z$의 퍼텐셜 에너지가 발생하게 된다. 여기서 $\mu_s = \dfrac{e\hbar}{2m_e}$로서 전자의 스핀에 의한 자기 모멘트의 크기이다.
그런데 전자의 스핀 자기모멘트의 방향은 자기장의 방향에 대해 ±2개의 방향을 가진다. 은원자가 받는 힘은 이 전자의 스핀 자기모멘트에 의해서 발생하게 되는데 $F_z = -\mu_s \nabla B$이다.
즉, 균일한 자기장일 경우에는 힘을 받지 않고 세차운동만 하게 되는데, 비균일 자기장의 경우에는 $\nabla B = \dfrac{\partial B_z}{\partial z} \neq 0$이므로 은원자는 전자의 스핀 자기모멘트에 의해서 비균일 자기장 영역에서 힘을 받게 된다. 스핀이 z축 자기장 방향에 대해 업, 다운 2가지 방향을 가지므로 은원자는 비균일 자기장을 통과 후에 2가지 방향으로 분리된다.

ㄱ. 스핀 각운동량은 2가지 방향을 갖는다. 자기장과 나란하거나 반대 방향이다.

ㄴ. 전자 한 개의 스핀 각운동량 양자수는 $\dfrac{1}{2}$이다.

ㄷ. 균일한 자기장에 은 원자빔을 입사시키면 $F_z = -\mu_s \nabla B$ 에서 $\nabla B = \frac{\partial B_z}{\partial z} = 0$이므로 힘을 받지 않아서 갈라지지 않는다.

57

본책 299p

정답 ③

영역	양자역학
핵심 개념	각운동량 연산자의 성질, 각운동량 크기의 양자화, 방향의 양자화
평가요소 및 기준	위 개념의 벡터적 해석

해설

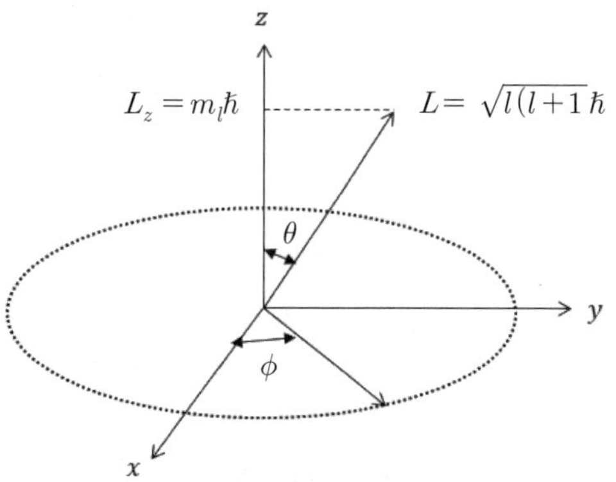

각운동량은 크기와 방향이 양자화되어 있다. 즉, 각운동량의 크기의 고윳값은 $\sqrt{l(l+1}\hbar$이고, z축에 대한 각운동량의 성분, 즉 방향이 양자화되어 있으며, 방향성분은 $L_z = m_l\hbar$이다. 각운동량의 크기와 z축에 대한 방향만 특정값으로 양자화되어 있다는 것이다. 이것은 z축과 이루는 각의 크기를 θ라 하면 특정 θ값만 가질 수 있다는 것을 의미한다. 그리고 구면좌표계 $\hat{r}$방향인 각운동량의 크기도 특정 값을 가진다. 구면좌표계에서 나머지 ϕ는 양자화 조건이 없다. 즉 모든 ϕ에 대해 측정 확률이 동일하게 존재한다는 의미이다. 이를 활용해보자.

각운동량은 회전에 의한 효과이다. 벡터성질에 의해서 $L^2 = L_x^2 + L_y^2 + L_z^2$이므로

$\langle L^2 \rangle = \langle L_x^2 \rangle + \langle L_y^2 \rangle + \langle L_z^2 \rangle = \langle L_x^2 \rangle + \langle L_y^2 \rangle + \hbar^2 = 2\hbar^2$

그런데 3차원 구면좌표계에서 각운동량의 벡터와 z축과 이루는 각의 크기를 θ라하면 $\cos\theta = \frac{L_z}{L}$이다.

공통고유상태 $|1, 1\rangle$일 때는 $\cos\theta = \frac{1}{\sqrt{2}}$이다. 각운동량의 크기가 $L = \sqrt{l(l+1)}\hbar$ 이므로 각운동량의 x, y성분은 각각 L_x, L_y라 하면

$L_x = L\sin\theta\cos\phi$, $L_y = L\sin\theta\sin\phi$

$$\langle L_x^2 \rangle = \langle L^2\sin^2\theta\cos^2\phi \rangle = \left\langle 2\hbar^2\left(\frac{1}{2}\right)\cos^2\phi \right\rangle = \hbar^2\langle \cos\phi^2 \rangle$$

$$\langle L_y^2 \rangle = \langle L^2\sin^2\theta\sin^2\phi \rangle = \left\langle 2\hbar^2\left(\frac{1}{2}\right)\sin^2\phi \right\rangle = \hbar^2\langle \sin\phi^2 \rangle$$

외부 힘이 존재하지 않을 때, 일반적인 상황에서는 각운동량은 ϕ가 임의의 값이므로

$$\langle \cos^2\phi \rangle = \left\langle \frac{1+\cos 2\phi}{2} \right\rangle = \frac{1}{2},$$

$$\langle \sin^2\phi \rangle = \left\langle \frac{1-\cos 2\phi}{2} \right\rangle = \frac{1}{2}$$

따라서 $\langle L_x^2 \rangle = \langle L_y^2 \rangle$이고

$\langle L^2 \rangle = \langle L_x^2 \rangle + \langle L_y^2 \rangle + \langle L_z^2 \rangle = \langle L_x^2 \rangle + \langle L_y^2 \rangle + \hbar^2 = 2\hbar^2$

에 대입하여 구하면

$\langle L_x^2 \rangle = \frac{\hbar^2}{2}$, 아니면 위 식

$$\langle L_x^2 \rangle = \langle L^2\sin^2\theta\cos^2\phi \rangle = \left\langle 2\hbar^2\left(\frac{1}{2}\right)\cos^2\phi \right\rangle$$

$$= \hbar^2\langle \cos\phi^2 \rangle = \frac{\hbar^2}{2}$$

으로도 구할 수 있다.

각운동량 사다리 연산자를 통해 복잡하게 계산하여 엄밀히 증명할 수 있지만 그 근본적인 계산은 모두 구면 좌표계의 각운동량 성질에서 나왔다.

58

본책 300p

정답 ②

영역	양자역학
핵심 개념	스핀 성질, S_x의 고윳값과 고유함수
평가요소 및 기준	위 개념의 연산

해설

ㄱ. $S_x = \frac{\hbar}{2}\begin{pmatrix} 0 & 1 \\ 1 & 0 \end{pmatrix}$의 고유함수 $\psi_x = \begin{pmatrix} a \\ b \end{pmatrix}$라하고 고윳값을 λ라 하면

$$\frac{\hbar}{2}\begin{pmatrix} 0 & 1 \\ 1 & 0 \end{pmatrix}\psi = \lambda\psi \rightarrow k = \frac{\lambda}{\hbar/2}$$

$$\begin{pmatrix} -k & 1 \\ 1 & -k \end{pmatrix}\psi = 0 \rightarrow \begin{vmatrix} -k & 1 \\ 1 & -k \end{vmatrix} = 0 \rightarrow k^2 = 1$$

$$\rightarrow k = \frac{\lambda}{\hbar/2} = \pm 1$$

$$\therefore \lambda = \pm\frac{\hbar}{2}$$

ㄴ. $+\frac{\hbar}{2}$일 때 규격화조건을 고려해서 고유함수를 구해보면

$$\frac{\hbar}{2}\begin{pmatrix} 0 & 1 \\ 1 & 0 \end{pmatrix}\begin{pmatrix} a \\ b \end{pmatrix} = \frac{\hbar}{2}\begin{pmatrix} a \\ b \end{pmatrix} \rightarrow a = b \rightarrow \begin{pmatrix} a \\ b \end{pmatrix} = \frac{1}{\sqrt{2}}\begin{pmatrix} 1 \\ 1 \end{pmatrix}$$

$$\therefore \psi_x^+ = \frac{1}{\sqrt{2}}\begin{pmatrix} 1 \\ 1 \end{pmatrix}$$

같은 방식으로 $-\frac{\hbar}{2}$일 때는

$$\frac{\hbar}{2}\begin{pmatrix} 0 & 1 \\ 1 & 0 \end{pmatrix}\begin{pmatrix} a \\ b \end{pmatrix} = -\frac{\hbar}{2}\begin{pmatrix} a \\ b \end{pmatrix} \rightarrow a = -b \rightarrow \begin{pmatrix} a \\ b \end{pmatrix} = \frac{1}{\sqrt{2}}\begin{pmatrix} 1 \\ -1 \end{pmatrix}$$

$$\psi_x^- = \frac{1}{\sqrt{2}}\begin{pmatrix} 1 \\ -1 \end{pmatrix}$$

ㄷ. $\Psi = \frac{1}{\sqrt{5}}\begin{pmatrix}2\\1\end{pmatrix} = c_+\psi_x^+ + c_-\psi_x^-$

S_x의 측정값이 $\frac{\hbar}{2}$일 확률은 $|c_+|^2$이다.

$|c_+|^2 = |\langle \psi_x^+|\Psi\rangle|^2 = \left|\frac{1}{\sqrt{2}}\frac{1}{\sqrt{5}}(1\ 1)\begin{pmatrix}2\\1\end{pmatrix}\right|^2 = \frac{9}{10}$

59

본책 300p

정답 ①

영역	양자역학
핵심 개념	수소원자 양자수 의미와 확률 및 고윳값
평가요소 및 기준	이 개념의 단순 연산

해설

ㄱ. 모두 $n=2$상태에 있으므로 $\langle H\rangle = E_2$이다.

ㄴ. $L^2 = l(l+1)\hbar^2 = 2\hbar^2 \rightarrow l=1$일 때이므로

$\Psi = c_1\psi_1 + c_2\psi_2$라 하면 이때의 확률은 $|c_2|^2$이다.

따라서 측정확률은 $\frac{2}{3}$이다.

ㄷ. $L_z\psi_{nlm} = m\hbar\psi_{nlm} \rightarrow L_z\psi_{200} = 0\psi_{200},\ L_z\psi_{211} = \hbar\psi_{211}$

$L_z\Psi = \lambda\Psi \leftarrow$ 불가능

그러므로 Ψ는 L_z의 고유함수가 아니다.

60

본책 301p

정답 ④

영역	양자역학
핵심 개념	각운동량, 자기 양자수 이해
평가요소 및 기준	선택 규칙의 이해

해설

$\vec{L}(=\vec{L_1}+\vec{L_2})$의 궤도 양자수는

$l_T = |l_2 - l_1|,\ |l_2 - l_1 + 1| \cdots (l_1 + l_2)$

$\therefore l_T = 1, 2, 3$

그런데 자기양자수의 최대값은 $m_T = m_1 + m_2 = 2$이므로 $l_T = 1$인 상태는 불가능하다.

그러므로 $l_T = 2, 3$일 때 이므로 $L = \sqrt{l_T(l_T+1)}\hbar$ 에서 가능한 값은 $\sqrt{6}\hbar$, $\sqrt{12}\hbar$이다.

61

본책 301p

정답 ③

영역	양자 역학
핵심 개념	에너지 준위, 선택규칙, 지만 효과
평가요소 및 기준	위 개념의 단순 이해

해설

ㄱ. 각운동량이 발생하면 외부 자기장에 의해서 자기 에너지가 생겨서 에너지 준위들이 분리된다. 이때 $l \neq 0$인 경우 궤도 각운동량이 존재하므로 이를 정상 지만 효과라 한다.

ㄴ. 선택규칙은 $\Delta l = \pm 1,\ \Delta m = 0, \pm 1$인 상태만 전이가 가능하다.

ㄷ. 선택규칙을 만족하는 스펙트럼은 아래와 같이 총 9개이다. 이 중 3개씩 에너지가 같기 때문에 스펙트럼선은 총 3개이다.

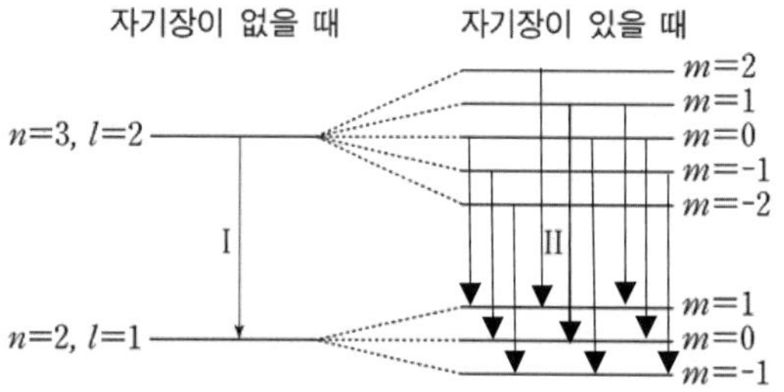

62

본책 302p

정답 ①

영역	양자역학: 각운동량
핵심 개념	각운동량 연산자의 특성 및 고윳값의 이해
평가요소 및 기준	위 개념 활용을 통한 연산

해설

ㄱ. L_z의 고윳값은 $m\hbar$ 이다. 즉 $m=1$인 상태일 확률인데

$P(m=1) = \frac{4}{5} + \frac{1}{5} = 1$이다.

ㄴ. L^2의 고윳값은 $l(l+1)\hbar^2$이다. 즉, $l=1$일 때 고윳값이 $2\hbar^2$이므로 이때의 확률은

$|\psi\rangle = \frac{2}{\sqrt{5}}|11\rangle + \frac{1}{\sqrt{5}}|21\rangle$에서 $l=1$인 상태의 확률과 동일하므로 $\frac{4}{5}$이다.

ㄷ. L^2의 기댓값은 $\langle\psi|L^2|\psi\rangle = \sum_l l(l+1)P_l$ 여기서 P_l은 l에 대한 확률 값

$\langle\psi|L^2|\psi\rangle = \sum_l l(l+1)P_l = 2\hbar^2 P_{l=1} + 6\hbar^2 P_{l=2}$

$= 2\hbar^2 \times \frac{4}{5} + 6\hbar^2 \times \frac{1}{5} = \frac{14}{5}\hbar^2$

$\therefore \langle L^2\rangle = \frac{14}{5}\hbar^2$

63

본책 302p

정답 1) $a=\frac{1}{\sqrt{2}}$, 2) $\langle L_z \rangle = \frac{1}{6}\hbar$

영역	양자역학
핵심 개념	파동함수 규격화, 각운동량 성분
평가요소 및 기준	파동함수 규격화로부터 확률계수 계산, 각운동량 z성분 기댓값 계산

해설

1) 파동함수의 크기의 제곱 즉, 확률은 1이 되므로

$$\Psi = \sum c_i Y_{l=1}^{m_i}$$

$$|\Psi|^2 = \sum |c_i|^2 = \frac{1}{3}+\frac{1}{6}+a^2 = 1$$

$$\therefore a = \frac{1}{\sqrt{2}}$$

2) $$\langle L_z \rangle = \sum |c_i|^2 m_i \hbar = \frac{1}{3}(\hbar)+\frac{1}{6}(-\hbar) = \frac{1}{6}\hbar$$

$$\therefore \langle L_z \rangle = \frac{1}{6}\hbar$$

64

본책 302p

정답 ②

영역	양자역학 – 무한 퍼텐셜 우물
핵심 개념	무한 퍼텐셜 우물에서 에너지, 페르미온 성질, 스핀 결합
평가요소 및 기준	파울리 배타원리에서 공간 및 스핀 파동함수의 구조적 결합 이해

해설

일단 2개의 전자가 상호작용하지 않는다면 파동함수는 각각의 전자들의 파동함수의 곱으로 나타낼 수 있다는 말이다. 전체 파동함수는 $\Psi_{12}=\psi_{공간}\times\psi_{스핀}$인데 이때 페르미온의 성질 때문에 같은 양자상태에 존재할 수 없으므로 $\Psi_{12}=-\Psi_{21}$을 만족하게 된다. 즉, 공간파동함수가 대칭이면 스핀파동함수는 비대칭이어야 하고 반대도 마찬가지이다. 공간이 대칭이라는 말은 같은 에너지 양자수를 공유한다는 말이다.

$S^2 = s(s+1)\hbar^2$

$S_z|\chi\rangle = m_s\hbar|\chi\rangle$; $m_s = -s, -s+1, \cdots, +s$; 전자 1개의 경우 $m_s = -\frac{1}{2}, \frac{1}{2}$

가능한 스핀양자수는 $s = |s_1 - s_2|, |s_1+s_2| \to 0, 1$

$m_s = 0 ; s=0$

$m_s = -1, 0, 1$

singlet states ; 공간 대칭, 스핀 비대칭

$$|s=0, m_s=0\rangle = \frac{1}{\sqrt{2}}(|\uparrow\rangle_1|\downarrow\rangle_2 - |\downarrow\rangle_1|\uparrow\rangle_2)$$

triplet states ; 공간 비대칭, 스핀 대칭

$$\begin{cases} |s=1, m_s=1\rangle = |\uparrow\rangle_1|\uparrow\rangle_2 \\ |s=1, m_s=0\rangle = \frac{1}{\sqrt{2}}(|\uparrow\rangle_1|\downarrow\rangle_2 + |\downarrow\rangle_1|\uparrow\rangle_2) \\ |s=1, m_s=-1\rangle = |\downarrow\rangle_1|\downarrow\rangle_2 \end{cases}$$

ㄱ. 스핀 상태가 같을 경우에는 공간이 비대칭이어야 하므로

$$E_n = \frac{n^2\pi^2\hbar^2}{2mL^2} \to E_T = E_1 + E_2 = \frac{5\pi^2\hbar^2}{2mL^2}$$

ㄴ. $S=\sqrt{s(s+1)}\hbar$인데 가능한 스핀양자수는 $s=|m_{s1}+m_{s2}| \to 0, 1$이므로 가능한 스핀 각운동량의 크기는 $S=\sqrt{s(s+1)}\hbar \to 0, \sqrt{2}\hbar$

ㄷ. $S=\sqrt{s(s+1)}\hbar$가 0을 만족하기 위해서는 $s=0$이므로 스핀이 반대칭이다. 그러므로 공간은 대칭이어야 한다.

65

본책 303p

정답 ②

영역	양자역학, 전자기학
핵심 개념	로렌츠 힘, 스핀궤도 운동
평가요소 및 기준	전자기적 로렌츠 힘과 스핀의 세차 운동의 이해

해설

ㄱ. 자기 로렌츠 힘은 구심력으로 작용하므로 속력을 변화시키지 않는다.

$$qvB = \frac{mv^2}{r} \quad \therefore r = \frac{mv}{eB}$$

ㄴ. 통과 영역의 시간은 주기의 1/4이다.

$$qB = m\omega \to T = \frac{2\pi}{\omega} = \frac{2\pi m}{eB} \to t = \frac{T}{4} = \frac{\pi m}{2eB}$$

ㄷ. 세차 운동은 자기장 방향의 축을 중심으로 일어난다.

$\vec{\mu}$=자기모멘트, $\vec{B}$=자기장, $\vec{\Omega}$=세차 각속도, $\vec{S}$=스핀 각운동량

$\vec{\mu}$과 $\vec{S}$이 나란한 방향이므로 세차 각속도 축은 자기장 B와 나란한 방향이다.

$\tau = \vec{\mu}\times\vec{B} = \vec{\Omega}\times\vec{S}$

따라서 z축과 나란한 방향이다.

66

본책 304p

정답 1) $E_a = -\frac{3}{4}\hbar^2\alpha$, 2) $E_b = \frac{\hbar^2}{4}\alpha$, $s=1$

3) $g_b = 2s+1 = 3$

영역	양자역학
핵심 개념	스핀 커플링 상태, 축퇴도
평가요소 및 기준	스핀 커플링 상태에서 에너지 및 축퇴도 계산

해설

2개의 페르미온 전자의 경우 커플링 되어있을 때
가능한 스핀양자수는 $s=|s_1-s_2|, |s_1+s_2| \to 0, 1$

$S=\sqrt{s(s+1)}\hbar$

$S_z=m_s\hbar \ (m_s=-s, -s+1, \cdots, 0, \cdots, s-1, s)$

$\vec{S}^2=(\vec{S_1}+\vec{S_2})^2=S_1^2+S_2^2+2\vec{S_1}\cdot\vec{S_2}$,

where $S_1^2=S_2^2=s(s+1)\hbar^2=\frac{3}{4}\hbar^2$

$$\vec{S_1}\cdot\vec{S_2}=\frac{S^2}{2}-\frac{S_1^2+S_2^2}{2}$$

① $s=0$일 때, $\vec{S_1}\cdot\vec{S_2}|\psi_0\rangle=-\frac{3}{4}\hbar^2|\psi_0\rangle$

③ $s=1$일 때, $\vec{S_1}\cdot\vec{S_2}|\psi_1\rangle=\frac{1}{4}\hbar^2|\psi_1\rangle$

$\therefore E_a=-\frac{3}{4}\hbar^2\alpha$; $s=0$, $m_s=0$ the singlet state

$\therefore E_b=\frac{\hbar^2}{4}\alpha$; $s=1$, $m_s=-1, 0, 1$ 가능한 상태

$2s+1=3 \to$ the triplet state

$\therefore g_b=2s+1=3$

singlet states ; 공간 대칭, 스핀 비대칭

$$|s=0, m_s=0\rangle=\frac{1}{\sqrt{2}}(|\uparrow\rangle_1|\downarrow\rangle_2-|\downarrow\rangle_1|\uparrow\rangle_2)$$

triplet states ; 공간 비대칭, 스핀 대칭

$$\begin{cases}|s=1, m_s=1\rangle=|\uparrow\rangle_1|\uparrow\rangle_2\\ |s=1, m_s=0\rangle=\frac{1}{\sqrt{2}}(|\uparrow\rangle_1|\downarrow\rangle_2+|\downarrow\rangle_1|\uparrow\rangle_2)\\ |s=1, m_s=-1\rangle=|\downarrow\rangle_1|\downarrow\rangle_2\end{cases}$$

67

본책 304p

정답 1) $\alpha=\frac{\pi}{2}$, $|\psi_x^+\rangle=\frac{1}{\sqrt{2}}\begin{pmatrix}1\\1\end{pmatrix}$

2) $|\langle\psi_x^+|\chi(t)\rangle|^2=\cos^2\gamma B_0 t$

3) $\langle S_z\rangle=\langle\chi(t)|S_z|\chi(t)\rangle=0$

영역	양자역학
핵심 개념	자기장 영역에서 전자의 스핀
평가요소 및 기준	자기장 영역에서 전자의 스핀상태로부터 확률과 평균값 계산

해설

1) $t=0$일 때, S_x의 고유 상태와 α

$t=0$일 때, $\chi(0)=\begin{pmatrix}\cos\frac{\alpha}{2}\\ \sin\frac{\alpha}{2}\end{pmatrix}$이고 $S_x\chi(0)=\frac{\hbar}{2}\chi(0)$이므로

$$S_x\chi(0)=\frac{\hbar}{2}\begin{pmatrix}0&1\\1&0\end{pmatrix}\begin{pmatrix}\cos\frac{\alpha}{2}\\ \sin\frac{\alpha}{2}\end{pmatrix}=\frac{\hbar}{2}\begin{pmatrix}\sin\frac{\alpha}{2}\\ \cos\frac{\alpha}{2}\end{pmatrix}=\frac{\hbar}{2}\begin{pmatrix}\cos\frac{\alpha}{2}\\ \sin\frac{\alpha}{2}\end{pmatrix}$$

$\to \sin\frac{\alpha}{2}=\cos\frac{\alpha}{2}$ 이므로

$\therefore \alpha=\frac{\pi}{2}$

2) $t\neq 0$인 경우 S_x의 고윳값이 $\frac{\hbar}{2}$가 될 확률과 $\langle S_z\rangle$

$$\chi(t)=\begin{cases}\cos\frac{\alpha}{2}e^{-i\gamma B_0 t}\\ \sin\frac{\alpha}{2}e^{i\gamma B_0 t}\end{cases}=\frac{1}{\sqrt{2}}\begin{pmatrix}e^{-i\gamma B_0 t}\\ e^{i\gamma B_0 t}\end{pmatrix}$$

S_x의 $\frac{\hbar}{2}$의 고윳값을 갖는 고유함수는 $|\psi_x^+\rangle=\frac{1}{\sqrt{2}}\begin{pmatrix}1\\1\end{pmatrix}$이다.

$\chi(t)=\frac{1}{\sqrt{2}}\begin{pmatrix}e^{-i\gamma B_0 t}\\ e^{i\gamma B_0 t}\end{pmatrix}$에서 S_x의 고윳값이 $\frac{\hbar}{2}$가 될 확률을 구하는 방법은 $|\langle\psi_x^+|\chi(t)\rangle|^2$이 확률을 의미한다.

$$\langle\psi_x^+|\chi(t)\rangle=\frac{1}{\sqrt{2}}(1\ 1)\begin{pmatrix}\frac{1}{\sqrt{2}}e^{-i\gamma B_0 t}\\ \frac{1}{\sqrt{2}}e^{i\gamma B_0 t}\end{pmatrix}=\frac{e^{-i\gamma B_0 t}+e^{i\gamma B_0 t}}{2}=\cos\gamma B_0 t$$

$\therefore |\langle\psi_x^+|\chi(t)\rangle|^2=\cos^2\gamma B_0 t$

$\langle S_z\rangle=\langle\chi(t)|S_z|\chi(t)\rangle$

$$S_z|\chi(t)\rangle=\frac{\hbar}{2}\begin{pmatrix}1&0\\0&-1\end{pmatrix}\begin{pmatrix}\frac{1}{\sqrt{2}}e^{-i\gamma B_0 t}\\ \frac{1}{\sqrt{2}}e^{i\gamma B_0 t}\end{pmatrix}=\frac{\hbar}{2\sqrt{2}}\begin{pmatrix}e^{-i\gamma B_0 t}\\ -e^{i\gamma B_0 t}\end{pmatrix}$$

$$\therefore \langle\chi(t)|S_z|\chi(t)\rangle=\frac{\hbar}{4}(e^{i\gamma B_0 t}\ \ e^{-i\gamma B_0 t})\begin{pmatrix}e^{-i\gamma B_0 t}\\ -e^{i\gamma B_0 t}\end{pmatrix}=0$$

68

본책 305p

정답 1) $P_+=\frac{1}{14}$, $P_-=\frac{13}{14}$

2) $\langle S_y\rangle=\frac{1}{14}(\frac{\hbar}{2})+\frac{13}{14}(-\frac{\hbar}{2})=-\frac{3}{7}\hbar$

영역	양자역학
핵심 개념	파동함수의 고윳값과 고유함수, 확률
평가요소 및 기준	주어진 파동함수로부터 양자적 결과 계산

해설

1) $\frac{\hbar}{2}$일 확률 P_+와 $-\frac{\hbar}{2}$일 확률 P_-

$P_+=|\langle\chi_+|\psi\rangle|^2$

$\to \langle\chi_+|\psi\rangle=\frac{1}{\sqrt{28}}(1\ -i)\begin{pmatrix}2\\1-3i\end{pmatrix}=\frac{1}{\sqrt{28}}(-1-i)$

$\therefore P_+=\frac{1}{14}$

10

$P_- = |\langle \chi_- | \psi \rangle|^2$

$\rightarrow \langle \chi_- | \psi \rangle = \frac{1}{\sqrt{28}}(1\ i)\begin{pmatrix} 2 \\ 1-3i \end{pmatrix} = \frac{1}{\sqrt{28}}(5+i)$

$\therefore P_- = \frac{13}{14}$

2) 스핀은 양자 상태가 2개 존재하므로 $\psi = a\chi_+ + b\chi_-$로 전개할 수 있다. 그리고 $\chi_+ = \frac{1}{\sqrt{2}}\begin{pmatrix} 1 \\ i \end{pmatrix}$, $\chi_- = \frac{1}{\sqrt{2}}\begin{pmatrix} 1 \\ -i \end{pmatrix}$는 서로 orthogonal 하다. 즉, $\langle \chi_+ | \chi_- \rangle = 0$ 이를 이용하면

$S_y|\chi_+\rangle = \frac{\hbar}{2}|\chi_+\rangle$, $S_y|\chi_-\rangle = -\frac{\hbar}{2}|\chi_-\rangle$이므로

$\langle S_y \rangle = \langle \psi | S_y | \psi \rangle = \langle a\chi_+ + b\chi_- | S_y | a\chi_+ + b\chi_- \rangle$

$= \langle a\chi_+ | S_y | a\chi_+ \rangle + \langle b\chi_- | S_y | b\chi_- \rangle$

$= a^2(\frac{\hbar}{2}) + b^2(-\frac{\hbar}{2})$

$= P_+(\frac{\hbar}{2}) + P_-(-\frac{\hbar}{2})$

$\therefore \langle S_y \rangle = \frac{1}{14}(\frac{\hbar}{2}) + \frac{13}{14}(-\frac{\hbar}{2}) = -\frac{3}{7}\hbar$

69

본책 305p

정답 1) $\langle S^2 \rangle = \frac{3}{4}\hbar^2$, 2) $\langle [S_y, S_z] \rangle = 0$

3) $P(S_x = \frac{\hbar}{2}) = \frac{1}{2}$

영역	양자역학
핵심 개념	스핀 연산자의 크기와 특징, 확률 계산
평가요소 및 기준	스핀 연산자의 크기 계산과 파울리 행렬을 통한 교환자 기대값 계산, 확률 정의를 통한 연산

해설

1) $S^2 = s(s+1)\hbar^2$으로부터 스핀 양자수 $s = \frac{1}{2}$이므로

$S^2 = \frac{3}{4}\hbar^2$으로 상수이다.

따라서 상수의 기대값은 그대로인 $\langle S^2 \rangle = \frac{3}{4}\hbar^2$이다.

2) $[S_y, S_z] = S_yS_z - S_zS_y$

$= \frac{\hbar^2}{4}\left[\begin{pmatrix} 0 & -i \\ i & 0 \end{pmatrix}\begin{pmatrix} 1 & 0 \\ 0 & -1 \end{pmatrix} - \begin{pmatrix} 1 & 0 \\ 0 & -1 \end{pmatrix}\begin{pmatrix} 0 & -i \\ i & 0 \end{pmatrix}\right]$

$= \frac{\hbar^2}{2}\begin{pmatrix} 0 & i \\ i & 0 \end{pmatrix}$

$\langle [S_y, S_z] \rangle = \frac{1}{25}\frac{\hbar^2}{2}(3i\ 4)\begin{pmatrix} 0 & i \\ i & 0 \end{pmatrix}\begin{pmatrix} -3i \\ 4 \end{pmatrix}$

$= 0$

$\therefore \langle [S_y, S_z] \rangle = 0$

3) $P(S_x = \frac{\hbar}{2}) = |\langle \phi_x^+ | \chi \rangle|^2$

$c = \langle \phi_x^+ | \chi \rangle$

$= \frac{1}{5\sqrt{2}}(1\ 1)\begin{pmatrix} -3i \\ 4 \end{pmatrix} = \frac{-3i+4}{5\sqrt{2}}$

$|c|^2 = \frac{1}{50}(-3i+4)(3i+4) = \frac{25}{50}$

$\therefore P(S_x = \frac{\hbar}{2}) = \frac{1}{2}$

70

본책 305p

정답 1) $|\chi\rangle = |s=0, m_s=0\rangle = \frac{1}{\sqrt{2}}(\uparrow\downarrow - \downarrow\uparrow)$

2) $E_s = 0$

영역	양자역학
핵심 개념	페르미온 파동함수, 파울리 배타원리
평가요소 및 기준	페르미온 파동함수 특성으로부터 스핀커플링상태의 스핀파동함수와 에너지 계산

해설

페르미온의 경우 전체 파동함수가 파울리 배타원리에 의해서 반대칭이어야 하므로 공간이 대칭이면 스핀파동함수는 비대칭이다.

이 경우 singlet states인

$|\chi\rangle = |s=0, m_s=0\rangle = \frac{1}{\sqrt{2}}(\uparrow\downarrow - \downarrow\uparrow)$인 경우이다.

$H_s = -\alpha(\vec{S_1} + \vec{S_2}) \cdot \vec{B}$ 은 자기장이 z축에 나란하므로

$H_s = -\alpha B_0(S_{1z} + S_{2z}) = --\alpha B_0 S_z$로 표현 가능하다.

$S_z = m_s\hbar$이므로 $E_s = 0$이다.

참고로 개별적으로 전개하면 다음과 같다.

$S_{1z}|\chi\rangle = \frac{1}{\sqrt{2}}(\frac{\hbar}{2}m_1^+m_2^- - (-\frac{\hbar}{2})m_1^-m_2^+)$

$S_{2z}|\chi\rangle = \frac{1}{\sqrt{2}}(-\frac{\hbar}{2}m_1^+m_2^- - \frac{\hbar}{2}m_1^-m_2^+)$

$(S_{1z} + S_{2z})|\chi\rangle$

$= \frac{1}{\sqrt{2}}((\frac{\hbar}{2} - \frac{\hbar}{2})m_1^+m_2^- - (-\frac{\hbar}{2} + \frac{\hbar}{2})m_1^-m_2^+)$

$= (\frac{\hbar}{2} - \frac{\hbar}{2})\frac{1}{\sqrt{2}}(m_1^+m_2^- - m_1^-m_2^+) = (\frac{\hbar}{2} - \frac{\hbar}{2})|\chi\rangle = 0$

따라서 $E_s = 0$이 된다.

71

본책 306p

정답 $\alpha = -3$

영역	양자역학
핵심 개념	LS 커플링
평가요소 및 기준	스핀-오비탈 커플링 기본 성질과 계산

해설

$\vec{J}^2 = (\vec{L}+\vec{S})^2 = L^2+S^2+2\vec{L}\cdot\vec{S}$

각각의 고윳값은 $J^2 \rightarrow j(j+1)\hbar^2$, $L^2 \rightarrow l(l+1)\hbar^2$,

$S^2 \rightarrow s(s+1)\hbar^2$

$j = |l-s|, |l-s|+1, \cdots, l+s$

$l=2,\ s=1$이므로 가능한 $j=1,\ 2,\ 3$이다. $j=1$일 때 최솟값을 가지므로

$C\dfrac{\vec{L}\cdot\vec{S}}{\hbar^2}|jm_j ls\rangle$

$= \dfrac{C}{2\hbar^2}(J^2-L^2-S^2)|jm_j ls\rangle = -3C|jm_j ls\rangle$

$\therefore \alpha = -3$

72

본책 306p

정답 $P(0) = \dfrac{2}{3},\ P(-2\hbar) = \dfrac{1}{6}$

영역	양자역학
핵심 개념	L_z 고유함수와 파동함수의 전개
평가요소 및 기준	파동함수의 고유함수의 분할 및 확률 계산

해설

각운동량 파동함수는 주기율표가 유한하기 때문에 m_l이 제한되어 있으므로 규유함수의 유한개의 조합으로 표현가능하다.

$$\psi(\phi) = \sum c_m\psi_m = \sqrt{\frac{4}{3\pi}}\sin^2\phi = \sqrt{\frac{4}{3\pi}}\left(\frac{1-\cos 2\phi}{2}\right)$$

$$= \frac{1}{\sqrt{3\pi}} - \frac{1}{\sqrt{3\pi}}\cos 2\phi$$

$$= \frac{1}{\sqrt{3\pi}} - \frac{1}{\sqrt{3\pi}}\left(\frac{e^{i2\phi}+e^{-i2\phi}}{2}\right)$$

$$= \frac{\sqrt{2\pi}}{\sqrt{3\pi}}\psi_0 - \frac{\sqrt{2\pi}}{2\sqrt{3\pi}}\psi_2 - \frac{\sqrt{2\pi}}{2\sqrt{3\pi}}\psi_{-2}$$

$P(m) = |c_m|^2$이므로

$\therefore P(0) = \dfrac{2}{3},\ P(-2\hbar) = \dfrac{1}{6}$

73

본책 307p

정답 1) $\Delta E = \dfrac{3\hbar^2\pi^2}{2ma^2}$

2) $E = \dfrac{5\hbar^2\pi^2}{2ma^2}$,

$\psi(x_1,\ x_2) = \dfrac{\sqrt{2}}{a}\left(\sin\dfrac{\pi}{a}x_1\sin\dfrac{2\pi}{a}x_2 - \sin\dfrac{2\pi}{a}x_1\sin\dfrac{\pi}{a}x_2\right)$

영역	양자역학
핵심 개념	보존, 페르미온의 고유함수 조건, 스핀 삼중항(triplet) 상태의 이해
평가요소 및 기준	보존의 고유함수에 따른 고윳값 연산, ss 스핀 커플링 삼중항(triplet)에서 공간 고유함수 연산

해설

1) 보손(boson)의 경우에는 특별한 제약이 없으므로

입자 2개의 바닥상태 에너지: $\dfrac{\pi^2\hbar^2}{ma^2}$

첫 번째 들뜬상태 에너지: $\dfrac{5\pi^2\hbar^2}{2ma^2}$

$\therefore \Delta E = \dfrac{3\hbar^2\pi^2}{2ma^2}$

2) 스핀 $\dfrac{1}{2}$인 페르미온(fermion)의 경우에는 전체 파동함수는 파울리 배타원리를 만족하여야 한다.

공간 고유함수 ψ_n이라 하고, 스핀 고유함수 χ라 하면

$\Psi(x_1, x_2) = \psi_n(x_1, x_2)\chi(x_1, x_2)$

파울리 배타원리 $\Psi(x_1, x_2) = -\Psi(x_2, x_1)$

스핀 삼중항(triplet) 상태는 스핀 대칭형태이므로 공간 고유함수는 비대칭을 만족하여야 한다.

그런데 입자 2개가 동시에 바닥상태인 경우에는 공간이 대칭형태이므로 불가능하다.

즉, 입자 1개는 바닥, 입자 1개는 들뜬상태일 때가 스핀 삼중항(triplet) 상태에서 계의 가장 낮은 에너지이다.

$\therefore E_{triplet} = \dfrac{5\pi^2\hbar^2}{2ma^2}$

규격화 조건을 만족하는 공간 고유함수는

$$\psi(x_1,\ x_2) = \frac{1}{\sqrt{2}}(\psi_1(x_1)\psi_2(x_2) - \psi_2(x_1)\psi_1(x_2))$$

$$= \frac{\sqrt{2}}{a}\left(\sin\frac{\pi}{a}x_1\sin\frac{2\pi}{a}x_2 - \sin\frac{2\pi}{a}x_1\sin\frac{\pi}{a}x_2\right)$$

$$\therefore \psi(x_1, x_2) = \frac{\sqrt{2}}{a}\left(\sin\frac{\pi}{a}x_1\sin\frac{2\pi}{a}x_2 - \sin\frac{2\pi}{a}x_1\sin\frac{\pi}{a}x_2\right)$$

74

본책 307p

정답 1) $E_{\max} = E_0 + \dfrac{e\hbar B_0}{m}$, 2) $E_{\min} = E_0 - \dfrac{e\hbar B_0}{m}$

영역	양자역학
핵심 개념	궤도 각운동량 해밀토니안, 각운동량 L_z의 정의
평가요소 및 기준	자기장 영역에서 궤도 각운동량의 에너지 분할 정의 및 연산

10

해설

$H_1 = -\vec{\mu} \cdot \vec{B}$, $\vec{\mu} = -\dfrac{e}{2m}\vec{L}$ 으로부터

$H_1 = \dfrac{e\hbar B_0}{2m}(m_l)$ 이다. m_l는 자기 양자수이고 가능한 값은 $-l \le m_l \le l$ 이다.

전자의 에너지는 $E = E_0 + H_1$ 이므로

$E_{\max}$는 $m_l = 2$일 때

$\therefore E_{\max} = E_0 + \dfrac{e\hbar B_0}{m}$

$E_{\min}$는 $m_l = -2$일 때

$\therefore E_{\min} = E_0 - \dfrac{e\hbar B_0}{m}$

75

본책 308p

정답 1) $f = \dfrac{2\mu_z B_0}{h}$, 2) $f = 4.4 \times 10^7\,\mathrm{Hz}$,

3) $\dfrac{E}{\Delta E} = 2 \times 10^{11}$

영역	양자역학
핵심 개념	자기장 영역에서 스핀 해밀토니안, 에너지와 진동수 관계식
평가요소 및 기준	자기장 영역에서 스핀 해밀토니안을 활용한 진동수 계산

해설

1) $\Delta E = 2\mu_z B_0 = hf$

$\therefore f = \dfrac{2\mu_z B_0}{h}$

2) 공명 진동수는 에너지 준위 차이에 해당하는 진동수와 일치한다.

$f = \dfrac{2 \times 8.8 \times 10^{-8}}{4 \times 10^{-15}} = 4.4 \times 10^7\,\mathrm{Hz}$

$\therefore f = 4.4 \times 10^7\,\mathrm{Hz}$

3) $\dfrac{E}{\Delta E} = \dfrac{8.8 \times 10^{18}}{4.4 \times 10^7} = 2 \times 10^{11}$

$\therefore \dfrac{E}{\Delta E} = 2 \times 10^{11}$

76

본책 309p

정답 1) $|\chi_A\rangle = \begin{pmatrix}1\\0\end{pmatrix}$, 2) $|\chi_B\rangle = \dfrac{1}{\sqrt{2}}\begin{pmatrix}1\\1\end{pmatrix}$, 3) $\dfrac{N}{4}$

영역	양자역학
핵심 개념	스핀 고유함수, 측정과 고유상태, 확률
평가요소 및 기준	측정되면 특정 고유상태로 붕괴하는 양자역학적 의미 파악, 광학의 말뤼스 법칙과 비슷하게 여과장치 통과 후 확률 계산

해설

1) 스핀여과장치 A는 $+z$방향만 통과시키므로 A를 통과한 후 스핀 상태는 $|\chi_A\rangle = \begin{pmatrix}1\\0\end{pmatrix}$ 이다.

2) 스핀여과장치 B는 $+x$방향인 입자를 통과시킨다.

$S_x|\chi_B\rangle = +\dfrac{\hbar}{2}|\chi_B\rangle$, $|\chi_B\rangle = \begin{pmatrix}a\\b\end{pmatrix}$라 하면

$\dfrac{\hbar}{2}\begin{pmatrix}0&1\\1&0\end{pmatrix}\begin{pmatrix}a\\b\end{pmatrix} = \dfrac{\hbar}{2}\begin{pmatrix}a\\b\end{pmatrix} \rightarrow b = a$

규격화를 만족하는 값은 $a = b = \dfrac{1}{\sqrt{2}}$

$\therefore |\chi_B\rangle = \dfrac{1}{\sqrt{2}}\begin{pmatrix}1\\1\end{pmatrix}$

3) 입자 N개 중 A를 통과할 확률 $P_A = |\langle \chi_A|\chi_0\rangle|^2 = \dfrac{1}{2}$

A를 통과한 입자 중 B를 통과할 확률 $P_B = |\langle \chi_A|\chi_B\rangle|^2 = \dfrac{1}{2}$

A와 B를 통과한 후 입자의 개수 = $N \times P_A \times P_B = \dfrac{N}{4}$

Chapter 11 현대물리

본책 315 ~ 341쪽

1 특수 상대론

01

본책 315p

정답 $T = T_0\sqrt{1+\frac{h^2}{\lambda^2 m_0^2 c^2}}$

영역	현대물리
핵심 개념	드브로이 물질파, 특수상대론 시간 팽창, 특수 상대론 에너지 공식
평가요소 및 기준	위 개념을 연계하여 수식적 연산

해설

시간 팽창 공식 : $T = \gamma T_0$

드브로이 물질파 공식 : $p = \frac{h}{\lambda}$

$E = \gamma m_0 c^2$

$E^2 = (\gamma m_0 c^2)^2 = (pc)^2 + (m_0 c^2)^2 = \frac{h^2 c^2}{\lambda^2} + (m_0 c^2)^2$

$\gamma^2 = \frac{h^2}{\lambda^2 m_0^2 c^2} + 1$

$\therefore T = T_0\sqrt{1+\frac{h^2}{\lambda^2 m_0^2 c^2}}$

02

본책 315p

정답 1) $t_0 = 2.2\mu s$, 2) $m_0 = 105.68\,\mathrm{MeV}/c^2$

영역	현대물리
핵심 개념	특수상대론 시간 팽창, 질량 변화
평가요소 및 기준	로렌츠 인자 계산을 통해 상대론적 시간과 질량 계산

해설

상대론 인자 $\gamma = \frac{1}{\sqrt{1-(v/c)^2}} = \frac{5}{4}$

고유 수명과 정지질량을 각각 t_0, m_0라 하면

$2.75\mu s = \gamma t_0 \rightarrow t_0 = \frac{4}{5} \times 2.75\mu s = 2.2\mu s$

$132.1\,\mathrm{MeV}/c^2 = \gamma m_0$

$\rightarrow m_0 = \frac{4}{5} \times 132.1\mathrm{MeV}/c^2 = 105.68\mathrm{MeV}/c^2$

03

본책 315p

정답 1) $0.8c$, 2) $3f_0$

영역	현대물리 : 상대론
핵심 개념	상대 속도, 상대론적 도플러 효과
평가요소 및 기준	• 로렌츠 변환의 결과인 특수상대성이론의 상대속도 개념적용 및 결과 숙지 • 가로 도플러 효과 수식 적용 및 결과 도출

해설

1) 로렌츠 변환

$x' = \gamma(x - vt)$

$t' = \gamma(t - vx/c^2)$

관성계 S에서 물체의 속도 $u_x = \frac{x}{t} = 0.5c$

관성계 S에 대해 x축 방향으로 $v = -0.5c$ 움직이는 관성계 S′에서 관찰하는 물체의 속도

$u_{x'} = \frac{x'}{t'} = \frac{\gamma(x-vt)}{\gamma(t-vx/c^2)} = \frac{u_x - v}{1-u_x v/c^2} = \frac{v_{대상} - v_{관측}}{1-v_{대상}v_{관측}/c^2}$

$\therefore v_{상대} = \frac{v_A - v_B}{1-\frac{v_A v_B}{c^2}} = \frac{4}{5}c$

2) 세로 도플러 효과

$c = \lambda_0 f_0 = \lambda' f' \rightarrow \lambda' = \frac{c}{f'} = ct - vt = (c-v)\gamma t_0$

$f' = \frac{f_0}{\gamma(1-v/c)} = f_0\sqrt{\frac{c+v}{c-v}}$

$\therefore f' = f_0\sqrt{\frac{c+\frac{4}{5}c}{c-\frac{4}{5}c}} = 3f_0$

04

본책 316p

정답 ②

영역	현대물리
핵심 개념	특수상대론 에너지와 운동에너지 관계
평가요소 및 기준	위 관계식의 이해를 통해 극한일 때 변화 예측

해설

$E=KE+m_0c^2=\gamma m_0c^2 \rightarrow KE=(\gamma-1)m_0c^2$

$\gamma=\dfrac{1}{\sqrt{1-(v/c)^2}}$, 속력이 c에 가까워지면 γ는 무한대로 증가한다.

즉, 속력이 매우커지면 $E\simeq KE \rightarrow \infty$

만족하는 그래프는 ②이다.

05

본책 316p

정답 ①

영역	현대물리 : 특수상대론
핵심 개념	상대론적 에너지, 로렌츠 인자
평가요소 및 기준	에너지 관계식을 활용하여 주어진 식 연산

해설

상대론적 에너지를 정리해보면

$E=E_k+m_0c^2$

$E^2=(pc)^2+(m_0c^2)^2$

$E=\gamma m_0c^2$

ㄱ. $E_k=E-m_0c^2 \rightarrow \begin{cases} E_{k,A}=2E_0-E_0=E_0 \\ E_{k,B}=4E_0-3E_0=E_0 \end{cases}$

$\therefore$ 운동 에너지는 동일하다.

ㄴ. $(pc)^2=E^2-(m_0c^2)^2 \rightarrow \begin{cases} (pc)_A^2=3E_0^3 \\ (pc)_B^2=7E_0^2 \end{cases}$

$\therefore p_A<p_B$

ㄷ. $\gamma=\dfrac{E}{m_0c^2} \rightarrow \begin{cases} \gamma_A=2 \\ \gamma_B=\dfrac{4}{3} \end{cases}$

$\therefore \gamma_A>\gamma_B$

06

본책 317p

정답 ④

영역	현대물리
핵심 개념	특수상대론, 광속불변의 원리, 시간 팽창, 길이 수축
평가요소 및 기준	특수상대론 기본원리 및 시간과 길이 변화

해설

ㄱ. 광속 불변의 원리는 진공에서 관측자에 관계없이 빛의 속력은 동일하다.

ㄴ. 움직이는 계의 시계는 정지한 고유시계보다 느리게 시간이 흐른다.

ㄷ. y축의 길이 변화는 없고 x축의 길이는 길이 수축이 일어나므로 θ는 증가하게 된다.

07

본책 318p

정답 ④

영역	현대물리 : 상대론
핵심 개념	상대 속도, 상대론적 에너지
평가요소 및 기준	• 로렌츠 변환의 결과인 특수상대성이론의 상대속도 개념적용 및 결과 숙지 • 입자의 전체 에너지 개념 확인 및 계산

해설

입자의 전체 에너지 $E=\gamma m_0c^2$ $\left(where\ \gamma=\dfrac{1}{\sqrt{1-v^2/c^2}}\right)$

$$v_{상대}=\frac{v_{대상}-v_{관측}}{1-v_{대상}v_{관측}/c^2} \rightarrow \therefore v_{상대}=\frac{\frac{4}{5}c-\frac{1}{2}c}{1-\frac{2}{5}}=\frac{1}{2}c$$

$$\gamma=\frac{1}{\sqrt{1-\frac{1}{4}}}=\frac{2}{\sqrt{3}} \rightarrow \therefore E=\frac{2}{\sqrt{3}}m_0c^2$$

08

본책 318p

정답 1) $u_{x'}=\dfrac{2}{5}c$, 2) $L_{s'}=\dfrac{\sqrt{21}}{5}L_0$

영역	현대물리
핵심 개념	로렌츠 변환, 상대속도, 길이 수축
평가요소 및 기준	로렌츠 변환식을 활용하여 상대속도 및 물체의 길이 수축 계산

해설

로렌츠 변환

$x'=\gamma(x-vt)$

$t'=\gamma(t-vx/c^2)$

관성계 S에서 물체의 속력 $u_x=\dfrac{x}{t}=\dfrac{3c}{4}$

관성계 S에 대해 x축 방향으로 $v=\dfrac{c}{2}$ 움직이는 관성계 S′에서 관찰하는 물체의 속력

$$u_{x'}=\frac{x'}{t'}=\frac{\gamma(x-vt)}{\gamma(t-vx/c^2)}=\frac{u_x-v}{1-u_xv/c^2}=\frac{2}{5}c$$

$L_{s'}$는 특정시각 t'에서 관성계 S′에 대해 $u_{x'}=\dfrac{2}{5}c$로 움직이는 물체의 길이이다. 물체의 좌표계를 S″이라 하면 물체는 이 좌표계에서 정지하여 있고 고유 길이 L_0이다. 막대의 왼쪽과 오른쪽 끝의 위치를 각각 x_1, x_2라 하면

$L_0=x_2''-x_1''$, $L_{s'}=x_2'-x_1'$

$x_1''=\gamma(x_1'-vt')$

$x_2''=\gamma(x_2'-vt')$

$L_0=\gamma L_{s'}$

$$\therefore L_{s'}=\frac{L_0}{\gamma}=\frac{\sqrt{21}}{5}L_0$$

09

본책 319p

정답 1) $A' = \frac{d_0^2}{2}$, 2) $K = (\gamma - 1)m_0c^2 = m_0c^2$

영역	현대물리
핵심 개념	상대론적 길이 수축, 상대론적 운동에너지 및 전체에너지 관계
평가요소 및 기준	위 개념을 바탕으로 단순계산

해설

판의 길이 수축은 운동방향으로만 이뤄진다.

가로 길이 수축 $d' = \frac{d_0}{\gamma} = d_0\sqrt{1-(v/c)^2} = \frac{d_0}{2}$

관측자가 측정한 판의 면적 $A' = \frac{d_0^2}{2}$

운동에너지 K는

$E = K + m_0c^2 = \gamma m_0c^2 \rightarrow \therefore K = (\gamma - 1)m_0c^2 = m_0c^2$

10

본책 319p

정답 $\frac{M}{m} = 2\sqrt{3}$, $\frac{\tau_{lab}}{\tau_0} = \sqrt{3}$

영역	현대물리
핵심 개념	상대론적 운동량, 에너지 보존, 시간 팽창
평가요소 및 기준	상대론적 운동량, 에너지 보존을 이용하여 로렌츠인자 계산

해설

초기 입자 A의 속력을 v_0, 충돌이후 입자 C의 속력을 v'이라 하고, 각각의 로렌츠 인자를 γ_0, γ'이라고 하자.

운동량 보존: $\gamma_0 m v_0 = \gamma' M v'$ ·················· ①

에너지 보존: $\gamma_0 mc^2 + mc^2 = \gamma' Mc^2$ ········· ②

식 ①/② $\rightarrow \frac{\gamma_0 m v_0}{(\gamma_0+1)mc^2} = \frac{\gamma' M v'}{\gamma' Mc^2} = \frac{v'}{c^2}$

$\rightarrow v' = \frac{\gamma_0}{(\gamma_0+1)} v_0$

$v_0 = \frac{2\sqrt{6}}{5}c \rightarrow \gamma_0 = 5$ $\left(\gamma = \frac{1}{\sqrt{1-v^2/c^2}}\right)$이므로

$v' = \frac{5}{6}v_0 = \frac{2}{\sqrt{6}}c = \frac{\sqrt{6}}{3}c$

$\gamma' = \sqrt{3}$

이를 식 ②에 대입하면

$(\gamma_0+1)mc^2 = \gamma' Mc^2 \rightarrow \therefore \frac{M}{m} = \frac{\gamma_0+1}{\gamma'} = \frac{6}{\sqrt{3}} = 2\sqrt{3}$

2) $\tau_{lab} = \gamma' \tau_0 \rightarrow \therefore \frac{\tau_{lab}}{\tau_0} = \sqrt{3}$

11

본책 320p

정답 $L' = \frac{L_0}{\gamma} = \frac{\sqrt{3}}{2}L_0$

영역	현대물리
핵심 개념	상대론적 상대속도, 길이 수축
평가요소 및 기준	상대론적 상대속도를 통한 길이 수축 계산

해설

$$v_{상대} = \frac{v_{대상} - v_{관측}}{1 - \frac{v_{대상} \times v_{관측}}{c^2}} = \frac{0.8c - 0.5c}{1 - 0.4} = \frac{1}{2}c$$

$$\gamma = \frac{1}{\sqrt{1 - v_{상대}^2/c^2}} = \frac{2}{\sqrt{3}}$$

→ 길이수축 $L' = \frac{L_0}{\gamma} = \frac{\sqrt{3}}{2}L_0$

12

본책 320p

정답 1) $v_y = \frac{2}{5}\sqrt{3}c$, 2) $v_B = \frac{\sqrt{21}}{5}c$, 3) $\frac{3}{2}$

영역	현대물리
핵심 개념	특수상대론 로렌츠 변환, 상대론적 운동 에너지
평가요소 및 기준	좌표에 따른 로렌츠 변환의 속도 계산, 상대론적 운동에너지 계산

해설

1) A에서 측정한 B의 속도의 y성분은 $v_y = \frac{dy}{dt}$이다. 그리고 A에서 측정한 B의 속도의 x성분은 우주선의 속력과 같다. 로렌츠 변환을 활용하면

$$v_y = \frac{\Delta y}{\Delta t} = \frac{\Delta y'}{\gamma(\Delta t' + \frac{v\Delta x'}{c^2})} \quad \left(\frac{\Delta x'}{\Delta t'} = 0,\ \frac{\Delta y'}{\Delta t'} = u,\ \gamma = \frac{5}{4}\right)$$

$$= \frac{u}{\gamma} = \frac{4}{5}\left(\frac{\sqrt{3}}{2}c\right) = \frac{2\sqrt{3}}{5}c$$

$$\therefore v_y = \frac{2\sqrt{3}}{5}c$$

위 풀이를 추천하지만 역변환을 하지 않고 푼다면 다음과 같이 풀 수도 있다.

※ $\frac{\Delta y'}{\Delta t'} = \frac{\Delta y}{\Delta t'} = u$

$$\frac{\Delta y}{\gamma(\Delta t - \frac{v\Delta x}{c^2})} = u \quad \left(\frac{\Delta y}{\Delta t} = v_y,\ \frac{\Delta x}{\Delta t} = v\right)$$

$$= \frac{v_y}{\gamma(1 - \frac{v^2}{c^2})} = u$$

$$\rightarrow v_y = \gamma\left(1 - \frac{v^2}{c^2}\right)u = \frac{5}{4}\frac{16}{25}\frac{\sqrt{3}}{2}c$$

$$= \frac{2\sqrt{3}}{5}c$$

2) $v_{\rm B} = \sqrt{v_x^2 + v_y^2} = \sqrt{\frac{9}{25}c^2 + \frac{12}{25}c^2} = \frac{\sqrt{21}}{5}c$

$\therefore v_{\rm B} = \frac{\sqrt{21}}{5}c$

3) 물체의 운동에너지는 물체 자체의 속력이 결정하므로

$K = (\gamma_{\rm B} - 1)mc^2 \ \left(\gamma_{\rm B} = \frac{1}{\sqrt{1 - \frac{v_{\rm B}^2}{c^2}}} = \frac{5}{2}\right)$

$\therefore \frac{K}{mc^2} = \frac{3}{2}$

참고

정지 질량을 각각 $m_{\rm A}$, $m_{\rm B}$라 하면

$m_{\rm A}c^2 = m_{\rm B}c^2 + \epsilon$ …… ①; 관성계 S에서 에너지 보존

$\gamma m_{\rm A}c^2 = \gamma m_{\rm B}c^2 + \frac{5}{4}\epsilon$ …… ②; 관성계 S′에서 에너지 보존

②−①→$(\gamma-1)m_{\rm A}c^2 = (\gamma-1)m_{\rm B}c^2 + \frac{1}{4}\epsilon$ ($\because K = (\gamma-1)mc^2$)

$\therefore K_{\rm A}' - K_{\rm B}' = \frac{1}{4}\epsilon$

13

본책 321p

정답 1) $E_{\rm S} = \epsilon$, 2) $E_{\rm S'} = \frac{5}{4}\epsilon$, 3) $K_{\rm A}' - K_{\rm B}' = \frac{1}{4}\epsilon$

영역	현대물리
핵심 개념	상대론적 도플러 효과, 운동량 보존 및 에너지 보존
평가요소 및 기준	상대론적 도플러 효과 계산, 운동량과 에너지 보존식 활용을 통한 연산

해설

1) 같은 좌표계에서는 단순 에너지 합산이므로

$\therefore E_{\rm S} = \epsilon$

2) 도플러 효과를 이용하여 $E_{\rm S'}$를 구하면

$E_{\rm S'} = \frac{\epsilon}{2}\sqrt{\frac{1.6}{0.4}} + \frac{\epsilon}{2}\sqrt{\frac{0.4}{1.6}} = \epsilon + \frac{\epsilon}{4}$

$\therefore E_{\rm S'} = \frac{5}{4}\epsilon$

3) A와 B의 정지질량을 각각 m_A, m_B라 하자.

운동량 보존: $p_{\rm A} = p_{\rm B} + \frac{\epsilon}{c} - \frac{\epsilon}{4c}$

$p_{\rm A}c = p_{\rm B}c + \frac{3}{4}\epsilon$ …… ①

에너지 보존: $K_{\rm A}' + m_{\rm A}c^2 = K_{\rm B}' + m_{\rm B}c^2 + \frac{5}{4}\epsilon$ …… ②

$p = \gamma mv$이므로 계산하면 $v = 0.6c$일 때, $\gamma = \frac{5}{4}$이다.

식 ①은 $\frac{5}{4}m_{\rm A}\frac{3}{5}c^2 = \frac{5}{4}m_{\rm B}\frac{3}{5}c^2 + \frac{3}{4}\epsilon$

$m_{\rm A}c^2 = m_{\rm B}c^2 + \epsilon$

식 ②는 $K_{\rm A}' - K_{\rm B}' = m_{\rm B}c^2 - m_{\rm A}c^2 + \frac{5}{4}\epsilon$이므로 위 식을 대입하면

$K_{\rm A}' - K_{\rm B}' = -\epsilon + \frac{5}{4}\epsilon = \frac{1}{4}\epsilon$

$\therefore K_{\rm A}' - K_{\rm B}' = \frac{1}{4}\epsilon$

14

본책 322p

정답 1) $\frac{1}{\sqrt{3}}mc\hat{x}$, 2) $\frac{1}{2}c$, 3) $\frac{2}{\sqrt{3}}mc^2$

영역	현대물리
핵심 개념	상대론적 운동량 및 에너지, 로렌츠 변환, 상대속도
평가요소 및 기준	상대론적 운동량 계산, 로렌츠 변환을 통한 상대속도 계산, 총에너지 계산

해설

1) $v = \frac{1}{2}c$이므로 $\gamma = \frac{2}{\sqrt{3}}$이다. 운동량은 벡터임에 유의하면서 상대론적 운동량 정의에 따라서 계산하면 다음과 같다.

$\vec{p}\,|_{\rm A} = \gamma m\vec{v} = \frac{2}{\sqrt{3}}m\frac{1}{2}c\hat{x}$

$\therefore \vec{p}\,|_{\rm A} = \frac{1}{\sqrt{3}}mc\hat{x}$

2) B에서 측정한 입자의 속력을 $v\,|_{\rm B}$라 하면

$v\,|_{\rm B} = \left|\frac{x'}{t'}\right| = \left|\frac{x - vt}{t - vx/c^2}\right| = \left|\frac{1/2 - 4/5}{1 - 4/10}c\right| = \frac{1}{2}c$

$\therefore v\,|_{\rm B} = \frac{1}{2}c$

3) B에서 측정한 입자의 속력이 $\frac{1}{2}c$이므로 $\gamma = \frac{2}{\sqrt{3}}$이다.

$\therefore E = \gamma mc^2 = \frac{2}{\sqrt{3}}mc^2$

15

본책 322p

정답 1) $v_{\rm A} = \frac{2\sqrt{2}}{3}c$, 2) $\frac{p_{\rm A}}{p_{\rm B}} = \sqrt{\frac{2}{3}}$

영역	현대물리
핵심 개념	상대론적 총에너지, 로렌츠 인자, 상대론적 운동량
평가요소 및 기준	로렌츠 인자로부터 속력 계산, 상대론적 운동량 계산

해설

1) $E_A = 3mc^2 = \gamma_A mc^2$

$\gamma_A = 3 = \dfrac{1}{\sqrt{1-(v_A/c)^2}}$

$\therefore v_A = \dfrac{2\sqrt{2}}{3}c$

2) $p_A = \gamma_A m v_A = 2\sqrt{2}\,mc$

$E_B = 4mc^2 = \gamma_B (2m)c^2$

$\gamma_B = 2 = \dfrac{1}{\sqrt{1-(v_B/c)^2}}$

$v_B = \dfrac{\sqrt{3}}{2}c$

$p_B = \gamma_B (2m) v_B = 2\sqrt{3}\,mc$

$\therefore \dfrac{p_A}{p_B} = \dfrac{\sqrt{2}}{\sqrt{3}}$

2 물질파 이론

16

본책 323p

정답 1) 전자기파 : $\omega = kv$, 물질파 : $\omega = \dfrac{\hbar}{2m}k^2$

2) 전자기파 : $v_p = v_g = v$,

물질파 : $v_p = \dfrac{\omega}{k} = \dfrac{\hbar}{2m}k$, $v_g = \dfrac{d\omega}{dk} = \dfrac{\hbar}{m}k$

영역	현대물리
핵심 개념	파동방정식, 위상속도와 군속도의 정의
평가요소 및 기준	전자기파와 물질파의 파동방정식을 통해 위상속도와 군속도의 개념 확인

해설

1)

$\dfrac{\partial^2\phi}{\partial x^2} = \dfrac{1}{v^2}\dfrac{\partial^2\phi}{\partial t^2}$ (전자기파 파동방정식) $-k\phi = \dfrac{1}{v^2}(-\omega^2)\phi$ $\rightarrow \omega^2 = k^2v^2$ $\therefore \omega = kv$	$i\hbar\dfrac{\partial\phi}{\partial t} = -\dfrac{\hbar^2}{2m}\dfrac{\partial^2\phi}{\partial x^2}$ (물질파 파동방정식) $i\hbar(-i\omega)\phi = -\dfrac{\hbar^2}{2m}(-k^2)\phi$ $\therefore \omega = \dfrac{\hbar}{2m}k^2$

2) 위상속도는 위상성분 $kx-\omega t$가 시간과 공간에 따른 속력을 말한다. 단일 파장 즉, 특정 k, ω에 대해 위상변화를 생각해보면

$kx - \omega t = k(x+\Delta x) - \omega(t+\Delta t) \rightarrow k\Delta x = \omega\Delta t$

$v_p = \dfrac{\Delta x}{\Delta t} = \dfrac{\omega}{k}$

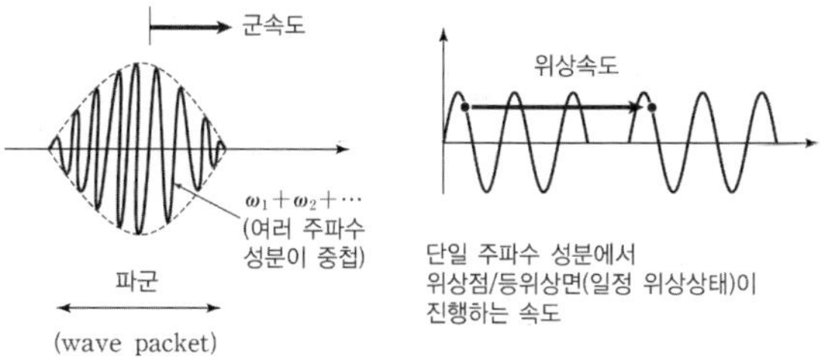

$\phi(x,t) = Ae^{i(kx-\omega t)}$

군속도는 서로 다른 k, ω의 집합의 속도를 말한다. 정확한 정의는 푸리에 변환을 하면 되지만 학부수준의 군속도(Group velocity)는 다음으로 설명이 가능하다. 예를 들어 k가 아주 작은 dk만큼 차이나는 파들의 집합이라 하고 ω 역시 $d\omega$만큼 차이난다고 하자. 인접한 두 파는 k와 $k+dk$ 그리고 ω와 $\omega+d\omega$의 합이다.

$k_1 = k,\ k_2 = k+dk,\ \omega_1 = \omega,\ \omega_2 = \omega + d\omega$

$\phi_1(x,t) = A\cos(k_1x - \omega_1 t),\ \phi_2(x,t) = A\cos(k_2x-\omega_2t)$

$\phi_1+\phi_2 = 2A\cos(\dfrac{k_2-k_1}{2}x - \dfrac{\omega_2-\omega_1}{2}t)\cos(\dfrac{k_1+k_2}{2}x - \dfrac{\omega_1+\omega_2}{2}t)$

$= 2A\cos(\dfrac{dk}{2}x - \dfrac{d\omega}{2}t)\cos(\bar{k}x - \bar{\omega}t)$

이때 k, ω의 평균 $\bar{k} = \dfrac{k_1+k_2}{2} \simeq k$, $\bar{\omega} = \dfrac{\omega_1+\omega_2}{2} \simeq \omega$이다.

앞의 $\dfrac{dk}{2}x - \dfrac{d\omega}{2}t = \dfrac{dk}{2}(x+\Delta x) - \dfrac{d\omega}{2}(t+\Delta t)$

$\rightarrow dk\Delta x = d\omega\Delta t$

$v_g = \dfrac{\Delta x}{\Delta t} = \dfrac{d\omega}{dk}$

전자기파의 경우 $v_p = v_g = v$로 동일하다. 물질파의 경우

$v_p = \dfrac{\omega}{k} = \dfrac{\hbar}{2m}k$이고, $v_g = \dfrac{d\omega}{dk} = \dfrac{\hbar}{m}k$이다.

물질에서 우리가 말하는 속력은 군속도이다. 위상속도는 실제 속도가 아니므로 빛의 속도를 넘어설 수 있다.

단, 상대론에 의해서 절대로 군속도는 빛의 속도를 넘어설 수가 없다.

17

본책 323p

정답 1) $E_k = -mc^2 + \sqrt{(mc^2)^2 + (\dfrac{hc}{\lambda})^2}$

2) $v_g = \dfrac{pc^2}{\sqrt{m^2c^4+p^2c^2}} = \dfrac{\dfrac{hc^2}{\lambda}}{\sqrt{m^2c^4+\dfrac{h^2c^2}{\lambda^2}}}$

$= \dfrac{hc}{\sqrt{m^2c^2\lambda^2+h^2}}$

영역	현대물리
핵심 개념	특수상대론 운동 에너지, 군속도 정의
평가요소 및 기준	군속도 변환식을 활용하여 상대론적 에너지에서 군속도 정의

11

해설

1) $E^2=(pc)^2+(mc^2)^2=(E_k+mc^2)^2$

$\rightarrow (pc)^2=E_k^2+2mc^2E_k$

$E_k=-mc^2+\sqrt{(mc^2)^2+(pc)^2}$

$\therefore E_k=-mc^2+\sqrt{(mc^2)^2+(\frac{hc}{\lambda})^2}$

2) 군속도의 정의는

$$v_g=\frac{dw}{dk}=\frac{dE}{dp}\ (\because E=\hbar\omega,\ p=\frac{h}{\lambda}=\frac{h}{2\pi}\frac{2\pi}{\lambda}=\hbar k)$$

$$=\frac{pc^2}{\sqrt{m^2c^4+p^2c^2}}=\frac{\frac{hc^2}{\lambda}}{\sqrt{m^2c^4+\frac{h^2c^2}{\lambda^2}}}$$

$$=\frac{hc}{\sqrt{m^2c^2\lambda^2+h^2}}$$

18

본책 323p

정답 1) $K=\mathrm{eV}$, 2) $4V_0$

영역	현대물리
핵심 개념	물질파 이론 및 에너지 보존
평가요소 및 기준	전기적 에너지 보존식 활용과 물질파 이론 연산

해설

1) 에너지 보존식 활용하면

$\therefore K=\mathrm{eV}$

2) 물질파 이론 $p=\frac{h}{\lambda}$

$K=eV_0=\frac{p^2}{2m}=\frac{h^2}{2m\lambda_0^2}$

$\lambda_0=\frac{h}{\sqrt{2meV_0}}$

$\frac{\lambda_0}{2}$가 되기 위해서는 전위차가 $4V_0$가 되어야 한다.

$\therefore 4V_0$

3 광전 효과

19

본책 324p

정답 1) $h\nu\geq W$, 2) 빛의 세기를 증가, 3) 진동수 ν를 증가시키거나 일함수 W를 감소시켜야 한다.

영역	현대물리
핵심 개념	광전효과
평가요소 및 기준	광전효과의 전반적인 이해

해설

1) 빛의 진동수 ν에 해당하는 에너지 $h\nu$가 일함수 W보다 커야 한다. $h\nu\geq W$

2) 전자의 개수를 증가시키기 위해서는 광자와 전자가 1－1 반응하므로 광자수 즉, 빛의 세기를 증가시켜야 한다.

3) $E_k=h\nu-W$이므로 진동수 ν를 증가시키거나 일함수 W를 감소시켜야 한다.

20

본책 324p

정답 $E_k=3.9\mathrm{eV}$

영역	현대물리
핵심 개념	광전효과 기본개념: 정지전압, 최대 운동 에너지, 일함수
평가요소 및 기준	광전효과를 통한 최대 운동 에너지 계산

해설

$hf-W=e|V_{정지}|=E_k$

$5\mathrm{eV}-\mathrm{W}=2.4\mathrm{eV}\ \rightarrow \mathrm{W}=2.6\mathrm{eV}$

$6.5\mathrm{eV}-2.6\mathrm{eV}=3.9\mathrm{eV}=E_k$

$\therefore E_k=3.9\,\mathrm{eV}$

4 컴프턴 효과

21

본책 325p

정답 1) $\Delta\lambda=\lambda'-\lambda=\frac{h}{mc}$만큼 증가한다,

$\Delta\lambda=\lambda'-\lambda=\frac{2h}{mc}$ 만큼 증가한다,

2) $\theta=180°$가 더 크다.

영역	현대물리
핵심 개념	컴프턴 효과, 에너지 보존
평가요소 및 기준	충돌의 운동량 보존개념과 컴프턴 효과식의 활용

해설

1) 광자의 에너지는 $E=\frac{hc}{\lambda}$이고, 에너지 보존에 의해서 산란 후에는 전자의 운동에너지가 증가했으므로 광자의 파장이 커져야 한다. 운동량 보존과 에너지 보존식에 의해서 컴프턴 효과식

$\Delta\lambda=\lambda'-\lambda=\frac{h}{mc}(1-\cos\theta)$

i) $\theta=90°$인 경우에는 파장이 $\Delta\lambda=\lambda'-\lambda=\frac{h}{mc}$ 만큼 증가한다.

ii) $\theta = 180°$인 경우에는 $\Delta\lambda = \lambda' - \lambda = \frac{2h}{mc}$ 만큼 증가한다.

2) $\theta = 180°$가 더 크다.

22

본책 325p

정답 $\frac{80}{81}E_0$

영역	현대물리
핵심 개념	상대론적 콤프턴 효과
평가요소 및 기준	상대론적 콤프턴 효과 계산

해설

광자의 에너지 $E = \frac{hc}{\lambda}$

$$\lambda' = \lambda + \frac{h}{2mc} = \frac{hc}{E_0} + \frac{hc}{2mc^2} = \frac{hc}{E_0} + \frac{hc}{80E_0} = \frac{81hc}{80E_0}$$

$$E' = \frac{hc}{\lambda'} = \frac{80}{81}E_0$$

5 반도체

23

본책 326p

정답 ⑤

영역	현대물리
핵심 개념	반도체, MOSFET 원리
평가요소 및 기준	위 개념의 기본적인 원리 이해

해설

ㄱ. MOSFET은 게이트의 입력 전압을 조절하여 소스와 드레인을 전류통로를 만들어 출력 전압을 증폭하는 소자로 활용된다.

ㄴ. 낮은 입력전압으로 조절이 가능하므로 집적 회로 구성이 쉽다.

ㄷ. 게이트 입력전압으로 소스와 드레인을 전류통로를 전기장으로 형성하여 생성하므로 전력소모가 매우 적다. 그러므로 입력전압조절로 스위치 역할도 수행한다.

24

본책 326p

정답 ①

영역	현대물리
핵심 개념	반도체의 이해, PN접합 다이오드의 특성
평가요소 및 기준	위 개념의 기본적인 원리 이해

해설

ㄱ. 공핍층은 p형 반도체의 정공에 n형 반도체의 전자가 투입되어 발생된다. 즉, 불순물의 밀도가 높아지게 되면 정공과 전자수가 증가하므로 공핍층의 두께가 증가하게 된다.

ㄴ. 결합하고 난 후에는 각각의 중성상태에서 공핍층 영역에 p형에는 전자가 투입되어 $-$가 되고 n형에는 전자가 이동하여 $+$가 된다. 따라서 접합면에서 전기장의 방향은 $n \to p$이다.

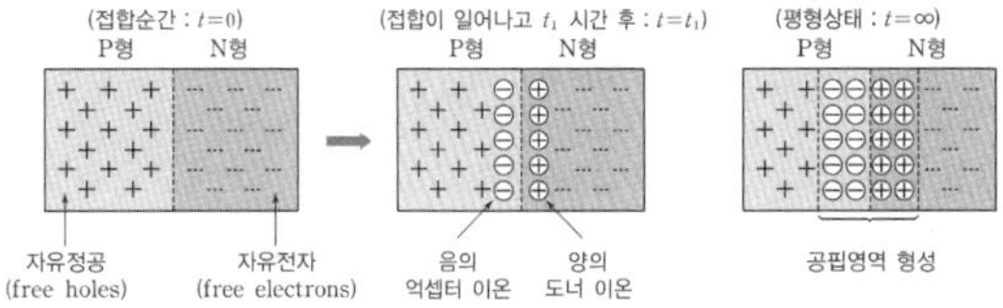

ㄷ. 공핍층에 전기장이 형성되므로 이를 극복하기 위한 최소한의 전압이 필요하다. 이를 문턱전압(Threshold Voltage) V_{th}라 한다. 이상적으로 $V - V_{th} = IR$이 된다.

25

본책 327p

정답 ①

영역	현대물리
핵심 개념	P, N형 반도체, 원자가띠, 전도띠의 이해
평가요소 및 기준	위 개념의 기본적인 원리 이해

해설

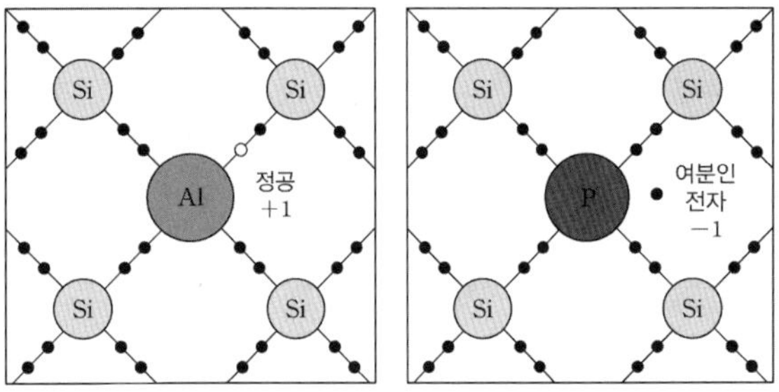

P형 반도체　　N형 반도체

반도체는 실리콘(Si)나 게르마늄(Ge)에 최외각 전자가 3가인 B, Ga, In을 주입시켜 정공이 다수캐리어인 P형 반도체가 있고, 최외각 전자가 5가인 As, P를 주입시켜 전자가 다수캐리어인 N형 반도체가 있다.

ㄱ. 상온에서 인의 가전자 일부가 게르마늄의 전도대로 들어가 자유전자로 활동하여 전기전도도가 증가한다.

ㄴ. 반도체는 상온에서 on, off 컨트롤을 할 수 있게끔 설계가 되어 있다. 보통 동작 에너지가 수eV인데 상온에서 에너지는 $(T = 300K) \to kT \simeq 2.6 \times 10^{-2}\text{eV}$이다. 상온에서 가전자대(valence band)와 전도대 사이의 간격이 열에너지와 같아지는 것은 도체이다. 즉, 반도체는 상온에서 양자

적으로 아주 일부만 여기 될 수 있으며 상온에서 열에너지 보다 충분히 갭이 크다.

ㄷ. 온도가 상승하면 가전자대에 전자가 에너지를 얻어서 전도대로 올라가므로 정공수는 증가한다.

26

본책 327p

정답 1) $-x$방향 혹은 왼쪽 방향(N방향 → P방향), A단자, 2) $V_0 - V_{외부}$ 낮아지고, d_0보다 감소한다.

영역	현대물리
핵심 개념	반도체 공핍층의 변화
평가요소 및 기준	바이어스에 따른 공핍층의 퍼텐셜 및 두께 변화 설명

해설

공핍층에서는 캐리어의 이동에 의해서 P형 반도체의 양공은 오른쪽으로 N형 반도체의 전자가 왼쪽으로 이동하여 왼쪽 방향의 전기장을 형성한다.

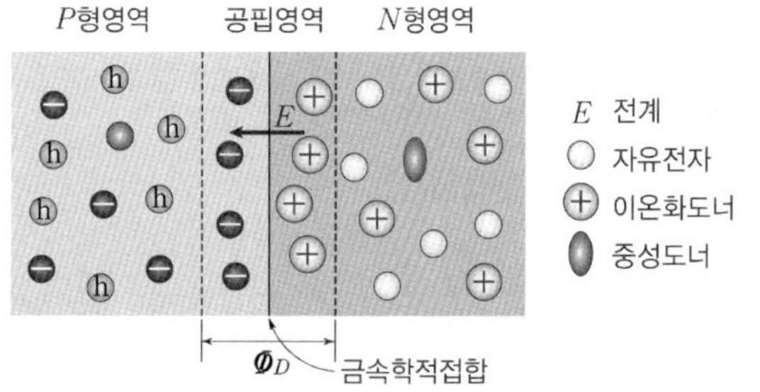

순방향으로 전류를 흐르게 하기 위해서는 P형에 +전극을 N형에 −전극을 연결해야 하므로 스위치를 단자 A에 연결해야 한다.
순방향 전류가 흐르게 되면 공핍층의 전기 퍼텐셜이 $V_0 - V_{외부}$로 낮아지게 되어 전하의 이동이 순조롭게 된다.
그리고 확산에 의한 공핍 영역이 바이어스에 의해 양쪽 방향에서 정공과 전자가 유입되면서 공핍층은 얇아지게 된다. d_0보다 감소한다.

27

본책 328p

정답 1) $\lambda_{빛} = 496\text{nm}$, 2) $\lambda_e = 0.62\text{nm}$

영역	현대물리
핵심 개념	반도체 전자 전이, 물질파 이론, 광전효과
평가요소 및 기준	• 빛 흡수하여 전자 전이에서 빛의 파장 계산 • 물질파 운동 에너지와 빛 에너지 개념 차이의 확인 및 계산

해설

1) $E_{최소} = \dfrac{hc}{\lambda_{최대}}$ 물질은 전자의 전이가 일어날 때 빛을 흡수할 수 있으므로 빛의 최대 파장은 에너지가 최소이므로 원자가 띠의 최대 에너지와 전도띠의 최소 에너지 차이만큼 빛을 흡수하면 된다.

$-8.9\text{eV} - (-11.4\text{eV}) = \dfrac{hc}{\lambda_{빛}} = 2.5\text{eV}$

$\lambda_{빛} = \dfrac{1240\text{eV} \cdot \text{nm}}{2.5\text{eV}} = 496\text{nm}$

$\therefore \lambda_{빛} = 496\text{nm}$

2) 이 문제는 빛을 흡수하여 원자의 속박 상태에서 벗어나 전자가 운동에너지 형태로 외부로 방출되는 광전효과와 비슷한 문제이다. 즉 외부 빛 에너지 $E_{빛}$을 흡수하여 일함수와 비슷한 원자의 속박 에너지 $E_{속박}$을 극복하여 나머지 에너지에 해당하는 운동 에너지를 가지고 방출된다.

$E_k = E_{빛} - E_{속박} = \dfrac{1}{2}mv^2 = \dfrac{p^2}{2m}$

여기서 조심해야 하는 것은 전자는 정지 질량이 존재하므로 $E_k \neq \dfrac{hc}{\lambda}$로 표현하면 안 된다. 오직 정지 질량이 없는 빛만이 에너지 표현이 $\dfrac{hc}{\lambda}$가 된다.

물질파 운동량 이론 $p = mv = \dfrac{h}{\lambda}$

물질파 파장이 최소가 되려면 속박 에너지가 최초가 되어야 한다. 즉 원자가 띠의 최대 에너지를 갖는 전자가 탈출하는 것이다.

$E_k = E_{빛} - E_{속박} = \dfrac{1}{2}mv^2 = \dfrac{p^2}{2m} = \dfrac{h^2}{2m\lambda_e^2}$

$E_{빛} - E_{속박} = 15.4\text{eV} - 11.4\text{eV} = 4\text{eV}$

$\lambda_e^2 = \dfrac{h^2}{2 \times (4\text{eV}) \times (5 \times 10^5\text{eV}/c^2)} = \dfrac{(hc)^2}{4 \times 10^6(\text{eV})^2}$

$\rightarrow \lambda_e = \dfrac{1240\text{eV} \cdot \text{nm}}{2 \times 10^3\text{eV}} = 0.62\text{nm}$

28

본책 328p

정답 1) 2.5eV, 2) 496nm

영역	현대물리
핵심 개념	에너지 준위(띠), 스펙트럼의 빛 파장
평가요소 및 기준	에너지 준위와 빛의 파장과의 관계 및 수식 연산

해설

1) 빛의 최대 에너지가 되려면 에너지 준위차이가 최대가 되어야 하므로

$\therefore E = 2.5\text{eV}$

2) $E = \dfrac{hc}{\lambda}$

$\rightarrow \lambda = \dfrac{hc}{E} = \dfrac{1240\text{eV} \cdot \text{nm}}{2.5\text{eV}} = 496\text{nm}$

$\therefore \lambda = 496\text{nm}$

6 홀효과

29

본책 329p

정답 1) P쪽의 전위가 더 높다, 2) $\Delta V = \frac{BI}{ten}$

영역	현대물리
핵심 개념	홀효과, 자기력과 전기력의 평형, 홀 전압
평가요소 및 기준	위 개념의 기본적인 원리 이해와 연산

해설

1) 자기력에 의해서 전하가 Q쪽으로 쌓인다. 그런데 전하 운반자의 전하량이 $-e(e>0)$이므로 상대적으로 Q쪽이 낮은 전위를 P쪽이 높은 전위를 형성하게 된다.
즉, P쪽의 전위가 더 높다.

2) $qE = qv_dB$ 전기력과 자기력의 평형이 될 때까지 전하가 쌓이므로

$$e\left(\frac{\Delta V}{\omega}\right) = ev_dB \rightarrow \Delta V = v_dB\omega$$

$$I = Sev_dn = \omega tev_dn$$

$$v_d = \frac{I}{\omega ten}$$

$$\therefore \Delta V = \frac{BI}{ten}$$

30

본책 330p

정답 1) 양공, 2) $v_d = \frac{V_H}{BW}$, 3) $n = \frac{B_0I}{qHV_H}$

영역	현대물리
핵심 개념	홀효과
평가요소 및 기준	위 개념의 기본적인 원리 이해와 연산

해설

1) 양공이 힘을 받아 아래로 쌓이므로 다수 전하 운반자는 양공(정공)

2) 로렌츠 힘, 전기력과 자기력이 평형을 이룰 때까지 전하가 쌓이므로 $qE = q\frac{V_H}{W} = qv_dB_0$

$$\therefore v_d = \frac{V_H}{BW}$$

3) 전류의 정의로부터 $I = Sev_dn = WHq\left(\frac{V_H}{B_0W}\right)n$

$$\therefore n = \frac{B_0I}{qHV_H}$$

7 레이저

31

본책 331p

정답 ③

영역	현대물리
핵심 개념	레이저의 원리
평가요소 및 기준	위 개념의 기본적인 원리 이해

해설

ㄱ. 외부에너지에 의해서 바닥상태 E_0에서 들뜬상태 E_3로 올리고 나서 즉시 준안정상태 E_2로 떨어지게 된다. 준안정상태는 상태 밀도 반전이 일어나기 위해 수명이 길어야 한다. 즉, 해당 에너지 준위에 있는 전자의 수가 전이되는 낮은 에너지 준위의 전자수보다 많아지는 경우를 말한다. 그러므로 τ_{32}는 τ_{21}보다 작다.

ㄴ. 레이저는 증폭을 시켜서 유도방출을 시켜야 하기 때문에 상태 밀도 반전 즉, E_2 준위의 원자 수가 E_1 준위의 원자 수보다 커야 한다.

ㄷ. 레이저 광자 하나의 에너지는 $hf = E_2 - E_1$이다.

8 X선 및 전자의 회절

32

본책 332p

정답 1) $\lambda = \frac{h}{\sqrt{2meV}}$, 2) $d = \frac{\lambda}{2\cos\frac{\phi}{2}}$

영역	현대물리
핵심 개념	드브로이 물질파, 브래그 회절
평가요소 및 기준	물질파 이론과 브래그 회절의 기본식을 통한 연산

해설

1) 전자의 퍼텐셜 에너지가 운동 에너지로 변화하였으므로
$eV = \frac{p^2}{2m}$이다. 여기서 $p = mv = \frac{h}{\lambda}$는 드브로이 물질파 이론이다.
두 식을 연립하면,

$$eV = \frac{h^2}{2m\lambda^2}$$

$$\therefore \lambda = \frac{h}{\sqrt{2meV}}$$

2) 브래그 회절은 결정면과 이루는 각을 θ라 하면
$2d\sin\theta = m\lambda$이다.
1차 회절광이므로

$$2d\sin\left(\frac{\pi}{2}-\frac{\phi}{2}\right)=\lambda$$

$$\therefore d=\frac{\lambda}{2\cos\frac{\phi}{2}}$$

33

본책 333p

정답 ④

영역	현대물리
핵심 개념	X선 산란 실험, 빛의 에너지
평가요소 및 기준	산란 그래프의 이해와 빛의 에너지 보존 법칙 활용

해설

X선의 원래의 파장을 λ라 하고 전자와 충돌 후 산란 시 파장을 λ'라 하면 에너지 보존법칙에 의해서 $\frac{hc}{\lambda}=\frac{hc}{\lambda'}+E_k$이다.

여기서 E_k는 전자의 운동 에너지이다.

X선의 세기를 보면 산란되지 않은 짧은 파장의 피크(극점)가 보이고 산란되어 파장이 길어진 피크(극점)가 보인다.

$\lambda=10\text{pm}$, $\lambda'=10.7\text{pm}$ 이다.

에너지 보존식에 대입하여 전자의 에너지를 구하면 근사적으로 10keV가 된다.

34

본책 334p

정답 ②

영역	물질파 회절
핵심 개념	브래그 회절, 드브로이 이론
평가요소 및 기준	위 개념의 기본적인 원리 이해

해설

브래그 회절 조건

$2d\sin\theta=n\lambda$

1차 회절이 가장 피크이다.

$$p=\frac{h}{\lambda},\ E_k=\frac{p^2}{2m}=\frac{h^2}{2m\lambda^2}=\frac{h^2}{2m}\left(\frac{1}{2d\sin\theta}\right)^2$$

$$E_k\propto\frac{1}{m\sin^2\theta}$$

$$\frac{E_{k,n}}{E_{k,e}}=\frac{m_e\sin^2 30^\circ}{m_m\sin^2 45^\circ}=\frac{1}{4000}$$

$$\therefore E_{k,n}=\frac{49\text{eV}}{4000}=0.012\,\text{eV}$$

35

본책 335p

정답 $\lambda=2d\sin\theta$, $K=\frac{h^2}{2m_e\lambda^2}=\frac{h^2}{8m_e d^2\sin^2\theta}$

영역	현대물리
핵심 개념	브래그회절, 물질파이론, 상대론적 에너지
평가요소 및 기준	• 브래그회절의 기본적용 • 물질파이론, 상대론적 에너지를 이용하여 운동에너지 근사계산

해설

브래그 회절 조건

$2d\sin\theta=m\lambda\ (m=1)$; 1차 회절무늬

$\therefore\lambda=2d\sin\theta$

드브로이 물질파 식

$$p=\frac{h}{\lambda}\ \rightarrow\ pc=\frac{hc}{\lambda}$$

$$E=K+E_0\quad(where\ E_0=m_ec^2)$$

$$E^2=(pc)^2+E_0^2=(K+E_0)^2$$

$$(pc)^2=(K+E_0)^2-E_0^2$$
$$\simeq 2KE_0$$

$$2K(m_ec^2)=\frac{h^2c^2}{\lambda^2}$$

$$\therefore K=\frac{h^2}{2m_e\lambda^2}=\frac{h^2}{8m_ed^2\sin^2\theta}$$

36

본책 335p

정답 1) $\lambda=\frac{h}{\sqrt{2meV}}$, 2) $d=\frac{\lambda}{2\sin\theta}$

영역	현대물리
핵심 개념	브래그 회절, 물질파 운동량 공식
평가요소 및 기준	브래그 회절 공식과 물질파 파장과 에너지 보존의 활용

해설

1) 에너지 보존

$$eV=\frac{p^2}{2m}=\frac{h^2}{2m\lambda^2},\ \left(p=\frac{h}{\lambda}\right)$$

$$\therefore\lambda=\frac{h}{\sqrt{2meV}}$$

2) 브래그 회절 공식

$$2d\sin\theta=\lambda$$

$$\therefore d=\frac{\lambda}{2\sin\theta}$$

9 방사성 붕괴

37

본책 336p

정답 1) $T=10$시간, 2) 60시간

영역	현대물리
핵심 개념	방사성원소 붕괴, 반감기
평가요소 및 기준	방사성 붕괴식의 이해와 적용

해설

1) $N=N_0e^{-\lambda t}$ λ는 붕괴상수이다.

$\frac{1}{2}=e^{-\lambda T}\rightarrow T=\frac{\ln 2}{\lambda}$ 반감기

대입하면 $N=N_0\left(\frac{1}{2}\right)^{\frac{t}{T}}$ 이다.

N_0의 절반인 $\frac{1}{2}N_0$로 줄어든 시간은 반감기 T이고, $\frac{1}{2}N_0$로 줄어든 순간부터 $\frac{1}{8}N_0$가 될 때까지 20시간이 지났으므로 초기부터는 $T+20$시간이다.

$N=N_0\left(\frac{1}{2}\right)^{\frac{t}{T}}\rightarrow\frac{1}{8}=\left(\frac{1}{2}\right)^{\frac{T+10}{T}}\rightarrow\frac{T+10}{T}=3$

$\therefore T=10$

2) $\frac{1}{64}=\left(\frac{1}{2}\right)^{\frac{t}{10}}\rightarrow\frac{t}{10}=6$

$\therefore t=60$

N_0로부터 $\frac{1}{64}N_0$가 될 때까지는 60시간이 걸린다.

38

본책 336p

정답 ③

영역	현대물리
핵심 개념	방사성 붕괴(β), 에너지 전이
평가요소 및 기준	방사성 붕괴 시 방출입자의 이해(운동량 및 에너지)

해설

ㄱ. ${}^{12}_{5}\mathrm{B}$이 ${}^{12}_{6}\mathrm{C}$로 되면 중성자 n이 양성자 p로 변하는 β붕괴이다. $n\rightarrow p+e+\bar{\nu}_e$ 따라서 전자와 반중성미자가 발생한다.

ㄴ. ${}^{12}_{5}\mathrm{B}$이 ${}^{12}_{6}\mathrm{C}^*$로 붕괴할 때도 β붕괴 즉, $n\rightarrow p+e+\bar{\nu}_e$를 따른다. 이때의 방출되는 입자는 전자와 반중성미자인데 이들이 에너지를 가져가는데 운동량 보존과 에너지 보존을 만족하면 된다. 그러므로 반중성미자가 에너지를 가져가는데 두 법칙을 만족하면서 가져갈 수 있는 에너지는 연속적인 분포를 가지게 된다.
따라서 결과적으로 방출되는 전자는 연속적인 에너지 분포를 갖는다.

ㄷ. 원자의 에너지 준위에서 전이될 때 방출되는 입자는 광자이므로 전하를 띠지 않는다.

39

본책 337p

정답 1) 양전자(e^+), 2) $\lambda=\frac{hc}{E_2-E_1}$

영역	현대물리
핵심 개념	방사성 붕괴, 에너지 준위와 전기기파 에너지와 파장
평가요소 및 기준	β붕괴의 종류와 방출되는 입자, 에너지 전이에 따른 빛의 파장 계산

해설

1) (가) 과정은 ${}^{A}_{Z}X\rightarrow{}^{A}_{Z-1}Y^*$이므로 양성자가 중성자로 변화하는 역베타 붕괴 과정이다.
역베타 붕괴는 $p=n+e^++\nu_e$이므로 방출되는 입자는 전자의 반입자인 양전자(e^+)이다.

2) (나) 과정에서 에너지 준위 차이는 E_2-E_1이므로 에너지 준위 차이에 해당하는 감마선이 방출된다.

$E_2-E_1=\frac{hc}{\lambda}$

$\therefore\lambda=\frac{hc}{E_2-E_1}$

40

본책 337p

정답 ①

영역	현대물리
핵심 개념	상대론적 입자의 붕괴시 운동량과 에너지 보존
평가요소 및 기준	위 개념의 기본적인 원리 이해와 현산

해설

운동량 보존 $p_\pi=2p_\gamma\cos\theta$

에너지 보존

$E^2=(p_\pi c)^2+(m_\pi c^2)^2=(2p_\gamma c)^2$ ($\because E_\gamma=2p_\gamma c$; $m_\gamma=0$)

에너지 보존에 의해서

$p_\pi^2c^2=E^2-(m_\pi c^2)^2=4p_\gamma^2c^2\cos^2\theta$

$4p_\gamma^2c^2=E^2$

$\cos^2\theta=\frac{E^2-(m_\pi c^2)^2}{E^2}=1-(\frac{m_\pi c^2}{E})^2$

$\sin^2\theta=(\frac{m_\pi c^2}{E})^2$

$\therefore\theta=\sin^{-1}\left(\frac{m_\pi c^2}{E}\right)$

41

본책 338p

정답 ①

영역	현대물리 : 방사성 붕괴
핵심 개념	방사성 붕괴식, 붕괴율 및 붕괴상수, 반감기 정의
평가요소 및 기준	방사성 붕괴의 기본 개념이해와 적용

해설

$N=N_0e^{-\lambda t}$

$R=\left|\frac{dN}{dt}\right|=\lambda N_0e^{-\lambda t}$

$\ln R=-\lambda t+\ln(\lambda N_0)$

반감기 $T_{\frac{1}{2}}=\frac{\ln 2}{\lambda}$

그래프의 기울기가 $-\lambda$이므로

$\lambda_A=\frac{3}{5},\ \lambda_B=\frac{1}{5}$

$\frac{T_A}{T_B}=\frac{\lambda_B}{\lambda_A}=\frac{1}{3}$

42

본책 339p

정답 1) α붕괴, 2) $N_0=\frac{R}{\lambda}=2.4\times10^{18}$개,

$N=N_0(\frac{1}{2})^3=3\times10^{17}$개

영역	현대물리
핵심 개념	방사성 붕괴
평가요소 및 기준	방사성 붕괴 기본식을 이용하여 붕괴 시간 및 입자 개수 계산

해설

붕괴 과정에서 양성자 2개와 질량수 4개가 감소하였으므로 α 붕괴이다.
아래의 방사성 붕괴식을 활용하면

$N=N_0e^{-\lambda t}=N_0(\frac{1}{2})^{\frac{t}{T}}$ ……… ①

$R_0=N_0\lambda$ ……… ②

식 ①로부터 반감기 $T=\frac{\ln 2}{\lambda}$이므로, $\lambda=\frac{1}{80}$

식 ②로부터 $N_0=\frac{R}{\lambda}=2.4\times10^{18}$개

$N=N_0(\frac{1}{2})^3=3\times10^{17}$개

43

본책 339p

정답 1) 광자의 운동량 $p=\frac{h}{\lambda}$이므로 광자가 한 개만 생성될 때는 운동량 보존법칙이 성립하지 않는다.

2) $\vec{p}=-\frac{h}{\lambda}\hat{x}=-m_ec\hat{x}$

영역	현대물리
핵심 개념	쌍소멸, 운동량 보존, 광자에너지
평가요소 및 기준	• 쌍소멸에서 운동량 보존을 만족함을 이용하여 광자방출 설명 • 에너지 보존식을 활용하여 운동량 유도

해설

1) 쌍소멸 과정에서 광자가 1개만 생성될 수 없는 이유
   전자와 양전자의 속력을 무시하므로 초기 운동량의 합은 0이다.
   운동량 보존 법칙에 의해서 생성된 광자의 운동량의 합 역시 0이 되어야 한다.
   광자의 운동량 $p=\frac{h}{\lambda}$이므로 광자가 한 개만 생성될 때는 운동량 보존법칙이 성립하지 않는다.
   따라서 광자는 서로 반대 방향으로 같은 운동량을 가지고 생성되어야 한다.
2) 생성된 광자의 파장
   광자의 에너지 $2E=2\frac{hc}{\lambda}=2m_ec^2$
   $\vec{p}=-\frac{h}{\lambda}\hat{x}=-m_ec\hat{x}$

44

본책 340p

정답 1) $\lambda=\frac{\ln 2}{5730}$년, 2) $t=\frac{\ln 5}{\ln 2}(5730)$년

영역	현대물리
핵심 개념	방사성 붕괴, 연대측정법
평가요소 및 기준	탄소동위원소 방사성 붕괴를 통한 연대측청

해설

$T_{1/2}=\frac{\ln 2}{\lambda}$

$\therefore\lambda=\frac{\ln 2}{5730}$년

$\frac{N_{20}}{N_{10}}=1.3\times10^{-12},\ \frac{N_2}{N_{10}}=2.6\times10^{-13}$

$\rightarrow\frac{N_2}{N_{20}}=\frac{1}{5}=e^{-\lambda t}$

$\therefore t=\frac{\ln 5}{\ln 2}(5730)$년

45

본책 340p

정답 1) $k_\mu = E_\mu - m_\mu c^2 = \left(\frac{m_\pi^2 + m_\mu^2}{2m_\mu}\right)c^2 - m_\mu c^2$

2) $p_\nu = \sqrt{\left(\frac{m_\pi^2 + m_\mu^2}{2m_\pi}c\right)^2 - (m_\mu c)^2}$

3) ν_μ의 전하량은 0

영역	현대물리
핵심 개념	입자 붕괴, 상대론적 에너지, 운동량 관계식
평가요소 및 기준	상대론적 에너지 관계식의 상호연계 및 연산

해설

1) 운동량 보존 : $0 = \vec{p}_{\mu^+} + \vec{p}_\nu$

에너지 보존 : $m_\pi c^2 = k_\mu + m_\mu c^2 + k_v$

상대론적 에너지 : $E = k + m_0 c^2$, $E^2 = (pc)^2 + (m_0 c^2)^2$

을 이용하면

$\therefore k_\mu = E_\mu - m_\mu c^2 = \left(\frac{m_\pi^2 + m_\mu^2}{2m_\mu}\right)c^2 - m_\mu c^2$

2) 운동량 보존식으로부터 운동량의 크기는 동일하다.

$p_{\mu^+} = p_\nu$

$E_\mu^2 = (p_{\mu^+}c)^2 + (m_\mu c^2)^2 = (k_\mu + m_\mu c^2)^2$

$\rightarrow (p_\mu c)^2 = k_\mu^2 + 2k_\mu m_\mu c^2 = (p_\nu c)^2$

$k_\mu(k_\mu + 2m_\mu c^2) = (p_\nu c)^2$

$\left[\left(\frac{m_\pi^2 + m_\mu^2}{2m_\pi}\right)c^2 - m_\mu c^2\right]\left[\left(\frac{m_\pi^2 + m_\mu^2}{2m_\pi}\right)c^2 + m_\mu c^2\right]$
$= (p_\nu c)^2$

$\therefore p_\nu = \sqrt{\left(\frac{m_\pi^2 + m_\mu^2}{2m_\pi}c\right)^2 - (m_\mu c)^2}$

3) 전하량 보존에 의해서 중성미자 ν_μ의 전하량은 0이다.

10 표준 모형

46

본책 341p

정답 ②

영역	현대물리
핵심 개념	표준모형의 이해
평가요소 및 기준	위 개념의 기본적인 이해

해설

중입자수는 $+1$이므로 3개의 쿼크로 구성된다.
그리고 전하량이 0이므로 u쿼크는 1개여야만 한다.
또한 기묘도는 -1이므로 s쿼크가 1개이다.
그러므로 가능한 조합은 uds이다.

47

본책 341p

정답 ④

영역	현대물리
핵심 개념	표준모형, 중입자, 중간자, 렙톤, 보존
평가요소 및 기준	위 개념의 기본적인 원리 이해

해설

강입자는 3쿼크로 이루어진 중입자(베리온), 2개의 쿼크로 이루어진 중간자(메존)로 구분된다.
중입자수는 중입자는 ± 1(반입자 −1), 중간자는 0이다.
경입자(렙톤)은 6개가 존재하고 경입자수는 ± 1(반입자 −1)
매개입자는 광자, 보존, 글루온등이 있으며 힘을 매개하는 역할을 한다.

① $n \rightarrow p + \gamma$: 전하량 보존법칙 위배 ; 전하량을 보면 중성자는 0, 양성자는 +1, 광자는 0이다.

② $\gamma + n \rightarrow \pi^+ + e + \nu_e$: 중입자수 위배, 경입자수 위배 ; 중성자는 중입자, π^+는 중간자이다. 경입자는 전자, 전자 중성미자가 각각 +1이므로 우측이 경입자수가 2가 된다.

③ $p \rightarrow \pi^+ + \gamma$: 중입자수 위배 ; 양성자는 +1, π^+는 중간자는 0이다.

⑤ $p + \bar{p} \rightarrow n + \gamma$: 중입자수 위배 ; 양성자 +1, 반양성자(양성자 반입자) −1, 중성자 +1이다.

11

정승현
전공물리 기출문제집

정답 및 해설

초판인쇄 | 2025. 2. 5. **초판발행** | 2025. 2. 10. **편저자** | 정승현
발행인 | 박 용 **발행처** | (주)박문각출판 **등록** | 2015년 4월 29일 제2019-000137호
주소 | 06654 서울특별시 서초구 효령로 283 서경 B/D **팩스** | (02)584-2927
전화 | 교재 문의 (02) 6466-7202, 동영상 문의 (02) 6466-7201

저자와의 협의하에 인지생략

ISBN 979-11-7262-403-3 | 979-11-7262-401-9(SET)
정가 35,000원(분권 포함)